MONSTER KLOK

DEAN KOONTZ

MONSTER KLOK

POEMA POCKET

De auteur verklaart toestemming te hebben ontvangen voor het
gebruik van de tekst uit 'The River' van Garth Brooks en Victoria
Shaw, copyright © 1989, Major Bob Music Co., Inc. (ASCAP), Mid-
Summer Music Co., Inc. (ASCAP), en Gary Morris Music.
Internationaal copyright vastgelegd. Made in U.S.A.
Alle rechten voorbehouden.

POEMA-POCKET is een onderdeel van Luitingh ~ Sijthoff

Vierde druk
© 1993 Nkui, Inc.
© 1993, 2002 Nederlandse vertaling
Uitgeverij Luitingh ~ Sijthoff B.V., Amsterdam
Alle rechten voorbehouden
Oorspronkelijke titel: *Dragon Tears*
Vertaling: Jacques Meerman
Omslagontwerp: Edd, Amsterdam
Omslagillustratie: Don Brautigam

CIP/ISBN 90 245 4337 1

Dit boek is opgedragen aan twee heel bijzondere mensen, die veel te ver weg wonen:
Ed en Carol Gorman.
Ik zou willen dat de wereld van tegenwoordig inderdaad was gekrompen tot die ene kleine stad zoals de communicatiefilosofen hardnekkig beweren. Dan zouden we elkaar treffen in het kleine café in Main Street bij Maple Avenue om er te lunchen, te praten en te lachen.

Deel een
Die ouwe kroeg vol dwazen

You know a dream is like a river
Ever changing as it flows.
And a dreamer's just a vessel
That must follow where it goes.
Trying to learn from what's behind you
And never knowing what's in store
Makes each day a constant battle
Just to stay between the shores.

'The River',
GARTH BROOKS, VICTORIA SHAW

Stort je volop in het leven
of wacht rustig op het end:
Al het goeds en al het kwade
treft je toch, waar je ook bent.

Kun je dansen, dans dan mee.
Trek een twee of trek drie azen.
Drink je dorst weg, wees maar bang
in die ouwe kroeg vol dwazen.

THE BOOK OF COUNTED SORROWS

1

1

Dinsdag was een mooie, typisch Californische dag vol zonneschijn en beloften, tot Harry Lyon rond lunchtijd iemand dood moest schieten.

Hij zat aan de keukentafel te ontbijten, at geroosterde Engelse muffins met citroenmarmelade en dronk sterke, zwarte Jamaicaanse koffie. Een snufje kaneel gaf er iets lekker kruidigs aan.

Het keukenraam keek uit op de strook groen die zich door Los Cabos slingerde, een uitgestrekt appartementencomplex in Irvine. Harry was voorzitter van de vereniging van eigenaren. Hij zat de tuinlieden flink achter de vodden en controleerde hun werk streng, zodat de bomen, de struiken en het gras zo netjes gesnoeid waren als in een sprookjeslandschap, alsof ze werden bijgehouden door hele pelotons tuinelfjes met honderden kleine heggeschaartjes.

Als kind had hij nog meer dan de meeste andere kinderen van sprookjes gehouden. In de werelden van de gebroeders Grimm en Hans Christian Andersen waren de lenteheuvels altijd smetteloos groen en fluweelglad. Er heerste orde. Boeven werden altijd gestraft en de deugdzamen beloond zij het soms na afgrijselijk lijden. Hans en Grietje verbrandden niet in de oven van de heks; de kol zelf werd daarin levend gebraden. Repelsteeltje kreeg de koningsdochter niet te pakken, integendeel. Zijn plannen werden verijdeld en uit razernij scheurde hij zichzelf in stukken.

In het echte leven van het laatste decennium van de twintigste eeuw zou Repelsteeltje de koningsdochter waarschijnlijk te grazen hebben genomen. Hij zou haar zonder twijfel verslaafd aan heroïne hebben gemaakt, haar als prostituée de straat op hebben gestuurd, haar verdiensten in beslag hebben genomen, haar voor de lol hebben geslagen, haar in stukken hebben gehakt, en aan veroordeling ontsnapt zijn door te stellen dat de onverdraagzaamheid van de samenleving jegens slechtgehumeurde en kwaadaardige trollen hem tijdelijk ontoerekeningsvatbaar had gemaakt.

Harry nam de laatste slok koffie en zuchtte. Net als veel andere mensen had hij liever in een betere wereld geleefd.

Voordat hij naar zijn werk ging, waste hij de ontbijtspullen en het keuken-gerei. Hij droogde ze af en ruimde ze op. Hij vond het afschuwelijk om thuis te komen in rommel en wanorde.

Bij de spiegel in de hal bij de voordeur bleef hij even staan om de knoop van zijn das recht te trekken. Hij trok een marineblauw jasje aan en zorgde dat het wapen in zijn schouderholster geen veelzeggende bult vormde.

Hij vermeed, zoals elke andere werkdag van de laatste zes maanden, de verkeersdrukte op de autowegen en nam zoals altijd de verharde wegen naar het Overkoepelend Centrum voor Bijzondere Politietaken in Laguna Niguel; die route had hij uitgezocht om zijn reistijd te bekorten. Eén keer was hij al om 8.15 uur op kantoor geweest, één keer pas om 8.28 uur, maar hij was nog nooit te laat gekomen.

Toen hij die dinsdag zijn Honda op de beschaduwde parkeerplaats aan de westkant van het twee verdiepingen tellende gebouw zette, wees zijn auto-klokje 8.21 uur aan. Zijn horloge bevestigde dat. Sterker nog: alle klokken in Harry's flat plus die op het bureau van zijn kantoor wezen 8.21 uur aan. Hij zette al zijn klokken twee keer per week gelijk.

Hij ging naast zijn auto staan en ademde een paar keer diep, ontspannend in. Het had die nacht geregend en dat had de lucht schoongespoeld. De maartse zon gaf de ochtend een gouden gloed met de kleur van het vrucht-vlees van rijpe perziken.

Overeenkomstig de bouwvoorschriften van Laguna Niguel was Bijzonde-re Politietaken een twee verdiepingen tellend gebouw in mediterrane stijl, omringd door weelderige azalea's en hoge meleuca's met kantachtige bla-deren. Het leek in niets op de meeste andere politiegebouwen. Sommige agenten die vanuit Bijzondere Politietaken werkten, vonden het te ver-wijfd, maar Harry hield ervan.

Het zakelijke interieur had weinig met de pittoreske buitenkant gemeen. Vloeren van blauwe vinyltegels. Bleekgrijze wanden. Akoestische pla-fonds. Maar de sfeer van orde en doelmatigheid was geruststellend.

Zelfs op dat vroege uur liepen er al mensen door de hal en de gangen, vooral mannen met de stevige bouw en zelfverzekerde houding van agen-ten midden in hun carrière. Slechts een paar waren in uniform. Bijzondere Politietaken werkte met agenten in burger van diverse afdelingen Moord-zaken en undercover-agenten van nationale korpsen en van staats-, dis-tricts- en stadskorpsen om misdaadonderzoek te vergemakkelijken dat zich over talrijke jurisdictiegebieden uitstrekte. Teams van Bijzondere Po-litietaken, soms hele eenheden hielden zich bezig met moorden tussen jeugdbendes, seriemoorden, verkrachtingen volgens eenzelfde patroon en drugactiviteiten op grote schaal.

Harry deelde zijn kantoor op de eerste verdieping met Connie Gulliver. Zijn helft van de ruimte was gezellig gemaakt met een kleine palm, Chinese altijdgroene planten en een kruipende pothos met dikke bladeren. Op haar helft was geen plant te zien. Op zijn bureau lagen alleen een vloeiblad, een pennenset en een koperen klokje. Stapels dossiers, losse vellen en foto's lagen opgehoopt op het hare.

Tot zijn verrassing was Connie er al. Ze stond met haar rug naar hem toe voor het raam.

'Goeiemorgen,' zei hij.

'Werkelijk?' vroeg ze zuur.

Ze draaide zich om. Ze droeg afgetrapte Reeboks, een blauwe spijkerbroek, een rood en bruin geblokte blouse en een bruin corduroy jasje. Dat jasje was een van haar favorieten, zó vaak gedragen dat de ribstof hier en daar tot op de draad versleten was. De manchetten waren gerafeld en de kreukels in de binnenkant van de mouwen leken even altijddurend als rivierdalen die door eonen van stromend water waren uitgesleten in de rots.

Ze had een leeg papieren bekertje in haar hand, waaruit ze koffie had gedronken. Ze kneep er bijna kwaad een prop van en gooide het op de grond. Het stuiterde en kwam op Harry's helft van de ruimte tot stilstand.

'We gaan de straat op,' zei ze, en liep alvast naar de deur van de gang.

Naar het bekertje op de grond starend vroeg hij: 'Waarom zo'n haast?'

'We zijn smerissen, toch? Dus laten we niet blijven rondlummelen en de handen uit de smerismouwen steken.'

Ze liep de gang in en zijn blikveld uit en hij staarde naar het bekertje op zíjn helft van de ruimte. Met zijn voet duwde hij het over de denkbeeldige lijn die het kantoor in tweeën deelde.

Hij volgde Connie naar de deur, maar op de drempel bleef hij even staan. Hij wierp een blik achterom naar het bekertje.

Connie was beslist al aan het einde van de gang; misschien liep ze de trap al af.

Harry aarzelde, liep naar het verfrommelde bekertje terug en gooide het in de prullenbak. Ook de twee andere bekertjes gooide hij weg.

Hij haalde Connie in op de parkeerplaats, waar ze het chauffeursportier van hun anonieme dienstauto openrukte. Hij stapte aan de andere kant in en zij startte de auto, maar draaide het sleuteltje daarbij zó woest om, dat het eigenlijk af had moeten breken.

'Slecht geslapen?' vroeg hij.

Ze rukte de versnelling in zijn achteruit.

Hij vroeg: 'Hoofdpijn?'

Ze draaide te snel achteruit het parkeerterrein af.

Hij vroeg: 'Zit je wat dwars?'

De auto schoot in de richting van de straat.

Harry zette zich schrap maar maakte zich geen zorgen over haar rijden. Ze was veel beter met auto's dan met mensen. 'Wil je er niet over praten?'

'Nee.'

Voor iemand die op het scherp van de snede leefde, die op momenten van gevaar geen angst leek te kennen, die in het weekend vrije vallen maakte uit een vliegtuig en waaghalzig motorcrosste op ongebaand terrein, was Connie Gulliver frustrerend preuts en terughoudend zodra het om persoonlijke onthullingen ging. Ze werkten al zes maanden samen, en ofschoon Harry heel veel over haar wist, leek het soms dat hij niets belàngrijks over haar wist.

'Misschien helpt het als je erover praat,' zei Harry.

'Zeker weten van niet.'

Harry keek haar onder het rijden heimelijk aan en vroeg zich af of haar woede te maken had met problemen met een man. Hij was al vijftien jaar bij de politie en had genoeg menselijk verraad en ellende gezien om te weten dat de meeste problemen van vrouwen voortkwamen uit mannen. Over Connies liefdesleven wist hij echter volstrekt niets, niet eens of ze zoiets hàd.

'Heeft het iets met deze zaak te maken?'

'Nee.'

Hij geloofde haar. Met klaarblijkelijk succes probeerde ze zich nooit te laten besmetten door het vuil waar ze als politievrouw onvermijdelijk doorheen moest.

Ze zei: 'Maar die klootzak van een Durner gaat eraan, dat zweer ik je. Volgens mij hebben we 'm bijna.'

Doyle Durner, een lanterfanter die zich ophield in de subcultuur van de surfers, werd gezocht voor ondervraging over een reeks verkrachtingen die elke keer gewelddadiger waren geworden. Het laatste slachtoffer was doodgeslagen. Een schoolmeisje van zestien.

Durner was hun voornaamste verdachte, want het was bekend dat hij een volledige autologe vergroting van zijn penis had laten uitvoeren. Een plastisch chirurg in Newport Beach had vet uit Durners middel gezogen en ingebracht in zijn penis om de dikte te vergroten. Die ingreep werd beslist niet aanbevolen door de Amerikaanse Maatschappij der Geneeskunde, maar als de chirurg een hoge hypotheek moest betalen en de patiënt een obsessie had over de omvang van zijn deel, moest bezorgdheid over complicaties na de operatie wijken voor het krachtenspel op de vrije markt. De omvang van Durners mannelijkheid was met vijftig procent toegenomen, een zó drastische vergroting dat die af en toe onaangenaam moest zijn. Alle berichten wezen erop dat hij blij was met de gevolgen, niet omdat hij daardoor meer indruk maakte op de vrouwen, maar omdat hij hun daarmee meer pijn bezorgde, en dat was precies het punt. De slachtoffers konden Durners bizarre verschil beschrijven en dat had de autoriteiten geholpen om zich op Durner te richten. Drie van hen hadden bovendien in zijn lies de tatoeage van een slang gezien, en die was opgenomen in zijn politiedossier toen hij acht jaar geleden in Santa Barbara wegens twee verkrachtingen was veroordeeld.

Tegen twaalf uur die dinsdag hadden Harry en Connie gepraat met werknemers en klanten in drie tenten waar veel surfers en andere vaste strandgasten in Laguna kwamen: een winkel die surfplanken en bijbehorende uitrusting verkocht, een yoghurt- en natuurvoedingswinkel en een zwak verlicht café waarin een handjevol klanten al om elf uur 's morgens Mexicaans bier zat te drinken. Als je mocht afgaan op wat ze zeiden, maar dat mocht je niet, hadden ze nooit van Doyle Durner gehoord en herkenden ze hem ook niet op de foto die ze te zien kregen.

Tussen twee ondervragingen door vergastte Connie haar partner in de auto op de nieuwste aanwinsten van haar verzameling schandalen. 'Heb je dat gehoord van die vrouw in Philadelphia? In haar flat vonden ze twee kleine kinderen dood door ondervoeding en er slingerden tientallen flesjes crack rond. Ze zit zó vol drugs dat ze haar baby's letterlijk laat verhongeren, en weet je waarvan ze haar alleen maar konden beschuldigen? Roekeloze blootstelling aan gevaar.'

Harry zuchtte slechts. Als Connie op haar praatstoel zat over wat ze soms de 'voortdurende crisis' noemde of in een sarcastischer bui 'de horlepiep van het nieuwe millennium', of op nog somberder momenten 'deze nieuwe duistere eeuw' verwachtte ze van hem geen antwoord. Op dat punt was ze heel tevreden met een monoloog.

Ze zei: 'Een vent in New York doodde het tweejarige dochtertje van zijn vriendin. Hij bewerkte haar met zijn vuisten en schopte haar, omdat ze voor de televisie stond te dansen en in zijn beeld stond. Waarschijnlijk zat hij naar het *Rad van fortuin* te kijken en wilde hij het uitzicht op Vanna Whites beroemde benen niet missen.'

Net als de meeste politiemensen had Connie een uitgesproken gevoel voor zwarte humor. Dat was slechts een afweermechanisme. Zonder zwarte humor kon iemand krankzinnig of ongeneeslijk depressief raken door de eindeloze reeks confrontaties met menselijke boosaardigheid en perversiteit, die de kern van hun werk vormden. Mensen die het leven van de politie alleen van stupide televisieprogramma's kenden, vonden de humor van echte politiemensen soms wreed en ongevoelig ofschoon het geen enkele goeie smeris ook maar ene mallemoer kon schelen wat iemand van buiten over hem dacht.

'Of neem dat Centrum voor Zelfmoordpreventie in Sacramento,' zei Connie. Ze remde voor een rood stoplicht. 'Een van de mensen aan de telefoon daar kreeg schoon genoeg van de telefoontjes van een depressieve bejaarde. Hij en een vriend van hem gingen dus naar de flat van die vent, hielden hem op de grond en sneden zijn polsen en keel door.'

Achter Connies zwartste humor ontwaarde Harry soms een bitterheid die de meeste politiemensen níet bezaten. Misschien was het wel meer dan bitterheid alleen. Misschien zelfs wanhoop. Ze was zó weinig mededeelzaam, dat je moeilijk precies kon zeggen wat ze voelde.

In tegenstelling tot Connie was Harry een optimist, en dat wilde hij blijven. Daarom weigerde hij al te lang stil te staan bij de menselijke dwaasheid en kwaadaardigheid zoals zij deed.

Hij probeerde van onderwerp te veranderen en zei: 'Zullen we gaan lunchen? Ik ken een fantastische kleine Italiaanse trattoria met wasdoek op de tafels, wijnflessen als kandelaars, goeie gnocchi en fabuleuze manicotti.'

Ze trok een vies gezicht. 'Bah. Laten we wat taco's halen in een doorrijtent en die in de auto opeten.'

Ze werden het eens over een hamburgerzaak een eindje ten noorden van Pacific Coast Highway. Die was ingericht in zuidwestelijke stijl en er waren een tiental klanten. De witgebeitste houten tafelbladen werden beschermd door wel tweeëneenhalve centimeter kunststof. Vlampatronen in pastelkleuren op de stoelbekleding. Potcactussen. Litho's van Gorman en Parkinson. Ze hadden zwarte-bonensoep en op mesquitehout gegrilleerd rundvlees moeten verkopen in plaats van hamburgers met friet.

Harry en Connie zaten aan een klein tafeltje bij een van de muren te eten, hij een droog broodje gegrilleerde kip; zij dunne frietjes en een kletsnatte, geurige cheeseburger toen de lange man in een flits zonlicht die tegen de glazen deur weerkaatste, de zaak binnenkwam. Hij bleef bij de receptiebalie staan en keek rond.

De man zag er netjes uit en ging goed gekleed in een lichtgrijze corduroy broek, wit hemd en donkergrijs jasje van ultrasuède, maar hij had iets dat Harry onmiddellijk een onbehaaglijk gevoel gaf. Zijn vage glimlach en milde, verstrooide gedrag deden merkwaardig sterk aan een professor denken. Hij had een rond gezicht zonder uitgesproken trekken, een weke kin en bleke lippen. Hij keek verlegen, niet dreigend. Maar Harry's maag trok samen. Smerisinstinct.

2

Vroeger had Sammy Shamroe bekend gestaan als 'Sammy de Nepper'. Hij had toen nog een reclamebureau in Los Angeles geleid, gezegend met een buitengewoon creatief talent en gekweld door een uitgesproken voorkeur voor cocaïne. Dat was drie jaar geleden. Een eeuwigheid.

Nu kroop hij moeizaam uit de pakkist waarin hij woonde en sleepte de vodden en gekreukte kranten die als bed dienden, achter zich aan. Hij stopte met kruipen zodra hij buiten de neerhangende takken van het oleanderbosje kwam, dat aan de rand van het onbebouwde stuk grond stond en zijn kist grotendeels aan het oog onttrok. Even bleef hij op handen en knieën en met neerhangend hoofd naar het plaveisel van de steeg kijken.

Hij kon zich de dure drugs die hem zo grondig geruïneerd hadden, allang niet meer veroorloven en leed nu aan de gevolgen van een Château Migraine. Hij had het gevoel dat zijn schedel in zijn slaap was opengevallen, waardoor de wind een handvol prikkende klitten op zijn naakte hersenen had weten te planten.

Hij voelde zich volstrekt niet verward. Het zonlicht viel loodrecht in de steeg en liet alleen langs de achtermuren van de gebouwen aan de noordkant schaduwen achter; Sammy wist dus dat het bijna middag was. Hij had al in geen drie jaar een horloge gedragen, een kalender gezien, een baan gehad of een afspraak hoeven nakomen, maar hij was zich altijd bewust van het jaargetijde, de maand en de dag. Dinsdag. Hij was volmaakt op de hoogte van waar hij was (Laguna Beach), hoe hij daar terecht was gekomen (elke fout, elke toegeeflijkheid jegens zichzelf, elke daad van stompzinnige zelfvernietigingsdrang stonden hem levendig voor de geest) en wat hij de rest van zijn leven mocht verwachten (vernedering, gebrek, strijd, berouw).

Hij was diep gezonken, en het ergste was nog zijn koppige helderheid van geest, die zelfs een massale hoeveelheid alcohol maar kort kon vertroebelen. De prikkende klitten van zijn kater waren slechts licht ongemak vergeleken met de scherpe doorns van zijn herinnering en zelfbeeld, die dieper in zijn geest overeind stonden.

Hij hoorde iemand aankomen. Zware voetstappen. Een beetje trekkebenend: de ene voet schraapte licht over het plaveisel. Hij kende die stap. Hij begon te beven. Hij hield zijn hoofd omlaag, sloot zijn ogen en wenste uit alle macht dat de voetstappen zwakker werden en wegstierven. Maar ze werden luider, kwamen dichterbij... en stopten toen recht voor hem.

'Weet je 't al?'

Het was de diepe, knarsende stem die Sammy de laatste tijd in zijn nachtmerries achtervolgde. Maar nu sliep hij niet. Dit was niet het monster uit zijn rusteloze dromen. Dit was het èchte schepsel, waar zijn nachtmerries vandaan kwamen.

Sammy deed onwillig zijn bloeddoorlopen ogen open en keek op.

De ratteman torende grijnzend boven hem uit.

'Weet je 't al?'

De ratteman was lang en potig, had een wanordelijke kop haar en een verwarde baard, bespikkeld met onbestemde stukjes en brokjes van substanties die te walgelijk waren om over na te denken, en hij joeg doodsangst aan. Waar zijn baard zijn gezicht niet bedekte, was het misvormd door littekens, alsof iemand hem had gestriemd en gestoken met een withete soldeerbout. Zijn lange haakneus stond krom en zijn lippen waren overdekt met open zweren. Zijn tanden stonden als kapotte, door de tijd vergeelde marmeren grafstenen in zijn donkere en ontstoken tandvlees.

De knarsende stem werd luider. 'Misschien ben je al dood.'

Het enige gewone aan de ratteman waren zijn kleren: sportschoenen, een kaki broek van het Leger des Heils, een katoenen hemd en een tot de draad versleten zwarte regenjas, allemaal vol vlekken en kreukels. Dat was het uniform van veel straatzwervers die, al dan niet door hun eigen schuld, door de naden in de vloer van de moderne samenleving waren gevallen en in de beschaduwde kruipruimte daaronder terecht waren gekomen.

Terwijl de ratteman zich voorover boog en zijn hoofd dichterbij bracht, werd zijn stem opvallend zachter. 'Ben je al dood en in de hel? Zou dat waar kunnen zijn?'

De ratteman vertoonde veel opmerkelijks, maar het meest verontrustend waren zijn ogen. Ze waren diepgroen, ongewoon groen, maar het vreemdste was nog dat zijn zwarte pupillen ovaal waren als van een kat of reptiel. Door die ogen leek het lichaam van de ratteman slechts een vermomming, een rubberpak, alsof iets onzegbaars zich vermomd had en vanuit zijn kostuum begerig naar een wereld tuurde waar het niet geboren was.

De stem van de ratteman daalde verder tot een raspend gefluister: 'Dood, in de hel, en ik de demon die tot taak heeft om je te martelen?'

Sammy wist wat er ging komen, want hij had het al eerder ondergaan, en probeerde overeind te krabbelen. Maar voordat hij zich uit de voeten kon maken, gaf de ratteman bliksemsnel een trap. Hij raakte hem op zijn schouder en miste zijn gezicht maar net. De trap voelde niet als van een sportschoen maar als van een laars, alsof de voet daarbinnen helemaal uit bot bestond of uit hoorn of uit het spul waar keverpantsers van gemaakt zijn. Sammy kromde zich in de foetushouding en beschermde met gevouwen armen zijn hoofd zo goed als hij kon. De ratteman schopte hem nog eens, nog eens, linkervoet, rechtervoet, linkervoet, bijna alsof hij een dansje aan het doen was, een soort horlepiep, één-trap-enne-twee-trap-enne-één-trap-enne-twee. Hij maakte geen enkel geluid, snauwde niet van woede, lachte niet minachtend, ademde niet eens hijgend ondanks zijn krachtsinspanning.

Het schoppen hield op.

Als een pissebed rolde Sammy zich op tot een nog strakkere bal en kromde zich rond zijn pijn.

De steeg was onnatuurlijk stil. Sammy's zachte huilen was het enige geluid, en hij walgde van zichzelf. Het verkeersrumoer uit de naburige straten was volledig verstomd. Het oleanderbosje achter hem ritselde niet meer in de wind. Toen Sammy zich kwaad voorhield dat hij zich als een man moest gedragen en zijn snikken wegslikte, was de stilte zo volmaakt als die van het graf.

Hij durfde zijn ogen open te doen en tussen zijn armen door naar het einde van de steeg te kijken. Hij knipperde met zijn ogen de tranen weg die zijn blik vertroebelden en zag in de straat verderop twee auto's stilstaan. De chauffeurs, slechts zichtbaar als beschaduwde gedaanten, wachtten bewegingloos.

Dichterbij, recht voor zijn gezicht, was een paar centimeter lange ongevleugelde oorwurm merkwaardig ver buiten zijn normale omgeving van rottend hout en donkere plekjes bezig geweest de steeg over te steken, maar lag nu doodstil. De dubbele piek op het achterlijf van het insekt zag er vals en gevaarlijk uit en was gekromd als de angelstaart van een schorpioen, maar in werkelijkheid deed het dier geen kwaad. Sommige van zijn zes poten raakten het plaveisel, andere waren midden in een pas geheven. Niet één van zijn gesegmenteerde voelsprieten bewoog. Hij leek bevroren van angst of op het punt om aan te vallen.

Sammy verschoof zijn blik naar het einde van de steeg. In de straat verderop stonden dezelfde auto's nog steeds vastgenageld op dezelfde plek. De mensen zaten erin als paspoppen.

Dan weer het insekt. Bewegingloos. Zo stil alsof het dood was en op de kaart van een entomoloog was geprikt.

Behoedzaam liet Sammy zijn over zijn hoofd gevouwen armen zakken. Kreunend draaide hij zich op zijn rug en keek onwillig naar zijn belager.

Hoog boven hem uittorenend leek de ratteman wel dertig meter lang. Hij bestudeerde Sammy met plechtige belangstelling. 'Wil je leven?' vroeg hij.

Sammy was verrast. Niet door de vraag, maar omdat hij die niet kon beantwoorden. Hij zat gevangen tussen de vrees voor de dood en de behoefte om te sterven. Elke morgen werd hij wakker, teleurgesteld bij de ontdekking dat hij nog steeds onder de levenden was, en elke nacht, als hij zich opkrulde op zijn bed van vodden en kranten, hoopte hij op een eeuwige slaap. Toch bleef hij dag-in-dag-uit vechten voor voldoende voedsel, een warm plekje tijdens die zeldzame koude nachten waarin het milde klimaat Californië in de steek liet, om droog te blijven als het regende en daarmee longontsteking te voorkomen, en als hij de straat overstak, keek hij eerst naar links en dan naar rechts.

Misschien wilde hij niet leven en wilde hij alleen maar door het leven gestraft worden.

'Ik zou het leuker vinden als je wilde blijven leven,' zei de ratteman rustig. 'Heb ik meer lol.'

Sammy's hart bonsde te donderend. Elke hartslag schrijnde het hevigst in de kneuzingen waar de woeste trappen van de ratteman waren neergekomen.

'Je hebt nog zesendertig uur te leven. Ga dus maar 's aan de slag, hè! Hè? De klok tikt door. Tiktak, tiktak.'

'Waarom doe je me dit aan?' vroeg Sammy klagend.

In plaats van te antwoorden zei de ratteman: 'Morgen om middernacht komen de ratten je halen.'

'Ik heb je nooit kwaad gedaan.'

De littekens op het brute gezicht van zijn kwelgeest werden lijkbleek. '… komen je ogen eruit knagen…'

'Alsjeblieft.'

Zijn bleke lippen verstrakten onder het praten, waardoor meer van zijn rottende tanden zichtbaar werd. '… je lippen wegscheuren terwijl je schreeuwt, aan je tong knabbelen…'

De ratteman werd steeds opgewondener, maar zijn gedrag werd niet koortsachtig maar koud. Zijn reptieleogen leken een kilte uit te stralen die zijn weg vond tot in Sammy's vlees en tot in de diepste diepten van zijn geest.

'Wie ben je?' vroeg Sammy, niet voor het eerst.

De ratteman antwoordde niet. Hij zwol op van woede. Zijn dikke, vuile vingers kromden zich tot vuisten, gingen open, kromden zich, gingen open. Hij kneedde de lucht alsof hij er bloed uit wilde persen.

Wàt ben je? vroeg Sammy zich af, maar dorst het niet te vragen.

'Ratten,' siste de ratteman.

Bang voor wat nu op het punt stond te gebeuren, ofschoon het al eerder was gebeurd, schoof Sammy op zijn achterste snel achteruit naar het oleanderbosje waarin zijn pakkist half verborgen lag. Hij probeerde een beetje afstand te scheppen tussen hem en de boomlange zwerver.

'Ratten,' herhaalde de ratteman, en hij begon te beven.

Het begon.

Sammy verstijfde, te bang om zich te bewegen.

Het beven van de ratteman werd een huivering. De huivering verergerde tot woeste schokken. Zijn vettige haar geselde rond zijn hoofd, zijn armen rukten alle kanten op, zijn benen maakten sprongbewegingen en zijn zwarte regenjas flapperde alsof hij zich in een cycloon bevond. Maar er stond geen zuchtje wind. De maartse lucht was nog net zo onnatuurlijk stil als hij geweest was sinds de kolossale zwerver opdook, en de wereld leek een geschilderd toneel met maar twee acteurs: zij tweeën.

Vastgelopen op riffen asfalt stond Sammy Shamroe eindelijk op, overeind gedwongen door zijn angst voor het kolkende tij van klauwen, scherpe tanden en rode ogen dat snel op ging komen.

Onder zijn kleding kolkte het lichaam van de ratteman als een jutezak vol boze ratelslangen. Hij… *veranderde*. Zijn gezicht smolt en vervormde zich als in een smidse geleid door een waanzinnige god, die van plan was een reeks monsterachtigheden te gieten waarvan elke volgende angstaanjagender was dan de vorige. De asgrauwe littekens waren weg, de reptieleogen waren weg, de wilde baard en het verwarde haar waren weg, de wrede mond was weg. Even was zijn hoofd nog slechts een ongedifferentieerde massa vlees, een homp lekkende brij, eerst rood van bloed, daarna roodbruin, steeds donkerder van kleur en glimmend, als iets dat uit een blik hondevoer wordt gegoten. Plotseling stolde het weefsel en bleek zijn hoofd samengesteld uit ratten die zich aan elkaar vastklemden, een bal vol ratten met staarten die neerhingen als de dreadlocks van een rastafari, felle ogen zo scharlaken als druppels stralend bloed. Aan het einde van de mouwen, waar handen hadden moeten hangen, staken uit versleten manchetten ratten naar buiten. Tussen de knopen van zijn uitpuilende hemd begonnen de kopjes van andere knaagdieren zichtbaar te worden.

Hoewel hij dit allemaal al eerder had gezien, probeerde Sammy te schreeuwen. Maar zijn gezwollen tong plakte tegen het verhemelte van zijn droge mond en hij kwam niet verder dan een gedempt paniekgeluid uit het achterste van zijn keel. Schreeuwen hielp sowieso niet. Bij eerdere confrontaties met zijn kwelgeest had hij eveneens geschreeuwd, maar niemand reageerde.

De ratteman scheurde uiteen als een wrakke vogelverschrikker in een verwoestende stortbui. Delen van zijn lichaam vielen van hem af. Elk stuk dat de grond raakte, veranderde in een nieuwe rat. Die afzichtelijke wezens met hun snorren, natte neuzen en scherpe tanden zwermden piepend over elkaar heen en hun lange staarten zwiepten naar links en naar rechts. Vanuit zijn hemd en de omslagen van zijn broek stroomden steeds meer ratten, veel meer ratten dan in zijn kleren hadden gepast: tien, twintig, tachtig, meer dan honderd.

Als een leeglopende ballon die ooit de vorm van een man had gehad, zakten zijn kleren langzaam naar de grond. Toen veranderden ook al zijn kleren. Uit de gekreukte hopen stof ontsproten kopjes en poten en kwamen nog meer knaagdieren te voorschijn, tot zowel de ratteman als zijn stinkende kleding waren vervangen door een kolkende hoop vol ongedierte, dat over en onder elkaar door krioelde met de ongehinderde beweeglijkheid die hun soort zo weerzinwekkend maakte.

Sammy kon geen adem meer krijgen. De lucht werd loodzwaar, nog erger dan eerst. De wind was al eerder gaan liggen, maar nu leek zich op nog diepere lagen van de natuur een abnormale rust te verspreiden, tot zelfs de beweeglijkheid van de zuur- en waterstofmoleculen drastisch afnam, alsof de atmosfeer zich begon te verdikken tot een vloeistof die hij slechts met grote moeite in zijn longen kon krijgen.

Nu het lichaam van de ratteman in tientallen krioelende beesten uiteen was gevallen, verspreidde het getransformeerde lijk zich abrupt. De dikke, gladde ratten sprongen uit de hoop en vluchtten alle kanten op. Ze schuifelden uit Sammy's buurt vandaan, maar zwermden ook om hem heen, over zijn voeten en tussen zijn benen. Die walgelijke, levende vloedgolf stortte zich in de schaduwen langs de gebouwen en over het braakliggende terrein, waar ze werd opgenomen in gaten in de muren en de grond, die Sammy niet kon zien of eenvoudig verdwenen.

Een plotselinge windvlaag joeg knisperend dode bladeren en snippers papier voor zich uit. Het geluid van zoevende banden en ronkende motoren werd hoorbaar van auto's, die op de brede straat langs de ingang van de steeg reden. Een bij zoemde langs Sammy's gezicht.

Hij kon weer ademhalen. Even bleef hij hijgend staan in het heldere middaglicht.

Het ergste was dat dit allemaal gebeurde op klaarlichte dag, in de openlucht, zonder de rook en de spiegels en de slimme belichting en de zijden draden en de valdeuren en alle andere vaste hulpmiddelen van een goochelaar.

Sammy was uit zijn kist gekropen met het goede voornemen om ondanks zijn kater aan zijn dag te beginnen. Hij ging misschien oude aluminium blikjes zoeken om die in te wisselen bij een recyclingbedrijf of een beetje bedelen op het trottoir. Inmiddels was zijn kater weg, maar hij had nog steeds het gevoel dat hij de wereld niet aankon.

Wankelend liep hij naar het oleanderbosje terug. De takken bogen door onder een vracht rode bloemen. Hij duwde ze opzij en staarde naar de grote houten kist eronder.

Hij pakte een stok en porde ermee tussen de vodden en kranten. Hij verwachtte een paar ratten uit hun schuilplaats te zien schieten, maar die waren elders.

Sammy liet zich op zijn knieën zakken, kroop in zijn schuilhoek en liet het oleandergordijn achter zich dichtvallen.

Uit het armzalige hoopje bezittingen achter in de kist haalde hij een ongeopende fles goedkope rode wijn en draaide de dop eraf. Hij nam een lange teug van de lauwe wijn.

Met zijn rug tegen de houten wand zittend en met de fles in beide handen geklemd probeerde hij te vergeten wat hij gezien had. Voor zover hij wist, was vergeten zijn enige hoop om hiertegen opgewassen te zijn. Hij kon de problemen van alledag niet meer aan. Mocht iemand dus van hem verwachten dat hij zoiets buitengewoons als de ratteman het hoofd bood?

Een brein gedompeld in te veel grammen cocaïne, gepeperd met te veel andere drugs en gemarineerd in alcohol, kon een verbazingwekkende dierentuin aan gehallucineerde schepselen voortbrengen. En als zijn geweten bij tijd en wijle de overhand kreeg en hij zich moeizaam door een periode van nuchterheid worstelde, leidde de onthouding tot een delirium tremens dat bevolkt werd door een nog kleurrijker en dreigender waanfauna. Maar geen beest stond zó diep in zijn geest gegrift en was zó verontrustend als de ratteman.

Hij nam nog een royale slok wijn, liet zijn achterhoofd tegen de wand van de kist leunen en hield de fles met beide handen vast.

Elk jaar, elke dag had Sammy meer moeite om werkelijkheid en fantasie te scheiden. Zijn zintuiglijke waarneming vertrouwde hij allang niet meer. Maar één ding wist hij angstwekkend zeker: de ratteman bestond echt. Onmogelijk, waanzinnig, onverklaarbaar maar echt.

Sammy verwachtte geen antwoord op de vragen die hem kwelden. Maar hij bleef dwangmatig vragen: wat is dit voor een schepsel, waar komt het vandaan, waarom wil het een grijsharige, verlopen zwerver martelen en doden, wiens dood of voortgezette bestaan voor de wereld weinig of geen verschil maakt?

Hij dronk nog wat wijn.

Zesendertig uur. Tiktak. Tiktak.

3

Smerisinstinct.

Toen die burger met zijn grijze corduroy broek, witte hemd en donkergrijze jasje het restaurant binnenkwam, viel hij Connie op, en ze wist dat er hoe dan ook iets mis met hem was. Toen ze zag dat hij ook Harry opviel, nam haar belangstelling voor de man nog aanzienlijk toe, want Harry had een neus voor dit soort dingen waar een bloedhond jaloers op zou zijn.

Smerisinstinct is niet zozeer instinct, als wel een ragfijn bijgeslepen talent voor waarneming en het gezonde verstand om het waargenomene juist te interpreteren. Wat Connie betrof was het meer een onbewust besef dan een bewuste studie van iedereen en alles dat haar blik passeerde.

De verdachte stond net binnen de deur naast de kassa te wachten tot de hostess een jong paartje naar een tafel bij een van de grote ramen had gebracht.

Op het eerste gezicht zag hij er doodgewoon, zelfs onschuldig uit. Maar bij nader toezien kon Connie vaststellen door welke ongerijmdheden haar onbewuste geadviseerd had om de man wat nauwkeuriger op te nemen. Zijn nogal zachtaardige gezicht vertoonde geen tekenen van spanning en hij stond er relaxed bij maar zijn handen langs zijn zijden waren tot vuisten gebald, alsof hij dringend iemand wilde slaan en dat maar nauwelijks kon bedwingen. Zijn vage glimlach versterkte de sfeer van verstrooidheid die hij uitstraalde maar die glimlach bleef maar komen en gaan, bleef onzeker fladderen en was een subtiel bewijs van zijn innerlijke onrust. Zijn sportjasje was dichtgeknoopt, en dat was vreemd, want hij droeg geen das en het was een warme dag. Nog belangrijker was, dat het raar om zijn lichaam zat; de binnen- en buitenzakken leken vol met iets zwaars dat het jasje uit zijn model trok, en het puilde over de gesp van zijn riem alsof hij onder zijn broekband een vuurwapen had verstopt.

Natuurlijk was smerisinstinct niet altijd betrouwbaar. Het jasje was misschien gewoon oud en uitgezakt. Misschien was de man wel inderdaad de verstrooide professor die hij leek; in dat geval had hij zijn jasje misschien volgepropt met niets onheilspellenders dan een pijp, een tabakszak, een rekenliniaal, een rekenmachine, aantekeningen voor zijn college en een heleboel dingen die in zijn zak waren geglipt zonder dat hij daar erg in had.

Harry, die midden in een zin was verstomd, legde zijn broodje kip langzaam neer. Hij keek aandachtig naar de man in het misvormde jasje.

Connie had een paar dunne frietjes gepakt. Ze liet ze op het bord vallen in plaats van ze op te eten, veegde haar vette vingers af aan haar servet en probeerde intussen de nieuwe klant te observeren zonder hem al te opvallend aan te staren.

De hostess, een klein blondje van in de twintig, had het paartje naar hun plaats aan het raam gebracht en liep terug naar de receptie. De man in het ultrasuède jasje glimlachte. Ze zei iets tegen hem, hij antwoordde en het blondje lachte beleefd alsof zijn opmerking wel grappig was geweest.

Toen de klant opnieuw iets zei en de hostess voor de tweede keer lachte, ontspande Connie een beetje. Ze reikte naar een hand frietjes.

De nieuwkomer greep de hostess bij haar ceintuur, rukte haar naar zich toe en pakte haar bij haar blouse. Zijn aanval kwam zó plotseling en onverwacht, zijn bewegingen waren zó bliksemsnel, dat hij haar van de vloer had getild voordat ze begon te schreeuwen. Hij gooide haar naar de eters in de buurt alsof ze niets woog.

'O, verrek.' Connie schoof weg bij de tafel en ging staan. Ze reikte onder haar jasje naar het smalle deel van haar rug, waar haar revolver in zijn holster stak.

Ook Harry stond op, met zijn eigen revolver in zijn hand. 'Politie!'

Zijn waarschuwing ging verloren in de misselijkmakende klap waarmee het jonge blondje op een tafel smakte, die opzij viel. De lunchgasten tuimelden van hun stoelen; glazen versplinterden. Geschrokken van het tumult keken in het hele restaurant mensen op van hun bord.

Het woeste, opzichtige gedrag van de onbekende betekende misschien alleen maar dat hij drugs had gebruikt maar hij kon ook echt psychotisch zijn.

Connie nam geen risico's, ging snel op haar hurken zitten en bracht haar wapen omhoog. 'Politie!'

Misschien had de man Harry's eerste waarschuwing wel degelijk gehoord of anders had hij hem vanuit een ooghoek gezien, want hij maakte zich tussen de tafels uit de voeten naar de achterkant van het restaurant.

Hij had ook zelf een vuurwapen te oordelen naar het geluid en de glimp die ze ervan opving misschien een Browning 9 mm en maakte er druk gebruik van door willekeurig in het rond te schieten. In de nauwe ruimte van het restaurant maakte elk schot een donderend lawaai.

Naast Connie ontplofte een beschilderde pot van terracotta. Een regen van geglazuurde aardewerk scherven viel over haar heen. De dracaena margenata in de pot viel om en harkte met zijn lange, smalle bladeren haar kapsel. Ze ging nog dieper op haar hurken zitten en probeerde een tafel naast haar als dekking te gebruiken.

Ze wilde die hufter dolgraag onder schot krijgen, maar het risico dat ze een van de andere gasten raakte, was te groot. Ze keek vanuit haar kikkerperspectief het restaurant door in de hoop de knieën van die griezel met een goed gericht schot te kunnen verbrijzelen en zag hem ervandoor gaan. Het probleem was dat zich tussen hém en haar een verspreide menigte mensen met grote paniekogen bevond, die onder de tafels bescherming hadden gezocht.

'Verdomme.' Ze achtervolgde de smeerlap op zo'n manier dat ze een zo klein mogelijk doelwit vormde, en wist dat Harry hem van een andere kant achtervolgde.

Mensen schreeuwden omdat ze bang waren of geraakt waren en pijn hadden. Het wapen van die krankzinnige hufter knalde te vaak. Hij kon het met bovenmenselijke snelheid herladen, of had nog een ander pistool.

Een van de grote ramen werd voluit geraakt en kwam kletterend en rinkelend naar beneden. Een waterval van glas bespatte de koude vloer van Santa Fe-tegels.

Terwijl Connie van tafel naar tafel kroop, plakten vertrapte friet, ketchup, mosterd, stukken bloedende cactus en knarsend-tinkelende stukjes glas aan haar schoenen. Als ze gewonden passeerde, riepen of graaiden ze naar haar, want ze hadden wanhopig behoefte aan hulp.

Hen negeren was afschuwelijk, maar ze moest hen van zich afschudden, moest in beweging blijven en die wandelende fluim in zijn ultrasuède jasje onder schot zien te krijgen. Aan het kleine beetje EHBO dat zij kon toedienen, hadden ze niets. Aan de doodsangst en de pijn die die klootzak al op zijn geweten had, kon ze niets veranderen, maar als ze hem op de hielen bleef, kon ze misschien verhinderen dat hij nog meer schade veroorzaakte.

Ze hief haar hoofd, waarmee ze een kogel in haar hersenen riskeerde, en zag de smeerlap helemaal aan het einde van het restaurant bij een klapdeur met een centraal glazen kijkgat staan. Grijnzend liet hij schoten los op alles dat zijn aandacht trok en raakte kennelijk met evenveel genoegen een potplant als een menselijk wezen. Met zijn ronde en minzame gezicht, zijn weke kin en zachte mond zag hij er nog steeds onthutsend normaal uit. Zelfs met zijn grijns leek hij niet waanzinnig; het was eerder de brede en welwillende glimlach van iemand die zojuist een clown een flater heeft zien slaan. Maar hij was zonder enige twijfel gevaarlijk gek, want eerst schoot hij op een grote saguaro-cactus, toen op een man in een geblokt hemd, toen weer op de saguaro, en hij had inderdaad twee wapens, een in elke hand.

Welkom in de jaren negentig.

Connie kwam ver genoeg uit haar dekking overeind om hem onder schot te nemen.

Harry profiteerde even snel van de plotselinge obsessie van de gek voor de saguaro. Hij kwam in een ander deel van het restaurant overeind en schoot.

Connie schoot twee keer. Stukken hout vlogen uit het kozijn naast het hoofd van dé psychoot en het glas werd uit het kijkgat geblazen; hun eerste schoten hadden hem links en rechts maar een paar centimeter gemist.

De smeerlap verdween door de klapdeur, die Connies en Harry's volgende schoten opving en heen en weer bleef zwaaien. Afgaande op de grootte van de kogelgaten was de deur van binnen hol; misschien waren ze er dus dwars doorheen gegaan en hadden ze die hufter aan de andere kant tot staan gebracht.

Een beetje uitglijdend op de met voedsel bezaaide vloer rende Connie naar de keuken. Ze zou wel niet het geluk hebben dat die engerd aan de andere kant van de deur gewond lag te kronkelen als een halfvertrapte kakkerlak. Waarschijnlijk stond hij hen op te wachten. Maar ze kon zich niet beheersen. Misschien kwam hij zelfs bij haar nadering de keukendeur uit en maaide hij haar neer. Maar adrenaline joeg door haar lijf en ze was nu in de hoogste versnelling. Als adrenaline door haar lijf joeg, kon ze een zaak maar van één kant benaderen: recht voor z'n raap, en het maakte niet uit dat de adrenaline bijna altijd door haar lijf joeg.

God, ze was dòl op dit werk.

4

Harry háátte dit cowboygedoe.

Als je bij de politie ging, wist je dat je vroeg of laat met geweld te maken kreeg. Plotseling kon je tot je nek tussen heel wat valsere wolven zitten dan die waarmee Roodkapje moest afrekenen. Dat hoorde bij je werk, maar daarom was het nog niet leuk.

Behalve misschien als je Connie Gulliver heette. Terwijl Harry gebukt met zijn revolver in de aanslag naar de keukendeur rende, hoorde hij haar achter zich. Haar voeten kletsten, kraakten en zompten in volle vaart over de vloer. Als hij omkeek, wist hij dat hij haar zou zien grijnzen, en dat leek wel een beetje op de maniak, die hier in het restaurant aan het schieten was geweest. Hij wist dat ze aan de goede kant stond, maar die grijns bracht hem niettemin altijd van zijn stuk.

Hij kwam slippend tot stilstand, trapte de deur open en sprong onmiddellijk opzij, want hij verwachtte een hagel van kogels als antwoord.

Maar de deur sloeg naar binnen, zwaaide weer naar buiten, en er volgde geen schot. Toen hij dus weer naar binnen zwaaide, schoot Connie langs hem heen en liep ze gelijktijdig de keuken in. Zachtjes vloekend de enige manier waarop hij ooit vloekte ging hij haar achterna.

In de vochtige, benauwde ruimte van de keuken sisten hamburgers op een grill en borrelde vet in een frituurpan. Pannen met water stonden te koken op een fornuis. Gasovens kraakten en klikten van de intense hitte die ze bevatten, en een rij magnetrons zoemde zachtjes.

Een stel koks en ander personeel in witte broeken en T-shirts, hun haar onder witte veterkapjes gestoken, stonden of hurkten lijkbleek tussen het keukengerei. Ze waren omgeven door krullende slierten stoom en vleesdamp en leken eerder spoken dan mensen. Bijna als één man draaiden ze zich naar Connie en Harry om.

'Waarheen?' fluisterde Harry.

Een van de werknemers wees naar de halfopen deur achter in de keuken.

Harry liep voorop door een smal gangpad, aan de linkerkant geflankeerd door rekken pannen en keukengerei. Rechts stond een rij hakblokken, een machine om geschilde aardappelen tot rauwe frietjes te snijden en een andere om sla te snipperen.

Het gangpad verbreedde zich tot een open ruimte met diepe gootstenen en professionele, op zwaar werk berekende afwasmachines langs de linkermuur. De halfopen deur bevond zich zeven meter verder, recht voor hen uit, voorbij de gootstenen.

Op weg naar de deur kwam Connie naast hem lopen, maar ze hield genoeg afstand om te zorgen dat ze niet met één schot allebei geraakt konden worden.

Harry maakte zich zorgen over het donker voorbij de drempel. Waarschijnlijk was daar een raamloze voorraadkamer. De glimlachende dader met zijn vollemaansgezicht zou nog gevaarlijker worden als hij in een hoek werd gedreven.

Links en rechts naast de deur aarzelden ze even en dachten een ogenblik na. Harry had daar met genoegen een halve dag voor uitgetrokken, zodat de dader ruim de tijd had om in zijn eigen vet gaar te smoren. Maar zo werkte dat niet. De politie moest optreden, niet alleen reageren. Als die voorraadkamer een uitgang had, betekende elk uitstel van hun kant dat de dader ontsnapte.

Bovendien, als Connie Gulliver je partner was, was treuzelen of peinzen een luxe die je niet bezat. Ze was nooit roekeloos, altijd bekwaam en voorzichtig maar zó snel en agressief, dat het soms leek of ze bij de moordrecherche was gekomen door uit een ninjafilm te stappen.

Connie greep een bezem die tegen de muur stond. Ze hield hem bij de onderkant vast en porde met het handvat tegen de halfopen deur, die langdurig piepend naar binnen zwaaide. Toen hij helemaal open was, gooide ze de bezem weg. Hij kletterde als oude botten op de tegelvloer.

Links en rechts van het deurgat keken ze elkaar gespannen aan.

In de voorraadkamer heerste stilte.

Zonder zich bloot te geven kon Harry voorbij de drempel nog net een smalle wig duisternis zien.

De enige geluiden waren het geklok en gesputter van de pannen en frituurpannen in de keuken en het gezoem van de ventilatoren boven hun hoofd.

Toen Harry's ogen waren gewend aan het donker voorbij de deur, zag hij meetkundige vormen, donkergrijs afgetekend tegen het dreigende zwart. Plotseling besefte hij dat het geen voorraadkamer was. Het was de onderkant van een trappehuis.

Opnieuw vloekte hij zachtjes.

Connie fluisterde: 'Wat?'

'Een trap.'

Met even weinig oog voor zijn veiligheid als Connie stak hij de drempel over, want een andere manier bestond niet. Een trap was een nauwe valkuil waarin je een kogel niet makkelijk kon ontwijken, en een donkere trap was nog erger. Boven was het zó donker, dat hij niet kon zien of de dader daar stond, maar hij nam aan dat hijzelf met het keukenlicht achter zich een volmaakt doelwit was. Hij had liever de deur van het trappehuis geblokkeerd en een andere weg naar de eerste verdieping gezocht, maar tegen die tijd was de dader allang weg, of had hij zich zó goed gebarricadeerd, dat het de levens van diverse andere agenten kostte om hem daar vandaan te krijgen.

Hij nam zijn besluit, liep zo snel als hij durfde de trap op en liet zijn gang alleen vertragen door de noodzaak om aan één kant te blijven, langs de muur namelijk, waar de vloerplanken het stevigst vastzaten en onder het lopen niet zo snel inzakten en piepten. Zich op de tast voortbewegend en met zijn rug tegen de muur bereikte hij een smalle overloop.

Omhoog in de volstrekte lichtloosheid turend, vroeg hij zich af hoe een eerste verdieping zo stikdonker kon zijn als een kelder.

Van boven klonk zacht gelach.

Op de overloop bleef Harry doodstil staan. Hij wist zeker dat hij niet langer van achteren verlicht werd. Hij drukte zich dichter tegen de muur.

Connie botste tegen hem aan en bleef eveneens staan.

Harry wachtte tot dat rare lachen weer begon. Hij hoopte de plek van de ander goed genoeg te bepalen om een schot te kunnen wagen en zijn eigen positie te verraden.

Niets.

Hij hield zijn adem in.

Toen bonsde er iets. Ratel. Weer een bons. Ratel. Weer een bons.

Hij besefte dat er iets over de trap naar hen toe kwam rollen en stuiteren. Wat? Geen idee. Zijn verbeeldingskracht liet hem in de steek.

Bons. Ratel. Bons.

Instinctief wist hij dat wat daar de trap afkwam, niet goed was. Daarom had de dader gelachen. Iets kleins, zo te horen, maar desondanks dodelijk.

Hij was woedend op zichzelf omdat hij niet kon *denken*, zich niets kon voorstellen. Hij voelde zich stom en nutteloos. Plotseling was hij overdekt met smerig zweet.

Het ding raakte de overloop en kwam rollend tot stilstand tegen zijn linkervoet. Het botste tegen zijn schoen. Hij trok zich met een ruk terug, ging onmiddellijk op zijn hurken zitten, tastte blind over de grond en vond het verdomde ding. Groter dan een ei, maar wel met zo'n vorm. Met het gedetailleerde geometrische patroon van een denneappel. Zwaarder dan een denneappel. Met een hefboom bovenop.

'Liggen!' Hij stond op en gooide de handgranaat naar de bovenste gang terug voor hij zijn eigen raad opvolgde en zich zo plat mogelijk op de overloop liet vallen.

Hij hoorde de granaat boven tegen iets kletteren.

Hij hoopte dat hij dat rotding helemaal in de gang van de eerste verdieping had gegooid. Maar misschien was hij tegen een tree gestuit en kwam hij nu weer in een boog naar beneden, terwijl de tijdklok de laatste een of twee seconden wegtikte. Of misschien was hij maar net in de bovengang terechtgekomen en had de dader hem teruggeschopt.

De ontploffing was hard, flitsend, cataclysmisch. Zijn oren deden pijn. Toen de schokgolf passeerde, leken al zijn botten te trillen en zijn hartslag werd nog sneller, ofschoon zijn hart al getikt had als een razende. Een regen van brokken hout, pleister en ander puin viel over hem heen en het trappehuis hing vol met de zure stank van ontploft kruit. Hij moest denken aan de avond van Onafhankelijkheidsdag, na het grote vuurwerk.

Levendig stond hem voor de geest wat er gebeurd was als hij twee seconden trager was geweest: zijn hand die oploste in een regen van bloed terwijl hij de granaat greep, die ontplofte; zijn arm die van zijn lichaam werd gerukt; zijn gezicht dat leegliep…

'*Wat was dat, verdomme!*' siste Connie. Haar stem was dichtbij maar toch ver weg, en klonk vervormd omdat Harry's oren nog steeds tuitten.

'Een granaat,' zei hij, en krabbelde overeind.

'Een granaat? Wie ìs die klojo?'

Harry had geen idee over 's mans identiteit of bedoelingen, maar hij wist nu waarom het ultrasuède jasje zo bultig was geweest. En als de dader één granaat bij zich had gestopt, waarom dan niet twee? Of drie?

Na de korte flits van de ontploffing was het weer even donker op de trap als altijd.

Harry liet alle voorzichtigheid varen en beklom de tweede trap. Hij besefte dat Connie vlak achter hem liep. In deze omstandigheden leek voorzichtigheid geen deugd. Er was altijd een kans om een kogel te ontwijken, maar als die gek granaten bij zich had, was elke voorzichtigheid verspild zodra de klap viel.

Niet dat ze aan granaten gewend waren. Dit was de eerste.

Hij hoopte dat de gek had gewacht tot hij hen hoorde doodgaan bij de explosie en in plaats daarvan was verrast toen de granaat werd teruggegooid. Als een agent iemand doodde, was de papierhandel daarna afschuwelijk, maar Harry had graag hele dágen achter een schrijfmachine gezeten als die man in het ultrasuède jasje in nat behang was veranderd.

De lange gang boven had geen ramen en moest vóór de explosie aardedonker zijn geweest. Maar de granaat had een van de deuren van zijn scharnieren gerukt en gaten geslagen in een andere. Vanuit de ramen van onzichtbare kamers sijpelde wat daglicht in de gang.

De ontploffing had heel wat schade aangericht. Het gebouw was oud genoeg om tengels en pleister te hebben in plaats van kale muren, en hier en daar waren de tengels te zien, brosse botten tussen gerafelde gaten in het uitgedroogde vlees van een oude, gemummificeerde farao. Versplinterde vloerplanken waren losgeraakt en lagen over de helft van de gang verspreid, zodat de ondervloer en hier en daar ook verschroeide balken zichtbaar waren.

Er was geen vuur ontstaan. De dovende kracht van de ontploffing had verhinderd dat wat dan ook vlam vatte. Het dunne waas rook van de explosie verkleinde niet hun zicht, maar hun ogen prikten en gingen ervan tranen.

De dader was nergens te zien.

Harry ademde door zijn mond om niet te gaan niezen. Het zure waas lag bitter op zijn tong.

Op de gang kwamen acht deuren uit, vier aan elke kant, inclusief de deur die van zijn scharnieren was geslagen. Meer contact dan een blik was niet nodig om Harry en Connie in harmonie bij de trap vandaan te laten lopen. Zorgvuldig vermeden ze de gaten in de vloer en liepen ze naar het open deurgat. Ze moesten de eerste verdieping snel doorzoeken. Elk raam was een ontsnappingskans en het gebouw had misschien een brandtrap.

'*Elvis!*'

De schreeuw kwam vanuit de deurloze ruimte waar ze naar toe liepen.

Harry wierp een blik op Connie. Allebei aarzelden ze, want het was een ogenblik van onthutsende akeligheid.

'*Elvis!*'

Toen de dader op de eerste verdieping kwam, hadden daar nog andere mensen geweest kunnen zijn, maar op een of andere manier wist Harry dat het de dader was die riep.

'*The King! De koning van Memphis!*'

Ze gingen links en rechts van de deur staan, net als onder aan de trap.

De dader begon de namen van Presley-hits te roepen. '*Heartbreak Hotel, Blue Suede Shoes, Hound Dog, Money Honey, Jailhouse Rock...*'

Harry keek Connie aan en trok een wenkbrauw op. Ze haalde haar schouders op.

'*Stuck on you, Little Sister, Good Luck Charm...*'

Harry gebaarde naar Connie dat hij als eerste gebukt naar binnen ging en erop vertrouwde dat zij hem met schoten boven zijn hoofd dekte als hij de drempel passeerde.

'*Are You Lonesome Tonight, A Mess of Blues, In the Ghetto!*'

Toen Harry op het punt stond om in actie te komen, kwam een granaat in een boog de kamer uit zeilen. Hij stuiterde op de vloer van de gang tussen hem en Connie in, rolde verder en verdween in een van de gaten van de eerste ontploffing.

Geen tijd om hem van onder de vloerplanken weg te graaien. Geen tijd om terug te gaan naar de trap. Als ze treuzelden, werd de gang om hen heen opgeblazen.

Tegen Harry's plannen in rende Connie als eerste gebukt de ontplofte deuropening door, de kamer met de dader in, en vuurde ondertussen een paar schoten af. Hij volgde haar en schoot tweemaal boven haar hoofd.

Allebei klepperden ze over de verbrijzelde deur die bij de eerste ontploffing uit zijn hengsels was gerukt en tegen de grond was geslagen. Dozen. Voorraden. Overal stapels. Geen spoor van de dader. Ze lieten zich allebei op de grond vallen, góóiden zichzelf op de grond en kwamen tussen stapels dozen terecht.

Ze waren nog steeds haastig op weg naar de vloer, toen de gang achter hen met een flits en een klap uiteenknalde. Harry duwde zijn hoofd onder zijn arm en probeerde zijn gezicht te beschermen.

Een korte, hete windvlaag joeg een storm van puin door het deurgat en de vaste verlichting aan het plafond veranderde in een glashagel.

Opnieuw ademde Harry de stank van vuurwerk. Hij hief zijn hoofd. Een vals uitziende houten scherf zo groot als het lemmet van een slagersmes, dikker maar bijna even scherp had hem op een haar na geraakt en zich begraven in een grote doos papieren servetjes.

Het dunne laagje zweet op zijn gezicht was koud als ijswater.

Hij tikte de lege hulzen uit zijn revolver, grabbelde naar de snellader in zijn foudraal, liet die erin glijden, draaide eraan, liet hem zakken en klikte de cilinder dicht.

'*Return to Sender, Suspicious Minds, Surrender!*'

Harry verlangde hevig naar de eenvoudige, directe en begrijpelijke boeven van de gebroeders Grimm, zoals de boze koningin die het hart van een wildzwijn opat, denkend dat dat in werkelijkheid het hart van haar stiefdochter Sneeuwwitje was, wier schoonheid ze benijdde en wier leven ze verbeurd had verklaard.

5

Connie hief haar hoofd en wierp een blik op Harry, die naast haar lag. Hij was overdekt met stof, houtsplinters en glinsterende stukjes glas, en zij ongetwijfeld ook.

Ze zag dat hij hier niet zo van genoot als zij. Harry hield van zijn werk; de politie was voor hem het symbool van orde en recht. Waanzin als dit vond hij afschuwelijk, want orde was alleen af te dwingen met een mate van geweld die dat van de geweldpleger evenaarde. En echte rechtvaardigheid voor de slachtoffers kon nooit worden afgedwongen van een dader die zó ver heen was, dat hij geen berouw meer voelde of bang was voor vergelding.

De griezel schreeuwde opnieuw. '*Long Legged Girl, All Shook Up, Baby Don't Get Hooked on Me!*'

Connie fluisterde: '*Baby Don't Get Hooked on Me* is niet van Elvis Presley.'

Harry knipperde met zijn ogen. 'Wat?'

'Een liedje van Mac Davis, verdomme.'

'*Rock-a-Hula Baby, Kentucky Rain, Flaming Star, I Feel So Bad!*'

De stem van de griezel leek van boven hun hoofd te komen.

Connie kwam met haar revolver in haar hand voorzichtig iets overeind. Ze tuurde eerst tussen de opgestapelde dozen door en er daarna overheen.

Bij de hoek aan de andere kant van de ruimte stond een valluik open. Een opvouwbare ladder hing naar beneden.

'*A Big Hunk o' Love, Kiss Me Quick, Guitar Man!*'

Dat wandelende stuk hondekots was die ladder opgegaan. Hij riep naar hen vanaf de donkere vliering boven.

Ze wilde die griezel grijpen en zijn gezicht verbouwen; voor een politie-agent was dat misschien geen beheerste reactie, maar hij kwam wel recht uit het hart.

Zodra zij de ladder zag, zag Harry hem ook, en toen ze ging staan, kwam hij naast haar staan. Ze was gespannen en klaar om zich opnieuw snel te laten vallen, als uit dat valluik boven haar hoofd een nieuwe granaat werd gegooid.

'*Any Way You Want Me, Poor Boy, Running Bear!*'

'Dat was evenmin Elvis,' zei Connie, die geen moeite meer deed om te fluisteren. '*Running Bear* is van Johnny Preston.'

'Wat maakt dat uit?'

'Die vent is een lul,' zei ze boos, en dat was niet precies een antwoord. Maar eigenlijk wist ze niet waaròm het haar iets kon schelen dat deze slaphannes nooit een Elvis-quiz zou winnen.

'*You're the Devil in Disguise, Don't Cry Daddy, Do the Clam!*'

'*Do the Clam*?' vroeg Harry.

Connie kreunde. 'Ja, helaas is die wèl van Elvis.'

Uit de losgerukte draden van het beschadigde lichtpunt boven hun hoofd knetterden vonken. Links en rechts van een lange, heuphoge stapel dozen staken ze de ruimte over en omsingelden de toegang tot de vliering.

Vanuit de wereld buiten het stoffig gevlekte raam, klonk het verre gejank van sirenes. Versterkingen en ambulances.

Connie aarzelde. Nu die griezel eenmaal op de vliering was, konden ze hem misschien het best uitroken met traangas, een schokgranaat naar boven keilen om hem bewusteloos te krijgen en gewoon op versterkingen wachten.

Maar ze verwierp de voorzichtige aanpak. Voor haar en Harry was die veiliger, maar misschien riskanter voor ieder ander in het centrum van Laguna Beach. De vliering liep misschien niet dood. Als er een onderhoudsdeur naar het dak was, kon die engerd ontsnappen.

Harry vond kennelijk hetzelfde. Hij aarzelde een fractie van een seconde korter dan Connie en beklom als eerste de ladder.

Ze maakte geen bezwaar dat hij voorop ging, want hij handelde niet vanuit misplaatste beschermingsdrang en deed geen poging om een vrouwelijke agent voor gevaar te behoeden. Zíj was als eerste door het vorige deurgat gekomen; nu was hij aan de beurt. Intuïtief deelden ze de risico's, en dat was een van de redenen waarom ze ondanks hun verschillen een goed team waren.

Ofschoon haar hart bonsde en haar darmen in de knoop zaten, was zij natuurlijk desondanks het liefst als eerste gegaan. Een vaste brug oversteken was nooit zo bevredigend als wandelen op het hoge koord.

Ze volgde hem de ladder op en boven aarzelde hij maar heel kort voordat hij in het duister verdween. Geen schot klonk, geen ontploffing deed het gebouw schudden, en dus ging ook Connie de vliering op.

Harry was weggelopen van het grijze licht dat door het valluik kwam. Een halve meter verderop ging hij, naast een dode, naakte vrouw, op zijn hurken zitten.

Bij nader toezien bleek het een paspop te zijn met eeuwig starende, bestofte ogen en een griezelig vreedzame glimlach. Ze was kaal en op haar gipsen schedel zat een vochtvlek.

Het donker op de vliering was niet ondoordringbaar. Door een rij uitgespaarde ventilatieroosters in de dakranden en grotere schroefventilatoren in de zijmuren werd bleek daglicht gezeefd, waardoor de met spinnewebben behangen spanten van een puntdak zichtbaar werden. In het midden was de ruimte zo hoog, dat zelfs een lange man erin kon staan, maar dichter bij de brede muren moesten ze hurken. Overal hingen schaduwen, en stapels voorraadkisten en -kratten boden talrijke schuilplaatsen.

In die hooggelegen ruimte leek zich een geloofsgenootschap te hebben verzameld voor de viering van een geheime, satanische rite. Over de hele lengte en breedte van de ruimte stonden deelsilhouetten van mannen en vrouwen, soms belicht van opzij, soms van achteren, maar meestal nauwelijks zichtbaar. Allemaal stonden of leunden of lagen ze onbeweeglijk en zwijgend.

Het waren paspoppen, net als de pop naast Harry op de grond. Niettemin voelde Connie hun starende blik, en haar huid werd een en al kippevel.

Een daarvan zag haar misschien wel degelijk, was geen gipsen pop, maar gemaakt van bloed en vlees en botten.

6

In de hooggelegen veste van de paspoppen leek de tijd stil te staan. In de vochtige lucht hing een stank van stof, de knisperende geur van vergeelde kranten, van rottend karton en van een scherp riekende schimmel, die in een donker hoekje was opgedoken en aan het einde van het regenseizoen weer verdween. De gipsen gedaanten keken ademloos toe.

Harry probeerde zich te herinneren wat voor soort winkel het gebouw met het restaurant deelde, maar het schoot hem niet te binnen wie de eigenaar van de poppen kon zijn.

Vanaf de oostkant van de lange ruimte kwam een koortsachtig gehamer van metaal op metaal. In een poging om te ontsnappen was de dader kennelijk op de grote ventilator in de verste muur aan het bonken, en was hij bereid een val in de steeg, de leveranciersingang of de straat beneden te riskeren.

Een paar geschrokken vleermuizen kwam plotseling uit hun slaapplaats te voorschijn en schoot door de lange vliering heen en weer. Ze zochten veiligheid, maar verruilden het duister niet graag voor het heldere daglicht. Hun kleine stemmetjes waren schril genoeg om boven het aanzwellende gejank van de sirenes hoorbaar te zijn. Als ze dicht genoeg langsvlogen, dook Harry ineen bij het leerachtige geflapper van hun vleugels en hun zwiepende *woesj*.

Hij wilde op versterking wachten.

De dader hamerde nog harder dan eerst.

Metaal krijste alsof het scheurde.

Ze konden niet wachten, durfden niet te wachten.

Nog steeds gehurkt kroop Harry tussen stapels dozen naar de zuidmuur, en Connie gleed in tegenovergestelde richting weg. Ze gingen de dader in de tang nemen. Toen Harry zover naar de zuidkant van de kamer was gekropen als het schuine plafond toeliet, keerde hij zich naar de oostkant, waar het zware gehamer vandaan kwam.

Aan alle kanten waren paspoppen bevroren in eeuwigdurende poses. Hun gladde, afgeronde ledematen leken het magere licht uit de smalle luchtgaten in de dakranden te absorberen en te versterken; waar ze niet in schaduwen waren gehuld, had hun vlees een bovennatuurlijke, albasten glans.

Het gehamer hield op. Geen gekletter of knal of laatste wrikgeluid wees erop dat de ventilator uit zijn sponning was getrokken.

Harry stopte en wachtte. Het enige wat hij hoorde, waren de sirenes van een blok verderop en het piepen van de vleermuizen als ze langszwiepten.

Centimeter voor centimeter kroop hij vooruit. Aan het einde van het muffe gangpad zeven meter voor hem uit scheen een zwak, asgrijs licht vanuit een onzichtbare bron links. Waarschijnlijk de grote ventilator, waarop de dader had staan hameren. Dat betekende dat die nog steeds stevig vastzat. Als de ventilator uit zijn sponning was getrokken, zou dat deel van de vliering hebben gebaad in daglicht.

Buiten op straat zwegen de sirenes één voor één. Zes stuks.

Voorwaarts kruipend zag Harry in een van de beschaduwde nissen in de dakrand tussen twee spanten een stapel spookachtig verlichte losse ledematen. Hij deinsde terug en begon bijna te schreeuwen. Armen die bij de ellebogen waren afgehakt. Handen bij de polsen geamputeerd. Gespreide vingers, alsof ze smekend en tastend naar hulp reikten. Nog geschokt hijgend besefte hij dat deze macabere verzameling slechts een stapel onderdelen van paspoppen was.

Hij was nu minder dan drie meter van het einde van de smalle gang verwijderd en vervolgde zijn weg al hurkend, maar werd zich plotseling bewust van het zachte, verraderlijke geschraap van zijn schoenen tegen de vloerplanken. Net als de sirenes waren ook de vleermuizen verstomd. Vanaf de straat buiten kwam wat geschreeuw en het krakende geluid van boodschappen via de politieband, maar die geluiden waren zo ver en onwerkelijk als stemmen in een nachtmerrie waaruit hij net wakker werd of waarin hij net vergleed. Elke halve meter hield Harry even stil en luisterde hij of hij onthullende geluiden van de gek hoorde, maar de man was zo stil als een spook.

Toen hij een meter of anderhalf van de oostelijke vlieringmuur het einde van het gangpad bereikte, stopte hij opnieuw. De ventilator waarop de dader had staan hameren, moest zich net om de hoek van de laatste stapel dozen bevinden.

Harry hield zijn adem in en luisterde naar de ademhaling van zijn prooi. Niets.

Hij ging voorzichtig verder en keek voorbij het einde van het gangpad om de hoek van de dozen naar de lege ruimte tegenover de oostelijke muur. De dader was weg.

Niet via de vlieringventilator van een meter in het vierkant. Die was beschadigd, maar zat nog steeds op zijn plaats en er kwamen vage luchtstromen en dunne, ongelijkmatige straaltjes daglicht doorheen, die strepen wierpen op de grond waar de voetafdrukken van de dader het stoftapijt ontsierden.

Harry's aandacht werd getrokken door beweging aan de noordkant van de vliering en zijn vinger rond de trekker spande zich. Connie tuurde rond de hoek van een stapel dozen aan die kant van de vliering.

Over dat brede gat heen staarden ze elkaar aan.

De dader was achter hun rug weggeglipt.

Ofschoon Connie grotendeels in schaduwen gehuld was, kende Harry haar goed genoeg om te weten wat ze in stilte aan het mompelen was: *godverdegodverdegodver.*

Ze kwam vanuit de noordelijke daklijst te voorschijn en kroop over de open ruimte aan de oostzijde Harry's kant op. Behoedzaam tuurde ze in de mondingen van andere gangpaden tussen rijen dozen en paspoppen.

Harry begon naar haar toe te kruipen en tuurde in de duistere gangpaden aan zijn kant. De vliering was zó groot en stond zó volgepakt met goederen, dat het daar een doolhof was. En hij huisvestte een monster dat zich kon meten met wat dan ook uit de mythologie.

Van elders in de hoge ruimte kwam de inmiddels vertrouwde stem: '*All Shook Up, I Feel So Bad, Steamroller Blues!*'

Harry perste zijn ogen dicht. Hij wou dat hij ergens anders was. Bijvoorbeeld in het koninkrijk van de 'twaalf dansende prinsessen' met de twaalf jonge troonopvolgers, ondergrondse kastelen van licht, bomen met gouden bladeren, andere bomen met diamanten bladeren, betoverde balzalen vol prachtige muziek… Ja, dat zou fantastisch zijn. Dat was een van de vriendelijker verhalen van de gebroeders Grimm. Daarin werd niemand levend opgegeten of doodgehakt door een trol.

'Geef je over! *Surrender!*'

Dit keer klonk Connies stem.

Harry deed zijn ogen open en keek haar fronsend aan. Hij was bang dat ze hun positie verried. Weliswaar had hijzelf de dader niet kunnen lokaliseren door naar hem te luisteren, want de geluiden weerkaatsten vreemd rond de vliering, wat zowel hen als de dader beschermde, maar stilte was niettemin verstandiger.

De dader riep opnieuw: '*A Mess of Blues, Heartbreak Hotel!*'

'*Surrender!*' herhaalde Connie.

'*Go Away Little Girl!*'

Connie trok een vies gezicht. 'Dat was Elvis niet, sufkop! Dat was Steve Lawrence. *Surrender.*'

'*Stay Away.*'

'*Surrender.*'

Harry knipperde met zijn ogen om het zweet eruit te krijgen en bestudeerde Connie zonder begrip. Nooit had hij een situatie minder beheerst dan nu. Tussen haar en de krankzinnige viel iets weg, maar Harry had niet het flauwste idee wat dat was.

'*I Don't Care If the Sun Don't Shine.*'

'*Surrender.*'

Plotseling herinnerde Harry zich dat *Surrender* de naam van een Elvis-ouwe was.

'*Stay Away.*'

Dat was misschien een andere Presley-song.

Connie glipte een van de gangpaden in, zodat Harry haar niet meer kon zien, en riep: '*It's Now or Never.*'

'*What'd I Say?*'

Zich verder het doolhof in wagend antwoordde Connie met twee Presley-titels. '*Surrender. I Beg of You.*'

'*I Feel So Bad.*'

Connie aarzelde even en antwoordde: '*Tell Me Why.*'

'*Don't Ask Me Why.*'

Er was een gesprek tot stand gekomen. In titels van Presley-songs. Het leek een bizarre televisiequiz zonder prijzen voor het goede antwoord, maar een heleboel gevaar voor het verkeerde.

Gehurkt bewoog Harry zich voorzichtig naar een ander gangpad dan Connie had genomen. Een spinneweb plooide zich om zijn gezicht. Hij trok het weg en kroop dieper de door paspoppen bewaakte schaduwen in.

Connie nam haar toevlucht tot een titel die ze al eerder had gebruikt. '*Surrender.*'

'*Stay Away.*'

'*Are You Lonesome Tonight?*'

Na een korte aarzeling gaf de dader toe: '*Lonely Man.*'

Harry kon de stem nog steeds niet lokaliseren. Hij zweette nu werkelijk uitbundig. Sliertige resten van het spinneweb plakten aan zijn haar en kriebelden aan zijn wenkbrauwen, zijn mond proefde als de bodem van een vijzel in Frankensteins laboratorium en hij had het gevoel dat hij uit de werkelijkheid was gestapt en in de duistere hallucinaties van een drugs-verslaafde terecht was gekomen.

'*Let Yourself Go*,' adviseerde Connie.

'*I Feel So Bad*,' herhaalde de dader.

Harry wist dat hij zich niet zo verward hoefde te voelen over de vreemde kronkels van deze jacht. Dit waren immers de jaren negentig, een redelozer tijdperk dan ooit tevoren, en het bizarre was zó gewoon, dat het normale een nieuwe inhoud kreeg. Zoals de overvaller die kort geleden begonnen was om bedienden in supermarkten niet te bedreigen met vuurwapens maar met injectienaalden vol met door aids besmet bloed.

Connie riep naar de dader: '*Let Me Be Your Teddy Bear*,' wat Harry een rare draai in hun titelconversatie vond.

Maar de dader antwoordde onmiddellijk met even verlangende als wantrouwende stem: '*You Don't Know Me.*'

De juiste riposte kostte Connie maar een paar seconden: '*Doncha Think It's Time?*'

En over het bizarre gesproken: Richard Ramirez, de seriemoordenaar die bekend was als 'de Nachtwaarder', werd in de gevangenis bezocht door een stroom knappe jonge vrouwen, die hem aantrekkelijk, opwindend, romantisch vonden. Of wat te denken van die man in Wisconsin, nog niet zo lang geleden, die delen van zijn slachtoffers klaarmaakte als avondeten en in zijn koelkast rijen afgehakte hoofden bewaarde? Zijn buren zeiden dat er inderdaad al jarenlang een vieze stank uit zijn flat kwam en af en toe hoorden ze gegil en het geluid van sterke elektrische zagen, maar dat gillen duurde nooit lang, en hoe dan ook leek het zo'n aardige man en hij leek echt om mensen te géven. De jaren negentig. Als decennium onverslaanbaar.

'*Too Much*,' zei de dader ten slotte. Kennelijk geloofde hij niets van Connies zogenaamde romantische belangstelling.

'*Poor Boy*,' zei ze met schijnbaar welgemeende sympathie.

'*Way Down.*' De stem van de dader, die zijn gebrek aan zelfachting toegaf typisch een excuus voor de jaren negentig echode beschamend huilerig tegen de bespinnewebde dakspanten.

'*Wear My Ring Around Your Neck*,' zei Connie. Ze maakte hem het hof terwijl ze door het doolhof kroop, zonder twijfel van plan hem naar de andere wereld te schieten zodra ze hem in zicht kreeg.

De dader antwoordde niet.

Ook Harry bleef in beweging. IJverig doorzocht hij elke beschaduwde nis en zijgang, maar hij voelde zich nutteloos. Hij had nooit gedacht dat een goede politieman in het laatste decennium van deze vreemde eeuw een expert op het gebied van rock-'n'-roll-weetjes zou moeten zijn.

Hij haatte dit soort gedoe, maar Connie was er dol op. Ze omhelsde de chaos der tijden; er was iets donkers en wilds in haar.

Harry bereikte een gangpad dat loodrecht op het zijne stond. Het was verlaten op een paar naakte paspoppen na die al lang geleden over elkaar heen waren gevallen. Gehurkt en met zijn schouders beschermend omlaag ging Harry verder.

'*Wear My Ring Around Your Neck*,' riep Connie weer vanuit een ander deel van het doolhof.

Misschien aarzelde de dader omdat hij dit aanbod iets vond voor een man aan een vrouw, niet omgekeerd. Deze hufter was weliswaar beslist een jaren-negentiger, maar dacht misschien nog steeds ouderwets over geslachtsrollen.

'*Treat Me Nice*,' zei Connie.

Geen antwoord.

'*Love Me Tender*,' zei Connie.

De dader reageerde nog steeds niet en Harry maakte zich zorgen over het feit dat het gesprek een monoloog was geworden. De dader was misschien al vlak bij Connie en liet haar praten om haar onder schot te krijgen.

Harry wilde net een waarschuwing schreeuwen, toen een ontploffing het gebouw deed schudden. Hij bleef doodstil zitten en vouwde zijn armen beschermend over zijn gezicht. Maar de ontploffing had niet plaatsgevonden op de vliering; er was geen lichtflits geweest.

Vanaf de verdieping beneden kwam geschreeuw van pijn en angst, verwarde stemmen, boos geroep.

Andere agenten waren kennelijk de kamer beneden ingegaan, waar de ladder toegang gaf tot de vliering, en de dader had hen gehoord. Hij had een granaat door het valluik gegooid.

Het gruwelijke gegil bracht een beeld voor Harry's geestesoog: dat van iemand die probeert te verhinderen dat zijn darmen uit zijn buik stromen.

Hij wist dat hij en Connie het op dat moment zeldzaam eens waren en dezelfde angst en woede ervoeren. Dit keer konden de wettelijke rechten van de dader, overmatig geweld of correcte procedures hem geen moer schelen. Hij wilde die hufter alleen maar dood.

Boven het geschreeuw uit probeerde Connie de dialoog te herstellen:

'*Love Me Tender*.'

'*Tell Me Why*,' wilde de dader weten; hij betwijfelde nog steeds haar op-rechtheid.

'*My Baby Left Me*,' zei Connie.

Het geschreeuw van beneden verstierf. De gewonde man was stervende, of werd door anderen uit de kamer gedragen waar de granaat ontploft was.

'*Anyway You Want Me*,' zei Connie.

De dader zweeg even. Toen echode zijn stem dolmakend richtingloos door de ruimte: '*I Feel So Bad.*'

'*I'm Yours*,' zei Connie.

Harry was stomverbaasd over de snelheid waarmee ze op de juiste titels kwam.

'*Lonely Man*,' zei de dader, en klonk inderdaad meelijwekkend.

'*I've Got a Thing About You Baby*,' zei Connie.

Ze is een genie, dacht Harry bewonderend. En ernstig geobsedeerd door Presley.

Harry nam aan dat de dader wel behoorlijk afgeleid zou zijn door Connies eigenaardige manier van verleiden en nam het risico om op te staan. Hij was nu midden onder de punt van het dak, kwam langzaam helemaal overeind en onderzocht de vliering naar alle kanten.

Een paar stapels dozen waren schouderhoog, maar veel andere kwamen maar een paar centimeter boven zijn heup. Een heleboel menselijke vor-men staarden hem vanuit de schaduwen aan. Ze waren tussen dozen ge-stopt of zaten er zelfs bovenop. Maar allemaal moesten het paspoppen zijn, want niemand bewoog of schoot op hem.

'*Lonely Man. All Shook Up*,' zei de dader wanhopig.

'*There's Always Me.*'

'*Please Don't Stop Loving Me.*'

'*Can't Help Falling in Love*,' zei Connie.

Staande had Harry een beter idee van de richting waaruit de stemmen kwamen. Zowel Connie als de dader waren ergens voor hem uit, maar aanvankelijk kon hij niet vaststellen of ze vlak bij elkaar waren. Hij kon niet over de dozen heen in een van de andere gangen van het doolhof kij-ken.

'*Don't Be Cruel*,' smeekte de dader.

'*Love Me*,' drong Connie aan.

'*I Need Your Love Tonight.*'

Ze waren in het westelijke deel van de vliering, aan de zuidkant, en waren inderdaad vlak bij elkaar.

'*Stuck on You*,' hield Connie aan.

'*Don't Be Cruel.*'

Harry voelde de spanning van de dialoog escaleren. Dat kwam subtiel tot uiting in de toon van de schutter, de snelheid van zijn antwoorden en zijn herhaling van dezelfde titel.

'*I Need Your Love Tonight.*'

'*Don't Be Cruel.*'

Voor Harry was voorzichtigheid nu niet meer het allerbelangrijkst. Hij haastte zich in de richting van de stemmen naar een gedeelte dat dichter was bevolkt met paspoppen. Ze waren groepsgewijs in nissen tussen dozen gezet. Bleke schouders, gracieuze armen, handen die wezen of geheven waren alsof ze iemand begroetten. Geschilderde ogen die blind in het duister staarden; geschilderde lippen, voor eeuwig licht geopend in een halfgevormde glimlach, in een groet die nooit stem had gekregen, in een passieloze erotische zucht.

Er zaten hier ook meer spinnen. Dat bleek uit hun webben, die in zijn haren verstrikt raakten en aan zijn kleren kleefden. Hij veegde het ragfijne weefsel onder het gaan van zijn gezicht. Op zijn tong en lippen losten vliesdunne flarden ervan op en er kwam een stroom speeksel in zijn mond toen de walging hem overmande. Hij slikte met moeite en spuugde een dot speeksel met spinnespul uit.

'*It's Now or Never*,' beloofde Connie van ergens dichtbij.

De vertrouwde drie woorden als antwoord waren geen smeekbede meer maar eerder een waarschuwing: '*Don't Be Cruel.*'

Harry had het gevoel dat die vent zich helemaal niet liet kalmeren, maar langzaam een nieuwe ontploffing voorbereidde.

Hij ging nog een halve meter verder en stopte toen, draaide zijn hoofd naar links en rechts en luisterde aandachtig, bang iets te missen omdat het bonzen van zijn eigen hart zo luid in zijn oren klonk.

'*I'm Yours, Puppet on a String, Let Yourself Go*,' zei Connie dringend. Ze liet haar stem tot een toneelfluister dalen om daarmee een vals gevoel van intimiteit met haar prooi te bevorderen.

Harry had groot respect voor Connies bekwaamheid en instincten, maar was bang dat haar gretigheid om de dader te bedotten, haar afleidde van het besef dat zijn reactie misschien niet voortkwam uit verwarring en verlangen, maar uit een vergelijkbaar verlangen om háár te bedotten.

'*Playing for Keeps, One Broken Heart for Sale*,' zei Connie.

Het klonk alsof ze vlak bij hem was, in het volgende gangpad, beslist niet verder dan twee gangpaden evenwijdig aan het zijne.

'*Ain't That Loving You Baby, Crying in the Chapel.*' Connie fluisterde nu eerder fel dan verleidelijk, alsof ook zij besefte dat de dialoog een verkeerde draai had gekregen.

Harry's spanning groeide. Hij wachtte op het antwoord van de dader, tuurde in het duister voor hem uit, stelde zich plotseling voor hoe de glimlachende moordenaar met het vollemaansgezicht hem van achteren besloop en keek terug langs de weg die hij genomen had.

De vliering leek niet alleen stil, maar zelfs de bron van alle stilte te zijn, net zoals de zon de lichtbron is. De onzichtbare spinnen bewogen zich volmaakt steels door alle donkere hoeken van die hoge ruimte; miljoenen stofjes dreven geluidloos rond, zoals asteroïden en planeten door de luchtloos lege ruimte. En links en rechts van Harry staarden groepen paspoppen zonder iets te zien, luisterden zonder iets te horen en poseerden zonder dat te weten.

Connie fluisterde tussen haar opeengeklemde tanden door. Hard als een dreiging en geen uitnodiging meer. Het was een uitdaging geworden, en songtitels vormden niet meer haar hele repertoire. '*Anyway You Want Me*, smeerlap, schiet op, kom bij mamma. *Let Yourself Go*, smeerlap.'

Geen antwoord.

De vliering was stil maar ook griezelig rustig, met nog minder beweging dan de geest van een dode.

Harry had het vreemde gevoel dat hij een van de poppen rond om hem heen aan het worden was, dat zijn vlees in gips veranderde, zijn botten in stalen staven, zijn zenen en pezen in bundels draad. Hij bewoog zijn ogen heen en weer en liet zijn blik over de onbezielde burgers van de vliering glijden.

Geschilderde ogen. Bleke borsten met eeuwig opgerichte tepels, ronde dijen, strakke billen die wegwelfden in het duister. Haarloze torso's. Mannen en vrouwen. Kale hoofden of vervilte pruiken vol stof.

Geschilderde lippen. Vooruitgestoken als voor een kus of speels pruilend of halfgeopend alsof erotisch verrast door hoe zinderend de aanraking van een minnaar was; andere vormden een verlegen of bedeesde glimlach, weer andere waren breder gewelfd en je zag hun tanden mat glimmen, of ze glimlachten nadenkend, en er waren er ook met een volle en eeuwige lach. Nee. Fout. De matte glans van tanden. Poppetanden glimmen niet. Op poppetanden zit geen speeksel.

Welke? Daar, daar, achter in de nis achter vier echte paspoppen: één slimme imitator, die tussen kale en bepruikte hoofden tuurde, bijna verloren tussen schaduwen, maar zijn ogen glommen in het matte duister, niet meer dan twee meter bij hem vandaan, oog in oog, met een glimlach die breder werd terwijl Harry toekeek, breder, maar zo humorloos als een wond, de weke kin, het vollemaansgezicht, en nog één songtitel, maar zó zacht dat hij bijna onhoorbaar was: 'Blue Moon.' Harry nam dat allemaal in een flits in zich op, bracht tegelijk de loop van zijn revolver omhoog en haalde de trekker over.

De dader opende met zijn Browning 9 mm misschien een fractie van een seconde eerder dan Harry het vuur, en de hele vliering was vol knallende en echoënde schoten. Hij zag de lichtflits uit de loop van het pistool, zo te zien vlak bij zijn borst, o God alstublieft, en leegde zijn revolver sneller dan hij voor mogelijk had gehouden, allemaal in een oogwenk (als hij met zijn ogen had durven wenken). Het wapen bokte zó hevig, dat het hoogstwaarschijnlijk uit zijn hand ging vliegen.

Iets raakte hem hard in zijn darmen en hij wist dat hij geraakt was, ofschoon hij nog geen pijn voelde, alleen een scherpe druk en een hitteflits. En voordat de pijn kon volgen, werd hij achteruit geslagen. Paspoppen vielen over hem heen en drukten hem tegen de wand van het gangpad. De stapels dozen wankelden; sommige raakten los en kwamen in de volgende gang van het doolhof terecht. In een gekletter van gipsen ledematen en harde, bleke lichamen werd Harry mee naar de grond gesleurd. Naar adem snakkend raakte hij erin verward en probeerde om hulp te roepen, maar kon niets harders uitbrengen dan een piepende ademtocht. Hij rook de duidelijke metaalgeur van bloed.

Iemand knipte het licht op de vliering aan, een lang snoer kleine lampjes net onder de punt van het dak, maar dat verbeterde het zicht maar een seconde of twee voor Harry lang genoeg om te zien dat de dader onderdeel was van het gewicht dat hem op de vloer hield. Het vollemaansgezicht tuurde vanaf de top van de stapel tussen de naakte, verstrengelde ledematen en langs de haarloze schedels van de paspoppen omlaag. Zijn ogen waren nu even blind als de hunne. Zijn glimlach was weg. Zijn lippen waren geschilderd, maar met bloed.

Harry wist dat het licht niet echt uitging, maar het leek of iemand aan een dimmer draaide. Hij probeerde om hulp te roepen, maar kon nog steeds alleen maar piepend ademhalen. Zijn blik gleed van het vollemaansgezicht naar het vervagende licht boven zijn hoofd. Het laatste dat hij zag, was een dakspant die volhing met flarden spinneweb. Webben die fladderden als de vlaggen van allang verdwenen naties. Toen vergleed hij in een duister dat zo diep was als de droom van een dode.

7

Voortgedreven door wind op grote hoogte kwamen vanuit het westnoordwesten, als zwijgende bataljons oorlogsmachines, dreigende wolken aanrollen. Op de grond was het nog steeds een rustige en prettig warme dag, maar achter die donderkoppen verdween de blauwe lucht gestadig.

Janet Marco parkeerde haar wrakke Dodge aan het einde van het straatje. Met haar vijfjarige zoontje Danny en de zwerfhond die zich kort geleden bij hen had gevoegd, liep ze door die smalle achterafstraat en doorzocht ze de inhoud van de ene vuilnisbak na de andere. In het afval van anderen zocht ze overleving.

Aan de oostkant van het straatje liep een diep maar smal ravijn vol immense eucalyptusbomen en een wirwar van droge struiken. De westkant bestond uit een rij garages voor twee of drie auto's, onderling gescheiden door poortjes van smeedijzer en geschilderd hout. Achter sommige poortjes ving Janet een glimp op van kleine patio's en bestrate binnenplaatsen in de schaduw van palmen, magnolia's, ficussen en Australische boomvarens, die in dit oceaanklimaat goed gedijen. Over de daken van andere huizen, lager op de heuvels van Laguna, keken al die huizen uit op de Stille Oceaan. Meestal hadden ze dus drie verdiepingen verticale stapels steen en pleister en verweerde dakspanen van cederhout, zo gebouwd dat de dure grond maximaal werd benut.

Ofschoon dit een welvarende buurt was, leverde het schooien van vuilnisbakken hier praktisch hetzelfde op als elders: aluminium blikken die bij een recyclingsbedrijf voor een paar centen konden worden ingeleverd en flessen met statiegeld. Maar af en toe stuitte ze op iets ècht bijzonders: zakken kleren die uit de mode waren maar er ongedragen uitzagen, kapotte apparaten waar ze in een tweedehands-winkel een paar dollar voor kreeg als ze makkelijk te repareren waren, namaakjuwelen die niemand meer wilde, of boeken en ouderwetse grammofoonplaten die ze kon doorverkopen aan gespecialiseerde winkels voor verzamelaars.

Danny sleepte een plastic vuilniszak mee waar Janet de aluminium blikken in deed. Zijzelf droeg een andere zak voor de flessen.

Terwijl ze onder een snel donker wordende hemel het straatje afwerkten,

wierp Janet herhaaldelijk een blik achterom naar de Dodge. Ze was ongerust over de auto, probeerde nooit meer dan twee blokken uit zijn buurt te
raken en hem zoveel mogelijk in het zicht te houden. Die auto was niet alleen hun vervoermiddel, maar ook hun beschutting tegen zon en regen en
de plaats waar ze hun schamele bezittingen bewaarden; hij was hun huis.

Altijd was ze bang voor een mechanisch defect dat ernstig genoeg was om
onherstelbaar te zijn of onherstelbaar binnen haar financiële grenzen, wat
op hetzelfde neerkwam. Maar ze was vooral bang voor diefstal, want zonder auto hadden ze geen dak boven hun hoofd en geen veilige plaats om te
slapen.

Ze wist dat niemand zo'n rijdend wrak gauw zou stelen. De dief zou nog
wanhopiger moeten zijn dan zij, en ze kon zich niemand voorstellen bij
wie dat het geval was.

Uit een grote bruine plastic vuilnisbak viste ze een paar al geplette aluminium blikken. Die hadden, terwille van recycling, gescheiden van het andere vuil gehouden moeten zijn. Ze deed ze in Danny's vuilniszak.

De jongen keek ernstig toe. Hij zei niets. Het was een rustig kind. Zijn vader had hem zó gekoeioneerd dat hij praktisch niets meer zei, en in het
jaar sinds Janet die hufterige tiran uit haar leven had gebonjourd, was
Danny nog maar weinig uit zijn schulp gekropen.

Ze wierp een blik achterom. De auto stond er nog steeds.

Wolken wierpen schaduwen over het straatje en er stak een zachte, zoutige bries op. Van ver weg over zee kwam het lage gerommel van donder.

Ze haastte zich naar de volgende bak met Danny achter zich aan.

De hond, die Danny Woofer had gedoopt, snuffelde aan de vuilnisbakken,
dribbelde naar het dichtstbijzijnde poortje en stak zijn snuit tussen de ijzeren staven. Hij kwispelstaartte voortdurend. Het was een aardig beest dat
zich redelijk gedroeg, zo groot als een golden retriever met een zwart-met-
bruine vacht en een lieve snuit. Maar Janet was alleen bereid voor zijn
voer te betalen, omdat hij Danny de afgelopen dagen zo vaak een glimlach
had ontlokt. Tot Woofer in hun leven kwam, was Janet al bijna vergeten
hoe zijn glimlach eruitzag.

Opnieuw wierp ze een blik op de gedeukte Dodge. Niets aan de hand.

Ze keek naar het andere eind van het straatje en toen naar het in struikgewas stikkende ravijn en de afbladderende stammen van de reusachtige eucalyptussen, die het uitzicht blokkeerden. Ze was niet alleen bang voor au-
todieven en voor bewoners die zich konden verzetten tegen haar gerommel in hun vuilnis. Ze was ook bang voor de smeris die haar de laatste tijd

lastig viel. Nee. Geen smeris. Iets dat net deed of het een smeris was. Die vreemde ogen, dat vriendelijke sproetengezicht dat zo snel kon veranderen in een nachtmerrieschepsel...

Janet Marco kende maar één religie: angst. Bij haar geboorte had ze dat wrede geloof nog niet beseft en was ze in staat geweest tot evenveel verbazing en vreugde als elk ander kind. Maar haar ouders waren alcoholisten en hun eucharistie van gedistilleerde dranken maakte een onheilige woede en een groot vermogen tot sadisme in hen los. Met kracht werd ze ingewijd in de dogma's en leerstellingen van de angstcultus. Ze leerde dat er maar één god bestond, die noch een speciale persoon, noch een kracht was; voor haar was god alleen maar macht, en wie die uitoefende, werd vanzelf tot de rang van godheid verheven.

Dat ze, zodra ze oud genoeg was om aan haar ouders te ontsnappen, in de macht kwam van een man als Vince Marco, die vrouwen sloeg en fanatiek heerszuchtig was, was niet verbazend. Tegen die tijd was ze een toegewijd slachtoffer geworden en had ze onderdrukking nodig. Vince was lui, deugde nergens voor, dronk, gokte en zat achter vrouwen aan, maar hij was uiterst bekwaam en energiek als de geest van een vrouw gebroken moest worden.

Acht jaar lang had ze met hem door het Westen gezworven. In geen enkele stad bleven ze langer dan zes maanden, terwijl Vince in hun levensonderhoud probeerde te voorzien – zij het niet altijd op eerlijke wijze. Hij wilde niet dat Janet vriendschap sloot. Zolang hij de enige vaste aanwezigheid in haar leven was, had hij haar volledig in zijn macht; niemand mocht in staat zijn om haar aan te zetten en aan te moedigen tot opstandigheid.

Zolang ze volstrekt onderdanig was en haar angst voor hem zichtbaar maakte, werd ze minder erg geslagen en gemarteld dan wanneer ze stoïcijnser was en hem haar vrees voor hem onthield. De god van de vrees stelde zichtbare uitingen van toewijding bij zijn gelovigen evenzeer op prijs als de christelijke god van de liefde. Pervers genoeg werd de angst haar toevlucht en enige verdediging tegen nog ergere wreedheden.

En zo was het misschien doorgegaan tot ze nog slechts een huiverend dier was dat doodsbang in zijn hol schuilde... maar toen kwam Danny om haar te redden. Toen de baby eenmaal geboren was, werd ze net zo bang vanwege hem als vanwege zichzelf. Wat stond Danny te wachten als Vince op een nacht te ver ging en haar in dronken razernij doodsloeg? Hoe kon Danny, zo klein, zo weerloos, dat alleen overleven? Mettertijd begon ze leed jegens Danny meer te vrezen dan leed jegens zichzelf. Dat had haar last verzwaard moeten hebben, maar werkte in feite vreemd bevrijdend. Vince besefte het niet, maar hij was niet langer de enige vaste aanwezigheid in haar leven. Door zijn pure bestaan was haar kind een aansporing tot rebellie en een bron van moed.

Desondanks had ze misschien nooit de moed gevonden om haar juk af te schudden, als Vince met zijn handen van de jongen was afgebleven. Een jaar geleden, in een vervallen huurhuis met een woestijnbruin gazon in de buitenwijken van Tucson, was Vince stinkend naar bier, zweet en het parfum van een andere vrouw thuisgekomen en had Janet voor de lol geslagen. Danny was toen vier en te klein om zijn moeder te beschermen, maar oud genoeg om te vinden dat hij dat zou moeten. Toen hij in zijn pyjama binnenkwam en tussenbeide probeerde te komen, mepte zijn vader hem verschillende keren gemeen, sloeg hem tegen de grond en schopte hem tot de jongen huilend en doodsbang het huis uit kroop naar het voorgazon.

Janet had die ranselpartij verdragen, maar later, toen zowel haar man als haar zoon sliepen, was ze naar de keuken gegaan en had ze van het rek aan de muur naast het fornuis een mes gepakt. Voor het eerst en misschien voor het laatst was ze volstrekt niet bang. Ze liep terug naar de slaapkamer en stak Vince meermaals in zijn hals, nek, borst en maag. Bij de eerste wond die ze hem toebracht, werd hij wakker. Hij probeerde te schreeuwen, maar met zijn mond vol bloed kon hij alleen maar rochelen. Hij verzette zich kort en vruchteloos.

Janet ging na of Danny in de kamer ernaast niet wakker was geworden en wikkelde het lijk van Vince in de met bloed bevlekte lakens. Met waslijn bond ze die lijkwade rond zijn enkels en zijn hals dicht en sleepte hem het huis door, de keukendeur uit en de achterplaats over.

Het schijnsel van de hoge maan was afwisselend vaag en helder, want wolken zeilden als galjoenen oostwaarts langs de hemel, maar het kon Janet niet schelen of ze gezien werd. De vervallen woningen langs dat deel van de provinciale weg stonden ver uit elkaar, en in geen van de twee buurhuizen brandde licht.

Gedreven door het wrede besef dat de politie Danny even zeker van haar af kon nemen als Vince misschien gedaan had, sleepte ze het lijk het terrein af en de nachtelijke woestijn in, die zich onbevolkt uitstrekte tot de bergen in de verte. Moeizaam werkte ze zich door de mesquitestruiken en nog gewortelde amaranten, soms over zacht zand en soms over harde schalieplateaus.

Als het koude maangezicht scheen, werd een vijandig landschap van diepe schaduwen en scherpe, albasten vormen zichtbaar. In een van de diepste schaduwen een droge waterloop, uitgesleten door de plotselinge vloed-stromen van eeuwen liet Janet het lijk achter.

Ze haalde de lakens van het lijk en begroef ze, maar groef geen graf voor het lijk zelf. Ze hoopte dat de nachtelijke aaseters en gieren de botten snel-ler schoonpikten als ze het open en bloot liet liggen. Als de woestijnbewo-ners de zachte kussentjes van Vinces vingers eenmaal hadden afgeknaagd en weggepikt, als de zon en de aaseters eenmaal met hem klaar waren, kon zijn identiteit alleen nog maar worden afgeleid uit tandartsendossiers. Maar Vince was maar zelden naar een tandarts geweest en nooit twee keer naar dezelfde; er bestonden dus geen dossiers waar de politie op af kon gaan. Met enig geluk werd het lijk pas het volgende regenseizoen ontdekt, als de verteerde resten al kilometers en kilometers waren weggespoeld, onontwarbaar en kapot en gemengd met hopen ander afval, tot ze uiteinde-delijk feitelijk verdwenen.

Die nacht pakte Janet hun schamele bezittingen bijeen en reed ze met Danny in de oude Dodge weg. Ze wist niet eens waar ze heen ging, tot ze de grens van de staat overstak en helemaal naar Orange County reed. Dat móest haar eindbestemming zijn, want meer geld besteden aan benzine al-leen maar om verder weg te raken van de dode man in de woestijn, kon ze zich niet veroorloven.

Niemand in Tucson zou zich afvragen wat er met Vince was gebeurd. Uit-eindelijk was hij een doelloze nietsnut. Afhaken en weggaan was voor hem een manier van leven.

Maar Janet was doodsbang om bijstand of enige vorm van steun te vragen. Misschien vroegen ze haar wel waar haar man was en ze had geen ver-trouwen in haar vermogen tot overtuigend liegen.

Bovendien had iemand misschien, ondanks de aaseters en de woeste, uit-drogende kracht van de zon in Arizona, toevallig Vinces lijk ontdekt voor-dat identificatie onmogelijk was geworden. Als zijn weduwe en zoon in Californië opdoken en bijstand van de overheid vroegen, werden diep in een computer misschien verbanden gelegd die een wakkere sociaal werker aanspoorden om de politie te bellen. Met het oog op haar neiging tot on-derwerping aan iedereen die gezag over haar uitoefende een diepgewortel-de karaktertrek waaraan de moord op haar man niet veel afdeed was er maar weinig kans dat Janet een ondervraging door de politie doorstond zonder zichzelf als schuldige aan te wijzen.

Dan pakten ze Danny van haar af.

Dat kon ze niet toestaan. Zóu ze niet toestaan.

Op straat, met alleen een roestige rammelkast van een Dodge als onderdak, ontdekte Janet haar talent voor overleving. Ze was niet dom; ze had alleen nooit eerder de vrijheid gehad om haar verstand te gebruiken. Uit een samenleving, wier afval een aanzienlijk deel van de Derde Wereld had kunnen voeden, peurde ze een zekere mate van hachelijke veiligheid en voedde ze zichzelf en haar zoon, soms haar toevlucht nemend tot een liefdadigheidskeuken, maar altijd slechts voor zo min mogelijk maaltijden.

Ze ontdekte dat de angst waarin ze zo lang gedompeld was geweest, haar niet hoefde te verlammen. Hij kon ook motiveren.

De bries was koud en hard geworden en in een grillige wind veranderd. Het gerommel van de donder klonk nog steeds ver weg, maar luider dan toen Janet het voor het eerst had gehoord. In het oosten was nog maar een streepje blauwe lucht te zien, en dat vervaagde even snel als de meeste hoop.

Janet en Danny ontgonnen nog twee blokken vuilnisbakken en liepen toen naar de Dodge terug met Woofer voor hen uit.

Toen ze al meer dan halverwege waren, stond de hond plotseling stil. Hij rekte zijn hals en luisterde naar iets boven het fluiten van de wind en het koor fluisterstemmen, dat opfladderde uit de onrustige eucalyptusbladeren. Hij gromde en leek even in verwarring, maar draaide zich toen om en keek langs Janet heen. Hij ontblootte zijn tanden en het grommen verhevigde tot een lage snauw.

Ze wist wat zijn aandacht had getrokken. Daarvoor hoefde ze niet te kijken.

Desondanks móest ze zich omdraaien en de dreiging onder ogen zien, al was het alleen maar vanwege Danny. De smeris van Laguna Beach, dè smeris, stond tweeëneenhalve meter verderop.

Hij glimlachte, en zo begon het bij hem altijd. Hij had een innemende glimlach, een vriendelijk gezicht en mooie blauwe ogen.

Net als altijd was er geen politiewagen of andere aanwijzing voor hoe hij in dit straatje was geraakt. Het leek of hij haar tussen de afbladderende eucalyptusstammen had liggen opwachten in het helderziende besef dat haar geschooi haar precies vandaag, precies nu hierheen zou voeren.

'Hoe gaat het, mevrouw?' vroeg hij. Zijn stem klonk aanvankelijk vriendelijk, bijna muzikaal.

Janet zei niets.

Toen hij haar de vorige week voor het eerst had aangesproken, had ze verlegen en zenuwachtig geantwoord en haar ogen afgewend, even verpletterend onderdanig jegens gezagsdragers als ze haar hele leven lang was geweest op die ene bloedige nacht in Tucson na. Maar ze had snel ontdekt dat hij niet was wie hij leek, en dat hij meer van monologen dan dialogen hield.

'Volgens mij krijgen we regen,' zei hij, en blikte omhoog naar de onrustige hemel.

Danny was tegen Janet aan gaan staan. Ze legde haar vrije arm om zijn schouder en trok hem nog dichter tegen zich aan. De jongen huiverde.

Ook zij huiverde. Ze hoopte dat Danny dat niet merkte.

De hond bleef zijn tanden ontbloten en zachtjes grommen.

De smeris maakte zijn blik van de regenwolken los, keek weer naar Janet en zei met dezelfde zangerige stem: 'Oké, geen slap geklets meer. De èchte pret gaat beginnen. Ik zal je vertellen hoe je ervoor staat… je hebt nog tijd tot zonsopgang. Begrepen? Hè? Bij zonsopgang dood ik jou en je zoon.'

Zijn dreigement verraste Janet niet. Iedereen met gezag over haar was altijd een god geweest, zij het een wrede, nooit een zachtmoedige god. Ze verwàchtte geweld, lijden en een dreigende dood. Een blijk van vriendelijkheid van de kant van een gezagdrager had haar verrast, want vriendelijkheid was oneindig veel zeldzamer dan haat en wreedheid.

Ze werd al bijna verlamd door vrees, en alleen een onwaarschijnlijk vertoon van vriendelijkheid had haar nog banger kunnen maken. Ze zou vriendelijkheid hebben opgevat als niets anders dan een poging om onvoorstelbaar boosaardige bedoelingen te camoufleren.

De smeris glimlachte nog steeds, maar zijn Ierse sproetengezicht was niet langer vriendelijk. Het was kouder dan de koele lucht, die als voorbode van het noodweer kwam opzetten vanuit zee.

'Heb je me gehoord, stomme trut?'

Ze zei niets.

'Stond je soms te denken dat je hem moet smeren, de stad uit, misschien naar L.A., waar ik je niet kan vinden?'

Dergelijke gedachten waren inderdaad bij haar opgekomen, hetzij naar Los Angeles, hetzij naar San Diego in het zuiden.

'Ja, alsjeblieft, probeer te vluchten,' moedigde hij aan. 'Dat maakt het voor mij alleen maar leuker. Vlucht, verzet je. Waar je ook gaat, ik vind je altijd, maar het wordt dan wel een stuk opwindender.'

Janet geloofde hem. Ze was aan haar ouders ontsnapt, en daarna aan Vince door hem te doden, maar nu stond ze niet gewoon tegenover een van de vele goden van de vrees die haar hadden overheerst, maar tegenover dè God van de vrees, en Zijn macht ging ieder begrip te boven.

Zijn ogen veranderden van blauw in felgroen en werden donkerder.

Plotseling vlaagde een harde wind door het straatje, dode bladeren en een paar stukken papier voor zich uit jagend.

De ogen van de smeris waren zó stralend groen geworden, dat er een lichtbron achter leek te zijn, een vuur in zijn schedel. En ook de pupillen waren veranderd; ze waren uitgerekt en vreemd als die van een kat.

Het gegrom van de hond werd verschrikt janken.

In het ravijn vlakbij stonden de eucalyptussen te schudden in de wind en hun zachte ruisen ging over in een gebrul als dat van een woedende menigte.

Janet had de indruk dat het schepsel dat zich als smeris had vermomd, de wind had bevolen op te steken om zijn dreigement kracht bij te zetten, maar zoveel macht kon hij beslist niet hebben.

'Als ik jullie bij zonsopgang kom halen, scheur ik jullie open en eet ik jullie het hart uit je lijf.'

Zijn stem was even volledig veranderd als zijn ogen. Hij klonk diep en knarsend, en het was de kwaadaardige stem van iets dat in de hel thuishoort.

Hij deed een stap in hun richting.

Janet deed twee stappen achteruit en trok Danny met zich mee. Haar hart bonsde zó luid, dat ze wist dat haar kwelgeest het horen moest.

Ook de hond trok zich afwisselend grommend en jankend en met de staart tussen zijn poten terug.

'Bij zonsopgang, suffe trut. Jij en die kleine snotneus van je. Zestien uur. Nog maar zestien uur, trut. Tiktak… tiktak… tiktak…'

De wind ging ogenblikkelijk liggen. De hele wereld viel stil. Geen ruisende bomen meer. Geen verre donder.

Een ritselende twijg met een paar lange eucalyptusbladeren eraan hing zo'n dertig centimeter rechts van haar gezicht in de lucht onbeweeglijk, prijsgegeven door de tierende wind die hem gedragen had, maar niettemin op magische wijze zwevend als de dode schorpioen in de presse-papier, die Vince ooit had gekocht bij een pompstation in Arizona.

Het sproetengezicht van de smeris rekte en puilde met verbazingwekkende plooibaarheid uit. Het leek een rubberen masker waarachter grote druk werd uitgeoefend. Zijn groene katteogen leken bijna uit zijn afschuwelijk misvormde schedel te schieten.

Janet wilde vluchten naar de auto, haar toevluchtsoord, haar thuis, de deuren op slot doen, veilig thuis zijn en rijden als een bezetene, maar ze kon het niet en durfde hem niet de rug toe te keren. Ze wist dat ze neergeslagen en in stukken gescheurd zou worden ondanks de beloofde zestien uur respijt, omdat hij wilde dat ze zijn gedaanteverandering zag. Dat eiste hij en hij werd woedend als ze dat negeerde.

De machtigen waren uiterst trots op hun macht. De goden van de vrees moesten pronken en bewonderd worden; ze wilden zien hoeveel doodsangst hun macht de vernederde schepselen aanjoeg, en hoe die zich machteloos bogen.

Het gezwollen gezicht van de smeris versmolt. Zijn gelaatstrekken vervloeiden, zijn ogen smolten tot rode poelen hete olie, de olie zakte in zijn pafferige wangen weg tot hij oogloos was, zijn neus gleed in zijn mond, zijn lippen verbreedden zich over zijn kin en wangen, en toen waren er geen kin of wangen meer, alleen maar een druipende massa. Maar zijn wasachtige vlees verdampte niet en druppelde ook niet op de grond; de aanwezigheid van hitte was dus waarschijnlijk een illusie.

Misschien was dit allemaal slechts illusie, hypnose. Dat zou een heleboel verklaren, weliswaar nieuwe vragen oproepen, maar een heleboel verklaren.

In zijn kleren klopte, kronkelde en veranderde zijn lichaam. Vervolgens losten zijn kleren in zijn lichaam op alsof het nooit echte kleren waren geweest maar gewoon een ander deel van hemzelf. Even werd zijn nieuwe vorm bedekt met vervilt zwart bont: een reusachtig uitgerekte kop begon vorm te krijgen op een krachtige hals, gebogen en misvormde schouders, onheilspellend gele ogen, een woeste rij gemene tanden en klauwen van vijf centimeter een weerwolf uit een film.

Elk van de vier eerdere keren dat dit ding voor haar verschenen was, had het zich op een verschillende manier gemanifesteerd, alsof het indruk wilde maken met zijn repertoire. Maar ze was niet voorbereid op wat ze nu te zien kreeg. Nog vóór het wolvelichaam volledig vorm had gekregen, liet het die incarnatie varen en nam het opnieuw een mensengedaante aan, of-schoon niet die van de smeris. Vince. De gelaatstrekken waren nog voor minder dan de helft tot stand gekomen, maar Janet wist dat het haar dode man ging worden. Hetzelfde donkere haar, hetzelfde voorhoofd, dezelfde bleke kleur in het ene kwaadaardige oog.

De herrijzenis van Vince, die al een jaar onder het zand van Arizona be-graven lag, schokte Janet erger dan al het andere dat het schepsel gedaan had of geworden was, en eindelijk schreeuwde ze het uit van angst. Ook Danny schreeuwde en drong zich nog dichter tegen haar aan.

De hond had niet de wispelturigheid van een zwerver. Hij stopte met jan-ken en reageerde alsof hij al vanaf zijn geboorte bij hen was geweest. Hij ontblootte zijn tanden, grauwde en hapte waarschuwend in de lucht.

Het gezicht van Vince kreeg maar half gestalte maar zijn lichaam kreeg wèl vorm, en hij was net zo naakt als toen ze hem in zijn slaap had over-weldigd. In zijn keel, borst en buik meende ze de wonden te zien van het keukenmes waarmee ze hem gedood had: gapende sneden zonder bloed, maar donker en rauw en afschuwelijk.

Vince hief een arm en reikte naar haar.

De hond viel aan. Het leven zonder halsband op straat had Woofer niet zwak of ziekelijk gemaakt. Het was een sterk beest met goede spieren, en toen hij op de verschijning afsprong, leek hij zo makkelijk te vliegen als een vogel.

Zijn grauw werd afgesneden en hij bleef op wonderbaarlijke wijze stil in de lucht hangen, zijn lichaam ten aanval gebogen, alsof hij slechts een beeld op een videoband was nadat de pauzeknop was ingedrukt. In een flits bevroren. Schuimend kwijl glom als rijp op zijn zwarte lippen en in de vacht rond zijn snuit; zijn tanden schitterden koud als rijen kleine, scherpe ijspegeltjes.

De eucalyptustwijg in zijn jasje van zilvergroene bladeren hing zonder steun rechts van haar; de hond links. De atmosfeer leek uitgekristalliseerd, zodat Woofer voor eeuwig gevangen was in zijn moment van moed; toch kon Janet ademhalen, als ze dat tenminste niet vergat te doen.

Nog steeds maar halfgevormd liep Vince langs de hond op haar af.

Ze draaide zich om en trok Danny rennend met zich mee, maar verwachtte midden in een stap te verstenen. Hoe zou dat voelen? Zou ze met haar ver-lamming in duisternis worden gehuld of zou ze nog steeds kunnen zien hoe Vince haar inhaalde en haar weer in de ogen keek? Zou ze in een schacht van stilte vallen of de haatdragende stem van de dode nog steeds kunnen horen? De pijn voelen van elke slag die op haar neerdaalde of even ongevoelig zijn als de geleviteerde eucalyptustwijg?

Als een springtij raasde een stortvloed van wind door het straatje, en bijna ging ze tegen de grond. De wereld was weer vol geluid.

Ze wervelde om haar as, keek achterom en zag Woofer midden in de lucht tot leven komen en zijn onderbroken sprong afmaken. Maar er was niemand meer om aan te vallen. Vince was weg. De hond kwam op het plaveisel terecht, glipte, gleed uit, rolde om en om, sprong weer op zijn poten, bewoog bang en verward snel met zijn kop en zocht zijn prooi alsof die voor zijn ogen verdwenen was.

Danny huilde.

De dreiging leek voorbij. Het achterafstraatje was verlaten, op Janet, haar zoontje en de hond na. Niettemin haastte ze zich met Danny naar de auto. Ze wilde alleen maar weg van hier en wierp bij het passeren herhaaldelijk blikken op het ravijn vol struiken en op de diepe schaduwen tussen de reusachtige bomen, half verwachtend dat de trol weer uit zijn hol kroop, klaar om zich eerder dan beloofd met hun harten te voeden.

Bliksem flitste. Het gebrul van de donder klonk harder en dichterbij dan eerst.

Het rook naar de regen die komen ging. Die ozonzweem deed Janet denken aan de stank van warm bloed.

8

Harry Lyon zat aan een hoektafel in het achterste deel van het hamburgerrestaurant. In zijn rechterhand hield hij een waterglas omklemd, zijn linker rustte als een vuist op zijn heup. Af en toe nam hij een slokje water en elke slok leek kouder dan de slok ervoor, alsof zijn hand geen warmte maar kou aan het glas overbracht.

Zijn blik dwaalde over het omgevallen meubilair, de verwoeste planten, het verplinterde glas, het verspreide voedsel en het stollende bloed. Negen gewonden waren weggedragen, maar twee dode lichamen lagen nog waar ze gevallen waren. Een politiefotograaf en laboranten waren aan het werk. Harry was zich bewust van de ruimte en de mensen daarin, van het regelmatige geflits van de camera, maar zijn geestesoog zag nog duidelijker het vollemaansgezicht van de dader, dat hem door de wirwar van paspopledematen aankeek. De halfgeopende lippen nat van het bloed. Het dubbele venster van zijn ogen en het uitzicht op de hel daarachter.

Op dat moment was Harry niet minder verbaasd dat hij nog leefde dan toen hij de dode man en de warenhuispoppen van zich af had geschud. Zijn maag schrijnde nog steeds op de plaats waar de gipsen hand van de paspop, met het volle gewicht van de dader erachter, zich in hem had geboord. Hij dacht aanvankelijk dat hij geraakt was. De dader had van dichtbij twee keer geschoten, maar kennelijk waren beide kogels afgeschampt op de tussenliggende gipsen rompen en ledematen.

Van de vijf kogels die Harry had afgevuurd, hadden er minstens drie aanzienlijke schade aangericht.

Rechercheurs in burger en technici liepen heen en weer door de gehavende keukendeur vlakbij, op weg naar of van de eerste verdieping en de vliering. Sommigen zeiden iets tegen hem of sloegen hem op de schouder.

'Goed werk, Harry.'

'Gaat het goed met je, Harry?'

'Prima gedaan, kerel.'

'Wil je iets hebben, Harry?'

'Ging er heet aan toe, hè, Harry?'

Hij mompelde 'dank je' of 'ja' of 'nee' of schudde alleen zijn hoofd. Hij was nog niet tot een gesprek met een van hen in staat, en zeker niet tot het heldendom.

Buiten had zich een menigte verzameld die zich gretig tegen de politieafzetting verdrong en door zowel de kapotte als de hele ruiten gaapte. Hij probeerde hen te negeren want te velen van hen deden hem aan de dader denken. Hun ogen schitterden koortsachtig en hun prettige, alledaagse gezichten konden hun vreemde hunkeringen niet verbergen.

Connie kwam door de klapdeur de keuken uit. Ze zette een omgevallen stoel overeind en ging bij hem aan tafel zitten. Ze had een opschrijfboekje bij zich, waaruit ze voorlas. 'Hij heette James Ordegard. Eenendertig. Niet getrouwd. Woonde in Laguna. Ingenieur. Geen strafblad. Zelfs geen dagvaarding wegens verkeersovertreding.'

'Is er een verband met dit restaurant? Werkt zijn ex-vrouw of vriendin hier?'

'Nee. Tot dusver kunnen we geen verband vinden. Niemand die hier werkt, herinnert zich dat hij hem ooit eerder heeft gezien.'

'Had hij een zelfmoordbriefje bij zich?'

'Nee. Dit lijkt gewoon willekeurige geweldpleging.'

'Hebben ze met iemand op zijn werk gepraat?'

Ze knikte. 'Die zijn verbijsterd. Het was een goeie werker, gelukkig…'

'De gebruikelijke modelburger.'

'Dat zeggen ze.'

De fotograaf nam nog een paar plaatjes van het dichtstbijzijnde lijk, een vrouw van in de dertig. Het geflits was pijnlijk fel en Harry besefte dat het buiten, voorbij de ramen, bewolkt was geworden sinds hij en Connie hier naar binnen waren gegaan om te lunchen.

'Heeft-ie vrienden, familie?' vroeg Harry.

'We hebben een paar namen, maar hebben nog niet met ze gepraat. Ook niet met de buren.' Ze deed het opschrijfboekje dicht. 'Hoe gaat 't ermee?'

'Heb me wel 's beter gevoeld.'

'Hoe gaat 't met je buik?'

'Niet slecht, bijna normaal. Morgen wordt het een stuk erger. Waar heeft-ie verdomme die granaten vandaan?'

Ze haalde haar schouders op. 'Daar komen we wel achter.'

De derde granaat, die door het valluik in de kamer eronder was gegooid, had een politieagent uit Laguna Beach verrast. Hij lag nu in het Hoag-ziekenhuis en vocht voor zijn leven.

'Granaten.' Harry kon het nog steeds niet geloven. 'Heb je ooit zoiets gehoord?'

Hij had onmiddellijk spijt van zijn vraag. Hij wist dat hij haar daarmee op haar stokpaardje kreeg de horlepiep aan het einde van het millennium, de voortdurende crisis in dit nieuwe duistere tijdperk.

Connie fronste en zei: 'Of ik zoiets ooit gehoord heb? Misschien niet zoiets, maar wel iets even ergs of nog ergers, nog veel ergers. Vorig jaar doodde een vrouw in Nashville haar gehandicapte vriend door zijn rolstoel in brand te steken.'

Harry zuchtte.

Ze zei: 'Acht tieners in Boston verkrachtten en doodden een vrouw. Weet je wat hun excuus was? Ze verveelden zich. Verveelden zich. Het was de schuld van de stad, snap je, want die verschafte die jochies te weinig gratis buitenschoolse activiteiten.'

Hij wierp een blik op de mensen die zich buiten de grote ramen bij de afzetting van de plaats van het misdrijf verdrongen en wendde toen snel zijn blik af.

Hij zei: 'Waár heb je al die parels vandaan?'

'Kijk, Harry, dit is de Tijd van de Chaos. Ga met je tijd mee.'

'Misschien ben ik wel liever een ouderwetse zak.'

'Om in de jaren negentig een goeie smeris te zijn, moet je echt vàn de jaren negentig zijn. Je moet meedeinen op het ritme van de vernietiging. De beschaving stort rond onze oren ineen. Iedereen wil een vergunning, niemand wil verantwoordelijkheid, en dus houdt de kern het niet. Je moet weten hoe je regels moet overtreden om het systeem te redden en hoe je je moet laten meedrijven op elke toevallige golf waanzin die langskomt.'

Hij staarde haar slechts aan, en dat was makkelijk, veel makkelijker dan nadenken over wat ze had gezegd, want de mogelijkheid dat ze gelijk had, joeg hem angst aan. Hij kon daar niet over nadenken. Ging daar niet over nadenken. In ieder geval niet nu. En de aanblik van haar mooie gezicht was een welkome afleiding.

Ze voldeed niet aan de huidige Amerikaanse superschoonheidsnorm, gesteld door sletjes in bierspots op de televisie. Evenmin bezat ze de klamme, exotische verleidingskracht van vrouwelijke rocksterren met een gemuteerd decolleté en vier kilo schmink, die om onnaspeurbare redenen een hele generatie jongemannen opwonden, maar Connie Gulliver was wel degelijk aantrekkelijk. Dat vond Harry tenminste. Niet dat hij romantische belangstelling voor haar had. Nee. Maar hij was een man, zij was een vrouw, ze werkten nauw samen, en het was logisch dat hij zag hoe prachtig dik haar donkerbruine, bijna zwarte haar was en hoe zijdeachtig het glansde, ofschoon ze het kort geknipt had en het kamde met haar vingers. Haar ogen hadden een vreemde blauwe tint, die violet werd als er in een bepaalde hoek licht op viel, en ze zouden onweerstaanbaar verleidelijk zijn geweest als het niet de waakzame, wantrouwige ogen van een smeris waren geweest.

Ze was drieëndertig, vier jaar jonger dan Harry. In de zeldzame ogenblikken dat ze haar dekking liet varen, leek ze vijfentwintig. Maar meestal leek ze ouder dan ze was door de donkere wijsheid die het politiewerk haar had bijgebracht.

'Waar zit je naar te kijken?' vroeg ze.

'Ik vroeg me alleen maar af of je vanbinnen echt zo hard bent als je voorgeeft.'

'Dat zou je inmiddels moeten weten.'

'Dat is 't nou net… dat zou ik inderdaad.'

'Ga tegenover mij geen psychiatertje spelen, Harry.'

'Doe ik ook niet.' Hij nam een slokje water.

'Een van de dingen die ik in je mag, is dat je niet probeert om iedereen te analyseren. Al dat geklets is gemalen poppestront.'

'Dat vind ik ook.'

Hij was niet verbaasd te ontdekken dat ze het over iets eens waren. Ondanks de vele verschillen tussen hen leken ze genoeg op elkaar om in hun werk goede partners te zijn. Maar omdat Connie vermeed iets van zichzelf prijs te geven, wist Harry in de verste verte niet of hun vergelijkbare instelling vergelijkbare of volstrekt tegenovergestelde redenen had.

Soms leek het belangrijk om te begrijpen waarom ze bepaalde opvattingen had. Op andere momenten wist Harry even zeker dat meer intimiteit hun verhouding alleen maar zou vertroebelen. Hij haatte verwarring. In een beroepsmatig samenwerkingsverband was het vaak verstandig om al te veel gemeenzaamheid te vermijden, een veilige afstand te bewaren, een bufferzone vooral als je allebei vuurwapens droeg.

In de verte rolde de donder.

Een koele tocht gleed langs de puntige randen van het grote, kapotte raam helemaal tot in het achterste stuk van het restaurant. Weggelegde papieren zakdoekjes dwarrelden op de grond.

Het vooruitzicht op regen deed Harry plezier. De wereld had een schoonmaak- en opfrisbeurt nodig.

Connie zei: 'Ga je je laten zielknijpen?'

Na een schietpartij werden ze aangemoedigd om een paar keer naar een psycholoog te gaan.

'Nee,' zei Harry. 'Mij mankeert niks.'

'Waarom nok je niet af en ga je niet naar huis?'

'Ik kan jou niet met de hele boel laten zitten.'

'Hier kan ik het wel aan.'

'En al die paperassen dan?'

'Dat lukt me ook wel.'

'Ja, maar jouw verbalen zitten altijd vol typefouten.'

Ze schudde haar hoofd. 'Je bent te opgenaaid, Harry.'

'Het gaat allemaal met de computer, maar jij neemt niet eens de moeite om het spellingsprogramma aan te zetten.'

'Ze hebben net met granaten naar me gegooid. Laat ze de pest krijgen met hun spellingsprogramma.'

Hij knikte en stond van tafel op. 'Ik ga naar het bureau en begin aan het verbaal.'

Begeleid door een nieuwe, lage, rommelende donder liepen een paar mensen van het lijkenhuis in witte jasjes naar de dode vrouw. Onder toezicht van een assistent-lijkschouwer bereidden ze de verwijdering van het slachtoffer voor.

Connie gaf haar opschrijfboekje aan Harry. Voor zijn verbaal had hij een paar feiten nodig die zij had verzameld.

'Tot straks,' zei ze.

'Tot straks.'

Een van de mensen van het lijkenhuis vouwde een ondoorzichtige lijkzak open. Die was zo strak gevouwen geweest, dat de lagen plastic met een kleverig, krakend, onprettig organisch geluid loslieten.

Harry werd verrast door een golf misselijkheid.

De dode vrouw had met haar gezicht omlaag en haar hoofd de andere kant op gelegen. Hij had een andere rechercheur horen zeggen dat ze in haar gezicht en borstkas was geschoten. Toen ze haar omrolden om haar in de zak te leggen, wilde hij haar niet zien.

Hij bedwong zijn misselijkheid met moeite, draaide zich om en liep naar de voordeur.

Connie zei: 'Harry?'

Onwillig keek hij om.

Ze zei: 'Dank je.'

'Jij ook.'

Dat was waarschijnlijk de enige keer dat ze iets zeiden over het feit dat hun overleving had afgehangen van hun goede samenwerking.

Hij liep door naar de voordeur en vreesde de confrontatie met de menigte toekijkers.

Achter hem klonk een nat geluid als van een losgetrokken zuignap, toen ze de vrouw uit het stollende bloed trokken dat haar half aan de vloer had geplakt.

Soms kon hij zich niet meer herinneren waarom hij bij de politie was gegaan. Dat leek geen carrièrekeuze maar een vlaag waanzin.

Hij vroeg zich af wat hij geworden was als hij niet bij de politie was gegaan, maar net als altijd liet zijn fantasie hem op dat punt in de steek. Misschien bestond er inderdaad zoiets als lotsbestemming, een oneindig veel grotere macht dan de kracht die de aarde om de zon liet draaien en de planeten op hun plaats hield, een macht die mannen en vrouwen door het leven leidde alsof het stukken waren op een bord. Misschien was de vrije wil slechts een wanhopige illusie.

De agent in uniform bij de voordeur stapte opzij om hem door te laten. 'Een beestenboel,' zei hij.

Harry wist niet zeker of de agent het leven in het algemeen bedoelde of alleen de massa toekijkers.

Buiten was het aanmerkelijk koeler dan toen Harry en Connie het restaurant waren ingelopen om te lunchen. Boven het scherm van bomen was de hemel grijs als kerkhofgraniet.

Voorbij de dranghekken van de politie en een strakke, gele band waarmee de plaats van het misdrijf was afgezet, verdrongen zestig of tachtig mensen elkaar halsreikend voor een beter uitzicht op de slachtpartij. Jonge mensen met new-wave haar stonden schouder aan schouder met bejaarden, zakenlieden in pak naast strandtypes in afgeknipte spijkerbroeken en Hawaïaanse hemden. Een paar aten grote chocoladekoeken, die ze bij een bakker in de buurt hadden gekocht, en de meesten waren feestelijk gestemd, alsof niemand van hèn ooit zou sterven.

Bij zijn vertrek uit het restaurant merkte Harry met onbehagen dat de menigte belangstellend naar hem keek. Hij vermeed iemand aan te kijken. Hij wilde niet zien welke leegte hun ogen onthulden.

Hij liep rechtsaf langs het eerste grote raam, dat nog steeds heel was. Verderop was de gebroken ruit, waar nog slechts een paar tandachtige scherven overeind stonden in de sponning. Het betonnen trottoir lag bezaaid met glas.

Het trottoir tussen de politieafzetting en de gevel was leeg tot een jongeman van een jaar of twintig onder de gele tape kroop die de ruimte tussen twee bomen langs de stoeprand overbrugde. Hij stak het trottoir over alsof hij Harry's nadering niet merkte en had zijn ogen en aandacht geconcentreerd op iets in het restaurant gericht.

'Blijft u alstublieft achter de afzetting,' zei Harry.

De man eigenlijk meer een jongen in afgedragen tennisschoenen, een spijkerbroek en een T-shirt van Tecate-bier stopte bij het verbrijzelde raam en liet in niets blijken dat hij de sommering gehoord had. Hij boog zich door het kozijn en keek met intense aandacht naar iets binnen.

Harry wierp een blik in het restaurant en zag hoe het lijk van de vrouw in de zak werd gemanoeuvreerd.

'Ik had je gezegd om achter de afzetting te blijven.'

Hij was nu heel dichtbij. De jongen was een centimeter of vijf kleiner dan Harry's een meter tachtig, slank en had dik zwart haar. Hij staarde naar het lijk en de glimmende rubberen handschoenen van het personeel, die elk moment roder werden. Hij leek onbewust van het feit dat Harry naast hem stond en op hem neerkeek.

'Heb je me niet gehoord?'

De jongen reageerde niet. Zijn lippen waren halfopen en vol ademloze verwachting. Zijn ogen stonden glazig, alsof hij gehypnotiseerd was.

Hary legde een hand op zijn schouder.

Langzaam wendde de jongen zijn hoofd van de slachtpartij af, maar hij had nog steeds die verre blik en staarde dwars door Harry heen. Zijn ogen hadden het grijs van iets mat geworden zilver. Zijn roze tong likte langzaam zijn onderlip, alsof hij net een hapje van iets lekkers had genomen.

Noch het gebrek aan gehoorzaamheid van die lummel, noch de arrogantie van zijn lege blik was de reden dat bij Harry de stoppen doorsloegen. Dat kwam, hoe irrationeel misschien ook, door die tong, dat obscene, roze puntje dat een nat spoor achterliet op zijn te volle lippen. Plotseling wilde Harry dat gezicht in elkaar slaan, zijn lippen splijten, zijn tanden uit zijn mond slaan, hem op de knieën dwingen, zijn onbeschaamdheid breken en hem een lesje leren over de waarde van het leven en respect voor de doden.

Hij graaide naar het joch, en voor hij goed besefte wat er gebeurde, trok hij hem half duwend, half dragend weg van het raam en het trottoir weer over. Misschien sloeg hij die engerd, misschien ook niet, hij dacht eigenlijk van niet, maar behandelde hem zo ruw alsof hij op heterdaad was betrapt bij een beroving of aanranding, hij wrong en rukte hem over het trottoir, boog hem dubbel en dwong hem onder de afzettingstape.

De knul viel hard op zijn handen en knieën en de menigte week uiteen om een beetje ruimte te scheppen. Hijgend naar adem rolde hij op zijn zij en staarde Harry woedend aan. Zijn haar was over zijn gezicht gevallen. Zijn T-shirt was gescheurd. Nú waren zijn ogen helder en was zijn aandacht getrokken.

De toekijkers mompelden opgewonden. De scène in het restaurant was passief vermaak, want de moordenaar was al dood toen ze hier arriveerden, maar dit was echte actie, en nog wel waar ze bij stonden. Het leek wel of een televisiescherm zó groot was geworden, dat ze door het glas waren gestapt, en nu zaten ze in een echte politiefilm, midden in zo'n opwindend angstaanjagende scène. Harry zag dat ze hoopten op een kleurrijk en gewelddadig scenario, een verhaal dat de moeite waard was om bij het avondeten aan hun familie en vrienden te vertellen.

Plotseling werd hij misselijk van zijn eigen gedrag en keerde de jongen de rug toe. Hij liep snel naar het einde van het blok en glipte toen onder de gele tape naar een plek waar geen menigte stond.

Zijn dienstauto stond om de hoek, op tweederde van het volgende, met bomen afgezette blok. Met de toekijkers achter zich en buiten hun blikveld begon Harry te trillen, en dat trillen verhevigde tot fel huiveren.

Halverwege de auto stopte hij en leunde met één hand tegen de ruwe stam van een boom. Hij haalde diep en langzaam adem.

Een donderslag schokte de wolkenlucht boven de troonhemel van bomen.

In de omarming van een wervelwind pirouetteerde een spookdanser van dode bladeren en afval langs het midden van de straat.

Hij had die jongen veel te hard aangepakt. Zijn reactie had niet te maken met wat die jongen had gedaan, maar met alles wat er in het restaurant en op de vliering was gebeurd. Uitgesteld stresssyndroom.

Maar het ging om meer dan dat: hij had de behoefte gehad om iets of iemand, God of mens, te slaan uit frustratie over de stompzinnigheid van dit alles, de onrechtvaardigheid, de pure, blinde wreedheid van het lot. Als een macabere wanhoopsvogel bleef zijn geest rondcirkelen langs de twee dode mensen in het restaurant, de gewonden, de smeris wiens leven in het Hoag-ziekenhuis aan een zijden draadje hing, hun gepijnigde echtgenoten en vrouwen en ouders, diepbedroefde kinderen, rouwende vrienden, de vele schakels in de verschrikkelijke keten van verdriet die bij elke moord werd gesmeed.

De jongen was alleen maar een makkelijk doelwit geweest.

Harry wist dat hij terug moest om zijn excuses aan te bieden, maar hij kon het niet. Hij vreesde niet zozeer de confrontatie met de jongen, als wel die afgrijselijke menigte.

'Die kleine engerd had hoe dan ook een lesje nodig,' zei hij in een poging om zijn daden tegenover zichzelf te rechtvaardigen.

Hij had de jongen eigenlijk behandeld zoals Connie had kunnen doen. En nu klonk ook wat hij zei naar Connie.

... je moet meedeinen op het ritme van de vernietiging... de beschaving stort rond onze oren ineen... je moet weten hoe je regels moet overtreden om het systeem te redden... hoe je je moet laten meedrijven op elke toevallige golf waanzin die langskomt...

Harry walgde van die houding.

Geweld, waanzin, jaloezie en haat verteerden beslist niet iedereen. Uiteindelijk kregen medelijden, rede en begrip onvermijdelijk de overhand. Slechte tijden? De wereld had ongetwijfeld veel slechte tijden gekend, honderden miljoenen doden tijdens oorlogen en pogroms, de officiële, moordzuchtige waanzin van fascisme en communisme, maar er waren ook een paar kostbare perioden van vrede geweest en een paar gemeenschappen die in ieder geval tijdelijk functioneerden. Er was dus altijd hoop.

Hij maakte zich los van de boom. Hij rekte zich uit en probeerde zijn verkrampte spieren te ontspannen.

De dag was zo goed begonnen, maar was al gauw op de klippen gelopen. Hij was vastbesloten hem weer vlot te krijgen. Administratie hielp daarbij. Niets gaf de wereld zo'n ordelijk en redelijk aanzien als de plicht tot officiële verbalen en formulieren in drievoud.

Op straat had de wervelwind nog meer stof en rommel verzameld. Aanvankelijk leek de spookdanser over het asfalt te walsen. Nu danste hij een koortsige jitterbug. Terwijl Harry een stap bij de boom vandaan deed, veranderde de afvalkolom van richting, zigzagde naar hem toe en stortte zich met verbijsterende kracht op hem. Hij moest zijn ogen sluiten tegen het schurende gruis.

Eén krankzinnig ogenblik dacht hij dat hij net als Dorothy opgeveegd ging worden om tollend naar Oz te worden vervoerd. Grote boomtakken boven zijn hoofd ratelden en schudden meer bladeren over hem uit. Het geblaas en geweeklaag van de wind zwol tijdelijk aan tot gillen, janken maar verviel het volgende ogenblik tot kerkhofstilte.

Iemand stond met een lage, raspende en vreemde stem recht voor Harry te praten: 'Tiktak, tiktak.'

Harry deed zijn ogen open en wou dat hij ze dicht had gelaten.

Een kolossale straatslijper, minstens een meter vijfennegentig lang, weerzinwekkend en in lompen gehuld, stond niet meer dan een halve meter voor hem. Zijn gezicht was grof misvormd door littekens en open zweren. Zijn ogen waren tot weinig meer dan spleetjes vernauwd en kleverige witte strontjes klonterden in zijn ooghoeken. De adem die tussen de rottende tanden en over de etterende lippen van de zwerver kwam, stonk zó, dat Harry ervan kokhalsde.

'Tiktak, tiktak,' herhaalde de vagebond. Hij praatte kalm, maar het leek of hij schreeuwde, omdat zijn stem het enige geluid ter wereld leek. Een bovennatuurlijke stilte omhulde de dag.

Harry voelde zich bedreigd door de omvang en overmatige smerigheid van de onbekende en deed een stap naar achteren. Het vettige haar van de man zat vol vuil, sprietjes gras en stukjes blad; korsten opgedroogd voedsel en erger zaten in zijn verwarde baard. Zijn handen waren donker besmeurd en de onderkant van elke ruwe, uitgegroeide nagel was pikzwart. Hij was zonder twijfel een levende petrischaal, waarin elke bekende dodelijke ziekte gedijde, en een broedplaats van nieuwe virale en bacteriële gruwelen.

'Tiktak, tiktak.' De zwerver grijnsde. 'Over zestien uur ben je dood.'

'Achteruit,' waarschuwde Harry.

'Dood bij zonsopgang.'

De zwerver opende zijn dichtgeknepen ogen. Ze waren van ooglid tot ooglid en van hoek tot hoek vuurrood, zonder irissen of pupillen, alsof er slechts glazen ruiten zaten waar ogen hadden moeten zijn en zijn schedel slechts bloed bevatte.

'Dood bij zonsopgang,' herhaalde de zwerver.

Toen ontplofte hij. Het leek in niets op een granaatontploffing. Geen dodelijke schokgolven, geen hittevlaag, geen oorverdovende knal, alleen een plotseling einde aan de onnatuurlijke stilte en een hevige toestroom van wind, *whoesj!* De zwerver leek uiteen te vallen, niet in stukjes vlees en gutsen bloed, maar in steentjes en droge kluiten aarde, in oude flarden stof en snippers vergeeld krantepapier, flessedoppen, glinsterende splinters glas, verscheurde schouwburgkaartjes, vogelveren, touw, papiertjes van Mars-repen, zilverpapier van kauwgum, gebogen en verroeste spijkers, verfrommelde papieren bekertjes, verloren knopen...

De kolkende zuil afval barstte boven Harry open. Opnieuw moest hij zijn ogen dichtdoen tegen de platvloerse resten van de fantastische zwerver die hem bestookten.

Toen hij zijn ogen zonder gevaar voor verwondingen weer kon openen, draaide hij zich snel om en keek alle kanten uit, maar het rondvliegende vuil was weg en in alle windrichtingen verspreid. Geen wervelwind. Geen spookdanser. Geen zwerver: hij was weg.

Met open mond van ongeloof draaide Harry zich opnieuw om.

Zijn hart bonsde hevig.

Vanuit een andere straat schetterde een claxon. Een open bestelauto kwam met grommende motor in zijn richting de hoek om. Aan de andere kant van de straat liepen een jongen en een meisje hand in hand, en haar lachen klonk als het rinkelen van zilveren belletjes.

Harry besefte plotseling hoe buitengewoon onnatuurlijk stil het was geweest tussen de verschijning en het vertrek van de in lompen gehulde reus. Afgezien van de knarsende en kwaadaardige stem en het weinige geluid dat de bewegingen van de zwerver hadden gemaakt, was de straat zo stil geweest als een plek duizend mijl onder de zeespiegel of in de lege ruimte tussen de melkwegen.

Bliksem flitste. De schaduwen van boomtakken kronkelden op het trottoir om hem heen.

Donder trommelde op het tere vlies van de hemel, trommelde harder, de lucht werd zwarter alsof hij door de bliksem verbrand was, in één ogenblik leek de temperatuur vijf graden te dalen en de zwaarbepakte wolken scheurden. Verspreide dikke regendruppels klikten tegen de bladeren, stuitten met een *pong* af tegen de motorkap van geparkeerde auto's, schilderden donkere vlekken op Harry's kleren, spatten in zijn gezicht en dreven een kilte tot diep in zijn botten.

2

1

Achter de voorruit van de geparkeerde auto leek de wereld te vervagen, alsof de wolken een stortvloed van universeel oplosmiddel hadden uitgegoten. Zilveren regen stroomde over het glas en de bomen buiten leken even makkelijk op te lossen als groen kleurkrijt. Haastige voetgangers morrelden aan hun kleurige paraplu's en versmolten in de grijze stortbui.

Harry Lyon voelde zich alsof ook hij vloeibaar werd, in een levenloze oplossing werd veranderd en snel weggespoeld. Zijn geriefelijke wereld van granieten rede en stalen logica werd om hem heen weggevreten en hij was niet in staat het verval een halt toe te roepen.

Hij kon niet besluiten of hij de zwaargebouwde zwerver echt had gezien of alleen gehallucineerd.

God was zijn getuige dat tegenwoordig inderdaad een onderklasse van bezitlozen door het Amerikaanse landschap zwierf. Hoe meer geld de regering uitgaf aan verkleining van hun aantal, des te meer kwamen er, en het begon erop te lijken dat ze niet het gevolg of overheidsbeleid of een gebrek daaraan waren, maar een gesel Gods. Net als veel andere mensen had Harry geleerd om langs of door hen heen te kijken, omdat hij niet wist hoe hij hen zinvol kon helpen... en omdat alleen al hun bestaan verontrustende vragen opwierp over de stabiliteit van zijn eigen toekomst. De meesten waren zielig en onschadelijk. Maar anderen waren onbetwistbaar vreemd. Hun gezichten werden verlevendigd door de tics en trekkingen van neurotische dwangneigingen. Ze werden gedreven door geobsedeerde behoeften, in hun ogen glom waanzin, en in de strakke, nooit aflatende spanning van hun lichaam uitte zich hun vermogen tot geweld. Zelfs in een stad als Laguna Beach in toeristenfolders beschreven als een parel van de Stille Oceaan, een van de Californische paradijzen kon Harry zonder twijfel een paar dakloze mannen vinden wier gedrag en verschijning even vijandig waren als de man die uit de wervelwind gekomen leek te zijn.

Maar hij zou waarschijnlijk niemand vinden met scharlaken ogen zonder irissen en pupillen. Hij twijfelde eveneens aan de waarschijnlijkheid dat hij een straatzwerver kon opsporen die te voorschijn kwam uit een zandhoos of kon ontploffen tot een verzameling platvloers afval en wegvliegen op de wind.

Misschien had hij zich de ontmoeting wel verbeeld.

Dat was een mogelijkheid die Harry met tegenzin onder ogen zag. De achtervolging en terechtstelling van James Ordegard waren traumatisch. Maar verstrikt raken in Ordegards uitzinnige bloedbad was volgens hem niet zó ondraaglijk geweest, dat dat tot hallucinaties vol vuile nagels en dodelijk slechte adem moest leiden.

Als die smerige reus echt bestond, waar kwam hij dan vandaan? Waar was hij heen, wie was hij, welke ziekte of aangeboren gebrek had hem die schrikwekkende ogen bezorgd?

Tiktak, tiktak, bij zonsopgang ben je dood.

Hij draaide het sleuteltje in het contactslot om en startte de motor.

Er lagen kalmerend saaie paperassen op hem te wachten met open regels om in te vullen en hokjes om af te strepen. Een net uitgetypt dossier veranderde het verwarde geval-Ordegard in frisse paragrafen vol woorden op schoon wit papier, en dan leek niets meer zo onverklaarbaar als op dit moment het geval was.

Natuurlijk nam hij de roodogige zwerver niet in zijn verbaal op. Die had niets met Ordegard te maken. Bovendien wilde hij noch Connie, noch wie dan ook bij Bijzondere Politietaken gelegenheid geven tot grappen te zijnen koste. Nu al was hij vaak het doelwit van hun humor omdat hij altijd in jas en das op zijn werk kwam, vuile taal minachtte in een beroep dat daarvan vergeven was, altijd volgens het boekje te werk ging en geobsedeerd netjes was op zijn dossiers. Maar als hij straks thuis was, ging hij misschien alleen maar voor zichzelf een rapport over de zwerver schrijven om die bizarre ervaring te ordenen en te verwerken.

'Lyon,' zei hij, zichzelf in de achteruitkijkspiegel aankijkend, 'je bent werkelijk een belachelijk portret.'

Hij zette de ruitewissers aan en de smeltende wereld kreeg weer vaste vormen.

De wolken aan de middaghemel waren zó donker, dat de straatlantaarns, bediend met een zongevoelige schakelaar, zich door de valse schemering lieten bedriegen. Het plaveisel glom glanzend zwart. Alle goten stonden vol snel stromend, vuil water.

Hij reed zuidwaarts over de Pacific Coast Highway, maar in plaats van bij de Crown Valley Parkway oostwaarts af te slaan naar Bijzondere Politietaken, reed hij door. Hij passeerde Ritz Cove en daarna de afslag naar het Ritz-Carlton Hotel en reed helemaal door tot in Dana Point.

Toen hij voor het huis van Enrique Estefan zijn auto stilzette, was hij wat verbaasd, ofschoon hij onbewust had geweten waar hij naar toe reed.

Het huis was een van die charmante bungalows die gebouwd waren in de jaren veertig of begin jaren vijftig, voordat eindeloze rijen zielloos witgestucte huizen de architectonische *dernier cri* waren geworden. Decoratief uitgesneden luiken, geschulpte fascia en een dak met verschillende hoogtes gaven er karakter aan. Van de bladeren van de grote dadelpalmen op het voorgazon droop regen.

Toen de stortbui even afnam, stapte hij de auto uit en rende hij het pad over. Tegen de tijd dat hij de drie stenen treden naar de veranda opliep, regende het weer pijpestelen. Het waaide niet meer; het leek of het immense gewicht van de regen de wind tot liggen had gedwongen.

Op het voorgazon, tussen een schommelend opgehangen bank en witte houten stoelen met kussens van groen canvas, wachtten schaduwen als een groep oude vrienden. Zelfs op een zonnige dag was de veranda aangenaam koel, want hij werd beschut door een dicht verweven, rood bloeiende bougainville, die zich rond een lattenrooster slingerde en zich uitspreidde over het dak.

Hij drukte met zijn duim op de bel en boven de trommelende regen uit hoorde hij in huis een zacht klokkenspel.

Een hagedis van vijftien centimeter schoot over de verandavloer naar het trappetje en verdween in de regen.

Harry wachtte geduldig. Enrique Estefan Ricky voor zijn vrienden was tegenwoordig niet meer zo snel ter been.

De binnendeur zwaaide open. Ricky tuurde door de hordeur en was duidelijk niet blij dat hij gestoord werd. Maar toen grijnsde hij en zei: 'Harry, blij je te zien.' Hij deed de hordeur open en deed een stap opzij. 'Echt blij je te zien.'

'Ik ben drijfnat,' zei Harry. Hij trok zijn schoenen uit en liet ze op de veranda achter.

'Dat is niet nodig,' zei Ricky.

Harry ging het huis op kousevoeten binnen.

'Nog steeds de meest attente man die ik ooit heb gekend,' zei Ricky.

'Inderdaad. Ik ben de auteur van *Hoe hoort het tussen schiettuig en gummiknuppels*.'

Ze schudden elkaar de hand. Die van Enrique Estefan was stevig, ofschoon zijn hand heet, droog en leerachtig en te vleesloos was, bijna verschrompeld, een en al middenhandsbeentjes en vingerkootjes. Het was bijna of je een skelet een hand gaf.

'Ga mee naar de keuken,' zei Ricky.

Harry volgde hem over de gewreven eiken vloer. Ricky schuifelde en haalde zijn voeten nooit helemaal van de grond.

Het enige licht in de korte gang was afkomstig uit de keuken aan de andere kant en van een flikkerende votiefkaars in een robijnrood glas. De kaars hoorde bij een altaartje voor de Moeder Gods, dat tegen een van de muren op een smalle tafel stond. Daarachter hing een spiegel in een lijst met zilveren bladeren. Weerspiegelingen van het vlammetje glinsterden in de zilveren bladeren en dansten in het spiegelglas.

'Hoe gaat het met je, Ricky?'

'Redelijk. En jij?'

'Ik heb wel eens betere dagen gehad,' gaf Harry toe.

Ofschoon hij even groot was als Harry, leek Ricky een heel stuk kleiner omdat hij krom liep alsof hij tegen een harde wind worstelde. Hij had een ronde rug en de scherpe lijnen van zijn schouderbladen staken onder zijn bleekgele overhemd duidelijk omhoog. Van achteren leek zijn hals broodmager en zijn schedel zo breekbaar als van een pasgeborene.

De keuken was veel groter dan je in een bungalow zou verwachten en heel wat opgewekter dan de gang: een vloer van Mexicaanse tegels, kastjes van knoestig vurehout, een groot raam dat uitkeek op een ruime achterplaats. De radio speelde een nummer van Kenny G. Overal hing de rijke geur van koffie.

'Trek in een kopje?' vroeg Ricky.

'Als het niet te veel moeite is.'

'Absoluut niet. Ik heb net een nieuwe pot gezet.'

Terwijl Ricky een kop en schotel uit een van de kastjes haalde en koffie inschonk, bestudeerde Harry hem. Hij maakte zich zorgen over wat hij zag.

Ricky's gezicht was te smal, te ingevallen, met diepe rimpels bij zijn ooghoeken en rond zijn mond. Zijn huid hing slap alsof die bijna al zijn veerkracht kwijt was. Zijn ogen dropen. Misschien was het slechts de weerschijn van de kleur van zijn hemd, maar zijn witte haar had een ongezond gele tint en zowel zijn gezicht als het wit van zijn ogen leek iets geel verkleurd.

Hij was nog magerder geworden. Zijn kleren hingen los om hem heen.

Zijn riem was op het laatste gaatje vastgemaakt en het zitvlak van zijn broek hing als een lege zak omlaag.

Enrique Estefan was een oude man. Hij was pas zesendertig, een jaar jonger dan Harry, maar niettemin een oude man.

2

Een groot deel van de tijd leefde de blinde vrouw niet in duisternis, maar in een andere wereld die nogal afweek van die waarin ze geboren was. Soms was dat innerlijke domein een zonnig fantasierijk met roze en amberen kastelen, paleizen van jade, luxe, hooggelegen flats, landgoederen in Bel Air met grasgroene gazons. In dat soort omgevingen was zij de koningin en opperste heerseres of een beroemde actrice of fotomodel, populaire romanschrijfster of ballerina. Haar avonturen waren opwindend, romantisch, inspirerend. Maar op andere momenten was het een rijk van het kwaad vol beschaduwde kerkers, bedompte en druipende catacomben vol ontbindende lijken, verdorde landschappen zo grijs en somber als de kraters op de maan en bevolkt door monsterachtige en kwaadaardige wezens, waar zij altijd op de vlucht was, zich bang moest verstoppen, niet machtig of beroemd maar vaak koud en naakt.

Soms had haar innerlijke wereld niets concreets en was het slechts een domein van kleuren en geluiden en geuren zonder vorm of tastbaarheid, waar zij verwonderd en verbaasd doorheen gleed. Er was vaak muziek, Elton John, Three Dog Night, Nilsson, Marvin Gaye, Jim Croce: de stemmen uit haar jeugd en de kleuren wervelden en barstten uiteen als begeleiding van de songs. Die lichtshow was zó duizelingwekkend, dat de echte wereld er nooit aan kon tippen.

Zelfs in zo'n vormloze periode kwam het voor dat het magische land in haar hoofd zich verduisterde en een schrikwekkend oord werd. De kleuren klonterden en versomberden, de muziek werd dissonant, onheilspellend. Ze voelde zich meegesleurd door een woeste, ijskoude rivier, dreigde in zijn bittere water te stikken, hapte vergeefs naar adem, kwam dan eindelijk boven en ademde huilend, koortsig, biddend om redding op een warme, droge oever diepe teugen zure lucht in.

Af en toe kwam ze, zoals nu, uit haar valse innerlijke werelden te voorschijn en werd ze zich bewust van de werkelijkheid waarin ze echt bestond. Gedempte stemmen in naburige kamers en gangen. Het gepiep van schoenen met rubberzolen. De dennegeur van desinfecterende middelen, een ziekenhuislucht, soms (maar niet nu) de doordringende stank van urine. Ze was in frisse, schone lakens gewikkeld, die koel aanvoelden tegen haar koortsige vlees. Als ze haar rechterhand uit het beddegoed losmaakte en tastend uitstak, trof ze de koude, stalen veiligheidsstangen langs het ziekenhuisbed.

Aanvankelijk werd ze geheel in beslag genomen door de noodzaak om een vreemd geluid thuis te brengen. Ze probeerde niet te gaan zitten, maar hield zich vast aan de stang, lag volmaakt stil en luisterde aandachtig naar wat eerst het gebrul van een grote menigte in een verre arena leek. Nee. Geen menigte. Vuur. Het grinnikend-fluisterende gesis van een alles verterende brand. Haar hart begon te bonzen, maar ten slotte besefte ze dat het geen vuur was maar zijn tegendeel: de dovende stortvloed van een plensbui.

Ze ontspande zich iets maar toen klonk een geritsel vlakbij, en behoedzaam lag ze weer doodstil. 'Wie is daar?' vroeg ze, verbaasd dat haar stem zo dik en slepend was.

'Dag Jennifer, je bent er dus weer.'

Jennifer. Ik heet Jennifer.

Dat was een vrouwenstem. Ze klonk als iemand van ruimschoots middelbare leeftijd, beroepsmatig maar zorgzaam.

Jennifer herkende de stem bijna. Ze wist dat ze die eerder had gehoord, maar werd daar niet kalmer door.

'Wie ben je?' vroeg ze, ontdaan omdat ze dat slepende stemgeluid niet kwijt kon raken.

'Ik ben Margaret, lieverd.'

De tred van rubberzolen die naderden.

Jennifer kromp ineen. Half verwachtte ze een klap, maar ze wist niet waarom.

Een hand pakte haar rechterpols en Jennifer deinsde terug.

'Rustig maar, lieverd. Ik wil alleen je pols voelen.'

Jennifer bedaarde en luisterde naar de regen.

Na een tijdje liet Margaret haar pols los. 'Snel, maar mooi regelmatig.'

Langzaam sijpelde de herinnering in Jennifer terug. 'Jij bent Margaret?'

'Dat klopt.'

'De dagzuster.'

'Ja, lieverd.'

'Het is dus ochtend?'

'Al bijna drie uur 's middags. Over een uur zit mijn werk erop. Dan gaat Angelina voor je zorgen.'

'Waarom ben ik altijd zo verward als ik net... wakker word?'

'Maak je daar geen zorgen over, lieverd. Daar kun jij niets aan doen. Heb je een droge mond? Wil je iets drinken?'

'Ja, alsjeblieft.'

'Sinaasappelsap, Pepsi, Sprite?'

'Geef maar sap.'

'Ik ben zo terug.'

Weglopende voetstappen. Een deur die openging. Open bleef staan. Boven het geluid van de regen klonken in het gebouw drukke stemmen van andere mensen met andere opdrachten.

Jennifer probeerde in bed een gemakkelijker houding te vinden. Daarbij ontdekte ze niet alleen hoe zwak ze was, maar ook dat ze aan haar linkerkant verlamd was. Ze kon haar linkerbeen niet bewegen, niet eens haar tenen. Haar linkerhand en -arm waren gevoelloos.

Er kwam een diepe en verschrikkelijke angst in haar op. Ze voelde zich hulpeloos en verlaten. Ze moest zich zien te herinneren hoe ze hier in deze toestand terecht was gekomen; dat leek van het grootste belang.

Ze hief haar rechterarm. Ze besefte dat die dun en breekbaar was, maar hij voelde zwaar aan.

Met haar rechterhand raakte ze haar kin en mond aan. Droge, ruwe lippen. Vroeger was dat anders geweest. Mannen hadden haar gekust.

Een herinnering blonk op in de duisternis van haar geest: een romantische kus, gemompelde lieve woordjes. Het was maar een fragment van een herinnering zonder details en het leidde tot niets.

Ze raakte haar rechterwang en haar neus aan. Toen ze de linkerkant van haar gezicht onderzocht, kon ze die met haar vingertoppen voelen, maar haar wang zelf nam de aanraking niet waar. De spieren aan die kant van haar gezicht voelden... verwrongen.

Ze aarzelde even en liet toen haar hand naar haar ogen glijden. Ze liet haar vingertoppen langs hun contouren gaan, en wat ze daar ontdekte deed haar hand beven.

Plotseling herinnerde ze zich niet alleen hoe ze hier was gekomen, maar ook al het andere, haar hele leven vanaf haar kinderjaren in één flits, veel meer dan ze zich wilde herinneren, meer dan ze kon verdragen.

Ze trok haar hand van haar ogen weg en uitte een dun, vreselijk verdrietgeluid. Ze voelde zich verpletterd onder het gewicht van de herinnering.

Margaret kwam met zacht piepende schoenen terug.

Het glas rinkelde tegen het nachtkastje toen ze het neerzette.

'Ik zet het bed wat hoger; dan kun je drinken.'

De motor zoemde en het hoofdeinde van het bed begon omhoog te gaan, waardoor Jennifer in een zittende houding kwam.

Toen het bed niet meer bewoog, zei Margaret: 'Wat is er aan de hand, lieverd? Hemeltje, volgens mij probeerde je te huilen... als je dat kon.'

'Komt hij hier nog steeds?' vroeg Jennifer onvast.

'Natuurlijk. Minstens twee keer per week. Een paar dagen geleden was je zelfs bij bewustzijn toen hij kwam. Weet je dat niet meer?'

'Nee. Ik... ik...'

'Hij is heel trouw.'

Jennifers hart ging als een razende tekeer. In haar borstkas zwol druk op. Haar keel zat zó dicht van angst, dat ze moeite had met praten: 'Ik wil... wil...'

'Wat is er, Jenny?'

'... wil niet dat hij komt.'

'Dat kun je toch niet menen?'

'Laat hem niet binnen.'

'Hij is zo toegewijd.'

'Nee. Hij is... hij is...'

'Minstens twee keer per week, en dan blijft hij een paar uur bij je zitten, of je nu bij bewustzijn bent of in jezelf gekeerd.'

Jennifer huiverde bij de gedachte dat hij bij het bed in de kamer zat als zij zich niet van haar omgeving bewust was.

Tastend stak ze haar hand uit, vond Margarets arm en kneep er zo hard in als ze kon. 'Hij is anders dan jij en ik,' zei ze met aandrang.

'Jenny, je maakt jezelf van streek.'

'Hij is ècht anders.'

Margaret legde haar hand op die van Jennifer en gaf er een geruststellend kneepje in. 'Hier moet je echt mee ophouden, Jenny.'

'Hij is niet menselijk.'

'Dat meen je niet. Je weet niet wat je zegt.'

'Hij is een monster.'

'Arme schat. Ontspan je, lieverd.' Een hand raakte Jennifers voorhoofd aan, begon de rimpels glad te strijken en haar haar naar achteren te kammen. 'Wind jezelf niet op. Alles komt goed. Alles komt in orde, schat. Kalmeer, rustig, ontspan je, hier ben je veilig, we houden hier van je, we zullen goed voor je zorgen…'

Na nog meer van datzelfde werd Jennifer kalmer maar niet minder bang.

De geur van sinaasappelen deed haar het water in de mond lopen. Terwijl Margaret het glas vasthield, dronk Jennifer door een rietje. Haar mond werkte niet helemaal goed. Af en toe had ze een beetje moeite met slikken, maar het sap was koud en heerlijk.

Toen ze het glas leeg had, liet ze de verpleegster met een papieren zakdoekje haar mond afvegen.

Ze luisterde naar het troostende geluid van de regen en hoopte dat het haar zenuwen tot bedaren zou brengen. Maar dat gebeurde niet.

'Zal ik de radio aanzetten?' vroeg Margaret.

'Nee, dank je.'

'Ik kan voorlezen, als je wilt. Poëzie. Je luistert altijd graag naar poëzie.'

'Dat zou heel prettig zijn.'

Margaret trok een stoel naast het bed en ging erop zitten. Ze zocht een bepaalde passage in een boek, en het omslaan van de bladzijden klonk aangenaam knisperend.

'Margaret?' vroeg Jennifer voordat de vrouw kon beginnen met voorlezen.

'Ja?'

'Als hij op bezoek komt…'

'Zeg het maar, lieverd.'

'Dan blijf je in de kamer bij ons, hè?'

'Als je dat graag wilt. Natuurlijk.'

'Goed.'

'Nou, wat denk je van een beetje Emily Dickinson?'

'Margaret?'

'Hmmmmm?'

'Als hij op bezoek komt en ik ben… verdwaald in mezelf… laat je me nooit met hem alleen, hè?'

Margaret zweeg en Jennifer kon de afkeurende frons van de vrouw bijna zien.

'Hè?'

'Nee, lieverd. Dat doe ik nooit.'

Jennifer wist dat de verpleegster loog.

'Alsjeblieft, Margaret. Jij lijkt een aardig iemand. Alsjeblieft.'

'Lieverd, ècht, hij houdt van je. Hij komt zo trouw omdat hij van je houdt. Van Bryan heb je niets te duchten, volstrekt niets.'

Ze huiverde bij het noemen van die naam. 'Ik weet dat je denkt dat ik geestelijk gestoord ben... verward...'

'Een beetje Emily Dickinson helpt vast.'

'Over veel dingen bèn ik ook verward,' zei Jennifer, wanhopig toen ze hoorde dat haar stem snel zwakker werd, 'maar op dit punt niet. Op dit punt ben ik helemaal niet verward.'

Met een stem die veel te gemaakt klonk om de krachtige, verborgen pezigheid van Dickinson over te brengen, begon de verpleegster voor te lezen: '*Dat alleen liefde bestaat, is alles wat wij weten...*'

3

De grote tafel in Ricky Estefans ruime keuken was voor de helft bedekt met een afhangende doek. Daarop lag het elektrische miniatuurgereedschap uitgestald, waarmee hij zilveren juwelen maakte: een handboor, graveernaalden, een amarilschijf, een polijstschijf en andere, minder makkelijk te benoemen instrumenten. Aan één kant stonden flesjes vloeistof en blikken met geheimzinnige mengsels netjes naast elkaar, samen met kleine verfkwasten, witte katoenen lappen en kussentjes staalwol.

Toen Harry belde, had hij aan twee dingen gewerkt: een opvallend gedetailleerde scarabeebroche en een zware riemgesp overdekt met Indiaanse symbolen misschien Navajo of Hopi. Zijn tweede carrière.

Zijn smidse en gietinstallatie stonden in de garage. Maar als hij de laatste hand aan zijn juwelen legde, zat hij soms graag bij het keukenraam, waar hij van het uitzicht op zijn rozentuin kon genieten.

Zelfs in de saaigrijze stortregen buiten was de kleurenpracht van de vele bloemen te zien geel en rood en koraalkleurig, sommige zo groot als grapefruits.

Harry zat met zijn koffie aan het onbedekte deel van de tafel, terwijl Ricky naar de andere kant schuifelde en zijn kop en schotel tussen de blikken, flessen en gereedschappen zette. Zo stijf als een tachtigjarige met ernstige jicht liet hij zich op zijn stoel zakken.

Drie jaar geleden was Ricky Estefan nog politieman, een van de beste, Harry's partner. Hij was ook een knappe kerel geweest met een volle kop haar, niet geelwit zoals nu, maar dik en zwart.

Zijn leven was veranderd toen hij ongewild een supermarkt binnenliep waar net een overval aan de gang was. De verslaafde schutter had een crackgewoonte die gefinancierd moest worden, en misschien rook hij de smeris zodra Ricky door de deur kwam of misschien was hij in de stemming om iedereen om zeep te helpen die, al was het maar onopzettelijk, het geldtransport van de kassa naar zijn zakken vertraagde. Hoe dan ook, hij schoot vier keer op Ricky. Eén keer mis, één keer in zijn linkerdij en twee keer in zijn buik.

'Hoe gaat het met de juwelenhandel?' vroeg Harry.

'Mag niet klagen. Ik verkoop alles wat ik maak en voor handgemaakte gespen krijg ik meer opdrachten dan ik aankan.'

Ricky nipte aan zijn koffie en proefde genietend voordat hij hem doorslikte. Koffie stond niet op zijn dieetlijstje. Als hij er veel van dronk, speelde zijn maag op of wat daar nog van over was.

In je darmen geraakt worden is makkelijk, overleven een lastig karwei. Hij had het geluk dat het wapen van de dader slechts een .22 pistool was, maar de pech dat dat van korte afstand was afgevuurd. Ricky verloor om te beginnen zijn milt, een deel van zijn lever en een klein deel van zijn dikke darm. Ofschoon de chirurgen zijn buikholte met grote zorg schoonhielden, verspreidden de kogels deeltjes van zijn faecaliën, en Ricky ontwikkelde snel een acute, verspreide, traumatische buikvliesontsteking. Die overleefde hij nauwelijks. Gasgangreen trad op, antibiotica hielpen niet en hij onderging een nieuwe operatie, waarbij hij zijn galblaas en een deel van zijn maag verloor. Daarna bloedvergiftiging. Koorts bijna zo hoog als de naar de zon gekeerde kant van Mercurius. Weer buikvliesontsteking en verwijdering van een ander deel van zijn dikke darm. Al die tijd was hij verbazend opgewekt gebleven en voelde hij zich uiteindelijk een geluksvogel: hij had nog genoeg maag en darmen over om niet de vernedering te hoeven ondergaan dat hij de rest van zijn leven een AP-zakje moest dragen.

Toen hij die winkel inliep, had hij geen dienst. Hij was gewapend, maar verwachtte geen moeilijkheden. Hij had Anita, zijn vrouw, beloofd om op weg van zijn werk naar huis een liter melk en een kuipje tafelmargarine mee te nemen.

De schutter was nooit veroordeeld. Dank zij Ricky's afleiding had de winkeleigenaar meneer Wo Tai Han het hagelgeweer kunnen pakken dat hij onder de toonbank had. Met één schot uit dat kaliber-12 geweer had hij het achterhoofd van de dader weggeschoten.

Maar dat was natuurlijk niet het einde van het verhaal, want dit was het laatste decennium van de eeuw. De vader en moeder van de schutter dag-

vaardden meneer Han omdat hij hen had beroofd van de liefde, het gezelschap en de financiële steun van hun overleden zoon; dat een crack-
verslaafde niet in staat was om dat soort dingen te geven, deed niet ter za-
ke.
Harry nam een slok koffie, die sterk en goed smaakte. 'Hoor je de laatste
tijd nog wel eens iets van meneer Han?'
'Ja. Hij weet zeker dat hij het beroep wint.'
Harry schudde zijn hoofd. 'Tegenwoordig kun je nooit voorspellen wat
een jury gaat doen.'
Ricky glimlachte gespannen. 'Ja. Volgens mij heb ik mazzel dat ze mij
niet vervolgd hebben.'
In veel andere opzichten had hij geen mazzel gehad. Op het moment van
de schietpartij waren hij en Anita nog maar acht maanden getrouwd. Ze
bleef nog een jaar bij hem, totdat hij weer kon lopen, maar toen ze besefte dat hij de rest van zijn dagen een oude man zou zijn, kapte ze ermee.
Ze was zesentwintig. Ze had nog een heel leven voor zich. Bovendien
werd de clausule in de huwelijkseed die het had over 'in ziekte en gezondheid, tot de dood ons scheidt', tegenwoordig in brede kring pas als
bindend beschouwd na een heel lange proefperiode van bijvoorbeeld tien
jaar alsof je in een bedrijf werkte waar je pas na vijf jaar dienstverband bij
het pensioenfonds mocht. De afgelopen twee jaar was Ricky alleen geweest.
Het moest vandaag Kenny G-dag zijn. De radio speelde een ander deuntje
van hem, maar dit was minder melodisch dan het eerste. Harry raakte er
geprikkeld door.
'Wat is er mis?' vroeg Ricky.
'Hoe weet je dat er iets mis is?'
'Jij zou in nog geen miljoen jaar onder werktijd zonder reden een vriend
opzoeken. Jij geeft de belastingbetaler altijd waar voor zijn geld.'
'Ben ik echt zo star?'
'Is dat een serieuze vraag?'
'Dan moet ik als collega onmogelijk zijn geweest.'
'Soms,' glimlachte Ricky.
Harry vertelde hem over James Ordegard en de slachtpartij tussen de pas-
poppen.
Ricky luisterde. Hij zei bijna niets, maar als hij wèl iets zei, sloeg hij altijd
de spijker op de kop. Hij wist hoe hij een vriend moest zijn.
Harry hield op met praten. Schijnbaar was hij klaar met zijn verhaal en hij

staarde een hele tijd naar de rozen in de regen. Ricky zei: 'Je hebt me nog niet alles verteld.'

'Nee,' gaf Harry toe. Hij pakte de koffiepot, schonk voor beiden nog een kop koffie in en ging weer zitten. 'Er was ook nog die zwerver.'

Ricky luisterde naar dat deel van het verhaal even ernstig als naar de rest. Hij leek niet ongelovig. In zijn blik of houding bleek niet de geringste twijfel. Toen hij alles had gehoord, zei hij: 'Wat denk je zelf?'

'Ik kan me dingen hebben verbeeld, ze gehallucineerd hebben.'

'Werkelijk? Jíj?'

'Maar in godsnaam, Ricky, hoe kan dat nou echt zijn geweest.'

'Is die zwerver werkelijk vreemder dan de schutter in het restaurant?'

De keuken was warm, maar Harry had het ijskoud. Hij vouwde beide handen rond zijn hete koffiekop. 'Ja. Hij is vreemder. Misschien niet veel, maar toch... Weet je... denk jij dat ik misschien psychiatrisch verlof aan moet vragen, een paar weken vrij moet nemen voor gesprekken?'

'Sinds wanneer geloof jij dat die zielknijpers weten wat ze doen?'

'Dat geloof ik ook niet. Maar ik zou me niet prettig voelen bij het idee dat een andere smeris met hallucinaties met een geladen vuurwapen rondloopt.'

'Jij bent alleen maar een gevaar voor jezelf, Harry. Vandaag of morgen ga je nog 's dood van de zorgen die je je maakt. Kijk, wat die vent met die rode ogen betreft iedereen komt in zijn leven wel 's iets tegen dat hij niet kan verklaren, een kort contact met het onbekende.'

'Ik niet,' zei Harry, en schudde zijn hoofd.

'Zelfs jij. Kijk, als die vent elk uur op de minuut nauwkeurig in een wervelwind op je af komt stormen en om een afspraakje vraagt en of hij je mag tongzoenen dan heb je misschien een probleem.'

Legers regen marcheerden over het bungalowdak.

'Ik ben een gespannen iemand,' zei Harry. 'Dat besef ik.'

'Gespannen? Jij bent niet makkelijk stuk te krijgen. Bij jou zit er niets los, man.'

Hij en Ricky keken een paar minuten naar de regen en zeiden niets.

Ten slotte zette Ricky een beschermbril op en pakte hij de zilveren riemgesp. Hij zette de polijstschijf aan, die ongeveer zo groot was als een elektrische tandenborstel en niet luidruchtig genoeg om een gesprek te storen, en begon doffe plekjes en piepkleine zilverkrulletjes uit de geëtste patronen te verwijderen.

Na een tijdje zuchtte Harry. 'Dank je, Ricky.'

'Geen dank.'

Harry bracht zijn kop en schotel naar de gootsteen, spoelde ze af en zette ze in de afwasmachine.

Op de radio zong Harry Connick jr. een liedje over liefde.

Boven de gootsteen zat nog een raam. De harde regen ranselde de rozen. Fel gekleurde bloemblaadjes lagen als confetti over het doorweekte gazon verspreid.

Toen Harry terugkwam bij de tafel, zette Ricky de polijstschijf af en trachtte hij op te staan. Harry zei: 'Laat maar. Ik laat mezelf wel uit.'

Ricky knikte. Hij zag er zo breekbaar uit.

'Tot gauw.'

'Over een tijdje begint het seizoen weer,' zei Ricky.

'Laten we naar de eerste wedstrijd van de Angels gaan.'

'Lijkt me leuk,' zei Ricky.

Ze hielden allebei van honkbal. In de opzet en voortgang van een wedstrijd zat een geruststellende logica, een tegengif tegen het dagelijks leven.

Op de voorveranda liet Harry zijn voeten weer in zijn schoenen glijden en maakte hij de veters vast, terwijl de hagedis die bij zijn aankomst van hem was geschrokken of een andere die er veel op leek hem vanaf de armleuning van de dichtstbijzijnde stoel gadesloeg. Licht iriserende, groene en paarse huidplaatjes glommen mat langs elke slingerende curve van zijn lichaam, alsof op het witte hout een hand halfedelstenen was achtergelaten.

Hij glimlachte naar dat kleine draakje.

Hij voelde zich weer in evenwicht, kalm.

Harry liep de laatste tree naar het voetpad af en de regen weer in, keek naar zijn auto en zag iemand in de passagiersstoel zitten. Een beschaduwde, reusachtige gestalte. Wilde haardos en verwarde baard. De indringer keek de andere kant op, maar draaide toen zijn hoofd. Zelfs door het met regen bespatte zijraam en op tien meter afstand herkende hij de zwerver onmiddellijk.

Harry draaide zich snel om naar het huis en was van plan om Ricky Estefan te roepen, maar veranderde van gedachte toen hij zich herinnerde hoe snel de zwerver de eerste keer verdwenen was.

Hij keek naar de auto en verwachtte te ontdekken dat de verschijning in rook was opgegaan. Maar de indringer zat er nog steeds.

In zijn omvangrijke zwarte regenjas leek de man te groot voor de sedan, alsof hij niet in een echte auto zat maar in een van die schaalmodellen in een botsautootjestent op een kermis.

Harry liep, door grijze plassen klotsend, snel het pad af. Toen hij dichter in de buurt van de straat kwam, zag hij de overbekende littekens op het maniakale gezicht en de rode ogen.

Hij bereikte de auto en zei: 'Wat doe je in die auto?'

Het antwoord van de zwerver was zelfs door het dichte raam duidelijk hoorbaar: 'Tiktak, tiktak, tiktak…'

'Kom eruit,' beval Harry.

'Tiktak… tiktak…'

Iets ondefinieerbaars maar onthutsends in de grijns van de verschoppeling deed Harry aarzelen.

'… tiktak…'

Harry trok zijn revolver en stak de loop omhoog. Hij legde zijn linkerhand op de deurknop.

'… tiktak…'

Die vloeibaar rode ogen joegen Harry angst aan. Ze zagen eruit als bloedblaren die open konden barsten om over zijn grauwe gezicht te stromen. Ze waren onmenselijk en zenuwslopend om te zien.

Voordat de moed hem in de schoenen kon zinken, rukte hij het portier open.

Hij werd bijna omvergeblazen door een vlaag koude wind en wankelde twee stappen achteruit. Die kwam uit de sedan alsof daar een poolstorm opgeslagen was geweest, prikte in zijn ogen en deed ze tranen.

De wind woei in een paar seconden over. Aan de andere kant van de autodeur was de passagiersstoel leeg.

Harry zag genoeg van het auto-interieur om te weten dat de zwerver daar nergens meer te vinden was. Niettemin liep hij om het voertuig heen en keek hij door alle ramen.

Aan de achterkant van de auto hield hij stil, viste de sleuteltjes uit zijn zak, maakte de kofferruimte open en hield die met zijn revolver onder schot, terwijl de klep openzwaaide. Niets: reserveband, krik, moersleutel en het foedraal met gereedschap.

Harry liet zijn blik over de rustige woonbuurt glijden en werd zich weer langzaam bewust van de regen, die hij even vergeten was. Een verticale rivier stroomde uit de hemel. Hij was tot op zijn huid doorweekt.

Hij sloeg het kofferdeksel met een klap dicht en daarna het voorste passagiersportier. Hij liep om naar de chauffeurskant en stapte achter het stuur.

Toen hij ging zitten, maakten zijn kleren natte, soppende geluiden.

De eerste keer, op straat in het centrum van Laguna Beach, had de zwerver naar lichaamsgeur gestonken en een verpestend slechte adem verspreid. Maar in de auto was niets meer van hem te ruiken.

Harry deed de deuren op slot. Toen stak hij de revolver weer in de schouderholster onder zijn doorweekte sportjasje.

Hij huiverde.

Wegrijdend van Enrique Estefans bungalow draaide Harry de verwarming op 'hoog'. Uit zijn doorweekte haar droop water langs zijn nek. Zijn schoenen zwollen op en krompen rond zijn voeten.

Hij herinnerde zich de zacht gloeiende ogen die hem door het autoraam aankeken, de lopende zweren in het smerige gezicht vol littekens, de halve maan van kapotte gele tanden en plotseling kon hij onder woorden brengen waarom de grijns van de zwerver zo onthutsend was en hem tegen had gehouden toen hij de eerste keer de deur had willen openrukken. Bazelende waanzin was niet datgene wat de verschoppeling zo bedreigend maakte. Het was niet de grijns van een krankzinnige. Het was de grijns van een roofdier, van een haai op jacht, van een rondwarende panter, van een sluipende wolf in het maanlicht, iets veel geduchters en dodelijkers dan gewoon een ontspoorde zwerver.

Op de terugweg naar Bijzondere Politietaken in Laguna Niguel was elke straathoek hem vertrouwd. Aan de andere automobilisten die hij voorbijreed, was niets geheimzinnigs, niets vreemds aan het spel van de koplampen met de nikkelgrauwe regen of het metalen geklik van koude druppels tegen de huid van de sedan, niets griezeligs in de palmsilhouetten tegen de loodgrijze hemel. Toch werd hij overweldigd door een gevoel van iets vreemds en hij vocht tegen de conclusie dat hij met iets... bovennatuurlijks te maken had.

Tiktak, tiktak...

Hij dacht na over de rest van wat de zwerver had gezegd toen hij uit de wervelwind te voorschijn was gekomen: *Bij zonsopgang ben je dood.*

Hij keek op zijn horloge. Het glas was nog steeds met een dun laagje regenwater bedekt wat de wijzerplaat vervormde, maar hij kon zien hoe laat het was: achtentwintig minuten over drie.

Hoe laat ging de zon op? Om half zeven? Zoiets, in die buurt. Over hoogstens vijftien uur.

Het metronomische getjoenk van de ruitewissers begon als de dreigende cadens van graftrommen te klinken.

Dit was belachelijk. De verschoppeling kon hem niet helemaal van Laguna Beach naar Enriques huis zijn gevolgd wat betekende dat de zwerver niet echt was maar een produkt van zijn verbeelding, en dus geen dreiging vormde.

Hij was niet opgelucht. Als hij zich die zwerver verbeeldde, liep hij geen gevaar bij zonsopgang te sterven. Maar voorzover hij wist, restte dan nog maar één verklaring, en die was niet geruststellend: in dat geval leed hij aan een zenuwinstorting.

4

Harry's kant van het kantoor was geruststellend. Het vloeiblad en de pennenset lagen prachtig loodrecht op elkaar en precies in lijn met de randen van het bureau. Het koperen klokje wees dezelfde tijd aan als zijn horloge. De bladeren van de potpalm, de Chinese altijdgroene planten en de potho's waren allemaal schoon en glommen.

Ook het blauwe computerscherm kalmeerde. Hij had alle formulieren van Bijzondere Politietaken als macro's geïnstalleerd, zodat hij ze kon invullen en uitdraaien zonder een schrijfmachine te hoeven gebruiken. Als je met die verouderde technologie de open ruimten op formulieren probeerde in te vullen, kreeg je altijd ongelijkmatige regels.

Hij kon uitstekend typen en bedacht de beschrijving van een geval bijna even snel als hij typte. Open ruimten invullen of x'jes zetten in hokjes kon iedereen, maar niet iedereen beheerste het onderdeel van het werk dat hij graag de 'vertelproef' noemde. Zijn gevalsbeschrijvingen waren levendiger en beknopter verwoord dan van elke andere rechercheur die hij ooit had gekend.

Terwijl zijn vingers over het toetsenbord vlogen, verschenen frisse zinnen op het scherm, en Harry Lyon voelde meer vrede met de wereld dan ooit, sinds hij die ochtend aan de ontbijttafel had gezeten, Engelse muffins met citroenmarmelade had gegeten en van het uitzicht op de overdreven nauwkeurig bijgeknipte, gemeenschappelijke groenvoorziening had genoten. Toen James Ordegards aanval van moordzucht was samengevat in beknopt proza, ontdaan van werkwoorden en adjectieven die een waardeoordeel inhielden, leek het incident niet half zo bizar meer als toen Harry er feitelijk bij betrokken was geweest. Hij hamerde de woorden de machine in, en de woorden werkten kalmerend.

Hij voelde zich zelfs ontspannen genoeg om zich op kantoor wat losser te gedragen dan hij gewend was. Hij maakte de kraag van zijn overhemd open en deed de knoop van zijn stropdas wat losser.

Hij liet zijn formulieren alleen in de steek voor een wandeling door de gang naar de automatenkamer om een kop koffie te halen. Zijn kleren waren hier en daar nog steeds vochtig en hopeloos gekreukt, maar het ijs in zijn botten was gesmolten.

Met zijn koffie op de terugweg naar zijn bureau zag hij de zwerver. Diens enorme gestalte liep aan de andere kant van de gang, stak de kruising over en verruilde de linker voor de rechter zijgang. Recht vooruit en Harry niet aankijkend bewoog hij zich doelgericht voort, alsof hij voor een andere kwestie in dit gebouw was. Met een paar lange stappen was hij de kruising over en uit het zicht verdwenen.

Terwijl Harry zich de gang door haastte om te zien waar de man naar toe was gegaan en geen koffie probeerde te morsen, hield hij zichzelf voor dat dit niet dezelfde persoon was. Er was een vage gelijkenis, meer niet; de rest was een kwestie van verbeelding en uitgeputte zenuwen.

Zijn ontkenningen misten overtuigingskracht. De gestalte aan het einde van de gang was even lang als zijn Nemesis, had dezelfde stiereschouders, die tonronde borstkas, dezelfde vuile kop haar en dezelfde verwarde baard. De lange zwarte regenjas wapperde als een toga om hem heen en hij bezat een superieure kalmte, alsof hij een waanzinnige profeet was die op mystieke wijze uit de dagen van het Oude Testament in de huidige tijd terecht was gekomen.

Aan het einde van de gang remde Harry glijdend de kruising in en vertrok van pijn toen hete koffie uit het bekertje klotste en in zijn hand beet. Hij keek naar rechts, want de zwerver was naar rechts gegaan. De enige mensen in die gang waren Bob Wong en Louis Yancy, geleend van het sheriffskantoor van Orange County, die overleg pleegden boven een gelig papieren dossier.

Harry zei: 'Waar is-ie naar toe?'

Ze keken hem met knipperende ogen aan en Bob Wong vroeg: 'Wie?'

'Die haarbal in die zwarte regenjas, die zwerver.'

De twee mannen stonden voor een raadsel.

Yancy vroeg: 'Zwerver?'

'Nou als je hem niet gezien hebt, dan had je hem in ieder geval moeten rúiken.'

'Nu net?' vroeg Wong.

'Ja. Twee tellen geleden.'

'Hier is niemand langsgekomen,' zei Yancy.

Harry wist dat ze niet tegen hem logen en niet betrokken waren bij een of andere immense samenzwering tegen hem. Desondanks wilde hij hen voorbijlopen en alle kamers aan deze gang doorzoeken.

Hij beheerste zichzelf alleen, omdat ze hem nu al nieuwsgierig aanstaarden. Hij nam aan dat hij ook nogal een schouwspel bood, slordige kleren, bleek, een verwilderde blik.

De gedachte aan spektakel maken was ontoelaatbaar. Hij had zijn leven gebaseerd op de principes van matigheid, orde en zelfbeheersing.

Onwillig liep hij naar zijn kantoor terug. Hij pakte een kurken onderzettertje uit de bovenste la van zijn bureau, legde dat op het vloeiblad en zette zijn druipende bekertje koffie erop.

In de onderste la van een van de archiefkasten had hij een rol papieren handdoeken en een verstuiver met Windex. Met een paar van die handdoeken depte hij de koffie van zijn handen en veegde vervolgens het natte bekertje af.

Het was prettig om te zien dat zijn handen niet trilden.

Wat hier verdomme ook aan de hand was: uiteindelijk zou hij erachter komen en ermee afrekenen. Hij kon alles aan. Altijd al gekund. Zou hij altijd kunnen. Zelfbeheersing. Dat was het kernpunt.

Hij haalde een paar keer diep en langzaam adem. Met beide handen streek hij het haar van zijn voorhoofd weg.

Zwaar als een plaat lei had een laaghangende hemel de avondschemering tot vroeger intreden gedwongen. Het was nog maar een paar minuten over vijf en de zon ging pas over een uur onder, maar de dag had zich al overgegeven aan een langdurige schemering. Harry knipte de tl-verlichting aan het plafond aan.

Een minuut of twee stond hij bij het deels beslagen raam naar de duizenden liters regen te kijken, die loodrecht op het parkeerterrein vielen. De donder en bliksem waren allang voorbij en de lucht was te zwaar om wind toe te staan. De stortbui had dus een tropische hevigheid, een vergeldende meedogenloosheid die hem aan oude mythen deed denken over goddelijke bestraffing, arken en verloren continenten die onder gezwollen zeeën verdwenen.

Iets kalmer liep hij naar zijn bureaustoel terug en draaide hij zich naar de computer. Hij stond op het punt de gevalsbeschrijving op te roepen die hij, voordat hij de gang inliep om koffie te halen, had opgeslagen, toen hij besefte dat het scherm niet leeg was zoals had gemoeten.

In zijn afwezigheid was een ander document gecreëerd. Het bestond uit één enkel woord, dat gecentreerd op het scherm stond: TIKTAK.

5

Het was bijna zes uur toen Connie Gulliver van de plaats van het misdrijf terugkwam op kantoor. Ze was meegereden in een zwart-witte politieauto van het korps van Laguna Beach. Ze zat te mopperen over de pers, met name over een tv-verslaggever die, om redenen die alleen God zelf doorgrondde, haar en Harry 'Batman en Batvrouw' had genoemd, misschien omdat hun jacht op James Ordegard zoveel waaghalzerij had gevergd, of misschien alleen maar omdat er op de vliering waar ze die hufter hadden neergelegd, een troep vleermuizen had gezeten. Televisiejournalisten hadden niet altijd duidelijk logische redenen of geloofwaardige rechtvaardigingen om de dingen te doen en te zeggen die ze deden en zeiden. Voor hen was verslaggeven geen heilige roeping, noch openbaar dienstbetoon, maar amusement, waar snelheid en glitter belangrijker waren dan feiten en cijfers. Connie liep al lang genoeg mee om dat te weten, en ze had er zich bij neergelegd. Niettemin had ze er felle ideeën over en ze zeurde er Harry, zodra ze het kantoor inliep, langdurig mee aan het hoofd.

Hij was net bezig de formulieren af te maken en had het laatste half uur wat rondgelummeld en haar opgewacht. Hij had besloten haar over de zwerver met de bloedrode ogen te vertellen, deels omdat ze zijn partner was en hij het afschuwelijk vond om iets voor een partner te verzwijgen. Hij en Ricky hadden elkaar altijd alles verteld, een van de redenen waarom hij Ricky had opgezocht voordat hij naar Bijzondere Politietaken terugging. De andere reden was dat hij waarde hechtte aan Ricky's inzicht en advies. Of die dreigende straatslijper nu echt was of een symptoom van geestelijke ineenstorting: Connie had het recht te weten wat er gebeurd was.

Als hij zich die smerige, spookachtige gedaante inderdaad verbeeldde, zou een gesprek daarover met iemand misschien de ballon van zijn waan doorprikken. Misschien verscheen die zwerver dan nooit meer.

Harry wilde het haar ook vertellen omdat hij dan reden had om buiten werktijd contact met haar te hebben. Een zeker minimum aan omgang tussen twee partners was raadzaam: daarmee werd die speciale band tussen twee politiemensen, die hun levens voor elkaar in de waagschaal moesten stellen, versterkt. Wat ze die middag hadden doorgemaakt, moesten ze bespreken, samen opnieuw beleven en daardoor van een traumatische ervaring veranderen in een gepolijste anekdote waarmee ze groentjes nog jaren lang op stang konden jagen.

En heel eerlijk gezegd wilde hij contact met Connie omdat hij belang in haar was gaan stellen, niet alleen als partner, maar ook als vrouw. Dat verraste hem. Ze waren zulke tegenpolen. Hij had zichzelf al zo lang voorgehouden dat ze hem gek maakte. En nu moest hij almaar denken aan haar ogen, de glans van haar haar, haar volle mond. Hij had het niet willen toegeven, maar zijn houding was de laatste tijd snel veranderd en vandaag waren de hendels in zijn hoofd eindelijk omgezet.

Daar was niets geheimzinnigs aan. Hij was bijna gedood. Meer dan eens. Niets verhelderde gedachten en gevoelens zozeer als een ontmoeting met de dood. Hij had de dood niet alleen ontmoet, maar was er door omhelsd, en stevig ook.

Hij had maar zelden zoveel hevige emoties tegelijk gekoesterd: eenzaamheid, angst, een schrijnende twijfel aan zichzelf, vreugde om nog in leven te zijn en een verlangen zó intens, dat het zijn hart bezwaarde en zijn ademhaling een tikje moeilijker maakte dan normaal.

'Waar moet ik tekenen?' vroeg Connie, toen hij haar vertelde dat hij klaar was met de formulieren.

Hij spreidde alle vereiste papieren uit op zijn bureau, ook Connies eigen officiële verklaring. Zoals altijd had hij die voor haar geschreven; dat was tegen het korpsbeleid en een van de weinige regels die hij ooit had geschonden. Maar ze verdeelden de klussen al naargelang hun bekwaamheid en voorkeur, en toevallig was hij hier beter in dan zij. Haar eigen gevalsbeschrijvingen waren meestal woedend in plaats van plechtig-neutraal van toon, alsof iedere misdaad het pijnlijkste persoonlijke affront jegens haarzelf was, en soms gebruikte ze woorden als 'klootzak' of 'hufter' in plaats van 'verdachte' of 'arrestant', hetgeen bij de advocaat van de verdachte in de rechtszaal gegarandeerd tot verrukte oprispingen van heilige verontwaardiging leidde.

Connie tekende alle formulieren die hij voor haar neerlegde, ook de netjes uitgetypte verklaring die op haar eigen naam was gesteld, zonder er ook maar één te lezen. Harry vond dat prettig. Ze vertrouwde hem.

Terwijl hij toekeek hoe ze haar slordige handtekening zette, besloot hij dat ze iets speciaals moesten gaan doen, hoe klam en verkreukt hij ook was, een gezellig café met pluchen nissen, zachte verlichting en kaarsen op tafel, terwijl een pianist voor de achtergrondmuziek zorgde. Als dat maar niet zo'n gladde slijmjurk was met plastic versies van goede songs en elk halfuur *Feelings* zong het volkslied van alle sentimentele dronkelappen en stomkoppen in de vijftig staten van Amerika.

Connie hield maar niet op met tieren over het feit dat ze Batvrouw was genoemd en al het andere schandelijks dat de pers haar had aangedaan, en Harry had dus moeite om een gaatje te vinden waarin hij haar kon uitnodigen voor een drankje en een diner, hetgeen hem te veel tijd gaf om naar haar te kijken. Niet dat ze er minder aantrekkelijk uitzag als hij langer naar haar keek. Integendeel: als hij de moeite nam om alle trekken van haar gezicht stuk voor stuk te bestuderen, bleek ze aantrekkelijker dan hij ooit had beseft. Het probleem was dat hij ook begon te zien hoe moe ze was: haar rode ogen, haar bleekheid, de grote donkere kringen van vermoeidheid onder haar ogen en haar schouders die ineen waren gezakt onder het gewicht van de dag. Hij begon te betwijfelen of ze een drankje wilde en de gebeurtenissen van rond het lunchuur nog eens door wilde praten. En hoe meer hij zich bewust werd van haar uitputting, des te doodvermoeider voelde hij zichzelf.

Haar bitterheid over de neiging van de televisie om een tragedie in amusement te veranderen, herinnerde Harry eraan dat ze de dag ook kwaad begonnen was en over iets piekerde waarover ze niet had willen praten.

Zijn hartstocht bekoelde en hij vroeg zich af of het eigenlijk wel een goed idee was om romantische gevoelens te koesteren voor je partner. Het korpsbeleid was om teams op te splitsen die homo of hetero buiten diensttijd een meer dan vriendschappelijke verhouding ontwikkelden. Permanente regels waren meestal gebaseerd op een schat aan bittere ervaringen.

Connie had alle papieren getekend en schonk hem een vluchtige blik. 'Voor het eerst zie je eruit alsof je van plan bent voortaan op de markt te kopen in plaats van alleen bij Brooks Brothers.' Toen omarmde ze hem zelfs. Dat had hem opnieuw in vuur en vlam kunnen zetten, als het geen kameraadschappelijke omhelzing was geweest. 'Hoe gaat het met je buik?'

Alleen maar een doffe pijn, meer niet, dank je, niets dat me zou beletten om hartstochtelijk, geil, zweterig de liefde met je te bedrijven.

Hij zei: 'Prima.'

'Echt waar?'

'Ja.'

'God, wat ben ik moe.'

'Ik ook.'

'Volgens mij slaap ik minstens honderd uur.'

'Of in ieder geval tien.'

Ze glimlachte en kneep hem tot zijn verrassing met genegenheid in zijn wang. 'Tot morgenochtend, Harry.'

Hij keek haar na terwijl ze het kantoor uit liep. Ze droeg nog steeds afgetrapte Reeboks, een spijkerbroek, een rood en bruin geruite blouse en een bruin jasje van corduroy en haar kleren waren er de laatste tien uur niet op vooruitgegaan. Toch had hij haar niet verleidelijker gevonden als ze met moeite in een nauwsluitende japon met lovertjes en een afgronddiep decolleté was geperst.

De kamer was doodsaai zonder haar. Het neonlicht schilderde harde, koude randen op het meubilair en op elk blad van elke plant.

Voorbij het beslagen raam maakte de voortijdige schemering plaats voor de nacht, maar deze regenachtige dag was zó somber geweest, dat de grens tussen beide fasen martelend subtiel was. Regen hamerde op het aambeeld van de duisternis.

Harry had opnieuw het kringetje afgelegd van lichamelijke en geestelijke uitputting naar hartstochtelijke gedachten. Bijna leek hij weer een puber.

Hij zette de computer uit, knipte het licht uit, sloot de deur van het kantoor af en borg kopieën van de verbalen op in het kantoor van de leiding van het Centrum.

Terwijl hij naar huis reed in de deprimerend loodgrijze regenval hoopte hij bij God dat hij inderdaad kon slapen en dat zijn slaap droomloos was. Als hij morgen fris wakker werd, was het antwoord op het geheim van de roodogige zwerver misschien duidelijk.

Halverwege op weg naar huis zette hij bijna de radio aan, want hij wilde muziek horen. Vlak voordat hij de knoppen aanraakte, hield hij zijn hand stil. Hij was bang geen nummer uit de top veertig te horen te krijgen, maar de stem van de zwerver die scandeerde: *tiktak, tiktak, tiktak...*

6

Jennifer moest zijn weggedoezeld. Maar het was een gewone slaap, niet het delirium van fantasiewerelden, dat zo vaak ontsnapping bood. Toen ze wakker werd, hoefde ze geen hardnekkige visioenen van zich af te schudden over smaragd-diamant-saffieren tempels of juichende menigten, betoverd door de virtuositeit van haar stem in een Carnegie Hall van haar geest. Ze voelde zich plakkerig van het vocht en had een zure smaak in haar mond van verschaald sinaasappelsap en een zware slaap.

Er viel nog steeds regen. Hij trommelde gecompliceerde ritmes op het dak van het ziekenhuis. Of eigenlijk: privé-sanatorium. Maar niet alleen ritmes. Ook klokkend-gorgelend-borrelende atonale melodieën.

Door haar blindheid kon Jennifer niet makkelijk weten hoe laat of welk seizoen het was. Maar omdat ze al twintig jaar blind was, had ze een verfijnd besef van haar dagelijkse ritmes ontwikkeld en kon ze de tijd van het jaar en het uur van de dag verrassend nauwkeurig raden.

Ze wist dat het bijna lente was. Misschien was het maart, het einde van het regenseizoen in Zuid-Californië. Ze wist niet de dag van de week, maar vermoedde dat het vroeg in de avond was, tussen zes en acht uur.

Misschien had ze haar avondeten al gehad, ofschoon ze zich dat niet herinnerde. Soms was ze net genoeg bij bewustzijn om door te slikken wat ze met een lepel in haar mond kreeg, maar niet voldoende om ervan te genieten. Op momenten dat ze dieper catatonisch was, werd ze per infuus gevoed.

Ofschoon de kamer in stilte was gehuld, besefte ze iemands aanwezigheid, hetzij omdat de luchtdruk ondefinieerbaar anders was, hetzij omdat ze onbewust een geur waarnam. Ze bleef onbeweeglijk liggen, probeerde te ademen alsof ze gezond sliep en wachtte tot de onbekende zich bewoog of kuchte of zuchtte en daarmee een aanwijzing voor zijn identiteit verschafte.

Haar metgezel was haar niet terwille. Langzamerhand begon Jennifer te vermoeden dat ze alleen was met hèm.

Ze wist dat net doen of ze sliep, het veiligst was.

Ze deed haar uiterste best om doodstil te blijven liggen.

Ten slotte verdroeg ze haar onwetendheid niet langer. Ze vroeg: 'Margaret?'

Niemand antwoordde.

Ze wist dat deze stilte vals was. Met moeite herinnerde ze zich hoe de verpleegster van de tussenploeg heette. 'Angelina?'

Geen antwoord. Alleen de regen.

Hij was haar aan het martelen. Dit was psychische marteling, maar tegen haar was dat wapen verreweg het doeltreffendst. Ze had zoveel lichamelijke en geestelijke pijn gekend, dat ze tegen die vormen van mishandeling een verdediging had opgebouwd.

'Wie is daar?' vroeg ze.

'Ik ben het,' zei hij.

Bryan. Haar Bryan.

Zijn stem was zacht en vriendelijk, zelfs muzikaal, zeker niet dreigend; toch vormde zich ijs in haar bloed.

Ze vroeg: 'Waar is de verpleegster?'

'Ik heb haar gevraagd ons alleen te laten.'

'Wat wil je?'

'Gewoon bij je zijn.'

'Waarom?'

'Omdat ik van je houd.'

Hij klonk oprecht, maar ze wist dat hij loog. Hij was al sinds zijn geboorte niet tot oprechtheid in staat.

'Ga weg,' smeekte ze.

'Waarom kwets je me?'

'Ik weet wat je bent.'

'Wat ben ik dan?'

Ze antwoordde niet.

Hij zei: 'Hoe kun jij weten wat ik ben?'

'Wie zou dat beter kunnen weten?' vroeg ze wrang, verteerd door bitterheid, walgend van zichzelf, walgend en wanhopig.

Afgaande op de klank van zijn stem stond hij bij het raam, dichter bij het getokkel en geroffel van de regen dan bij de zwakke geluiden op de gang. Ze was doodsbang dat hij naar het bed kwam, haar hand pakte en haar wang of wenkbrauw aanraakte.

Ze zei: 'Ik wil Angelina.'

'Nog niet.'

'Alsjeblieft.'

'Nee.'

'Ga dan weg.'

'Waarom kwets je me?' vroeg hij opnieuw. Zijn stem bleef net zo vriendelijk als eerst, zangerig als van een koorknaap. Er klonk geen woede of frustratie in door, alleen verdriet. 'Ik kom twee keer in de week bij je bed zitten. Wat zou ik zijn zonder jou? Niets. Dat weet ik heel goed.'

Jennifer beet op haar lip en zei niets.

Plotseling voelde ze dat hij bewoog. Ze hoorde geen voetstappen, geen geritsel van kleren. Als hij wilde, kon hij stiller zijn dan een kat.

Ze wist dat hij naar het bed liep.

Wanhopig zocht ze de vergetelheid van de wanen in haar beschadigde geest de kleurige fantasieën of de duistere gruwelen, het kon haar niet schelen wat, als ze maar ontsnapte aan de gruwelijke werkelijkheid in deze veel te particuliere sanatoriumkamer. Maar ze kon zich niet *naar willekeur* in haar innerlijke domeinen terugtrekken; dat ze bij tijd en wijle bij bewustzijn was, was misschien wel de grootste vloek van haar machteloze, verzwakte toestand.

Ze wachtte bevend.

Ze luisterde.

Hij was zo stil als een geest.

Het donderende geroffel van de regen op het dak werd van het ene moment op het andere afgesneden, maar ze begreep dat de regen niet echt ophield met vallen. De wereld was plotseling in de greep van een griezelige stilte en rust geraakt.

Jennifer zat tot in de verlamde ledematen aan haar linkerzij aan toe boordevol angst.

Hij pakte haar rechterhand.

Ze hijgde en probeerde hem weg te trekken.

'Nee,' zei hij, en versterkte zijn greep. Hij was sterk.

Ze riep de verpleegster, maar wist dat dat nutteloos was.

Hij hield haar met zijn ene hand vast en streelde haar vingers met de andere. Liefdevol masseerde hij haar pols. Hij aaide het verwelkte vlees van haar onderarm.

Zonder iets te kunnen zien, wachtte ze af en probeerde niet te speculeren over de wreedheden die volgden.

Hij kneep in haar arm en een woordloze smeekbede om genade ontsnapte haar. Hij kneep harder, daarna nog harder, maar waarschijnlijk niet hard genoeg om een blauwe plek achter te laten.

Jennifer onderging alles en vroeg zich af hoe zijn gezicht was, of hij lelijk of gewoontjes of knap was. Intuïtief wist ze dat het geen zegen zou zijn om van haar blindheid te genezen, als ze ook maar één keer in die hatende ogen zou moeten kijken.

Hij duwde een vinger in haar oor en zijn nagel leek lang en scherp als een naald. Hij draaide en schraapte ermee en duwde nog harder, tot de pijn van de druk onverdraaglijk werd.

Ze schreeuwde, maar niemand reageerde.

Hij raakte haar platte borst aan, leeggelopen na vele jaren infuusvoeding in een ziekenhuisbed. Zelfs in die seksloze staat waren haar tepels een bron van pijn en hij wist hoe hij iemand moest martelen.

Het allerbelangrijkste voor haar was echter niet datgene wat hij deed...
maar wat hem daarna te binnen zou schieten. Hij was eindeloos vinding-
rijk. De ware doodsangst schuilt in de verwachting van het onbekende.

Ze riep om iemand, om wie dan ook, om hulp, om beëindiging van haar
kwelling. Ze smeekte God om de dood.

Haar kreten en hulpgeroep waren aan dovemansoren gericht.

Ten slotte zweeg ze en verdroeg ze.

Hij liet haar los, maar ze besefte scherp dat hij nog steeds naast haar bed
stond.

'Hou van me,' zei Bryan.

'Ga alsjeblieft weg.'

Zacht: 'Hou van me.'

Als Jennifer tranen had kunnen voortbrengen, had ze gehuild.

'Hou van me, en dan hoef ik je geen pijn meer te doen. Het enige wat ik
van je wil is, dat je van me houdt.'

Ze kon net zo min van hem houden als uit haar verwoeste ogen tranen
voortbrengen. Een adder, een steen of de koude, onverschillige zwartheid
tussen de sterren waren makkelijker te beminnen.

'Ik wil alleen maar dat iemand van me houdt,' hield hij aan.

Ze wist dat hij niet tot liefde in staat was. Hij had zelfs niet het vaagste
vermoeden van wat dat woord betekende. Hij wilde alleen maar liefde
omdat hij die niet kon krijgen, niet kon voelen, omdat die een mysterie
voor hem was, een grote onbekende. Zelfs als ze in staat was geweest om
van hem te houden en hem daarvan te overtuigen, zou haar dat niet redden, want als die liefde hem ten slotte werd gegeven, zou die hem niet be-
roeren; hij zou zijn aanwezigheid ontkennen en haar uit gewoonte blijven
martelen.

Plotseling werd het geluid van de regen hervat. Stemmen in de gang. De
piepende wieltjes van het stapelkarretje met de bladen met avondeten.

De kwelling was voorbij. Voorlopig.

'Vanavond kan ik niet lang blijven,' zei Bryan. 'Geen eeuwigheid zoals
anders.'

Hij giechelde bij die opmerking, die hij kennelijk heel leuk vond, maar
voor Jennifer was het alleen maar een kwetsend, humorloos geluid.

Hij zei: 'Mijn zaken hebben zich onverwacht uitgebreid. Vreselijk veel te
doen. Ik ben bang dat ik als een haas weg moet.'

Net als altijd onderstreepte hij zijn vertrek door zich over het beddehek te buigen en de verdoofde linkerkant van haar gezicht te kussen. Ze kon de druk of consistentie van zijn lippen tegen haar wang niet voelen. Ze voelde alleen een tikje koelte, als van een vlindervleugel. Ze vermoedde dat zijn kus niet anders, misschien alleen kouder, had aangevoeld als hij haar op de nog steeds gevoelige rechterkant van haar gezicht had gekust.

Toen hij wegging, verkoos hij wèl geluid te maken, en ze luisterde naar zijn wegstervende voetstappen.

Na een tijdje kwam Angelina haar voeren. Zacht voedsel. Aardappelpuree met jus. Gepureerd rundvlees. Erwtenpuree. Appelmoes bestrooid met kaneel en bruine suiker. IJs. Dingen die ze zonder moeite kon doorslikken.

Jennifer zei niets over wat hij met haar had gedaan. Uit bittere ervaring wist ze, dat niemand haar geloofde.

Hij moest eruitzien als een engel, want behalve zij leek iedereen hem op het eerste gezicht te vertrouwen en hem slechts de zachtaardigste motieven en edelste bedoelingen toe te schrijven.

Ze vroeg zich af of er ooit een einde aan haar beproeving kwam.

7

Ricky Estefan leegde de helft van een pak rigatoni in een grote pan kokend water. Er vormde zich onmiddellijk een laag schuim en een heerlijke zetmeelgeur kwam in een wolk van stoom boven. Op een andere pit stond een kleinere pan kruidige spaghettisaus te borrelen.

Toen hij de gasvlammen bijstelde, hoorde hij een vreemd geluid bij de voorkant van het huis. Een bons, niet bijzonder luid maar wel massief. Hij spitste zijn oren en luisterde. Net toen hij besloot dat hij het zich verbeeld had, klonk het opnieuw: *bonk*.

Hij liep de gang door naar de voordeur, knipte het licht op de veranda aan en keek door het judasoog. Voor zover hij kon zien, was er niemand.

Hij deed de deur van het slot, deed hem open, boog zich voorzichtig naar buiten en keek naar links en naar rechts. Geen van de buitenmeubels was omgevallen. Het was een windstille avond en de schommelende bank hing dus onbeweeglijk aan zijn kettingen.

Er bleef een harde regen vallen. Op straat waren in het paarsige licht van de kwiklampen in beide goten rivieren te zien. Ze kwamen bijna tot boven aan de stoeprand en kolkten glinsterend als stromen gesmolten zilver naar de regenputten aan het einde van het blok.

Hij was bang geweest dat die bons een teken van stormschade was, maar zonder harde wind leek dat onwaarschijnlijk.

Hij sloot de deur, draaide de grendel dicht en liet de veiligheidsketting in het gat glijden. Sinds hij was neergeschoten en zich moeizaam een weg terug had gebaand, had hij een gezond soort paranoia ontwikkeld. Nou ja, gezond of niet: als paranoia was het een prachtexemplaar, dat glom van het vele gebruik. Hij hield de deuren altijd op slot en bij zonsondergang deed hij van ieder raam de gordijnen dicht, zodat niemand naar binnen kon kijken.

Hij schaamde zich over zijn eigen angst. Ooit was hij zo sterk, bekwaam en vol zelfvertrouwen geweest. Toen Harry eerder die dag was weggegaan, had Ricky net gedaan of hij aan de keukentafel aan zijn riemgesp bleef werken. Maar zodra hij de voordeur dicht hoorde gaan, schuifelde hij de hal door om zachtjes de grendel dicht te schuiven, terwijl zijn oude vriend nog op de voorveranda stond. Hij had gebloosd van schaamte, maar voelde zich niet op zijn gemak als hij een deur ook maar een paar minuten van het slot liet.

Terwijl hij zich omdraaide van de deur, klonk het geheimzinnige geluid opnieuw. *Bonk.*

Deze keer kwam het volgens hem uit de woonkamer. Hij liep de boogvormige ingang door en probeerde vast te stellen wat de oorzaak was.

In de woonkamer brandden twee schemerlampen. Een warme, amberkleurige gloed verspreidde zich in die gezellige ruimte. Op het gewelfde plafond waren de patronen te zien van twee lichtkringen, gebroken door de schaduwen van het ijzerdraad en de dessins van de lampekappen.

Ricky vond het prettig als 's avonds, tot hij naar bed ging, overal in huis licht brandde. Hij voelde zich niet meer op zijn gemak als hij een donkere kamer in moest om dàn pas het licht aan te doen.

Alles was in orde. Hij keek zelfs achter de sofa om… nou ja, om het zekere voor het onzekere te nemen.

Bonk.

Zijn slaapkamer?

Een deur in de woonkamer kwam uit op een kleine hal met simpele, maar charmant verzonken panelen. Nog drie andere deuren kwamen erop uit: de badkamer voor logées, een heel kleine logeerkamer en zijn eigen, niet erg ruime slaapkamer. Overal brandde één lamp. Ricky controleerde alles, ook de kasten, maar vond niets dat die bons had kunnen veroorzaken.

Bij elk raam trok hij de gordijnen open om te zien of de grendels op hun plaats zaten en de ruiten nog heel waren. Dat waren ze.

Bonk.

Dit keer leek het uit de garage te komen.

Hij pakte een revolver van het kastje naast zijn bed. Smith & Wesson .38 Chief's Special. Hij wist dat hij volledig geladen was. Niettemin klikte hij de cilinder open om even te kijken. Alle vijf kogels zaten erin.

Bonk.

Hij voelde een steek in zijn linker onderbuik, een trekkend-trillende pijn waarmee hij maar al te vertrouwd was, en ofschoon de bungalow maar klein was, kostte het meer dan een minuut om de toegangsdeur naar de garage te bereiken. Hij legde zijn ene oor op de spleet naast het kozijn en luisterde.

Bonk.

Het geluid kwam beslist uit de garage. Hij klemde het pootje van de grendel tussen duim en wijsvinger… en aarzelde. Hij wilde de garage niet in.

Hij werd zich bewust van een laagje zweet op zijn wenkbrauw.

'Kom op, kom op,' zei hij, maar week niet voor zijn eigen aandrang.

Hij vond het afschuwelijk om bang te zijn. Hij herinnerde zich de verschrikkelijke pijn toen de kogels door zijn buik joegen en zijn darmen klutsten; hij herinnerde zich de kwelling van al die ontstekingen daarna en het leed van zoveel maanden in het ziekenhuis in de schaduw van de dood; hij wist dat veel anderen het hadden opgegeven, terwijl hij volhield; en hij wist dat zijn behoedzaamheid en vrees gerechtvaardigd werden door alles wat hij had doorgemaakt. Hij vond het desondanks afschuwelijk om bang te zijn.

Bonk.

Hij vervloekte zichzelf, trok het slot los, opende de deur en vond het lichtknopje. Hij stapte de drempel over.

De garage was groot genoeg voor twee auto's, en zijn blauwe Mitsubishi stond aan de verste kant. De helft bij het huis werd in beslag genomen door zijn lange werkbank, rekken met gereedschap, voorraadkasten en de op gas werkende smidse, waarin hij baartjes zilver smolt dat hij daarna in de juwelen- en gespenvormen goot die hij schiep.

Het geroffel van de regen klonk hier harder, omdat er geen verlaagd plafond was en het garagedak niet geïsoleerd was. Van de betonnen vloer kwam een vochtige damp.

In de eerste helft van de grote ruimte was niemand. Geen van de voorraadkasten had een vak dat groot genoeg was om een mens te bergen.

Met de .38 in zijn hand liep hij de auto rond, keek erin en liet zich zelfs op zijn krakende knieën zakken om eronder te kijken. Niemand verborg zich daar.

De manshoge garagedeur naar buiten zat van binnenuit op slot. Dat gold ook voor het enige raam, dat hoe dan ook te klein was om iets groters dan een kleuter door te laten.

Hij vroeg zich af of het geluid soms van op het dak afkomstig was. Een of twee minuten bleef hij naast de auto naar de dakbalken staren en wachtte tot de bons terugkwam. Niets. Alleen regen, regen, regen een onafgebroken roffelen.

Ricky voelde zich dwaas, liep terug naar het huis en deed de verbindingsdeur op slot. Hij nam de revolver mee naar de keuken en legde hem op de ingebouwde secretaire naast de telefoon.

Het vuur onder zowel de pasta als de saus was uit. Even dacht hij dat het gasnet problemen had, maar toen zag hij dat de knoppen voor beide branders op 0 stonden.

Hij wist dat ze gebrand hadden toen hij de keuken verliet. Hij zette ze weer aan en de blauwe vlammen onder de pannen kwamen met een *woesj* tot leven. Hij zette ze op de juiste stand en bleef er even naar staren; de vlammen gingen niet eigener beweging uit.

Iemand speelde spelletjes met hem.

Hij liep weer naar de secretaire, pakte de revolver en overwoog het huis opnieuw te doorzoeken. Maar hij had elke vierkante centimeter doorzocht en wist dat hij alleen was.

Na een korte aarzeling doorzocht hij het opnieuw met hetzelfde resultaat als eerst.

Toen hij in de keuken terugkwam, had niemand het gas uitgezet. De saus kookte zó hard, dat hij begon aan te bakken. Hij legde de revolver opzij, prikte een stukje pasta aan een lange vork, blies erop om het af te laten koelen en proefde. Iets te gaar, maar verder prima.

Hij stortte de rigatoni in een vergiet in het aanrecht, schudde hem om, liet de pasta op een bord glijden en voegde saus toe.

Iemand speelde spelletjes met hem.

Maar wie?

Regen miezerde door de bladerrijke oleanderstruiken, stuitte op de diverse plastic vuilniszakken die Sammy over de pakkist had gelegd en stroomde het plastic af naar het braakliggende terrein of de steeg in. Onder de vodden die als bed dienden, was ook de kistvloer met plastic bedekt; zijn nederige behuizing was dus relatief droog.

Maar zelfs als hij tot zijn heupen in het water had gezeten, had Sammy dat misschien niet eens gemerkt, want hij had de eerste tweeliterfles wijn al op en was aan de tweede begonnen. Hij voelde geen pijn dat hield hij zichzelf althans voor.

Hij had het eigenlijk heel prettig. De goedkope wijn hield hem warm, zuiverde hem tijdelijk van zijn zelfhaat en berouw, en bracht hem in contact met bepaalde onschuldige gevoelens en naïeve verwachtingen uit zijn jeugd. Twee dikke, naar bosbessen geurende kaarsen, die hij uit iemands vuilnisbak had gevist en nu had vastgezet in een pasteiblik, vervulden zijn heiligdom met een prettige geur en een zacht licht, even gezellig als van een antieke Tiffany-lamp. De krappe wanden van de pakkist waren eerder geruststellend dan benauwend. Het onafgebroken regenkoor was slaapverwekkend. Afgezien van de kaarsen leek dit misschien wel op de baarmoeder waarin hij ooit had gezeten: knus genesteld, gewichtloos opgehangen in vruchtwater, omringd door het zachte, vloeibare gebrul van moeders bloed dat door haar aderen en haarvaten stroomde, niet alleen zonder zorgen over de toekomst, maar onbewust daarvan.

Zelfs toen de ratteman het hangende stuk vloerkleed opzij trok, dat dienst deed als deur voor de enige opening van de kist, werd Sammy's kunstmatige prenatale geluksgevoel niet verstoord. Diep in zijn hart wist hij dat hij problemen had, maar hij was te ver heen om bang te zijn.

De kist mat een meter tachtig bij tweeëneenhalve meter en was net zo groot als veel manshoge kasten. De ratteman was weliswaar een reus van een kerel, maar had zich niettemin aan de andere kant van Sammy kunnen werken zonder de kaarsen om te gooien. Hij bleef echter gehurkt in de deur zitten en hield het kleed met één arm opzij.

Zijn ogen waren anders dan alle andere keren. Glimmend zwart. Geen spoor wit te zien. Naalddunne gele pupillen gloeiend in het midden. Als verre koplampen op de nachtelijke snelweg naar de hel.

'Hoe gaat 't, Sammy?' vroeg de ratteman ongewoon meelevend. 'Red je 't hier een beetje, hé?'

Ofschoon een overdaad aan wijn Sammy's overlevingsinstinct genoeg had verdoofd om het contact met zijn angst te verbreken, wist hij dat er alle reden was om bang te zijn. Daarom was hij waakzaam en onbeweeglijk blijven zitten, zoals hij ook had gedaan als een ratelslang in zijn kist was geglibberd en de enige uitweg blokkeerde.

De ratteman zei: 'Ik wilde je gewoon even laten weten dat ik hier voorlopig niet meer langs kom. Heb nieuwe activiteiten. Overwerkt. Moet de dringendste kwesties eerst afhandelen. Als die klaar zijn, ben ik uitgeput, slaap ik een hele dag het klokje rond.'

Dat hij tijdelijk zonder vrees was, betekende niet dat Sammy moedig was geworden. Hij durfde niets te zeggen.

'Weet je eigenlijk hoe uitputtend dit is, Sammy? Nee? De kudde uitdunnen, de lammen en zieken wieden dat is geen kattedrek, laat ik je dàt zeggen.'

Toen de ratteman glimlachend zijn hoofd schudde, vlogen glimmende druppeltjes regenwater uit zijn baard. Ze spatten over Sammy heen.

Zelfs in de troostrijke baarmoeder van zijn wijnroes had Sammy nog genoeg besef om zich over de plotselinge spraakzaamheid van de ratteman te verbazen. Maar hoe verbazend ook: de monoloog van die reusachtige man deed hem op een vreemde manier denken aan iets dat hij eerder had gehoord, lang geleden in een andere stad, ofschoon hij zich niet kon herinneren waar of wanneer of van wie. Het was niet de knarsende stem of de woorden zelf die hem op de rand van het déjà-vu brachten, maar iets in de toon van zijn onthullingen, de griezelige ernst, de cadensen van zijn manier van praten.

'Afrekenen met ongedierte zoals jij,' zei de ratteman, 'is slopend. Geloof me. Slopend. Het zou zoveel makkelijker zijn als ik jullie allemaal al de eerste keer kon opruimen, bijvoorbeeld zorgen dat je spontaan ontbrandt of je kop laten ontploffen. Zou dat niet prettig zijn?'

Nee. Beslist kleurrijk, opwindend, interessant, maar niet prettig, dacht Sammy, ofschoon zijn vrees op afstand bleef.

'Maar om mijn lotsbestemming te vervullen,' zei de ratteman, 'om te worden wat mijn roeping is, moet ik jullie mijn toorn tonen, jullie doen beven en vernederen voor mijn aangezicht, zorgen dat jullie de betekenis van je verdoemenis begrijpen.'

Sammy herinnerde zich waar hij dit soort praat eerder had gehoord. Een andere zwerver. Misschien anderhalf, twee jaar geleden, nog in Los Angeles. Iemand die Mike heette, had een messiascomplex en dacht dat hij door God was uitverkoren om de wereld voor zijn zonden te doen boeten. Met dat idee in zijn hoofd ging hij uiteindelijk over de rooie. Hij stak drie of vier mensen neer, die buiten voor een filmhuis stonden te wachten; daar draaide een herlancering van de regisseursversie van *Bill and Ted's Excellent Adventure*, met twintig minuten materiaal dat oorspronkelijk was geknipt.

'Weet jij wat ik ga worden, Sammy?'

Sammy omklemde alleen zijn laatste tweeliterfles.

'Ik word de nieuwe god,' zei de ratteman. 'Er is een nieuwe god nodig. Ik ben daartoe uitverkoren. De oude god was te genadig. De dingen zijn uit de hand gelopen. Het is mijn plicht om te Worden, en als ik eenmaal Ben, moet ik strenger heersen.'

In het kaarslicht glinsterden de regendruppels die nog in het haar en de wenkbrauwen en de baard van de ratteman zaten, alsof een rampzalig misleide kunstsmid hem had versierd met juwelen op de manier van een Fabergé-ei.

'Als ik de dringendste vonnissen heb geveld en wat heb kunnen rusten, kom ik bij je terug,' beloofde de ratteman. 'Ik wilde je gewoon niet laten denken dat je vergeten was. Wilde niet dat je je verwaarloosd, niet-gewaardeerd voelde. Arme, arme Sammy. Ik zal je niet vergeten. Dat is niet zomaar een belofte het is het heilige woord van de nieuwe god.'

Toen verrichtte de ratteman een kwaadaardig wonder om te zorgen dat hijzelf in geen geval vergeten werd, zelfs niet in de duizend vaam diepe vergetelheid van een peilloze wijnzee. Hij sloot zijn ogen, en toen ze weer openschoten, waren zijn ogen niet meer ebbenzwart en geel. Het waren helemaal geen ogen meer; in zijn oogkassen kronkelden ballen vettige, witte wormen. Toen hij zijn mond opendeed, waren zijn tanden vlijmscherpe spiesen geworden. Er droop gif af, een glanzend zwarte tong flitste als die van een zoekende slang en er sloeg een violette damp van hem af die naar verrot vlees stonk. Zijn hoofd en lichaam zwollen op en barstten, maar deze keer vielen ze niet in een troep ratten uiteen. In plaats daarvan veranderden de ratteman en zijn kleren in tienduizenden zwarte vliegen, die scherp zoemend door de pakkist zwermden en tegen Sammy's gezicht sloegen. Het brommen van hun vleugels was zó luid, dat het zelfs de dreun van de neerstortende regen overstemde, en toen...

... waren ze weg.

Verdwenen.

Het kleed hing zwaar en nat voor de opening van de kist.

Kaarslicht flakkerde pulserend over de houten wanden.

Het rook naar kaarsvet met bosbessengeur.

Sammy nam een paar lange teugen wijn rechtstreeks uit de fles, in plaats van die eerst in het vuile jampotje te gieten dat hij aanvankelijk had gebruikt. Hij morste een beetje op de stoppelbaard van zijn kin, maar dat kon hem niet schelen.

Hij wilde alleen maar verdoofd en op afstand blijven. Als hij de laatste paar minuten contact met zijn vrees had gehad, had hij beslist in zijn broek geplast.

Afstandelijkheid was volgens hem ook van belang om minder emotioneel na te kunnen denken over wat de ratteman had losgelaten. Voorheen had het schepsel weinig gezegd en nooit iets over zijn motieven of bedoelingen onthuld. En nu een stortvloed van kletspraat over de kudde uitdunnen, oordeel, goddelijkheid.

Het was waardevol te weten dat de geest van de ratteman met dezelfde onzin was vervuld als de waan die het hoofd van Mike, neersteker van bioscoopgangers, had doen schiften. Even afgezien van zijn vermogen om uit het niets te verschijnen en in rook op te gaan, en ondanks zijn onmenselijke ogen en zijn vermogen om van vorm te veranderen: door dat gewauwel over god leek hij nauwelijks belangwekkender dan de talloze erfgenamen van Charlie Manson en Richard Ramirez, die gedreven door innerlijke stemmen de wereld afstroopten, moordden voor de pret en hun koelkasten vol hadden met de afgehakte hoofden van hun slachtoffers. Als hij op een heel diep niveau niet anders was dan die andere psychoten, was hij ondanks zijn bijzondere talenten even kwetsbaar als zij.

Ofschoon hij functioneerde in een mist van wijn, besefte Sammy dat dit inzicht een belangrijk middel tot overleving kon zijn. Het enige probleem was dat hij nooit een echte overlever was geweest.

Nadenken over de ratteman bezorgde hem pijn in zijn hart. Verdomme, alleen al het vooruitzicht op *overleven* gaf hem hoofdpijn. Wie wilde eigenlijk overleven? En waarom? Dat was alleen maar uitstel, en misschien zelfs wel versnelling van de dood. Elke overleving was maar een tijdelijke overwinning. Uiteindelijk vergetelheid voor iedereen. En in de tussentijd alleen maar pijn. Wat Sammy aan de ratteman verschrikkelijk vond, was niet dat hij mensen doodde, maar dat hij hen kennelijk met plezier eerst martelde, eerst hun doodsangst aanzwengelde, eerst pijn uitgoot, en zijn slachtoffers niet met genadige spoed van de wereld verwijderde. Sammy hield de fles schuin en goot wijn in het jampotje, dat tussen zijn gespreide benen op de vloer stond. Hij bracht het glas naar zijn lippen. In de glanzend rode vloeistof zocht hij een glansloze, vredige, volmaakte duisternis.

9

Mickey Chan zat alleen in een nis achteraf en at aandachtig zijn soep.

Connie zag hem zodra ze de voordeur van het kleine Chinese restaurant in Newport Beach openduwde en liep naar hem toe tussen zwart gelakte stoelen en tafels met zilvergrijze tafelkleden. Een rood en goud geschilderde draak kromde zich over het plafond en kronkelde tussen de lichtpunten.

Als Mickey haar zag komen, hield hij zich van de domme. Hij zoog soep van zijn lepel, vulde hem opnieuw en hield zijn blik op de inhoud van de kom gericht.

Hij was klein maar pezig, achter in de veertig, en droeg zijn haar heel kort geknipt. Zijn huid had de tint van antiek perkament.

Hij liet zijn blanke klanten weliswaar geloven dat hij Chinees was, maar in feite was hij een Vietnamees, die na de val van Saigon naar de Verenigde Staten was gevlucht. Er waren geruchten dat hij in Saigon bij de moordrecherche had gezeten of officier was geweest bij de Zuidvietnamese Binnenlandse Veiligheidsdienst, hetgeen waarschijnlijk waar was.

Volgens sommigen stond hij bekend als de gesel van de ondervragingskamer, een man die zijn toevlucht nam tot elk middel en elke techniek om de wil van een verdachte misdadiger of communist te breken, maar Connie betwijfelde die verhalen. Ze vond Mickey aardig. Hij was hard, maar had iets over zich van een man die een groot verlies had geleden en tot diep medelijden in staat was.

Toen ze zijn tafel bereikte, praatte hij tegen haar maar bleef zijn aandacht op zijn soep richten. 'Goedenavond, Connie.'

Ze schoof aan de andere kant van hem de nis in. 'Je bent op die kom gefixeerd alsof die de zin van het leven bevat.'

'Dat doet hij ook,' zei hij doorlepelend.

'Werkelijk? Volgens mij is het soep.'

'De zin van het leven is te vinden in een kom soep. Soep begint altijd met een bouillon, vergelijkbaar met de vloeibare stroom dagen die samen ons leven vormen.'

'Bouillon?'

'Soms zitten er noedels in de bouillon, soms groenten, stukjes eiwit, plakjes kip of garnaal, paddestoelen, misschien rijst.'

Omdat Mickey weigerde haar aan te kijken, staarde Connie nu over de tafel heen bijna even aandachtig naar zijn soep als hij.

Hij zei: 'Soms is de soep heet, soms koud. Soms is hij met opzet koud en dan is hij lekker, zelfs al zit er geen spoortje warmte in. Maar als hij niet koud bedoeld is, smaakt hij bitter of stremt hij in de maag of allebei.'

Zijn zachte maar vriendelijke stem had een hypnotiserend effect. Geboeid staarde Connie naar het vreedzame oppervlak van de soep en was al het andere in het restaurant vergeten.

'Ga maar na. Voordat de soep wordt gegeten,' zei Mickey, 'is hij waardevol en dient hij een doel. Nadat hij is gegeten, is hij waardeloos voor iedereen, behalve voor degene die hem heeft geconsumeerd. En door zijn doel te bereiken, houdt hij op te bestaan. Slechts de lege kom blijft over. Hetgeen een symbool is voor zowel behoefte als gebrek maar ook voor de blijde verwachting van nieuwe kommen soep.'

Ze wachtte tot hij doorging en maakte haar blik pas van zijn soep los toen ze besefte dat hij haar aan zat te staren. Ze keek hem aan en zei: 'Dat is alles?'

'Ja.'

'De zin van het leven?'

'Totaal.'

Ze fronste. 'Ik snap het niet.'

Hij haalde zijn schouders op. 'Ik ook niet. Ik verzin dit soort onzin ter plekke.'

Ze knipperde met haar ogen. 'Je… wàt?'

Grijnzend zei Mickey: 'Nou ja, dit soort dingen wordt min of meer van een Chinese privé-detective verwacht, snap je. Bondige spreuken, mysterieuze wijsgerige uitspraken, ondoorgrondelijke gezegden.'

Hij was geen Chinees en heette in werkelijkheid ook geen Mickey Chan. Toen hij in de Verenigde Staten arriveerde en besloot zijn politieachtergrond te gebruiken om privé-detective te worden, had hij gemeend dat Vietnamese namen te exotisch waren om vertrouwen te wekken en voor westerlingen te moeilijk uit te spreken waren. En hij wist dat hij nooit een goed belegde boterham kon verdienen door alleen voor cliënten van Vietnamese afkomst te werken. Twee van zijn favoriete dingen in Amerika waren tekenfilmpjes van Mickey Mouse en films van Charlie Chan, en het leek hem verstandig om zijn naam wettelijk te laten veranderen. Vanwege Disney en Rooney en Mantle en Spillane hielden Amerikanen van mensen die Mickey heetten en dank zij een heleboel oude films werd de naam Chan onbewust geassocieerd met geniaal misdaadonderzoek. Mickey had kennelijk precies geweten wat hij deed, want hij had een bloeiend bedrijf met een eersteklas reputatie opgebouwd en had nu tien mensen in dienst.

'Je zat me in de maling te nemen,' zei ze op de soep wijzend.

'Je bent niet de eerste.'

Ze zei lachend: 'Als ik aan de juiste touwtjes kon trekken, zou ik ervoor zorgen dat de rechter je naam verandert in Charlie Mouse. Kijken hoe dat uitpakt.'

'Ik ben blij dat je nog steeds kunt lachen,' zei Mickey.

Een mooie jonge serveerster met gitzwart haar en amandelvormige ogen verscheen aan hun tafel en vroeg of Connie iets te eten wilde bestellen.

'Alleen een fles Tsingtao, alstublieft,' zei Connie. En tegen Mickey: 'Om je de waarheid te zeggen staat het huilen me nader dan het lachen. Met je telefoontje van vanmorgen heb je werkelijk mijn dag verpest.'

'Je dag verpest? *Ik?*'

'Wie anders?'

'Bijvoorbeeld een zeker heerschap met een Browning en een paar granaten.'

'Dat heb je dus al gehoord.'

'Wie niet? Zelfs in Zuid-Californië is dit een soort bericht waar de sport niet tegenop kan.'

'In de komkommertijd misschien.'

Hij at zijn soep op.

De serveerster kwam het bier brengen.

Connie schonk de Tsingtao langs de zijkant van haar gekoelde pilsglas om zo weinig mogelijk schuim te krijgen, nam een slok en zuchtte.

'Het spijt me,' zei Mickey oprecht. 'Ik weet hoe graag je wilde geloven dat je nog familie had.'

'Ik hàd een familie,' zei ze. 'Ze zijn alleen allemaal weg.'

Van haar derde tot haar achttiende was Connie opgevoed in een reeks overheidstehuizen en tijdelijke pleeggezinnen, waarvan het volgende altijd nog verschrikkelijker was dan het vorige. Noodgedwongen was ze hard geworden en had ze teruggevochten. Vanwege haar karakter had ze voor adoptiefouders niets aantrekkelijks en was die ontsnappingsweg afgesneden. Bepaalde karaktertrekken die zij als sterke punten beschouwde, interpreteerden andere mensen als een gedragsprobleem. Vanaf haar vroegste jeugd was ze onafhankelijk ingesteld, onkinderlijk ernstig en praktisch niet in staat om een kind te zíjn. Om zich te gedragen zoals bij haar leeftijd paste, zou ze toneel hebben moeten spelen, want ze was een volwassene in een kinderlichaam geweest.

Tot zeven maanden geleden had ze over de identiteit van haar ouders nooit veel nagedacht. Dat had een onprofijtelijke bezigheid geleken. Om welke reden dan ook hadden ze haar als kind in de steek gelaten en ze kon zich hen volstrekt niet meer herinneren.

Maar op een zonnige zondagmiddag ging ze skydiven vanaf het vliegveld van Perris en kwam haar trekkoord vast te zitten. Ze viel dertienhonderd meter in de richting van een bruine woestijnbegroeiing die zo droog was als de hel, in de overtuiging dat ze alleen nog maar hoefde te sterven om echt dood te zijn. Haar parachute ging op het laatst mogelijke moment open; ze overleefde het nog net. Ofschoon ze ruw neerkwam, had ze geluk; ze hield er alleen een verstuikte enkel, een geschaafde linkerhand en blauwe plekken aan over plus een plotselinge behoefte om te weten waar ze vandaan kwam.

Iedereen passeerde de uitgang van het leven zonder te weten waar ze naar toe gingen; het leek dus fundamenteel om dan ten minste iets te weten over de ingang.

In haar vrije uren had ze de officiële kanalen, contacten en computers kunnen gebruiken om haar verleden te onderzoeken, maar ze gaf de voorkeur aan Mickey Chan. Ze wilde geen nieuwsgierige, enthousiaste collega's bij haar speurtocht betrekken voor het geval ze iets ontdekte dat niet voor hun oren bestemd was.

Wat Mickey na zes maanden snuffelen in officiële dossiers uiteindelijk ontdekt had, was niet prettig.

Toen hij haar in zijn stijlvolle Fashion Island-kantoor met zijn negentiende-eeuwse Franse kunst en biedermeiermeubels zijn verslag overhandigde, zei hij: 'Ik zit in de kamer hiernaast wat brieven te dicteren. Geef me een seintje als je klaar bent.'

Zijn Aziatische terughoudendheid en de implicatie dat ze misschien liever alleen wilde zijn, waarschuwden haar voor hoe onaangenaam de waarheid was.

Volgens Mickey's verslag had een rechter haar onttrokken aan het ouderlijk gezag, omdat ze herhaaldelijk ernstig was mishandeld. Als straf voor onbekende overtredingen misschien alleen maar voor het feit dat ze leefde hadden ze haar geslagen, kaalgeschoren, geblinddoekt, vastgebonden, achttien uur aan één stuk in een kast laten zitten en drie vingers gebroken.

Toen ze onder rechterlijk toezicht kwam, had ze nog niet leren praten, want dat hadden haar ouders haar nooit geleerd of toegestaan. Maar al gauw praatte ze als de beste, alsof ze genoot van de opstandigheid die het praten voor haar inhield.

Ze had haar moeder en vader echter nooit kunnen aanklagen. Toen ze de staat ontvluchtten om zich aan vervolging te onttrekken, stierven ze bij een zware frontale botsing in de buurt van de grens met Arizona.

Connie las Mickey's verslag aanvankelijk met macabere fascinatie en was minder geschokt door de inhoud dan de meeste andere mensen zouden zijn: ze zat lang genoeg bij de politie om dergelijke en nog ergere dingen al heel vaak te hebben gezien. Ze had niet het gevoel dat ze die haat jegens haar had verdiend door eigen tekortkomingen of omdat ze minder aardig was dan andere kinderen. Zo zat de wereld soms gewoon in elkaar. Te vaak. In ieder geval begreep ze eindelijk waarom ze al als driejarige te ernstig, te wijs voor haar leeftijd was geweest, te onafhankelijk gezind, gewoon veel te hàrd om het schattige knuffelkindje te zijn dat adoptiefouders zochten.

De mishandelingen moesten ernstiger zijn geweest dan uit de nuchtere woorden van het verslag bleek. Op de eerste plaats zagen rechters meestal heel wat ouderlijke wreedheid door de vingers voordat ze zo drastisch ingrepen. Bovendien had ze elke herinnering daaraan en aan haar zuster uit haar geest gebannen, en dat was duidelijk een wanhoopsdaad.

De meeste kinderen die zulke ervaringen overleefden, bleven ook later grote problemen houden met hun onderdrukte herinneringen en gevoelens van nietswaardigheid, of konden het leven volstrekt niet aan. Ze was gelukkig een van de sterkeren. Ze twijfelde niet aan haar waarde als menselijk wezen, noch aan haar bijzonderheid als individu. Ofschoon ze het misschien prettig had gevonden om vriendelijker, meer ontspannen, minder cynisch, vrolijker te zijn, vond ze zichzelf desondanks aardig en was ze op haar manier tevreden.

Mickey's verslag bevatte niet alleen slecht nieuws. Connie ontdekte dat ze nog een zusje had, en dat had ze nooit geweten. Colleen. Constance Mary en Colleen Marie Gulliver, van wie de eerste drie minuten eerder was geboren dan de tweede. Een eeneiige tweeling. Allebei mishandeld en definitief aan het ouderlijk gezag onttrokken. Uiteindelijk werden ze naar verschillende tehuizen gestuurd, en zo raakten hun levens gescheiden.

Toen ze, nu precies een maand geleden, voor Mickey's bureau op de cliëntenstoel zat, ging een verrukte huivering door Connies ruggegraat bij het besef dat er iemand bestond met wie ze zo'n intieme band had. Een eeneiige tweeling. Plotseling begreep ze waarom ze soms droomde dat ze twee mensen tegelijk was en in die slaapfantasieën in tweevoud opdook. Ofschoon Mickey Colleen nog steeds niet had opgespoord, durfde Connie te hopen dat ze niet alleen was.

Maar nu, een paar weken later, was Colleens lot bekend. Ze was geadopteerd en opgegroeid in Santa Barbara en stierf vijf jaar geleden op achtentwintigjarige leeftijd.

Die ochtend, toen Connie hoorde dat ze haar zusje opnieuw kwijt was en ditmaal voorgoed, had ze een dieper verdriet gevoeld dan ooit eerder in haar leven.

Ze had niet gehuild.

Dat deed ze maar zelden.

In plaats daarvan was ze omgegaan met haar verdriet zoals ze omging met alle teleurstellingen, tegenslagen en verliezen: ze ging aan het werk, geobsedeerd aan het werk en werd kwaad. Arme Harry. De hele morgen had hij haar woede over zich heen gekregen zonder het flauwste vermoeden van de oorzaak. Beleefde, redelijke, vredelievende, geduldig lijdende Harry. Nooit zou hij weten hoe pervers dànkbaar ze was geweest voor de kans om die schutter met zijn vollemaansgezicht, James Ordegard, achterna te zitten. Zo had ze haar woede op iemand gericht die die veel meer verdiende en de opgekropte energie van haar verdriet uitgezweet die ze met tranen niet kwijt kon. Nu dronk ze haar Tsingtao en zei: 'Vanmorgen had je het over foto's.'

De hulpkelner haalde de lege soepkom weg.

Mickey legde een enveloppe op tafel. 'Weet je zeker dat je ze wilt zien?'

'Waarom zou ik dat niet willen?'

'Je zult haar nooit leren kennen. De foto's kunnen je dat inpeperen.'

'Dat heb ik al aanvaard.'

Ze deed de enveloppe open. Acht of tien kiekjes gleden eruit.

De foto's toonden Colleen als vijf- of zesjarige, maar ook ergens midden in de twintig, bijna zo oud als ze ooit zou worden. Ze had andere kleren aan dan Connie ooit gedragen had, was anders gekapt en was gefotografeerd in woonkamers en keukens, op gazons en stranden die Connie nooit had gezien. Maar in elk fundamenteel opzicht lengte, gewicht, kleur, gezicht, zelfs uitdrukkingen en onbewuste lichaamshoudingen was ze Connies volmaakte evenbeeld.

Connie had het griezelige gevoel dat ze foto's van zichzelf zag in een leven dat ze zich niet kon herinneren.

'Waar heb je die vandaan?' vroeg ze Mickey Chan.

'Van de Ladbrooks. Dennis en Lorraine Ladbrook, het echtpaar dat Colleen adopteerde.'

Ze bekeek de foto's opnieuw en werd getroffen door het feit dat Colleen overal lachte of glimlachte. De paar foto's die ooit van Connie als kind waren gemaakt, waren meestal groepsfoto's in een tehuis met een massa andere kinderen. Ze had niet één foto van zichzelf waarop ze glimlachte.

'Wat zijn de Ladbrooks voor mensen?' zei ze.

'Middenstanders. Ze hebben samen een winkel voor kantoorbehoeften in Santa Barbara. Aardige mensen volgens mij, rustig en zonder pretenties. Ze konden zelf geen kinderen krijgen en vereerden Colleen.'

Jaloezie verduisterde Connies hart. Ze smachtte naar de liefde en de jaren van normaal bestaan die Colleen had gekend. Irrationeel om jaloers te zijn op je dode zusje. En schandelijk. Maar ze kon het niet helpen.

Mickey zei: 'De Ladbrooks zijn na vijf jaar nog steeds niet over haar dood heen. Ze wisten niet dat ze een tweelingzusje had. De kinderbescherming heeft ze dat nooit verteld.'

Connie deed de foto's weer in de enveloppe, want ze kon er niet meer naar kijken. Zelfmedelijden was een luxe die ze verafschuwde, maar niettemin datgene waarin haar jaloezie snel aan het veranderen was. Een dood gewicht lag als een stapel stenen op haar borst. Als ze straks in de privacy van haar flat was, was ze misschien in de stemming om zich langer bezig te houden met de liefelijke glimlach van haar zusje.

De serveerster kwam met moo goo gai pan voor Mickey.

Hij negeerde de eetstokjes, die samen met een normaal bestek werden opgediend, en pakte zijn vork. 'Connie, de Ladbrooks willen je graag ontmoeten.'

'Waarom?'

'Zoals ik al zei, hebben ze nooit geweten dat Colleen een tweelingzusje had.'

'Ik weet niet of dat een goed idee is. Ik kan niet Colleen voor hen zijn. Ik ben iemand anders.'

'Volgens mij moet je dat zo niet zien.'

Ze nam nog een slok bier en zei: 'Ik zal erover nadenken.'

Mickey stortte zich op zijn moo goo gai pan alsof geen enkele keuken op het westelijk halfrond hem ooit zoiets heerlijks had voorgezet.

De aanblik en geur van het voedsel maakten Connie half misselijk. Ze wist dat er met het gerecht niets mis was, alleen maar met haar reactie erop. Ze had meer dan één reden om overgevoelig te reageren. Het was een zware dag geweest.

Ten slotte stelde ze de verschrikkelijke vraag die nog restte. 'Hoe is Colleen gestorven?'

Mickey keek haar even aandachtig aan voordat hij antwoordde. 'Vanmorgen stond ik op het punt om je dat te vertellen.'

'Waarschijnlijk was ik nog niet in staat om het te horen.'

'Kraambed.'

Connie was voorbereid op alle stompzinnige en zinloze manieren waarop de dood in deze duistere slotjaren van het millennium een aantrekkelijke vrouw van achtentwintig kon overvallen. Maar hierop was ze níet voorbereid, en het gaf haar een schok.

'Ze was dus getrouwd.'

Mickey schudde zijn hoofd. 'Nee. Ongehuwde moeder. Ik ken de omstandigheden niet, weet niet wie de vader is, maar de Ladbrooks vinden het geen pijnlijk punt, niets dat zij als een smet op haar herinnering beschouwen. Voor hen was ze een heilige.'

'En de baby?'

'Een meisje.'

'Leeft ze nog?'

'Ja,' zei Mickey. Hij legde zijn vork neer, nam een slok water, depte met een rood servet zijn mond droog en nam Connie al die tijd aandachtig op. 'Ze heet Eleanor. Eleanor Ladbrook. Ze noemen haar Ellie.'

'Ellie,' zei Connie verbijsterd.

'Ze lijkt veel op je.'

'Waarom heb je me dat vanmorgen niet verteld?'

'Daar kreeg ik de kans niet voor. Je hing op.'

'Nietwaar.'

'Scheelde niet veel. Je was heel kortaf. Vertel me vanavond de rest maar, zei je.'

'Het spijt me. Toen ik hoorde dat Colleen dood was, dacht ik dat daarmee alles voorbij was.'

'En nu heb je dus familie. Je bent iemands tante.'

Ze aanvaardde de werkelijkheid van Ellies bestaan, maar had nog geen begin van een vermoeden wat Ellie voor haar eigen leven, haar toekomst kon betekenen. Ze was zó lang alleen geweest, dat de wetenschap dat er nog iemand van haar eigen vlees en bloed op deze enorme en onrustige wereld was, een schok betekende.

'Ergens familie hebben, al is het er ook maar één, moet toch verschil maken,' zei Mickey.

Ze vermoedde dat het een reusachtig verschil maakte. Ironisch genoeg was ze eerder op de dag bijna gedood, voordat ze ontdekte dat ze één heel belangrijke reden had om in leven te blijven.

Mickey legde een andere enveloppe op tafel en zei: 'Het eindverslag. Het adres en telefoonnummer van de Ladbrooks zitten erin, voor het geval je die denkt nodig te hebben.'

'Dank je, Mickey.'

'En de rekening. Die zit er ook in.'

Ze glimlachte. 'Niettemin bedankt.'

Terwijl Connie uit de nis gleed en opstond, zei Mickey: 'Het leven is grappig. Er bestaan zoveel verbindingen met andere mensen die we niet eens kennen, onzichtbare draden die een schakel vormen met sommigen die we allang vergeten zijn en anderen die we in geen jaren zullen ontmoeten, en misschien wel nooit.'

'Ja. Grappig.'

'En nog iets, Connie.'

'Wat?'

'Er is een Chinees gezegde dat luidt… ''Soms kan het leven zo bitter zijn als draketranen…'' '

'Is dat weer een van je kletsverhalen?'

'O, nee. Dat gezegde bestaat echt.' Zoals hij daar zat een kleine man in een grote nis, met zijn vriendelijke gezicht en zijn rimpelogen vol goed humeur leek Mickey Chan een magere boeddha. 'Maar het is maar een deel van het gezegde, het deel dat je al begrijpt. Het hele gezegde luidt… ''Soms kan het leven zo bitter zijn als draketranen. Maar of draketranen bitter of zoet zijn, hangt af van hoe iemand die smaak ervaart.'' '

'Met andere woorden: het leven is hard, zelfs wreed maar het is ook wat je er zelf van maakt.'

Mickey bracht zijn slanke handen samen zonder zijn vingers te vouwen, zoals een oosterling doet als hij bidt, en boog zijn hoofd met spottende ernst in haar richting. 'Wijsheid zal misschien ooit nog eens doordringen, ondanks de dikke botten van je Amerikaanse hoofd.'

'Alles is mogelijk,' gaf ze toe.

Ze liep weg met de twee enveloppen. De vastgelegde glimlach van haar zusje. De belofte van haar nichtje.

Buiten viel de regen nog steeds zó hard, dat ze zich afvroeg of ergens ter wereld misschien Noach aan het werk was en paren dieren over een loopplank dreef.

Het restaurant bevond zich in een nieuw winkelcentrum; een brede luifel hield de wandelpromenade droog. Links naast de deur stond een man. Vanuit de rand van haar gezichtsveld kreeg Connie de indruk dat hij lang en zwaargebouwd was, maar ze keek hem pas aan toen hij tegen haar begon te praten.

'Heb medelijden met een arme man, alstublieft. Medelijden met een arme man, mevrouw.'

Ze stond op het punt om onder de luifel vandaan de stoep af te stappen, maar zijn stem hield haar tegen. Die was zacht, vriendelijk, zelfs muzikaal, en leek volstrekt niet te passen bij de omvang van de man die ze vanuit haar ooghoek gezien had.

Toen ze zich omdraaide, werd ze verrast door zijn massieve lelijkheid en vroeg ze zich af hoe hij in 's hemelsnaam als bedelaar een droge boterham kon verdienen. Door zijn ongewone lengte, vervilte haar en onverzorgde baard zag hij eruit als een waanzinnige Raspoetin, ofschoon die krankzinnige Russische priester bij hem vergeleken een knappe jongen was geweest. Verschrikkelijke stroken littekenweefsel misvormden zijn gezicht en zijn snavelneus was donker van gebarsten bloedvaten. Zijn lippen zaten vol druipende blaren. Een blik op zijn rottende tanden en tandvlees deed haar denken aan een lijk dat ze ooit had gezien, toen het negen jaar na de begrafenis weer was opgegraven voor gifproeven. En die ogen. Grauwe staar. Dikke, melkkleurige vliezen. Ze kon de donkere cirkels van de irissen eronder nauwelijks zien. Hij zag er heel bedreigend uit. Volgens haar zouden de meeste mensen zich, als hij hen aansprak, eerder omdraaien en wegvluchten dan geld in zijn uitgestrekte hand duwen.

'Medelijden met een arme man. Medelijden met de blinden. Hebt u wat

111

geld over voor iemand die minder gelukkig is dan u?'

De stem zelf was al buitengewoon, maar nog veel buitengewoner als je de bron in aanmerking nam. Helder, melodieus, het instrument van een geboren zanger die elke tekst liefelijk vertolkte. Die stem moest de reden zijn dat hij ondanks zijn uiterlijk als bedelaar in leven bleef.

Stem of geen stem: normaal gesproken had Connie tegen hem gezegd dat hij 'm moest smeren zij het minder beleefd. Dat bedelaars dakloos waren, was niet altijd hun eigen schuld; in zekere zin was ze tijdens haar leven in tehuizen ook zelf dakloos geweest, en met echte slachtoffers had ze medelijden. Maar haar werk omvatte het dagelijkse contact met te veel zwervers om over hen als groep nog romantische opvattingen te hebben; de ervaring had haar geleerd dat velen ernstig gestoord waren en voor hun eigen bestwil in de inrichtingen hadden moeten blijven, waaruit misleide weldoeners hen wegens 'goed gedrag' hadden bevrijd. Anderen hadden hun treurige lot verdiend met alcohol, drugs of gokken.

Ze vermoedde dat de werkelijk onschuldigen in èlke laag van de samenleving, van de villa tot de goot, een duidelijke minderheid vormden.

Maar ofschoon deze man zo te zien elke verkeerde beslissing had genomen en elke zelfvernietigende keuze had gedaan die binnen zijn bereik had gelegen, reikte ze niettemin in haar jaszakken tot ze een paar kwartjes vond plus een tiendollarbiljet dat zacht was van ouderdom. Tot haar grootste verrassing hield ze de kwartjes en gaf ze hem het tientje.

'God zegene u, mevrouw. God zegene u en beware u en moge Zijn genade op u neerschijnen.'

Verbaasd over zichzelf draaide ze zich van hem om. Ze haastte zich de regen in naar haar auto.

Onder het rennen vroeg ze zich af wat haar in 's hemelsnaam had bezield. Maar dat was niet moeilijk te raden. In de loop van de dag had ze meer dan één geschenk ontvangen. Bij de jacht op Ordegard was haar leven gespaard. En ze hadden die griezel neergelegd. En toen dook de vijfjarige Eleanor Ladbrook op. Ellie. Een nichtje. Connie kon zich niet veel van zulke mooie dagen herinneren en ze nam aan dat haar eigen geluk haar in de stemming had gebracht om iets terug te geven toen ze daar de kans voor kreeg.

Haar leven, één dode schutter en een nieuwe richting voor haar toekomst geen slechte ruil voor tien dollar.

Ze stapte de auto in en sloeg het portier dicht. Ze had de sleuteltjes al in haar rechterhand. Ze startte de motor en gaf een flinke dot gas, want hij pufte een beetje alsof hij protesteerde tegen het weer.

Plotseling besefte ze dat haar linkerhand tot een strakke vuist was gebald. Ze kon zich niet herinneren dat ze een vuist had gemaakt. Het leek of haar hand zich in een bliksemsnelle flits had gesloten.

Ze had iets in haar hand.

Ze deed haar vingers open en keek wat het was.

De lantaarns van de parkeerplaats verspreidden door de streperige voorruit genoeg licht om het verfrommelde ding te kunnen zien.

Een biljet van tien dollar. Zacht van ouderdom.

Ze staarde er eerst verward en daarna met groeiend ongeloof naar. Dat moest hetzelfde tientje zijn dat ze volgens haar aan de bedelaar had gegeven.

Maar ze had dat geld ècht aan die zwerver gegeven. Ze had gezien hoe zijn besmeurde klauw zich rond het biljet sloot terwijl hij zijn dankbetuiging brabbelde.

Verbijsterd keek ze door het zijraam van de auto naar het Chinese restaurant. De bedelaar was weg.

Ze speurde de hele wandelpromenade af. Aan de voorkant van het winkelcentrum was hij nergens te zien.

Ze staarde naar het verkreukelde biljet.

Langzamerhand vervaagde haar goede stemming. Ze werd overvallen door angst.

Ze had geen idee waarom ze bang zou moeten zijn. Maar dat was ze tòch. Smerisinstinct.

10

Het duurde langer dan verwacht voordat Harry vanuit Bijzondere Politie-taken thuis was. Het verkeer bewoog zich in een slakkegang en kwam op overstroomde kruisingen herhaaldelijk vast te zitten.

Hij verloor nog meer tijd toen hij stopte bij een 7-Eleven om een paar dingen te kopen die hij voor het avondeten nodig had. Een brood. Mosterd.

Telkens als hij een supermarkt inging, dacht Harry aan Ricky Estefan, die na zijn werkdag even een liter melk ging kopen en in plaats daarvan een drastische verandering van zijn leven op zijn bord kreeg. Maar in de 7-Eleven gebeurde niets ergs, behalve dan dat hij het verhaal over de baby en het verjaardagsfeestje hoorde.

Als er weinig klanten waren, vermaakte de winkelbediende zich met een kleine televisie bij de kassa. Toen Harry zijn aankopen betaalde, stond het nieuws aan. Een jonge moeder in Chicago werd beschuldigd van moord op haar eigen pasgeboren baby. Haar familie had een groot verjaardagsfeest voor haar georganiseerd, maar toen de babysit niet op kwam dagen, begon het erop te lijken dat ze een prettig uitje misliep. Dus gooide ze de twee maanden oude baby in de valpijp van de vuilverbrandingsinstallatie van haar flatgebouw, ging naar het feest en danste de sterren van de hemel. Haar advocaat had al gezegd dat haar verdediging op grond van post-natale depressie zou worden gebaseerd.

Een nieuw voorbeeld van permanente crisis voor Connies verzameling schanddaden en wreedheden.

De winkelbediende was een slanke jongeman met donkere, droevige ogen. In een Engels met Iraans accent zei hij: 'Waar moet het heen met dit land?'

'Dat vraag ik me soms ook af,' zei Harry. 'Maar aan de andere kant: in uw vroegere land lopen de gekken niet alleen vrij rond, maar krijgen ze ook de macht.'

'Dat is waar,' zei de winkelbediende. 'Maar hier soms ook.'

'Daar kan ik niets tegen inbrengen.'

Op weg naar buiten met zijn brood en mosterd in een plastic zak duwde Harry net een van de twee glazen deuren open, toen hij besefte dat hij een opgevouwen krant onder zijn rechterarm had. Hij stopte met de deur half-open, haalde de krant onder zijn arm vandaan en staarde er niet-begrijpend naar. Hij wist zeker dat hij geen krant had gepakt, laat staan opgevouwen en onder zijn arm gestoken.

Hij liep terug naar de kassa. Toen hij de krant op de toonbank legde, viel hij open.

'Heb ik deze betaald?' vroeg Harry.

Verbaasd zei de winkelbediende: 'Nee, meneer. Ik heb niet eens gezien dat u hem pakte.'

'Ik kan me niet *herinneren* dat ik hem gepakt heb.'

'Wilt u hem hebben?'

'Nee, eigenlijk niet.'

Toen viel zijn oog op de belangrijkste kop van pagina één: SCHIETPARTIJ IN RESTAURANT LAGUNA BEACH. En de onderkop: TWEE DODEN, TIEN GE-WONDEN. Het was de avondeditie, met het eerste verhaal over Ordegards bloedbad.

'Wacht,' zei Harry. 'Ja. Ik denk dat ik hem toch maar neem.'

Bij gelegenheden dat een van zijn zaken het nieuws haalde, las Harry nooit de stukken over zichzelf. Hij was politieman, geen beroemdheid.

Hij gaf de winkelbediende een kwartje en nam het avondblad mee.

Hij begreep nog steeds niet hoe die krant opgevouwen onder zijn arm was gekomen. Een black-out? Of iets vreemders, iets dat rechtstreeks te maken had met de andere onverklaarbare gebeurtenissen van die dag?

Toen Harry de voordeur opendeed en druipend de hal van zijn flat binnenliep, had 'thuis' nog nooit zoiets uitnodigends gehad. Thuis was een keurig en geordend toevluchtsoord, waar de chaos van de buitenwereld niet doordrong.

Hij trok zijn schoenen uit. Ze waren doorweekt en waarschijnlijk niet meer te gebruiken. Het weerbericht had pas voor na zonsondergang regen voorspeld; anders had hij wel overschoenen aangetrokken.

Ook zijn sokken waren nat, maar die liet hij aan. Als hij schone, droge kleren had aangetrokken, ging hij de hal dweilen.

Hij stopte in de keuken om het brood en de mosterd op het aanrecht naast de snijplank te leggen. Straks ging hij sandwiches maken met wat koude, gepocheerde kip. Hij was uitgehongerd.

De keuken glom als een spiegel. Hij was blij dat hij de tijd had genomen om de ontbijtboel af te wassen voordat hij naar zijn werk ging. Anders zou de aanblik ervan hem nu neerslachtig hebben gemaakt.

Van de keuken liep hij door de eetkamer en het korte gangetje naar de grote slaapkamer, en nam de avondkrant mee. Toen hij over de drempel stapte, knipte hij het licht aan en ontdekte de zwerver op zijn bed.

Het konijnhol waar Alice in viel, was lang niet zo diep als het gat dat zich voor Harry opende toen hij de zwerver zag.

De man leek hier nog groter dan buitenshuis of van een afstand gezien in de gang van Bijzondere Politietaken. Afzichtelijker. Hij miste de halve doorzichtigheid van een geestverschijning; met zijn massa's warrig haar, dikke vuillagen en het netwerk van littekens, met zijn donkere kleren zó gekreukt en aan flarden dat ze aan de grafwindsels van een oude Egyptische mummie deden denken, was hij eigenlijk werkelijker dan de kamer zelf en leek hij een uiterst gedetailleerd portret van de hand van een superrealist, dat vervolgens was ingevoegd in een minimalistische lijntekening van een kamer.

De ogen van de zwerver gingen open. Als plassen bloed.

Hij ging zitten en zei: 'Jij vindt jezelf een hele piet. Maar je bent gewoon een dier, lopend vlees net als al die andere dieren.'

Harry liet zijn krant vallen, trok de revolver uit zijn schouderholster en zei: 'Beweeg je niet.'

De indringer negeerde de waarschuwing, zwaaide zijn benen over de rand van het bed en stond op.

In de sprei en de kussens en op het matras bleef de indruk achter van het hoofd en lichaam van de zwerver. Een geest kon door sneeuw lopen zonder een voetspoor achter te laten, en hallucinaties wogen niets.

'Gewoon het zoveelste zieke dier.' De stem van de zwerver klonk nog dieper en raspender dan op straat in Laguna Beach de keelstem van een beest dat met moeite had leren praten. 'Jij vindt jezelf een held, hè? Hele piet. Grote held. Nou, je bent niks, een pissebed. Dàt ben je: nìks!'

Harry kon niet geloven dat dit opnieuw te gebeuren stond, niet twee keer op een dag, niet in zijn eigen huis.

Hij deed een stap achterwaarts naar de deur en zei: 'Als jij niet onmiddellijk op de grond gaat liggen, op je gezicht met je handen achter je rug, nú, dan zweer ik bij God dat ik je kop eraf schiet.'

De zwerver begon rond het bed te lopen en zei: 'Jij denkt dat je iedereen maar neer kan schieten, iedereen maar bevelen kan geven, en klaar is Kees, maar jíj bent met mij nog lang niet klaar en op míj schieten helpt niks.'

'Halt, nú, ik meen het!'

De indringer stond niet stil. Op de muur was zijn reusachtige schaduw te zien. 'Ik ruk je darmen uit je lijf en hou ze in je gezicht, zodat je ze ruikt terwijl je sterft.'

Harry hield de revolver met beide handen vast. Een schuttershouding. Hij wist precies wat hij deed. Hij was een bekwame schutter. Van zo dichtbij had hij een rondflitsende kolibrie kunnen raken, en deze enorme kolos al helemaal. De afloop stond dus vast: de indringer zo koud als een zij spek, alle muren onder het bloed het enig mogelijke scenario. Toch voelde hij zich in groter gevaar dan ooit tevoren en oneindig veel kwetsbaarder dan tussen de paspoppen in het dozenlabyrint op de vliering.

'Jullie, mensen, zijn zo grappig om mee te spelen,' zei de zwerver, terwijl hij rond het voeteneind van het bed liep.

Voor de laatste maal beval Harry hem stil te staan.

Maar hij bleef komen en was nog een meter of drie van hem af, tweeëneenhalf, twee.

Harry opende het vuur en schoot met soepele, beheerste bewegingen, zonder dat de harde terugslag van het wapen de loop uit de schootsrichting sloeg, één, twee, drie keer, vier, en in deze kleine slaapkamer waren de knallen oorverdovend. Hij wist dat elke kogel gaten sloeg, drie in zijn romp, de vierde onder in zijn keel, van een afstand die maar centimeters groter was dan armlengte, waardoor zijn hoofd opzij klapte als bij een komisch dubbeleffect.

De zwerver ging niet tegen de grond, wankelde niet achteruit en maakte alleen een krampbeweging bij elk schot dat raak was. Van zo korte afstand geraakt zag de keelwond er afzichtelijk uit. De kogel moest er dwars doorheen zijn gegaan en bij zijn uittreden in de nek een nog veel ergere wond hebben achtergelaten en de ruggegraat hebben gebroken of afgesneden, maar er was geen bloed, geen regen of stroom of ook maar het kleinste straaltje, alsof het hart van de man al heel lang stilstond en al het bloed in zijn aderen was opgedroogd en hard geworden. Onstuitbaar als een sneltrein bleef hij komen, ramde tegen Harry aan zodat alle adem uit zijn longen werd geslagen, tilde hem op, droeg hem achteruit de deur door en sloeg hem zó hard tegen de andere gangmuur, dat Harry's tanden met een hoorbare *klik* dichtklapten en zijn revolver uit zijn handen vloog.

Als een Japanse trekharmonika verspreidde zich pijn van de onderkant van Harry's rug tot over beide schouders. Even dacht hij dat hij flauwviel, maar de doodsangst hield hem bij bewustzijn. Tegen de muur geplakt, met beide voeten boven de vloer bengelend en verdoofd door de stuc-scheurende kracht waarmee hij tegen de muur was geklapt, was hij in de ijzeren greep van zijn overvaller zo hulpeloos als een kind. Maar als hij bij bewustzijn kon blijven, kwam zijn kracht misschien terug of kon hij iets bedenken om zichzelf te redden, wat dan ook, een beweging, een truc, een afleidingsmanoeuvre.

De zwerver leunde met verpletterende kracht tegen Harry aan en zijn nachtmerriegezicht kwam steeds dichter bij het zijne. De asgrijze littekens waren omgeven door uitgezette poriën zo groot als luciferkoppen en boordevol vuil. Bosjes hard, zwart haar staken uit zijn neusgaten.

Als de man uitademde, stonk het als een massagraf dat rottingsgassen losliet en Harry kokhalsde walgend.

'Bang, mannetje?' vroeg de zwerver, en zijn spraakvermogen leek niet beïnvloed door het gat in zijn keel, noch door het feit dat zijn stembanden verpulverd waren en door zijn nek heen waren geblazen. 'Bang?'

Harry was inderdaad bang; alleen een idioot was niet bang geweest. Geen enkele hoeveelheid schietoefeningen of politiewerk bereidde je op een confrontatie met de boeman voor; hij had geen moeite om dat toe te geven, was bereid om het van de daken te roepen als de zwerver dat gewild had, maar kon geen adem krijgen om iets te zeggen.

'Over elf uur gaat de zon op,' zei de zwerver. 'Tiktak.'

Er bewogen dingen in de diepten van zijn ruige baard. Kruipende dingen. Misschien luizen.

Hij schudde Harry hard door elkaar en ramde hem tegen de muur.

Harry probeerde zijn armen tussen de zijne omhoog te brengen en de greep van de grote man te verbreken. Het was alsof hij beton tot wijken wilde bewegen.

'Eerst alles en iedereen die je dierbaar zijn,' snauwde de zwerver.

Harry vasthoudend draaide hij zich om, en hij smeet hem terug door de slaapkamerdeur.

Harry viel hard op de grond en rolde tegen de zijkant van het bed.

'*Dan jij!*'

Hijgend en duizelig keek Harry op en zag hoe de zwerver, die de hele deuropening vulde, hem gadesloeg. De revolver lag nog steeds aan de voeten van de reus. Hij schopte hem in Harry's richting de kamer in en het wapen kwam tollend op het kleed even buiten zijn bereik tot stilstand.

Harry vroeg zich af of hij het wapen kon pakken voordat die klootzak zich op hem stortte. Vroeg zich af of zo'n poging zin had. Vier keer geschoten, vier keer raak, geen bloed.

'Heb je me gehoord?' vroeg de zwerver. 'Heb je me gehoord? Heb je me gehoord, held? Heb je me gehoord?' Hij wachtte niet op antwoord en bleef zijn vraag op steeds bozere, steeds raar-spottender toon herhalen, harder, nog harder: 'Heb je me gehoord, heb je me gehoord, heb je me gehoord, gehoord, gehoord? *Heb je me gehoord?* HEB JE ME GEHOORD, HEB JE DAT, HEB JE DAT, HEB JE DAT, HELD, HEB JE DAT, HEB JE DAT?'

De zwerver trilde hevig en zijn gezicht was vertrokken van woede en haat. Onder het brullen van zijn woorden 'HEB JE ME GEHOORD, HEB JE ME GE-HOORD?' keek hij niet eens meer naar Harry maar naar het plafond, alsof zijn woede zó immens was geworden, dat één man daar geen bevredigend doelwit meer voor was. Hij schreeuwde tegen de hele wereld of misschien wel tegen werelden in het heelal, en zijn stem schommelde tussen een donderende bas en een doordringend gegil.

Harry probeerde overeind te komen door steun te zoeken tegen het bed.

De zwerver hief zijn rechterhand en tussen zijn vingers kraakte groene statische elektriciteit. In de lucht boven zijn handpalm schemerde licht en plotseling stond zijn hand in brand.

Hij maakte een knikbeweging met zijn pols en slingerde een vuurbal door de kamer. Hij raakte de gordijnen, die onmiddellijk in brand vlogen.

Zijn ogen waren niet langer rode plassen vocht. In plaats daarvan lekte vuur uit zijn oogholten, dat opsprong tot boven zijn wenkbrauwen, alsof hij slechts een holle mensenvorm van riet was, die van binnenuit brandde. Harry stond rechtop. Zijn benen voelden onvast.

Hij wilde hier alleen maar weg. Voor het raam hingen brandende gordijnen. In de deuropening stond de zwerver. Geen uitweg.

De zwerver draaide zich om, maakte een knikbeweging met zijn pols zoals een goochelaar die een duif te voorschijn tovert, en een tweede withete, kolkende bol vloog door de kamer, sloeg tegen het dressoir en ontplofte in een vlammenregen als een molotov-cocktail. De spiegel van het dressoir ging aan scherven. Hout spleet, laden schoten open en de vuurzee verspreidde zich.

Er kronkelde rook uit zijn baard en zijn neusgaten spogen vuur. Zijn haakneus trok blaren en smolt. Zijn mond stond open alsof hij schreeuwde, maar de enige geluiden die hij maakte, waren het gesis en getik en gekraak van brandende materie. Hij ademde een stortvloed van vuurwerk uit, vonken in alle kleuren van de regenboog, en toen schoten vlammen uit zijn mond. Zijn lippen krulden op en werden knapperig als gefrituurde varkenshuid, werden toen zwart en pelden zich af van zijn smeulende tanden.

Harry zag slangen vuur vanuit het dressoir langs de muur opkronkelen naar het plafond. Hier en daar brandde het vloerkleed.

De hitte was nu al verschrikkelijk. De kamer zou heel snel vol hangen met zure rook.

Uit de drie kogelgaten in de borst van de zwerver kwam een helder geflakker van rood en gouden vuur in plaats van bloed. Hij knipte opnieuw met zijn pols en een derde, helder spetterende bol schoot uit zijn hand.

De sissende massa flitste in Harry's richting. Hij liet zich bliksemsnel op zijn hurken zakken en de bol vloog zó dicht over zijn hoofd, dat hij met één arm zijn gezicht bedekte en het uitschreeuwde toen de naijlende, verschroeiende hitte hem overspoelde. Uit het beddegoed schoten steekvlammen, alsof ze in benzine gedrenkt waren geweest.

Toen Harry opkeek, was de deuropening leeg. De zwerver was weg.

Hij graaide de revolver van de grond en rende de gang in, terwijl uit het vloerkleed rond zijn kousevoeten vlammen opdoken. Hij was blij dat zijn sokken drijfnat waren.

De gang was verlaten en dat was maar goed ook, want hij wilde niet nòg een confrontatie met... met wie hij zonet ook maar geconfronteerd was geweest, niet als kogels niets uithaalden. De keuken links. Hij aarzelde en ging toen met de revolver in de aanslag voor de deur staan. Vuur vrat aan de kastjes, de gordijnen wapperden als de rokken van dansers in de hel en er kolkte rook op hem af. Hij bleef in beweging. De hal recht voor hem uit, de woonkamer rechts; daar móest dat ding heen zijn gegaan, *ding*, geen zwerver. Met tegenzin liep hij de boogvormige doorgang voorbij, bang dat het ding zich op hem zou storten en hem met zijn witgloeiende handen vastgreep, maar hij moest snel naar buiten. Het hele huis kwam vol rook te hangen en hij hoestte, niet in staat om genoeg schone lucht in te ademen.

Met zijn rug tegen de muur en zijn gezicht naar de doorgang schoof Harry centimeter voor centimeter verder. Hij hield de revolver voor zich uit, meer omdat hij dat geleerd had en eraan gewend was dan omdat hij vertrouwen had in zijn doeltreffendheid. Hoe dan ook zat er nog maar één kogel in de kamer.

Ook de woonkamer stond in brand en midden daarin stond de gedaante. Hij was geheel door vlammen omgeven en spreidde zijn armen om de vuurzee te omhelzen, werd verteerd maar kennelijk pijnloos, was misschien zelfs in een staat van verrukking. Voor dit ding leek elke lekkende liefkozing van de vlammen een bron van pervers genot.

Harry wist zeker dat het hem vanuit zijn vlammenwade gadesloeg. Hij was bang dat het met zijn crucifixarmen plotseling op hem afkwam om hem weer tegen de muur te plakken.

Hij schuifelde zijwaarts de boogdeur voorbij en de hal in, terwijl een zwart tij van smeulende, verblindende rook uit de slaapkamer door de gang kolkte en hem overspoelde. Het laatste wat Harry zag, waren zijn doorweekte schoenen, en hij greep ze met dezelfde hand waarin hij zijn revolver had. De rook was zó dicht, dat in de hal zelfs geen licht van de steekvlammen achter hem doordrong. Hoe dan ook stak de rook in zijn tranende ogen; hij deed ze noodgedwongen stijf dicht. In de gitzwarte duisternis liep hij gevaar de weg kwijt te raken, zelfs in zo'n kleine ruimte.

Hij hield zijn adem in. Eén inademing zou al giftig genoeg zijn om hem kokhalzend en duizelig op de knieën te dwingen. Maar al sinds de slaapkamer had hij geen schone lucht ingeademd en hij hield het niet lang meer vol. Een paar seconden hooguit. Nog terwijl hij zijn schoenen greep, graaide hij naar de deurknop, kon hem in het donker niet vinden, tastte, begon in paniek te raken, maar voelde hem toen in zijn linkerhand. Op slot. Op de grendel. Zijn longen voelden heet alsof daarin vlammen terecht waren gekomen. Zijn borst deed pijn. Waar was de grendel? Moest boven de knop zitten. Hij wilde ademhalen, vond de grendel, móest ademhalen, kon het niet, trok de grendel open, voelde in zijn binnenste een duisternis groeien die nog gevaarlijker was dan de duisternis buiten hem, greep naar de knop, rukte de deur open en stortte zich naar buiten. Aangezogen door de koele nacht hing nog steeds rook om hem heen en hij moest naar rechts strompelen om schone lucht te vinden. Zijn eerste ademhaling deed pijn aan zijn longen en voelde ijskoud.

In de binnentuin met het U-vormige gebouw om hem heen, waar tussen azalea's en rijen vogelkers en sleutelbloemen paden kronkelden, knipperde Harry heftig met zijn ogen om weer goed te kunnen zien. Hij zag een paar buren uit hun flats de onderste galerij oplopen en twee mensen stonden op die van de tweede verdieping, waar alle bovenste flats op uitkwamen. Waarschijnlijk kwamen ze op het schieten af, want dit was geen buurt waar dat geluid veel voorkwam. Ze staarden geschokt naar hem en naar de wolken olievette rook die uit zijn voordeur kolkten, maar volgens hem had hij niemand 'brand' horen roepen, en dus deed hij het zelf maar, waarna de anderen zijn roep overnamen.

Harry sprintte naar een van de twee brandalarmen langs de onderste galerij. Hij liet zijn schoenen en revolver vallen, ramde de hefboom omlaag en brak daarmee het beslagen glas. Er klonk een schril belsignaal.

Rechts van hem ontplofte het woonkamerraam van zijn eigen flat, die uitkeek op de tuin, en het regende glas op de betonnen galerijvloer. Rook en wapperende vuurwimpels volgden en Harry verwachtte de brandende man door het kapotte raam te zien klimmen om de achtervolging voort te zetten.

Krankzinnig genoeg moest hij aan een regel uit de titelsong van een televisieserie denken: *Wie ga je bellen? De Ghostbusters!*

Hij leefde in een film van Dan Ackroyd. Hij had dat misschien grappig gevonden als hij niet zó bang was geweest, dat zijn bonzende hart halverwege zijn keel zat.

In de verte waren snel naderende sirenes te horen.

Hij rende van deur tot deur en bonsde op allemaal met zijn vuisten. Nog een paar zachte explosies. Een vreemd, metalig gekrijs. Het voortdurende alarmgerinkel. Reeksen geknal van versplinterend glas klonken als honderden windklokken, gebeukt door een grillig vlagende storm. Harry keek niet om naar de bron van welk geluid ook en bleef van deur tot deur gaan.

Toen de sirenes alle andere geluiden begonnen te overstemmen en nog maar een paar blokken verderop leken, ging hij er eindelijk vanuit dat iedereen in het gebouw gealarmeerd was en buiten stond. Verspreid over de binnentuin stonden mensen naar het dak te staren of keken op straat of de brandweer eraan kwam. Ze waren ontzet en bang, en verstomd van verbijstering of ze huilden.

Hij rende terug naar het brandalarm en trok zijn schoenen aan, die hij daar had achtergelaten. Hij greep zijn revolver, stapte over een border azalea's, waadde door sleutelbloemen in bloei, kloste door een paar plassen en kwam op een betonnen pad terecht.

Pas toen besefte hij dat het tijdens de paar minuten die hij in zijn flat was geweest, was opgehouden met regenen. De ficussen en palmen dropen nog steeds, en de struiken eveneens. De natte takken en bladeren waren bespikkeld met duizenden robijnrode weerspiegelingen van het oplaaiende vuur.

Hij draaide zich om en keek net als de buren naar het gebouw. Hij schrok toen hij zag hoe snel het vuur zich verspreidde. De flat boven de zijne was in vlammen gehuld. Bij kapotte ramen lekten bloedige tongen vuur langs de achtergebleven glastanden die nog in hun sponning overeind stonden. Wolken rook kolkten, en tegen de achtergrond van de nacht pulseerde en knetterde een verschrikkelijk licht.

Naar buiten kijkend zag Harry opgelucht dat de brandweerauto's het uitgestrekte wooncomplex van Los Cabos hadden bereikt. Op minder dan een blok afstand begonnen de sirenes weg te sterven, maar de zwaailichten bleven flitsen.

Ook uit andere flatgebouwen waren mensen de straat opgerend, maar maakten snel vrij baan voor de brandweer.

Een hevige golf hitte richtte Harry's aandacht weer op zijn eigen flatgebouw. Het vuur was doorgebroken naar het dak.

Het leek een sprookje. Hoog boven de met spanen bedekte punt tekende zich tegen de donkere lucht vuur af als een draak die met zijn gele en oranje en vermiljoenen staart zwiepte, zijn kornalijnen vleugels spreidde en met fonkelende schubben en flitsende scharlaken ogen een uitdaging brulde aan alle ridders en aspirant-drakedoders.

11

Op weg naar huis kocht Connie een pizza met peperoni en champignons. Ze at hem aan de keukentafel op en spoelde hem weg met een blikje Coors.

De laatste zeven jaar had ze een kleine flat in Costa Mesa gehuurd. In haar slaapkamer stonden slechts een bed, een nachtkastje en een lamp; geen dressoir. Haar garderobe was zó eenvoudig, dat ze al haar kleren en schoenen makkelijk kwijt kon in één kast. De woonkamer bevatte een zwartleren leunstoel, een staande lamp naast de grote stoel voor als ze wilde lezen, en een bijzettafeltje aan de andere kant; de leunstoel stond tegenover een televisie met video op een roltafeltje. De eethoek in de keuken bestond uit een speeltafel en vier klapstoelen met beklede zittingen. De kasten waren grotendeels leeg en bevatten slechts het minimum aan pannen en gerei om een snelle maaltijd te koken, een paar kommen, vier grote platte borden, vier bordjes voor salades, vier kop en schotels, vier glazen, altijd vier, want met minder tegelijk werden ze niet verkocht en blikjes voedsel. Gasten had ze nooit.

Ze stelde geen belang in bezit. Ze was opgegroeid zonder bezit en was met slechts één gebutste klerenkoffer van het ene pleeggezin of tehuis naar het andere gezworven.

In feite voelde ze zich gehinderd, gebonden, opgesloten door bezit. Ze bezat niet één snuisterij. De enige vorm van kunst of decoratie aan de wanden was een poster in de keuken: een foto die een skydiver had genomen van vijftienhonderd meter hoogte, groene velden, glooiende heuvels, een droge rivierbedding, verspreide bomen, twee asfaltwegen en twee onverharde paden, zo smal als draden en elkaar kruisend als lijnen op een abstract schilderij. Ze vrat boeken, maar altijd uit de bibliotheek. Alle video's waar ze naar keek, waren gehuurd.

Ze bezat wel haar auto, maar die stalen albatros garandeerde haar vrijheid. Wat ze koesterde en begeerde was vrijheid, geen juwelen en kleren en kunst en antiek, maar vrijheid was soms net zo moeilijk te krijgen als een echte Rembrandt. In de lange, heerlijke vrije val voordat de parachute moest worden opengetrokken, school vrijheid. Als ze schrijlings op een sterke motor op een verlaten snelweg reed, vond ze een zekere mate van vrijheid, maar een crossmotor in de oneindigheid van de woestijn, met alleen uitzicht op zand en rotsformaties en verweerd struikgewas dat zich in alle richtingen tot aan de blauwe hemel uitstrekte, was nog beter.

Terwijl ze pizza at en bier dronk, haalde ze de kiekjes uit de enveloppe van manillapapier en bestudeerde ze. Haar dode zusje, dat zo sterk op haar leek.

Ze dacht na over Ellie, het kind van haar zusje, dat bij de Ladbrooks in Santa Barbara woonde. Er was geen foto van haar, maar misschien leek ze evenveel op Connie als Colleen had gedaan. Ze probeerde vast te stellen hoe het voelde om een nicht te hebben. Zoals Mickey al geopperd had, was het heerlijk om familie te hebben en niet langer alleen te zijn op de wereld na zolang ze zich herinneren kon, alleen te zijn geweest. Een prettige huivering voer door haar heen toen ze aan Ellie dacht, maar dat werd getemperd door de zorgelijke gedachte dat een nicht een nog veel remmender hindernis kon blijken dan al het materiële bezit ter wereld.

Stel dat ze Ellie ontmoette en genegenheid voor haar opvatte?

Nee. Ze maakte zich niet bezorgd over genegenheid. Die had ze ook vroeger gegeven en gekregen. Liefde. Dàt was het punt.

Ze vermoedde dat liefde weliswaar een zegen was, maar ook een gevangenisketen kon zijn. Welke vrijheid kon ze verliezen door van iemand te houden of door iemand bemind te worden? Dat wist ze niet, want een zo machtige en diepe emotie als liefde (of wat volgens haar liefde was na er in zoveel prachtige romans over gelezen te hebben) had ze nog nooit gegeven of ontvangen. Ze had gelezen dat liefde een valstrik kon zijn, een wrede gevangenis, en ze had harten zien breken onder het gewicht ervan.

Ze was zo lang alleen geweest.

Maar ze voelde zich behaaglijk in haar eenzaamheid.

Elke verandering was verschrikkelijk riskant.

Ze bestudeerde het glimlachende gezicht van haar zusje in de net-echte Kodachrome-kleuren, van haar gescheiden door het dunne glanslaagje op de foto en door vijf lange jaren van dood.

Van alle droeve woorden van tong of pen, zijn deze het droevigst: 'Het had gekund'.

Ze kon haar zusje nooit meer leren kennen. Maar haar nichtje wel. Alles wat ze nodig had, was de moed ertoe.

Ze haalde nog een blikje bier uit de koelkast, liep terug naar de tafel, ging zitten om Colleens gezicht nog wat langer te bekijken en vond boven op de foto's een krant. De *Register*. Haar blik viel op een kop: SCHIETPARTIJ IN RESTAURANT LAGUNA BEACH… TWEE DODEN, TIEN GEWONDEN.

Even keek ze onbehaaglijk naar de kop. Een ogenblik geleden had die krant daar niet gelegen, nergens in huis zelfs, want ze had hem niet gekocht.

Toen ze nog een blikje bier uit de koelkast was gaan halen, had ze haar rug geen moment naar de tafel gehad. Ze wist zonder zweem van twijfel, dat er niemand anders in de flat was. Maar zelfs als een indringer was binnengekomen, had ze hem heel beslist de keuken in zien komen.

Connie raakte de krant aan. Hij was echt, maar het contact verkilde haar zo diep alsof ze ijs aanraakte.

Ze pakte hem op.

Hij stonk naar rook. Langs de afgesneden zijkanten waren de pagina's bruin, dat naar het midden toe eerst overging in geel en toen in wit, alsof hij uit een brand was gered net voordat hij in brand vloog.

12

De kruinen van de hoogste palmen verdwenen in jagende wolken rook.

Verbijsterde en huilende bewoners maakten plaats, toen brandweerlieden in zwartgele oliejassen en hoge rubberlaarzen slangen ontrolden van de bluswagens en ze over trottoirs en bloembedden trokken. Andere brandweerlieden kwamen met bijlen bij zich in de looppas aangerend. Sommigen droegen rookmaskers, zodat ze de met rook gevulde flats konden betreden. Dank zij hun snelle komst konden de meeste flats vrijwel zeker worden gered.

Harry Lyon wierp een blik op zijn eigen flat aan de zuidkant van het gebouw en de scherpe pijn van verlies schoot door hem heen. Weg. Zijn alfabetisch op planken gezette verzameling boeken, zijn cd's, keurig in laden gerangschikt op soort muziek en dan op artiestennaam, zijn schone witte keuken, liefderijk verzorgde planten, de negenentwintig delen van zijn dagboek, dat hij had bijgehouden sinds hij negen was (voor elk jaar één deel) allemaal weg. Toen hij aan het hongerige vuur dacht dat zich een weg door zijn kamers vrat, roet strooide over het weinige dat het vuur niet verteerd had, en alles wat glansde dof en vlekkerig maakte, voelde hij zich misselijk worden.

Hij herinnerde zich zijn Honda in de aangebouwde garage achter het gebouw en begon erheen te lopen, maar stopte toen weer omdat het dwaas leek zijn leven te wagen om een auto te redden. Bovendien was hij voorzitter van de Vereniging van Eigenaren. Op een moment als dit was zijn plaats bij de buren. Hij moest hen troosten, geruststellen en raad geven over verzekeringen en andere kwesties.

Terwijl hij zijn revolver in de holster stak om de brandweerlieden niet aan het schrikken te maken, herinnerde hij zich iets dat de zwerver had gezegd toen die hem tegen de muur hield en de adem uit zijn longen joeg. *Eerst alles en iedereen die je dierbaar zijn... dan jij!*

Toen hij over die woorden nadacht en de implicaties ervan overwoog, schoot vliegensvlug een diepe vrees door hem heen, erger dan hij ooit had gekend, even donker als het vuur licht was.

Uiteindelijk liep hij toch naar de garage. Plotseling had hij wanhopig behoefte aan een auto.

Terwijl Harry de brandweerlieden ontweek en de hoek van het gebouw omliep, hing de lucht vol duizenden gloeiende asdeeltjes als lichtgevende motten, die doken en trilden en dansten op de spiralende stromen thermiek. Hoog op het dak werd cataclysmisch gekraak gevolgd door een klap die de nacht verscheurde. Een hagel van brandende dakspanen viel kletterend op het trottoir en de struiken ernaast.

Harry kruiste zijn armen boven zijn hoofd. Hij was bang dat de vurige cederhouten spanen zijn haar in brand staken, en hoopte dat zijn kleren nog steeds te vochtig waren om in brand te raken. Ongedeerd ontsnapte hij de vuurregen en duwde een nat ijzeren hek open, dat nog steeds koud was van de regen.

Achter het gebouw lag het natte asfalt vol plassen en bezaaid met glinsterend glas uit ontplofte achterramen. Elk spiegelend oppervlak toonde honderden koper- en wijnrode beelden van de vuurstorm die op het dak van het hoofdgebouw woedde. Onder het rennen glibberden gloeiende slangen rond Harry's voeten.

Het pad naar de garages was nog steeds verlaten, toen hij zijn garagedeur bereikte en hem openrukte. Maar nog terwijl hij openzwaaide, verscheen een brandweerman die riep dat hij daar weg moest.

'Politie!' antwoordde Harry. Hij hoopte daarmee de paar seconden tijd te winnen die hij nodig had, ofschoon hij niet stilhield om zijn penning te tonen.

Vallende as had op het lange garagedak een paar vlammen gezaaid. Neerpluimend uit het smeulende teerpapier tussen de balken en de dakspanen vulde dunne rook zijn dubbele box.

Sleutels. Harry was plotseling bang dat hij ze op de haltafel of in de keuken had laten liggen. Terwijl hij hoestend naar zijn auto liep vanwege de dunne maar bittere kringels rook, sloeg hij koortsachtig op zijn zakken, en hij was opgelucht toen hij in zijn sportjasje de sleuteltjes hoorde rinkelen.

Eerst alles en iedereen die je dierbaar zijn...

Hij reed achteruit de garage uit, schakelde toen in een andere versnelling, reed de brandweerman voorbij die hem had aangeroepen en ontsnapte via het andere einde van het pad twee seconden voordat een naderende brandweerauto daarin zou zijn gedraaid en hem geblokkeerd had. Hun bumpers raakten elkaar bijna toen Harry in de Honda de straat opreed.

Drie of vier blokken reed hij ongewoon roekeloos zigzaggend door de verkeersstroom en negeerde rode stoplichten. Toen klikte eigener beweging de radio aan. Uit de stereospeakers echode tot zijn schrik de diepe, raspende stem van de zwerver.

'*Moet nu rusten, held. Moet nu rusten.*'

'Wel verdomme!'

Het enige antwoord was statische ruis.

Harry nam wat gas terug. Hij reikte naar de radio om hem uit te zetten, maar aarzelde.

'*Heel moe... een dutje...*'

Sissende ruis.

'*... je hebt dus nog een uur...*'

Sissend.

'*... maar ik kom terug...*'

Sissend.

Harry bleef naar de verlichte afstemschaal van de radio kijken in plaats van naar de drukke straat vóór hem. Hij gloeide zachtgroen, maar deed hem aan de felrode eerst van bloed, toen van vuur ogen van de zwerver denken.

'*... grote held... gewoon wandelend vlees...*'

Sissend.

'*... schiet iedereen dood die je wilt... grote man... maar op mij schieten... haalt niks uit... op mij niet... op mij niet...*'

Sissend. Sissend. Sissend.

De auto reed door een lager gelegen deel van de straat, dat overstroomd was. Lichtgevend wit water spoot aan beide kanten als engelenvleugels op. Harry raakte de knoppen van de radio aan, min of meer rekenend op een elektrische schok of iets nog ergers, maar er gebeurde niets. Hij drukte op de 'uit'-knop, en het sissen hield op.

Hij probeerde niet door het volgende rode stoplicht te rijden, maar minderde vaart en kwam achter een rij auto's tot stilstand. Hij deed zijn uiterste best om de gebeurtenissen van de laatste uren op een rij te krijgen en hun betekenis te begrijpen.

Wie ga je bellen?

Hij geloofde niet in spoken of spokenjagers.

Ondanks dat huiverde hij, en niet alleen omdat zijn kleren nog steeds vochtig waren. Hij zette de verwarming aan.

Wie ga je bellen?

Spook of niet: de zwerver was in elk geval geen hallucinatie geweest. Hij was geen symptoom van een zenuwinzinking. Hij was echt. Niet menselijk misschien, maar echt.

Dat besef was vreemd geruststellend. Waar Harry het allerbangst voor was, was niet het bovennatuurlijke of onbekende maar de innerlijke wanorde van de waanzin, een dreiging die nu vervangen leek door een tegenstander van buiten, onvoorstelbaar bizar en schrikwekkend sterk, maar in ieder geval buiten hem.

Toen het licht op groen sprong en het verkeer weer in beweging kwam, keek hij om zich heen naar de straten van Newport Beach. Hij zag dat hij vanuit Irvine naar het westen, naar de kust, en naar het noorden was gereden, en voor het eerst besefte hij waar hij naar toe ging. Costa Mesa. De flat van Connie.

Hij was verbaasd. De brandende verschijning had beloofd om alles en iedereen die hem dierbaar was te vernietigen voordat hij hemzelf vernietigde, en dat allemaal bij zonsopgang. Toch had hij besloten om naar Connie te gaan zonder zich eerst bij zijn ouders in Carmel Valley te laten zien. Eerder op de dag had hij erkend dat hij vuriger belang in haar stelde dan hij vroeger toe wilde geven, maar die erkenning had misschien de werkelijke complexiteit van zijn gevoelens nog niet blootgelegd, niet eens tegenover zichzelf. Hij wist dat hij om haar gaf, maar het waaròm was nog steeds deels een mysterie, gelet op hoe sterk ze van elkaar verschilden en hoe buitengewoon gesloten ze was. Hij wist ook niet zeker hoe diep zijn gevoelens reikten, maar diep waren ze zeker, meer dan diep genoeg om op een dag vol onthullingen de grootste onthulling te zijn.

Terwijl hij Newport Harbor passeerde, zag hij tussen de winkels en kantoren aan zijn linkerhand de lange masten van jachten met opgedoekt zeil naar de nacht priemen. Als een woud van torenspitsen. Dat herinnerde hem eraan dat hij, net als vele anderen van zijn generatie, zonder duidelijk omlijnde godsdienst was opgevoed en als volwassene nooit een eigen geloof had kunnen ontdekken. Het punt was niet dat hij het bestaan van God ontkende, maar hij kon gewoon geen manier van geloven vinden.

Als je oog in oog met het bovennatuurlijke staat, wie ga je dan bellen? Als je de Ghostbusters niet belt, bel je God. En als je God niet belt... wie dan wel?

Het grootste deel van zijn leven was Harry's geloof het geloof in orde geweest, maar orde was slechts een toestand, geen macht wiens hulp je kon inroepen. Ondanks de wreedheden die hij in zijn werk tegenkwam, bleef hij eveneens geloven in het fatsoen en de moed van menselijke wezens. Dat hield hem nu op de been. Hij ging naar Connie Gulliver, niet alleen om haar te waarschuwen, maar ook om haar raad en hulp te vragen bij het vinden van een uitweg uit de duisternis die hem omhuld had.

Wie ga je bellen? Je partner.

Toen hij stopte bij het volgende rode verkeerslicht, werd hij opnieuw verrast, maar ditmaal niet door zijn innerlijk. De verwarming stond aan en had zijn ergste rillingen verjaagd. Maar hij voelde nog steeds een harde kou op zijn hart. De nieuwste verrassing zat in het zakje van zijn overhemd tegen zijn hart, en betrof geen emoties maar was iets tastbaars, dat hij eruit kon vissen en kon bekijken. Vier vormloze, donkere klompjes. Metaal. Lood. Hij had nog geen begin van een vermoeden hoe die in zijn zak waren gekomen, maar wist wel wat het waren: de kogels die hij in de zwerver had gejaagd, vier loden kogels, misvormd door de hoge snelheid waarmee ze waren ingeslagen in vlees, bot en kraakbeen.

13

In Connies badkamer trok Harry zijn jasje, das en overhemd uit en waste zich zo goed mogelijk. Zijn handen waren zó smerig dat ze hem aan de zwerver deden denken, en hij kreeg ze alleen met flink boenen schoon. Hij waste zijn haar, gezicht, borst en armen aan de wasbak, waarbij met de roet en de as ook iets van zijn uitputting wegspoelde. Daarna kamde hij zijn haar glad naar achteren.

Aan zijn kleren was niet veel te doen. Hij veegde ze met een droog washandje af om het losse gruis te verwijderen, maar ze bleven vlekkerig en ernstig gekreukt. Zijn witte overhemd was nu grijs, had een lichte zweetgeur en stonk nog sterker naar rook, maar hij moest het weer aantrekken omdat hij geen andere kleren meer had. Voor zover hij wist, had hij zich zó verslonst nog nooit aan iemand vertoond.

Hij probeerde zijn waardigheid te herstellen door het bovenste knoopje van zijn overhemd dicht te doen en zijn das te strikken.

Meer nog dan de wanhopige staat van zijn kleding baarde de staat van zijn lichaam hem zorgen. Waar de hand van de paspop zich in zijn onderbuik had geboord, deed het pijn. Een doffe pijn schrijnde in het smalle deel van zijn rug en die hield pas ongeveer halverwege zijn ruggegraat op, een herinnering aan de kracht waarmee de zwerver hem tegen de muur had gesmeten. Ook de achterkant van zijn linkerarm langs de hele triceps deed zeer, want daarop was hij terechtgekomen toen de zwerver hem vanuit de gang de slaapkamer in had gegooid.

Zolang hij nog op weg was en barstensvol adrenaline voor zijn leven rende, had hij zijn diverse pijnen niet beseft, maar nu hij stilstond, kwamen ze te voorschijn. Hij was bang dat hij stijve spieren en gewrichten ging krijgen, want voordat deze nacht ten einde liep, zou hij beslist meer dan eens snel en wendbaar moeten zijn om het vege lijf te redden.

In het medicijnkastje vond hij een buisje aspirine. Hij schudde er vier in de palm van zijn rechterhand, deed het buisje weer dicht en stopte het in de zak van zijn jasje.

Toen hij weer in de keuken kwam en een glas water vroeg om de pillen in te nemen, gaf Connie hem een blikje bier.

Dat sloeg hij af. 'Ik wil mijn hersens bij elkaar houden.'

'Eén biertje doet geen kwaad. Misschien helpt het wel.'

'Ik drink niet veel.'

'Ik vraag je toch ook niet om wodka te spuiten met een naald.'

'Ik heb liever water.'

'Jezus Christus, wees toch niet zo'n kwast.'

Hij knikte, nam het bier aan, trok het lipje open en spoelde de vier tabletten met één lange, koude teug weg. Het was verrukkelijk. Misschien was dat precies wat hij nodig had.

Uitgehongerd pakte hij een stuk koude pizza uit de open doos op het aanrecht. Hij scheurde er met zijn tanden een stuk af en kauwde enthousiast, ditmaal zonder zich om zijn goede manieren te bekommeren.

Hij was nooit eerder in haar flat geweest en het viel hem op hoe spartaans hij was ingericht. 'Hoe noemen ze deze stijl van inrichten vroeg-benedictijns?'

'Wat kan mij de inrichting schelen. Ik doe gewoon de eigenaar een klein plezier. Als ik bij de uitoefening van mijn plicht de pijp uit ga, hoeft hij er alleen maar een uurtje de tuinslang op te zetten en kan hij hem morgen weer verhuren.'

Ze liep terug naar het speeltafeltje en staarde naar de zes voorwerpen die ze daar naast elkaar had neergelegd. Een tiendollarbiljet, zacht van ouderdom. Een door hitte verkleurde krant, die langs een van de randen licht verbrand was. Vier misvormde loden kogels.

Harry kwam naast haar staan en zei: 'En?'

'Ik geloof niet in klets over spoken, geesten of demonen.'

'Ik ook niet.'

'Ik heb die vent gezien. Een gewone schooier.'

'Ik kan nog steeds niet geloven dat je hem tien piek hebt gegeven,' zei Harry.

Ze bloosde werkelijk. Hij had haar nooit eerder zien blozen. Het eerste waar ze zich in zijn gezelschap ooit over schaamde, was deze aanwijzing dat ze tot medelijden in staat was.

Ze zei: 'Hij was... op een of andere manier dwingend.'

'Dus was het geen ''gewone schooier''.'

'Als hij van mij tien piek kon loskrijgen, misschien niet.'

'Ik zal je iets vertellen.' Hij stopte het laatste stuk pizza in zijn mond.

'Vertel maar op.'

Met een mond vol pizza zei hij: 'Ik zag hem in mijn woonkamer levend verbranden, maar ik denk niet dat ze in de as verkoolde botten zullen vinden. En zelfs als hij niet door de radio tegen me gepraat had, had ik verwacht hem weer terug te zien, even groot en vuil en griezelig en onverbrand als altijd.'

Terwijl Harry een tweede stuk pizza nam, zei Connie: 'Volgens mij zei je net dat jij evenmin in spoken gelooft.'

'Doe ik ook niet.'

'Dus?'

Kauwend keek hij haar nadenkend aan. 'Je gelooft me dus?'

'Een deel ervan is ook mij overkomen, hè?'

'Ja. Waarschijnlijk genoeg om te zorgen dat je me gelooft.'

'Dus?' herhaalde ze.

Hij wilde aan tafel gaan zitten om zijn voeten rust te gunnen, maar nam aan dat zijn spieren op een stoel eerder stijf werden. Hij leunde tegen het aanrecht bij de gootsteen.

'Ik heb na zitten denken... Elke dag als we op straat met een onderzoek bezig zijn, komen we mensen tegen die anders zijn dan wij, die denken dat de wet gewoon komedie is om de onwetende massa's eronder te houden. Die mensen denken uitsluitend aan zichzelf, aan de bevrediging van hun eigen behoeften, ongeacht de gevolgen voor anderen.'

'Schoften, klootzakken dat is ons werk,' zei ze.

'Misdadige types, onaangepasten. Er zijn een heleboel woorden voor. Net als de peulmensen uit *Invasion of the Body Snatchers* verkeren ze onder ons en gaan ze door voor beschaafde, gewone menselijke wezens. Er zijn er een heleboel van, maar vormen nog steeds een minderheid en zijn allesbehalve gewoon. Hun beschaving is een vernis, toneelschmink, die de geschubde, kruipende woesteling verbergt waaruit wij zijn ontstaan, het oeroude reptielenbewustzijn.'

'En dus? Dat is allemaal niks nieuws,' zei ze ongeduldig. 'Wij vormen het dunne laagje tussen orde en chaos. In die afgrond kijken we elke dag. Op de rand van die afgrond wankelen, mezelf testen, bewijzen dat ik niet een van hen ben, niet in die chaos val, niet zal en kàn worden zoals zij, dat alles maakt dit werk zo opwindend. Daarom zit ik bij de politie.'

'Echt waar?' vroeg hij verbaasd.

Dat was volstrekt niet waarom híj bij de politie zat. De werkelijk beschaafde mensen verdedigen en behoeden tegen het peulvolk onder hen, de vrede en schoonheid van de orde bewaren, zorgen voor continuïteit en vooruitgang dat was de reden waarom hij politieagent was geworden, of in ieder geval een deel van de reden. In geen geval hoefde hij zichzelf te bewijzen dat hij niet tot die reptiel-atavisten hoorde.

Al pratend maakte Connie haar blik van hem los en staarde naar een vijfentwintig bij veertig centimeter grote envelop, die op een van de stoelen bij de tafel lag. Hij vroeg zich af wat erin zat.

'Als je niet weet waar je vandaan komt, als je niet weet of je lief kunt hebben,' zei ze rustig, bijna alsof ze in zichzelf praatte, 'als vrijheid het enige is wat je wilt, dan moet je jezelf dwingen om verantwoordelijkheid te nemen, een heleboel verantwoordelijkheid. Vrijheid zonder verantwoordelijkheid is pure primitiviteit.' Ze praatte niet gewoon rustig. Ze klonk gekweld. 'Misschien heb je zelf een primitief verleden, dat weet je nooit zeker, maar wat je wèl weet over jezelf is, dat je heel goed echt kunt haten ook als je niet kunt liefhebben, en dat maakt je bang, want dat betekent misschien dat jij ook zelf in die afgrond kunt glijden…'

Harry keek haar als aan de grond genageld aan. Halverwege een hap pizza hield hij op met kauwen.

Hij wist dat ze meer van zichzelf onthulde dan ze ooit had gedaan. Hij begreep alleen niet precies wàt ze nu eigenlijk onthulde.

Als uit een trance gewekt schoot haar blik met een ruk omhoog van de envelop naar Harry, en haar zachte stem werd harder. 'Oké dus, de wereld zit vol schoften, klootzakken, onaangepasten of hoe je ze ook noemen wilt. Wat heeft dat ermee te maken?'

Hij slikte de pizza door. 'Stel nou 's dat een gewone smeris tijdens zijn werk tegen een onaangepaste aanloopt die erger is dan dat gewone stelletje schoften, oneindig veel erger.'

Terwijl hij praatte, was ze naar de koelkast gelopen. Ze haalde er nog een biertje uit. 'Erger? In welk opzicht?'

'Deze vent heeft...'

'Wat?'

'Hij heeft... een gave.'

'Wat voor gave? Zitten we in een quiz? Voor de draad ermee, Harry.'

Hij liep naar de tafel en bewoog één vinger tussen de vier loden kogels die daar lagen. Ze ratelden tegen het formica tafelblad met een geluid dat de echo leek van de eeuwigheid.

'Harry?'

Ondanks zijn behoefte om haar zijn theorie te vertellen, begon hij er schoorvoetend aan. Met wat hij zeggen wilde, ging zijn image als Meneer Gelijkmoedigheid waarschijnlijk voorgoed in rook op.

Hij nam een slok bier, haalde diep adem en stortte zich in het diepe: 'Stel dat je te maken hebt met een onaangepast iemand... een psychoot met paranormale vermogens. Als je het met hem aan de stok krijgt, is dat net zoiets als op de vuist gaan met een leerling-god. Paranormale krachten.'

Ze keek hem met open mond aan. De ring van het lipje op haar blikje bier zat rond haar wijsvinger, maar ze trok het niet open. Ze leek voor een schilder te poseren.

Voordat ze hem in de rede kon vallen zei hij: 'Ik bedoel niet dat hij gewoon de kleur van een speelkaart kan voorspellen die willekeurig uit een pak kaarten wordt getrokken, of kan zeggen wie het volgende wereldkampioenschap wint, of een potlood kan leviteren. Niet dat soort flauwiteiten. Misschien heeft deze vent het vermogen om op te duiken uit het niets en daarin weer te verdwijnen. De macht om iets in brand te steken, te branden zonder te verbranden, kogels op te vangen zonder echt dood te gaan. Misschien kan hij een psychisch etiket op je plakken, zoals een boswachter met een elektronisch apparaat een identificatie aanbrengt op een hert, en dan blijft hij je op het spoor zelfs als je uit het zicht bent, ongeacht waar je heengaat of hoe ver je rent. Ik weet het, ik weet het, het is absurd, het is waanzinnig, het is alsof je bij toeval in een film van Spielberg verzeild raakt, alleen duisterder, misschien iets dat door James Cameron uit David Lynch is gehaald, maar misschien is het waar.'

Connie schudde ongelovig haar hoofd. Ze deed de deur van de koelkast weer open, zette het ongeopende blikje bier weer op het rek en zei: 'Misschien moet ik het vanavond maar bij twee laten.'

Hij had de dringende behoefte om haar te overtuigen. Hij besefte de snelheid waarmee de nacht vergleed en hoe snel zonsopgang naderde.

Ze draaide zich om van de koelkast en zei: 'Waar heeft-ie die verbazende macht dan vandaan?'

'Wie weet. Misschien heeft hij te lang onder hoogspanningskabels gewoond en hebben de magnetische velden veranderingen in zijn hersenen veroorzaakt. Misschien kreeg hij als baby met zijn melk te veel dioxine binnen, of heeft hij te veel appels gegeten die besmet waren met een rare, giftige chemische stof, of staat zijn huis recht onder een gat in de ozonlaag, of zijn marsmannetjes met hem aan het experimenteren om de *National Enquirer* een mooi verhaal te bezorgen, of heeft-ie te veel Twinkies gegeten, of luistert-ie te vaak naar rapmuziek! Hoe kan ik dat godverdomme weten?'

Ze staarde hem aan, maar in ieder geval niet meer met open mond. 'Meen je dat echt?'

'Ja.'

'Ja, ik weet het, want in de zes maanden dat we samenwerken, is dit voor het eerst dat je g.v.d. hebt gezegd.'

'O. 't Spijt me.'

'Natuurlijk spijt 't je,' zei ze, en slaagde erin om zelfs in deze omstandigheden een vleug sarcasme in haar stem te leggen. 'Maar deze vent... is gewoon een schooier.'

'Ik denk niet dat hij er in het echt zo uitziet. Ik denk dat hij alles kan worden wat hij wil en kan verschijnen in elke vorm die hij verkiest, want zijn verschijningsvorm is niet hijzelf... maar een projectie, iets dat hij wil dat wij zien.'

'Maar lijkt dat niet verdacht veel op een spook?' vroeg ze. 'En waren we 't er niet over eens dat we geen van beiden in spoken geloven?'

Hij graaide het tiendollarbiljet van tafel. 'Als ik de plank zover missla, hoe verklaar je dit dan?'

134

'Zelfs als je gelijk hebt… hoe verklaar jíj dat?'

'Telekinese.'

'Wat is dat?'

'Het vermogen om een voorwerp met alleen mentale krachten door tijd en ruimte te verplaatsen.'

'Waarom heb ik dat briefje dan niet door de lucht mijn hand in zien zweven?'

'Zo werkt het niet. Het is meer zoiets als teleportatie. Het gaat *ploef* van de ene plaats naar de andere zonder de ruimte daartussen in te doorkruisen.'

In wanhoop hief ze haar handen ten hemel. 'Schenk verlichting, Heer!'

Hij keek op zijn horloge. 20.38 uur. Tiktak… tiktak…

Hij wist dat dit waanzinnig klonk en beter paste bij een praatshow 's middags of een nachtelijk opbelprogramma op de radio dan bij politiewerk. Maar hij wist ook dat hij gelijk had of in ieder geval in de buurt van de waarheid was, zo niet in het hart ervan.

'Kijk,' zei hij. Hij pakte de verzengde krant en zwaaide ermee in haar richting. 'Ik heb hem nog niet gelezen, maar als je deze krant uitvlooit, vind je beslist een paar mooie verhalen voor die verrekte verzameling van je, voorbeelden van de nieuwe duistere eeuw.' Hij liet de krant vallen en er sloeg een geur van rook vanaf. 'Laten we 's kijken. Wat waren dat ook al weer voor verhalen die je me laatst hebt verteld, dingen die je uit andere kranten of de televisie had gehaald? Ik weet er vast nog een paar.'

'Harry…'

'Niet dat ik me ze wil herinneren. God is mijn getuige dat ik ze liever vergeet.' Hij begon min of meer in kringetjes te lopen. 'Was er niet iets over een rechter in Texas die een man tot vijfendertig jaar gevangenisstraf veroordeelde wegens diefstal van een blikje van vier ons Spam? En tegelijkertijd sloeg een stel relschoppers in Los Angeles een man dood op straat. Dat is allemaal door journalisten op videoband gezet, maar eigenlijk wil niemand nieuwe onrust zaaien in de gemeenschap door de moordenaars op te sporen, want die ranselpartij was een protest tegen onrecht.'

Ze liep naar de tafel, trok er een stoel onder vandaan, draaide hem om en ging zitten. Ze staarde naar de verbrande krant en de andere voorwerpen.

Hij bleef ijsberen en praatte met groeiende aandrang. 'En was er geen verhaal over een vrouw die d'r vriend ertoe aanzette om haar dochter van elf te verkrachten, omdat ze een vierde kind wilde maar geen kinderen meer kon krijgen, en dus had ze bedacht dat ze moeder kon spelen over het onechte kind van haar dochtertje? Waar was dat ook al weer? Wisconsin? Ohio?'

'Michigan,' zei Connie somber.

'En was er geen verhaal over een man die zijn zesjarige stiefzoontje met een kapmes onthoofdde...'

'Vijf. Hij was vijf.'

'... en ergens stak een stel tieners een vrouw honderddertig keer met een mes om een paar rotcenten te stelen...'

'In Boston,' fluisterde ze.

'... o ja, en dan die parel over een vader die zijn kleuter doodsloeg omdat hij het alfabet niet kon onthouden tot voorbij de g. En een vrouw in Arkansas of Louisiana of Oklahoma mengde gemalen glas door het ontbijt van haar baby, in de hoop haar ziek genoeg te maken zodat de vader verlof van de marine kreeg en wat meer tijd thuis kon zijn.'

'Niet Arkansas,' zei Connie. 'Mississippi.'

Harry hield op met ijsberen en ging op zijn hurken naast haar stoel zitten. Hij keek haar recht aan.

'Snap je? Al die ongelooflijke dingen aanvaard je, hoe ongelooflijk ze ook zijn. Je weet dat ze gebeurd zijn. We leven in de jaren negentig, Connie. De horlepiep vóór het nieuwe millennium, de nieuwe duistere eeuw, als alles mogelijk is en meestal ook gebeurt, als het ondenkbare niet alleen denkbaar is maar ook aanvaardbaar, als elk wetenschappelijk wonder zijn tegenhanger vindt in een daad van menselijke barbarij waar nauwelijks iemand een spier bij vertrekt. Elke briljante technologische verworvenheid wordt gepareerd met duizend voorbeelden van menselijke haat, wreedheid en stompzinnigheid. Op elke wetenschapper die een geneesmiddel tegen kanker zoekt, zijn er vijfduizend schoften die de hersenen van een oude vrouw tot moes slaan vanwege het kleingeld in haar tasje.'

Connie keek gekweld de andere kant op. Ze pakte een van de misvormde kogels. Fronsend draaide ze hem tussen duim en wijsvinger.

Opgejaagd door de griezelige snelheid waarmee op de LCD van zijn horloge de minuten vergleden, bleef Harry aanhouden.

'Wie durft dus te beweren dat er niet ergens in een laboratorium een vent is die iets heeft ontdekt waarmee hij de macht van het menselijk brein kan versterken. We hebben altijd krachten in onszelf vermoed die we nooit konden gebruiken; misschien kunnen die nu vergroot en aangeboord worden. Misschien heeft die vent zichzelf met dat spul geïnjecteerd. Of misschien was de vent die we zoeken, proefkonijn bij het experiment, en toen hij besefte wat hij geworden was, doodde hij iedereen in het lab, iedereen die op de hoogte was. Misschien loopt hij gewoon in de menigte rond, de griezeligste peulmens van allemaal.'

Ze legde de misvormde kogel neer. Ze keek hem weer aan. Ze had prachtige ogen. 'Dat over dat experiment kan ik plaatsen.'

'Maar waarschijnlijk is het helemaal niet zoiets, helemaal niet iets wat we kunnen bedenken, iets heel anders.'

'Als zo iemand bestaat, kunnen we hem dan tegenhouden?'

'Hij is God niet. Hoe groot zijn macht ook is, hij is nog steeds een mens... en diep gestoord bovendien. Hij moet zwaktes en kwetsbare punten hebben.'

Hij zat nog steeds gehurkt naast zijn stoel en ze legde een hand tegen de zijkant van zijn gezicht. Dat tedere gebaar verraste hem. Ze glimlachte. 'Jij hebt een verrekt wilde fantasie, Harry Lyon.'

'Nou ja, ik heb altijd van sprookjes gehouden.'

Ze fronste weer en haalde haar hand weg. Ze leek geërgerd omdat ze op een moment van tederheid was betrapt. 'Zelfs als hij kwetsbaar is, kunnen we pas iets tegen hem doen als we hem vinden. Hoe sporen we die Tiktak op?'

'Tiktak?'

'We weten niet hoe hij heet,' zei ze. 'Tiktak lijkt voorlopig net zo'n goeie naam als alle andere.'

Tiktak. Als dat geen naam voor een sprookjesboef was, wist hij het niet meer. Repelsteeltje, Anneke Tanneke Toverheks... en Tiktak.

'Oké.' Harry stond op. Hij begon weer te ijsberen. 'Tiktak.'

'Hoe vinden we hem?'

'Dat weet ik niet precies. Maar ik weet wel waar we moeten beginnen. In het lijkenhuis van Laguna Beach.'

Ze knipperde verbaasd met haar ogen. 'Ordegard?'

'Ja. Ik wil het autopsieverslag zien als dat al klaar is en zo mogelijk met de lijkschouwer praten. Ik wil weten of ze iets vreemds hebben ontdekt.'

'Iets vreemds? Waar denk je aan?'

'Ik mag hangen als ik dat weet. Alles wat niet normaal is.'

'Maar Ordegard is dood. Hij was geen... projectie. Hij was echt, en nu is hij dood. Hij kan Tiktak niet zijn.'

Talloze sprookjes, legenden, mythen en fantasieverhalen hadden Harry een immense voorraad ongelooflijke ideeën gegeven waaruit hij kon putten. 'Misschien heeft Tiktak de macht om andere mensen in beslag te nemen, in hun geest te kruipen, hun lichaam te beheersen, hen als marionetten te gebruiken en weer weg te doen als hij dat wil, of uit hen te glippen als ze sterven. Misschien beheerste hij Ordegard en verhuisde hij toen naar de zwerver. En nu is die zwerver misschien dood, echt dood, liggen zijn botten in mijn uitgebrande woonkamer en duikt Tiktak de volgende keer op in een ander lichaam.'

'Bezetenheid?'

'Zoiets.'

'Je begint me bang te maken,' zei ze.

'Nu pas? Jij bent inderdaad een harde tante. Luister, Connie, vlak voordat hij mijn flat in de fik stak, zei Tiktak ongeveer iets als... ''Jij denkt dat je iedereen maar neer kunt schieten, en klaar is Kees, maar met mij ben je nog lang niet klaar en op míj schieten helpt niks''.' Harry klopte op de kolf van de revolver in zijn schouderholster. 'En wie heb ik vandaag neergeschoten? Ordegard. En die Tiktak zegt tegen mij dat we nog lang niet met hem klaar zijn. Ik wil dus nagaan of er iets raars is met Ordegards lijk.'

Ze was verbaasd, maar verwierp die mogelijkheid niet. Ze begon op dreef te komen. 'Je wilt dus weten of er tekenen van bezetenheid te zien zijn.'

'Ja.'

'Wat zíjn de tekenen van bezetenheid?'

'Alles wat raar is.'

'Zoals een lijk met een leeg hoofd, zonder hersenen, met alleen wat as erin? Of misschien met het cijfer 666 in zijn nek gebrand?'

'Ik wou dat het zoiets opvallends was, maar dat betwijfel ik.'

Connie lachte. Nerveus. Onvast. Kort.

Ze stond op van haar stoel. 'Oké. Op naar het lijkenhuis.'

Harry hoopte dat een gesprek met de lijkschouwer of een snelle kennisname van het autopsieverslag genoeg was om te weten te komen wat hij weten wilde, en dat hij niet het lijk hoefde te zien. Hij wilde niet nog een keer naar dat vollemaansgezicht kijken.

14

De grote keuken van het Pacific View Verpleeghuis in Laguna Beach was een en al witte tegels en roestvrij staal, en zo schoon als een ziekenhuis. Ratten en kakkerlakken die hier naar binnen kruipen, dacht Janet Marco, kunnen maar het best leren leven van schuurpoeder, ammoniak en was. De keuken was smetvrij, maar rook niet naar een ziekenhuis. De talmende geuren van ham, gebraden kalkoen, kruidenvullingen en gegratineerde aardappelen werden verdrongen door de gistachtige kaneelgeur van koffiebroodjes, die ze voor het ontbijt van morgenochtend aan het bakken waren. Het was er ook warm en warmte was prettig, want de regen van daarnet had de maartse lucht kil gemaakt.

Janet en Danny verorberden hun avondmaal aan het einde van een lange tafel in de zuidwestelijke hoek van de keuken. Ze zaten niemand in de weg, maar hadden een goed uitzicht op het hard werkende personeel.

De organisatie van de keuken fascineerde Janet. Alles liep er op rolletjes. Het personeel was ijverig en leek daarvan te genieten. Ze was jaloers op hen. Ze wou dat ze in het Pacific View een baantje kon krijgen, in de keuken of op welke afdeling dan ook. Maar ze wist niet welke vaardigheden werden gevraagd. De eigenaar, meneer Ishigura, was dan wel een goed mens, maar ze betwijfelde of hij iemand aannam die in een auto woonde, zich in openbare toiletten waste en geen vaste verblijfplaats had.

Ofschoon ze het keukenpersoneel graag gadesloeg, frustreerde die aanblik haar soms verschrikkelijk.

Maar daar kon ze meneer Ishigura, eigenaar en directeur van Pacific View, niet de schuld van geven, want op avonden als deze was hij een geschenk uit de hemel. Hij was zowel spaarzaam als vriendelijk en kon de gedachte aan verspilling niet verdragen, noch de gedachte dat wie dan ook in zo'n welvarend land honger leed. Als de bijna honderd patiënten en personeelsleden hun avondeten op hadden, bleef er altijd nog genoeg over voor tien of twaalf anderen, want de koks konden nooit zó nauwkeurig koken, dat ze precies het vereiste aantal porties kregen. Deze maaltijden verschafte meneer Ishigura gratis aan bepaalde daklozen.

Het eten was ook lekker, echt lekker. Pacific View was dan ook geen gewoon verpleeghuis. Het had klasse. De patiënten waren rijk, of hadden rijke familie.

Meneer Ishigura liep niet met zijn vrijgevigheid te koop en zijn deur stond niet open voor iedereen. Als hij straatzwervers zag die hun lot volgens hem niet alleen maar door eigen schuld hadden verdiend, vertelde hij hun over de gratis lunches en avondmaaltijden in het Pacific View. Omdat hij zo selectief te werk ging, kon je daar eten zonder je tafel te hoeven delen met een stel van die humeurige en gevaarlijke alcoholisten en verslaafden,

die veel keukens van kerken en andere godsdienstige instellingen zo on-
aantrekkelijk maakten.

Janet maakte van meneer Ishigura's gastvrijheid lang niet zo vaak gebruik
als gekund had. In het Pacific View kon ze elke week zeven lunches en
zeven avondmaaltijden krijgen, maar ze beperkte zich tot hoogstens twee
van elk. Voor de rest zorgde ze zelf voor haar en Danny en was trots op
elke maaltijd die ze uit eigen zak kon betalen.

Die dinsdagavond deelden ze de voorziening met drie oudere mannen, een
bejaarde vrouw wier gezicht zo gerimpeld was als een verkreukelde papieren zak maar die een vrolijk gekleurde sjaal en een lichtrode baret
droeg, en een meelijwekkend lelijke jongeman met een misvormd gezicht.
Ze liepen allemaal in vodden maar waren niet smerig, hadden lang geleden voor het laatst een kapper gezien maar roken schoon genoeg.

Ze praatte tegen niemand van hen, ofschoon ze genoten zou hebben van
een gesprek. Al sinds heel lang zei ze alleen tegen Danny meer dan drie
woorden achtereen. Ze had niet genoeg zelfvertrouwen om met een andere
volwassene over koetjes en kalfjes te praten.

Bovendien wantrouwde ze iedereen die te veel belang in haar stelde. Ze
wilde geen vragen over zichzelf of haar verleden moeten beantwoorden.
Ze had tenslotte iemand vermoord. En als het lijk van Vince in de woestijn van Arizona was gevonden, werd ze misschien ook gezocht door de
politie.

Ze praatte zelfs niet tegen Danny, die geen aanmoediging nodig had om te
eten of aan zijn manieren te denken. Hij was pas vijf, maar gedroeg zich
netjes en wist zich aan tafel te gedragen.

Janet was hartstochtelijk trots op hem. Onder het eten streek ze van tijd tot
tijd zijn haar glad of raakte ze zijn nek aan of klopte ze hem op zijn schouder, zodat hij wist dat ze trots was.

God, wat hield ze van hem. Hij was zo klein, zo onschuldig en verdroeg
geduldig de ene ontbering na de andere. Hèm mocht niets overkomen. Hij
moest de kans krijgen om op te groeien en iets te worden in dit leven.

Slechts zolang ze haar gedachten aan de politieman tot een minimum beperkte, genoot ze van haar eten. De politieman die van vorm kon veranderen. Die bijna een weerwolf uit een film was geworden. Die, terwijl de
donder rommelde en bliksem flitste, ècht Vince was geworden en Woofer
midden in de lucht tegenhield.

Na de ontmoeting in het straatje van eerder op die dag was Janet in de
stromende regen naar het noorden gereden, Laguna Beach uit, richting

Los Angeles, en probeerde wanhopig om vele, vele kilometers afstand te scheppen tussen haar en het geheimzinnige schepsel dat hen wilde doden. Het had gezegd dat het hen kon vinden waar ze ook gingen, en dat had ze geloofd. Maar gewoon zitten wachten tot ze werd afgeslacht, was onverdraaglijk.

Ze was nog maar in Corona del Mar, de volgende stad langs de kust, toen ze besefte dat ze terug moest. In Los Angeles moest ze weer leren in welke buurt de vuilnisbakken het meeste opleverden, wanneer de vuilophalers langskwamen zodat ze de bakken kon doorzoeken vlak voordat de wagens kwamen, welke woningcomplexen het tolerantste beleid hadden, waar blikken en flessen konden worden ingeleverd, waar ze een nieuwe weldoener als meneer Ishigura kon vinden, enzovoorts enzovoorts. Ze had op dit moment niet veel geld meer. De finesses van een nieuwe omgeving leren kennen, kostte tijd, en haar magere spaarcentjes stonden dat niet toe. Ze kon kiezen tussen Laguna Beach en Laguna Beach.

Het ergste van straatarm zijn, was misschien wel dat je geen keuze had.

Ze was teruggereden naar Laguna Beach en had zichzelf uitgescholden vanwege de benzine die ze had verspild.

Ze parkeerden in een zijstraat en bleven die hele verregende middag in de auto. Terwijl Woofer op de achterbank lag te doezelen, las ze bij het grijze regenlicht Danny voor uit een dik verhalenboek dat ze gered had uit een vuilnisbak. Hij vond het heerlijk als ze hem voorlas. Hij zat gefascineerd te luisteren, terwijl parel- en zilvergrijze schaduwen over zijn gezicht speelden in dezelfde patronen als de regen die langs de voorruit glinsterde.

Nu was de regen weg. De dag was ten einde, het eten op, en het was tijd om terug te keren naar de oude Dodge en te gaan slapen. Janet was uitgeput en wist dat Danny in slaap zou vallen als een steen die in een vijver zonk. Maar zij was bang om haar ogen te sluiten, bang dat dat politieding hen vond terwijl ze sliepen.

Toen ze hun vuile borden verzamelden en naar de gootsteen brachten, waar ze ze altijd neerzetten, werden Janet en Danny benaderd door een kokkin die Loretta heette; haar achternaam wist Janet niet. Loretta was een zwaargebouwde vrouw van rond de vijftig met een huid zo glad als porselein en zó weinig rimpels rond haar ogen, dat ze blijkbaar altijd zonder zorgen had geleefd. Ze had krachtige handen, die een lichtrode kleur hadden van het werken in de keuken. Ze had een weggooipasteiblik vol resten vlees bij zich.

'Is die hond nog steeds bij jullie?' vroeg Loretta. 'Dat schattige beest, dat de laatste paar keer achter jullie aan liep?'

'Woofer,' zei Danny.

'Hij is de beste maatjes met mijn zoon,' zei Janet. 'Hij zit in de steeg op ons te wachten.'

'Nou, ik heb wat lekkers voor die schat,' zei Loretta, en wees naar de resten vlees.

Een knappe, blonde verpleegster, die bij een hakblok in de buurt stond en een glas melk dronk, ving hun gesprek op. 'Is hij echt lief?'

'Gewoon een vuilnisbakkenhond,' zei Loretta, 'geen duur ras, maar ze zouden 'm moeten filmen, die hond.'

'Ik ben gek op honden,' zei de verpleegster. 'Ik heb er drie. Ik ben er dol op. Mag ik hem zien?'

'Natuurlijk, natuurlijk. Ga je gang,' zei Loretta. Toen riep ze zichzelf tot de orde en glimlachte naar Janet. 'Vind je het erg als Angelina hem ziet?'

Angelina was kennelijk de verpleegster.

'Hemeltje nee, natuurlijk niet, waarom zou ik dat erg vinden?' zei Janet.

Loretta liep voorop naar de deur van de steeg. De vleesresten in het blik waren geen vet en kraakbeen, maar prima stukjes ham en kalkoen.

In een kegel geel licht uit de veiligheidslamp zat Woofer buiten de deur geduldig te wachten. Hij had zijn kop naar rechts gestrekt, één oor stak omhoog en het andere hing zoals gewoonlijk slap omlaag, en hij had een vragende uitdrukking op zijn snuit. Een koele bries, het eerste teken van leven in de lucht sinds de regen was overgewaaid, rimpelde zijn vacht.

Angelina was onmiddellijk verrukt. 'Hij is pràchtig!'

'Hij is van mij,' zei Danny zó zacht, dat hoogstwaarschijnlijk alleen Janet hem hoorde.

Woofer grijnsde alsof hij de lof van de verpleegster begreep en zijn harige staart zwiepte krachtig over het asfalt.

Misschien begreep hij het ècht. Al binnen een dag na hun ontmoeting met Woofer, had Janet vastgesteld dat het een slim beest was.

Angelina nam het blik vleesresten van de kokkin over, deed een stap naar voren en ging voor de hond op haar hurken zitten. 'Jij bent een echte schat. Kijk 's, knul. Ziet dat er niet lekker uit? Ik wed dat je het heerlijk vindt.'

Woofer wierp een blik op Janet alsof hij toestemming vroeg om het op een schransen te zetten. Hij was nu een loslopende straathond, maar was kennelijk ooit iemands huisdier geweest. Hij had de zelfbeheersing die alleen door training wordt bereikt, en het vermogen om genegenheid te beantwoorden, dat bij dieren en misschien ook bij mensen groeit als ze bemind worden.

Janet knikte.

Pas toen ging de hond eten. Hongerig viel hij op de brokjes en reepjes vlees aan.

Onverwacht ontdekte Janet Marco een verwantschap met de hond die haar van haar stuk bracht. Haar ouders hadden haar behandeld met de wreedheid die sommige gestoorde mensen tegen dieren richten; eigenlijk zouden ze een kat of hond menselijker hebben behandeld dan haar. Vince was niet vriendelijker geweest. En ofschoon niets erop wees dat de hond was geslagen of geen eten had gehad, was hij beslist in de steek gelaten. Hij had geen halsband, maar was kennelijk niet in het wild opgegroeid; daarvoor oogstte hij te graag dankbaarheid en had hij te veel behoefte aan genegenheid. In de steek laten was een vorm van mishandeling, hetgeen betekende dat Janet en de hond een massa ontberingen, angsten en ervaringen hadden gedeeld.

Ze besloot de hond te houden, ondanks de moeite en kosten die dat misschien met zich meebracht. Er bestond een band tussen hen die gerespecteerd moest worden: allebei waren ze levende wezens, in staat tot moed en toewijding en allebei leden ze gebrek.

Terwijl Woofer met hondenenthousiasme aan het eten was, werd hij gestreeld door de jonge blonde verpleegster. Ze krabde hem achter zijn oren en zei lieve woordjes tegen hem.

'Ik zei je toch dat het een schat is?' zei Loretta de kokkin, die haar armen over haar enorme boezem kruiste en stralend naar Woofer keek. 'Ze zouden 'm moeten filmen, dàt zouden ze. Een echte kleine charmeur.'

'Hij is van mij,' zei Danny bezorgd en opnieuw zó zacht, dat alleen Janet hem kon hebben gehoord. Hij stond naast haar en hield zich aan haar vast, en zij legde geruststellend een hand op zijn schouder.

Halverwege zijn maaltijd keek Woofer plotseling van zijn pasteiblik op en keek Angelina nieuwsgierig aan. Zijn goede oor stak opnieuw in de lucht. Hij snoof aan haar gesteven uniform en aan haar slanke handen en duwde toen zijn kop onder haar knieën om goed aan haar witte schoenen te ruiken. Hij snoof weer aan haar handen, likte puffend en zacht jankend aan haar vingers, maakte huppelbewegingen en werd steeds opgewondener.

De verpleegster en de kokkin lachten en dachten dat Woofer zo deed vanwege het lekkere eten en al die aandacht, maar Janet wist dat hij op iets anders reageerde. Vermengd met al dat puffen en janken klonk laag gegrom, want hij ving een geur op waar hij niet van hield. En zijn staart kwispelde niet meer.

Zonder waarschuwing en tot Janets diepe schaamte maakte de hond zich uit Angelina's knuffelende handen los. Hij schoot langs haar, flitste Danny voorbij en verdween tussen de benen van de kokkin via de open deur rechtstreeks de keuken in.

'Woofer, nee!' riep Janet.

De hond hoorde haar niet en bleef rennen, en iedereen in de steeg kwam achter hem aan.

Het keukenpersoneel probeerde Woofer te vangen, maar hij was hen te snel af. Hij dook weg en maakte schijnbewegingen, en zijn nagels klikten op de tegelvloer. Hij kroop onder tafels waar het eten werd klaargemaakt, rolde om en sprong en veranderde dan plotseling van richting, en opnieuw en opnieuw, en ontliep met de wendbaarheid van een paling hun graaiende handen. Hij hijgde en grijnsde en leek zich opperbest te vermaken.

Maar het was niet alleen maar spel en hondenpret. Tegelijkertijd was hij dringend op zoek naar iets. Hij volgde een ongrijpbaar spoor en snoof aan de vloer en in de lucht. In de ovens vol broodjes, die daar stonden te bakken en weinig minder dan een stortvloed aan verrukkelijke geuren verspreidden, leek hij geen belang te stellen. Evenmin sprong hij op naar een van de aanrechten waar voedsel lag uitgestald. Iets anders interesseerde hem, iets dat hij voor het eerst had geroken bij de jonge, blonde verpleegster die Angelina heette.

'Stoute hond,' bleef Janet herhalen terwijl ze zich aansloot bij de jacht, 'stoute hond, stoute hond.'

Woofer wierp haar een paar gekwetste blikken toe, maar stond niet stil.

Een verpleeghulp, die niet wist wat er in de keuken gaande was, duwde met een karretje voorraden een dubbele klapdeur open, en de hond maakte daar onmiddellijk gebruik van. Hij schoot langs de verpleeghulp de deur door en een ander deel van het verpleeghuis in.

Stoute hond. Niet waar. Brave hond. Braaf.

De etensplaats hangt zo vol lekkere luchtjes, dat hij die andere geur, die vreemde geur niet kan volgen, niet zo vlug als hij wil. Maar aan de andere kant van de klapdeuren is een lange, lange smalle plaats met deuren links en rechts naar andere plaatsen. Hier zijn die hongerig makende geuren niet zo sterk.

Maar wel veel andere geuren, meestal mensengeuren, meestal niet heerlijk. Scherpe luchtjes, zoutige luchtjes, misselijkmakend zoete luchtjes, zure.

Dennehout. Een emmer vol dennehout in die lange, lange smalle plaats. Echt heel vlug steekt hij zijn neus in de emmer vol dennehout en vraagt zich af hoe die hele boom daar gekomen is, maar het is geen boom, alleen water, vies uitziend water dat ruikt als een hele denneboom, een heleboel dennebomen, allemaal in een emmer. Interessant.

Schiet op.

Pis. Hij ruikt pis. Mensen pissen. Pis van verschillende soorten mensen. Interessant. Tien, twintig, dertig verschillende pisluchtjes, geen van alle sterk maar tòch... veel meer mensenpis dan hij ooit ergens geroken heeft. Hij kan een heleboel afleiden uit de geur van mensenpis, wat ze hebben gegeten, wat ze hebben gedronken, waar ze vandaag zijn geweest, of ze de laatste tijd bronstig zijn geweest, of ze gezond zijn of ziek, boos of gelukkig, goed of slecht. De meeste mensen hier zijn al heel lang niet bronstig geweest en zijn op een of andere manier ziek, sommige heel erg. Geen van hun pis is het soort pis dat prettig is om te ruiken.

Hij ruikt schoenleer, vloerwas, meubelwas, stijfsel, rozen, margrieten, tulpen, anjers, citroen, tien, twintig, hopen soorten zweet, chocola goed, scheet slecht, stof, vochtige aarde uit een bloempot, zeep, haarspray, pepermunt, peper, zout, uien, de bitterheid van termieten in een muur waar hij van niezen moet, koffie, heet koper, rubber, papier, slijpsel van een potlood, butterscotch, nog meer dennebomen in een emmer, een andere hond. Interessant. Een andere hond. Iemand heeft een hond en neemt die geur mee aan zijn schoenen, interessante hond, wijfje, en ze maken een geurspoor rond die lange, smalle plaats. Interessant. Er zijn nog talloze andere geuren zijn wereld bestaat vooral uit geuren waaronder die vreemde geur, vreemd en slecht, ontbloot-je-tanden-slecht, vijand, haatding, eerder geroken, geur van politieman, wolvegeur, politieman-wolveding-geur, daar, hij heeft het weer, deze kant op, deze kant op, volg het.

Mensen zitten achter hem aan omdat hij hier niet hoort. Op heel veel plaatsen denken mensen dat je er niet hoort, ook al stink je nooit zoals de meeste mensen, zelfs de schone, en ook al ben je niet zo groot en dreun je niet zo lawaaiig rond en neem je niet zoveel ruimte in beslag als mensen.

Stoute hond, zegt de vrouw, en dat kwetst hem, want hij vindt de vrouw, de jongen aardig, doet dit voor hen, onderzoekt dat slechte politieman-wolveding met zijn vreemde geur.

Stoute hond. Niet waar. Brave hond. Braaf.

Vrouw in het wit, komt uit een deur, kijkt verrast, ruikt verrast, probeert hem tegen te houden. Een snelle grauw. Ze springt terug. Mensen maak je makkelijk bang, hou je makkelijk voor de gek.

De lange smalle plaats komt een andere lange smalle plaats tegen. Meer deuren, meer geuren, ammoniak en zwavel en nog meer soorten zieke geuren, meer soorten pis. Mensen wonen hier maar pissen hier ook. Wat raar. Interessant. Honden pissen niet waar ze wonen.

Vrouw in de smalle plaats, draagt iets, kijkt verrast, ruikt verrast, zegt: *O, wat een schatje.*

Even naar haar kwispelstaarten. Waarom niet? Maar wel blijven rennen.

Die geur. Vreemd. Haatdragend. Sterk, steeds sterker.

Een open deur, zacht licht, een ruimte met een zieke vrouw in een bed. Plotseling op zijn hoede gaat hij naar binnen en kijkt links en rechts, want deze plaats stinkt naar die vreemde geur, dat slechte ding, de vloer, de muren en vooral een stoel, waar het slechte ding heeft gezeten. Het is hier lange tijd geweest, meer dan één keer, heleboel keren.

De vrouw vraagt: *Wie is daar?*

Ze stinkt. Zwak, zuur zweet. Ziek, maar meer dan dat. Droefheid. Diep, laag, verschrikkelijk ongelukkig. En angst. Dat vooral. De scherpe geur van vrees, die naar bliksem en ijzer ruikt.

Wie is daar? Wie?

Rennende voeten in de lange smalle plaats buiten, mensen die komen.

Angst zo sterk dat de vreemd-slechte geur bijna wordt uitgewist door angst, angst, angst, angst.

Angelina? Ben jij dat, Angelina?

Die slechte geur, de geur van het ding, hangt overal rond het bed en op het bed. Het ding stond hier met de vrouw te praten, nog niet lang geleden, vandaag, raakte haar aan, raakte de witte doek aan die over haar heen ligt, zijn walgelijke achterblijfsel hangt er nog, daarboven op het bed, veelgeurig en overrijp daarboven in het bed met de vrouw, en interessant, o zo interessant.

Hij rent terug naar de deur, draait zich om, rent naar het bed, springt, zweeft, komt met één poot tegen het hek terecht maar neemt voor de rest alle obstakels, erbovenop bij de zieke en in angst gedrenkte vrouw, hop.

Een vrouw gilde.

Janet was nooit bang geweest dat Woofer iemand beet. Hij was een zachtaardige en vriendelijke hond en leek niet in staat een vlieg kwaad te doen, behalve misschien het ding dat hen eerder die dag in de steeg had staande gehouden.

Maar toen Janet achter Angelina de zacht verlichte ziekenhuiskamer inrende en de hond op het bed van de patiënt zag, dacht ze even dat hij de vrouw aanviel. Ze trok Danny tegen zich aan om hem die woeste aanblik te besparen, maar besefte toen dat Woofer alleen maar over de patiënt heen stond en haar besnuffelde, kràchtig besnuffelde, maar niets ergers.

'Nee,' gilde de invalide, 'nee, nee,' alsof ze niet was besprongen door een gewone hond, maar door iets uit de diepste hellekrochten.

Janet schaamde zich voor alle onrust, voelde zich verantwoordelijk en was bang voor de gevolgen. Ze betwijfelde of zij en Danny in de keuken van het Pacific View nog langer welkom waren voor een maaltijd.

De vrouw in het bed was mager, niet mager: uitgeteerd en verschrikkelijk bleek. In het lamplicht leek ze zacht te stralen als een spook. Ze had glansloos grijs haar. Ze leek stokoud, een verschrompelde heks, maar iets ondefinieerbaars gaf Janet de indruk dat ze veel jonger kon zijn dan ze leek.

Ze was kennelijk zwak, maar vocht om halfovereind te komen uit haar kussens en de hond met haar rechterarm af te weren. Toen ze besefte dat Woofers achtervolgers er waren, wendde ze haar hoofd naar de deur. Haar uitgemergelde gezicht was misschien ooit mooi geweest, maar leek nu op dat van een lijk en in minstens één opzicht op iets uit een nachtmerrie.

Haar ogen.

Die had ze niet.

Janet huiverde onwillekeurig en was tòch blij dat ze Danny die aanblik had bespaard.

'Haal hem weg!' gilde de vrouw met een doodsangst die in geen relatie stond met enige dreiging van Woofer. 'Haal hem weg!'

In de grijze en paarse schaduwen leken de oogleden van de invalide op het eerste gezicht alleen maar gesloten. Maar toen meer direct lamplicht op haar gezicht viel, werd de gruwelijkheid van haar toestand duidelijk. Haar oogleden waren dichtgenaaid als die van een lijk. Het garen van de chirurg was ongetwijfeld al lang geleden opgelost, maar de bovenste en onderste oogleden waren vergroeid. Onder die huidoppervlakken was alle steun verdwenen. Ze zakten dus naar binnen, waardoor ondiepe holtes ontstonden.

Janet wist zeker dat de vrouw niet zonder ogen geboren was. Een verschrikkelijke ervaring, niet de natuur, had haar van haar gezichtsvermogen beroofd. Hoe ernstig waren haar verwondingen geweest, dat de artsen het onmogelijk hadden gevonden om glazen ogen aan te brengen, niet eens om kosmetische redenen? Bij onheilspellende intuïtie wist Janet dat deze blinde en verschrompelde patiënt iets veel ergers had ontmoet dan Vince en iets veel kouders dan Janets eigen reptieleouders.

Terwijl Angelina en een mannelijke verpleeghulp het bed omsingelden, de blinde vrouw 'Jennifer' noemden en haar verzekerden dat alles goed kwam, sprong Woofer weer op de grond en misleidde hen met een nieuwe onverwachte beweging. In plaats van rechtstreeks naar de deur van de gang te rennen, schoot hij de aangrenzende badkamer in, die werd gedeeld met de kamer daarnaast, en haastte zich vandaaruit de gang in.

Met Danny's hand in de hare leidde deze keer Janet de jacht. Enerzijds voelde ze zich verantwoordelijk voor wat er gebeurde en was ze bang dat hun voorrecht om in het Pacific View te mogen eten, op het punt stond om voorgoed geschrapt te worden. Anderzijds verliet ze die beschaduwde, muffe kamer met zijn bleke, oogloze bewoner maar al te graag. Dit keer leidde de jacht de grote gang in en vandaaruit naar de hal bij de hoofdingang.

Janet kon zichzelf wel voor het hoofd slaan dat ze dat beest hadden opgenomen. Het ergste was nog niet eens de vernedering die deze streek hun bezorgde, maar alle aandacht die hij trok. Ze vreesde aandacht. Je klein maken, je kalm houden, in de hoeken en schaduwen van het leven blijven was de enige manier om te zorgen dat je minder gemarteld werd. Bovendien wilde ze dat de anderen zoveel mogelijk door haar heen keken, in ieder geval tot haar dode man nog een jaar of twee langer onder het zand van Arizona had gelegen.

Woofer was te snel voor hen, ook al hield hij zijn snuit tegen de grond en bleef hij de hele weg snuffelen.

De avondreceptioniste in de hal was een jonge vrouw van Latijnsamerikaanse afkomst. Ze droeg een wit uniform en had een paardestaart, die met een rood lint vastzat. Ze was opgestaan van haar bureau om te kijken waar dat aanstormende tumult vandaan kwam, overzag de situatie en kwam snel in actie. Ze liep naar de voordeur toen Woofer de hal inrende, deed hem open en liet hem langs haar heen de straat op schieten.

Buiten stond Janet bij de onderste tree van de trap hijgend stil. Het verpleeghuis stond ten oosten van de snelweg langs de kust op een hellende straat, die was afgezet met Indiaanse laurier en flessehalsbomen. De kwik-lampen van de straatlantaarns verspreidden een blauwig licht. Als de ver-anderlijke bries de takken schudde, was de straat bezaaid met de rukkerige schaduwen van bladeren.

Gevlekt door het blauwe licht liep Woofer tien meter voor hen uit. Voortdurend besnuffelde hij het trottoir, de struiken, de boomstammen en de stoeprand. Hij onderzocht vooral de lucht en volgde kennelijk een ongrijpbaar spoor. Talloze rode, gekartelde bloesems van flessehalsbomen waren door de regen afgevallen en lagen overal verspreid over het plaveisel, als een kolonie mutante zeeanemonen, aangespoeld door een apocalyptisch tij. Toen de hond ze besnuffelde, moest hij niezen. Hij begon aarzelend en onzeker te lopen, maar ging nog steeds pal zuid-waarts.

'Woofer!' riep Danny.

Het beest draaide zich om en keek hen aan.

'Kom terug!' smeekte Danny.

Woofer aarzelde. Toen draaide hij zijn kop met een ruk weer om, hapte naar de lucht en bleef het fantoom dat hij kennelijk achternazat, volgen.

Vechtend tegen zijn tranen zei Danny: 'Ik dacht dat hij van me hield.'

Door de woorden van de jongen kreeg Janet spijt van de stille vervloekin-gen waarmee ze de hond tijdens de jacht had overladen. Zij riep hem nu ook.

'Hij komt heus weer terug,' verzekerde ze Danny.

'Nietwaar.'

'Misschien niet nu meteen, maar morgen of overmorgen komt hij heus weer thuis.'

De stem van de jongen trilde van verdriet over zijn verlies. 'Hoe kan-ie nou thuiskomen als we geen huis hebben waar-ie ons kan vinden?'

'We hebben de auto toch?' zei ze ongeloofwaardig.

Ze besefte scherper dan ooit dat een roestige oude Dodge een verschrikke-lijk ongeschikt soort huis was. Dat ze haar zoon niets beters te bieden had, maakte haar hart zó zwaar, dat het pijn deed. Ze werd geplaagd door angst, woede, frustratie en een wanhoop zó hevig, dat ze er misselijk van werd.

'Honden hebben betere zintuigen dan wij,' zei ze. 'Hij spoort ons op. Hij spoort ons heus op.'

Zwarte boomschaduwen roerden zich op het plaveisel: een visioen van de dode herfstbladeren die nog komen gingen.

De hond bereikte het einde van het blok, ging de hoek om en verdween uit het zicht.

'Hij spoort ons op,' zei ze, maar geloofde het zelf niet.

Stinkkevers. Natte boombast. De kalklucht van nat beton. Gebraden kip in een mensenplaats vlakbij. Geraniums, jasmijn, dode bladeren. De schimmelzure lucht van aardwormen, die gangen graven in de doorweekte grond van bloembedden. Interessant.

De meeste geuren zijn nu na-de-regen geuren, want de regen maakt de wereld schoon en laat zijn eigen luchtje achter. Maar zelfs de hardste regen kan niet àlle oude geuren wegwassen, lagen en lagen van geuren, dagen en weken van geuren, afgescheiden door vogels en wantsen, honden en planten, hagedissen en mensen en wormen en katten...

Hij vangt een vleug kattevacht op en blijft stokstijf staan. Bij dat spoor klemt hij zijn tanden op elkaar en gaan zijn neusvleugels wijd open. Hij spant zijn spieren.

Raar eigenlijk, die katten. Eigenlijk heeft hij geen hekel aan ze, maar ze opjagen is zo heerlijk onweerstaanbaar. Niets leukers dan een kat op zijn best, behalve misschien een jongen die met een bal gooit en daarna iets lekkers om te eten.

Hij staat op het punt de kat achterna te gaan en hem op te sporen, maar dan brandt in zijn snuit een oude herinnering aan kattekrabben, aan hoe watervlug ze zijn, hoe ze je een veeg geven en dan tegen een loodrechte muur of boom oplopen waar jij ze niet achterna kunt, hoe je dan beneden naar ze zit te blaffen, terwijl je neus steekt en bloedt, je voelt je dom, en de kat likt zijn vacht en kijkt naar je en gaat dan liggen slapen, tot jij ten slotte ergens heen moet om op een oude stok te bijten of een paar hagedissen in tweeën te happen totdat je je weer beter voelt.

Uitlaatgassen van auto's. Natte krant. Oude schoen vol mensenvoetengeur.

Dode muis. Interessant. Dode muis die ligt te rotten in de goot. Ogen open. Tandjes bloot. Interessant. Grappig dat dode dingen zich niet bewegen. Tenzij ze al lang genoeg dood zijn. Dan bewegen ze volop, ook al doen ze dat niet zelf maar dingen in hen. Dode muis, stijve staart rechtop de lucht in. Interessant.

Politieman-wolveding.

Hij rukt zijn kop omhoog en zoekt het zwakke spoor. Dit ding heeft vooral een geur die anders is dan elk ander schepsel dat hij ooit heeft ontmoet, en dat maakt het interessant. Deels is het mensengeur, maar alleen deels. Het is ook een ding-dat-je-doodmaakt geur, iets wat je soms bij mensen ruikt en bij bepaalde vals-waanzinnige honden die groter zijn dan jij en bij prairiewolven en bij slangen die ratelen. Eigenlijk heeft dit een sterkere ding-dat-je-doodmaakt geur dan alles dat hij ooit is tegengekomen. Dat betekent dat hij voorzichtig moet zijn. Het heeft vooral zijn eigen geur: zoals en toch niet zoals de zee op een koude nacht; zoals en toch niet zoals een ijzeren hek op een hete dag; zoals en toch niet zoals de dode en rottende muis; zoals en toch niet zoals bliksem, donder, spinnen, bloed en donkere gaten in de grond die interessant zijn maar ook griezelig. Zijn zwakke spoor is maar één breekbaar draadje in een rijk tapijt van avondgeuren, maar hij volgt het.

Deel twee
Politiewerk en een hondeleven

Levend in moderne tijden
wordt de deugd beloond met lijden.
Naar je angstig al vermoedde,
wint het kwade, vlucht het goede.

Met je haar van zorgen grijs
sta je op maar heel dun ijs.
Doe je niets of ben je wijs
op zulk vliesdun, vliesdun ijs?

Durf je staan of je verplaatsen?
Durf je dansen, durf je schaatsen?
Angst voor scheuren in het ijs?
Voorzichtigheid tot elke prijs?

THE BOOK OF COUNTED SORROWS

Gejaagd door de storm
is chaos de norm.

THE BOOK OF COUNTED SORROWS

3

1

Ze namen de snelweg langs de kust, want een tankwagen met vloeibaar stikstof was omgeslagen op de kruising van de snelwegen naar Costa Mesa en San Diego en had die wegen in parkeerplaatsen veranderd. Harry zwiepte de Honda zigzaggend van rijbaan naar rijbaan, haastte zich door oranje stoplichten, negeerde ook de rode als er geen auto's uit de zijstraten kwamen en zijn rijstijl leek meer op die van Connie in een slecht humeur dan op de zijne.

Gestaag als een rondcirkelende gier overschaduwde de gedachte aan ondergang zijn hele denken. In Connies keuken had hij het vol zelfvertrouwen over Tiktaks kwetsbaarheid gehad. Maar hoe kwetsbaar was iemand die lachte om kogels en vuur?

Hij zei: 'Dank je, dat je niet bent zoals die mensen in van die films. Die zien enorme vleermuizen tegen een volle maan en slachtoffers waaruit al het bloed weg is, maar houden vol dat dat gewoon niet kan, omdat vampiers niet bestaan.'

'Of zoals de priester die het hoofd van een meisje driehonderdzestig graden ziet draaien en haar bed uit eigen kracht van de grond ziet komen maar weigert in een duivel te geloven en raadpleegt psychologieboeken om een diagnose te stellen.'

'Onder welke letter staat hij volgens jou in de gids?'

'Onder de e van Enge Klootzak.'

Ze kruisten een brug over een achterafgelegen deel van de haven van Newport. Lichten van huizen en boten glinsterden op het zwarte water.

'Grappig,' zei Harry. 'Je hele leven denk je dat mensen die aan dat soort dingen geloven, zo stom zijn als salamanders met een hersenkwaal en dan gebeurt er plotseling iets als dit en sta je onmiddellijk open voor alle mogelijke fantastische ideeën. In ons hart zijn we nog steeds primitieve maanaanbidders die wéten dat de wereld een stuk vreemder is dan we willen geloven.'

'Overigens heb ik jouw theorie, jouw psychopathische superman nog niet aanvaard.'

155

Hij keek haar aan. In het licht van het dashboard leek haar gezicht op dat van een godin uit de Griekse mythologie, uitgevoerd in hard brons met een groen patina. 'Wat dan wel?'

In plaats van zijn vraag te beantwoorden zei ze: 'Als je wilt rijden zoals ik, hou dan je ogen op de weg.'

Dat was verstandig advies en hij volgde het juist op tijd om te voorkomen dat er anderhalve ton Hondaschroot zou kleven tegen de achterkant van een voortsjokkende oude Mercedes, gereden door de oma van Methusalem en met een sticker op de bumper met de tekst: LICENSED TO KILL. Met gierende banden zwiepte hij de sedan voorbij. Toen ze passeerden, fronste de eerbiedwaardige oude dame achter het stuur en stak ze haar middelvinger omhoog.

'Zelfs oma's zijn geen oma's meer,' zei Connie.

'Als je mijn theorie niet aanvaardt, wat dan wel?' hield hij vol.

'Ik weet niet. Ik zeg alleen maar: als je gaat surfen op de chaos, moet je nooit denken dat je het patroon van alle stromen al hebt uitgedokterd, want op dat moment sleurt een grote golf je mee.'

Hij dacht daarover na en reed een tijdje zwijgend door.

Aan hun linkerhand gleden de hotels en kantorenflats voorbij alsof zíj bewogen in plaats van de auto en grote verlichte schepen waren die met geheimzinnige opdrachten door de nacht voeren. De gazons ervoor en de rijen palmen waren onnatuurlijk groen en te volmaakt om echt te zijn, net een toneeldecor van immense omvang. Het leek of de regen van vandaag vanuit een andere dimensie over Californië was gespoeld, de wereld in een bad van vreemdheid had gedompeld en een restant duistere magie had achtergelaten.

'Maar je vader en moeder?' vroeg Connie. 'Die vent zei dat hij eerst iedereen vernietigt die je dierbaar is en dáárna jou.'

'Ze wonen hier een paar honderd kilometer vandaan langs de kust. Buiten de gevarenzone.'

'We kennen zijn bereik niet.'

'Als hij zulke lange armen heeft, dan ìs hij God. Hoe dan ook: weet je nog dat ik zei dat die vent je misschien een helderziend etiket kan opplakken? Zoals boswachters met een elektronisch apparaat een identificatie aanbrengen op een hert of een beer om zijn trekgewoonten te bestuderen? Intuïtief weet ik dat ik gelijk heb. Dat betekent dat hij mijn vader en moeder onmogelijk kan vinden, tenzij ik hem naar hen toe leid. Misschien weet hij niet meer over mij dan ik hem heb laten zien sinds hij me vanmiddag zijn etiket heeft opgeplakt.'

'Je bent dus eerst naar mij toe gekomen…'

Omdat ik van je houd? vroeg hij zich af. Maar hij zei niets.

Hij was opgelucht toen bleek dat ze iets anders bedoelde.

'… omdat we Ordegard samen hebben neergelegd. En als die vent Ordegard beheerste, is hij bijna even razend op mij als op jou.'

'Ik moest je waarschuwen,' zei Harry. 'We zijn hier samen bij betrokken.'

Hij merkte dat ze hem met grote aandacht aankeek, maar ze zei niets. Hij deed of haar onderzoekende blik hem ontging.

Na een tijdje vroeg ze: 'Denk jij dat die Tiktak elke keer dat hij dat wil op ons kan afstemmen en ons kan horen en zien? Zoals nu?'

'Dat weet ik niet.'

'Hij kan niet alles weten zoals God,' zei Connie. 'We zijn dus misschien alleen maar een knipperlichtje op zijn mentale opsporingsbord en alleen zichtbaar of hoorbaar als we hèm zien en horen.'

'Misschien. Waarschijnlijk heb je gelijk. Wie weet?'

'Laten we maar hopen dat dat zo is. Want als hij ons altijd hoort en gadeslaat, hebben we minder kans dan een sneeuwbal in de hel om die hufter te pakken te krijgen. Zodra we in de buurt komen, knalt hij ons met evenveel gemak neer als hij je flat af liet branden.'

In de hoofdstraat van Corona del Mar en langs de donkere kust van Newport, waar op de heuvels langs de oceaan grond genivelleerd werd voor een nieuw complex woningen en enorme grondverzetmachines stonden als prehistorische monsters die staande sliepen, had Harry een kriebelend gevoel in zijn nek. Toen hij de kustsnelweg verliet en Laguna Beach inreed, werd het erger. Hij had het gevoel dat hij werd gadegeslagen als een muis door een sluipende kat.

Laguna was een kunstenaarskolonie en toeristenmekka. De stad had betere dagen gekend, maar was nog steeds befaamd om zijn schoonheid. Bespikkeld met gouden lichtjes en voorzien van een milde mantel van beplantingen helden dichte rijen heuvels van het oosten af naar de kusten van de Stille Oceaan even gracieus als een mooie vrouw die een trap naar de branding afloopt. Maar vanavond leek die dame niet zozeer mooi als wel gevaarlijk.

2

Het huis stond op een hoge rots boven zee. De westmuur van getint glas verschafte een indrukwekkend uitzicht op de hemel, het water en de donderende branding.

Als Bryan overdag wenste te slapen, werden elektrische rolluiken neergelaten om de zon buiten te houden. Maar nu was het avond, en terwijl Bryan sliep, onthulden de reusachtige ramen een zwarte hemel, een nog zwartere zee en lichtgevende brandingsgolven, die aan kwamen rollen als opmarcherende rijen spooksoldaten.

Als Bryan sliep, droomde hij altijd.

De dromen van de meeste mensen waren zwart-wit, maar de zijne in kleur. Het kleurenspectrum van zijn dromen was zelfs groter dan dat van het echte leven, een fabelachtige verscheidenheid aan tinten en nuances, die elk visioen betoverend complex maakte.

In zijn dromen waren kamers geen vage aanduidingen van plekken en landschappen, geen impressionistische vegen. Elke locatie in zijn slaap was levendig gedetailleerd zelfs op het pijnlijke af. Als hij van een bos droomde, was elk blad geaderd en afzonderlijk gevlekt en getint. Als het sneeuwde, was elke vlok uniek.

Hij was immers geen dromer als de anderen. Hij was een sluimerende god. Een schepper.

Die dinsdagavond waren Bryans dromen, zoals altijd, vervuld van dood en geweld. Zijn creativiteit kwam het best tot uiting in fantasierijke vormen van vernietiging.

Hij waarde door de straten van een fantasiestad, die meer op een doolhof leek dan enige stad in de echte wereld, een metropool van elkaar verdringende spitsen. Kinderen die naar hem opkeken, werden getroffen door een zó kwaadaardige vorm van pest, dat hun gezichtjes onmiddellijk in een massa druipende puisten veranderden; bloedende wonden spleten hun huid. Als hij sterke mannen aanraakte, vlogen ze in brand en smolten hun ogen in hun kassen. Jonge vrouwen werden voor zijn ogen oud, verwelkten en stierven binnen enkele seconden, geen voorwerp van verlangen meer, maar hoopjes afval vol wormen. Als Bryan glimlachte naar een winkelier die voor zijn kruidenierswinkel op een hoek stond, viel de man kronkelend van pijn op straat en kwamen uit zijn oren, neusgaten en mond zwermen kakkerlakken te voorschijn.

Voor Bryan was dat geen nachtmerrie. Hij genoot van zijn dromen en werd er altijd monter en opgewonden wakker van.

De straten van de stad vervaagden tot de talloze kamers van een oneindig groot bordeel, waar in elk weelderig ingericht vertrek een andere mooie vrouw wachtte om hem te behagen. Ze strekten zich naakt voor hem uit en smeekten om het voorrecht hem bevrediging te mogen schenken, maar hij sliep met geen van hen. In plaats daarvan slachtte hij elke vrouw op een andere, eindeloos vindingrijke en brute manier af, tot hij doorweekt was van hun bloed.

Hij stelde geen belang in seks. Macht was veel bevredigender dan seks ooit zijn kon, en verreweg de bevredigendste macht was de macht om te doden.

Hun kreten om genade verveelden nooit. Hun stemmen leken heel veel op het gepiep van de kleine dieren, die hem hadden leren vrezen toen hij nog een kind was en nog maar net begon te Worden. Hij was geboren om te heersen in zowel de droomwereld als de echte wereld, om de mensheid weer de nederigheid bij te brengen die verloren was gegaan.

Hij werd wakker.

Bryan lag lange, verrukkelijke minuten in een wirwar van zwarte lakens, even bleek op de gekreukte zijde als het lichtgevende schuim op de top van elke golf die op de kust onder zijn raam kapotsloeg. De euforie van zijn bloedige droom hield nog even aan en was oneindig veel heerlijker dan de roes na een orgasme.

Hij verlangde naar de dag dat hij de echte wereld even wreed kon bejegenen als de wereld in zijn dromen. Die krioelende menigten hadden straf verdiend. In hun egoïsme hadden ze overmoedig aangenomen dat de wereld was gemaakt voor hen, voor hun genot, en hadden de wereld onder de voet gelopen. Maar híj was het hoogtepunt van de schepping, niet zij. Ze moesten diep vernederd en uitgedund worden.

Maar hij was nog jong, beheerste nog niet al zijn macht, Werd nog steeds. Aan de reiniging van de aarde, die zijn lotsbestemming was, durfde hij nog niet te beginnen.

Hij stapte naakt uit bed. De ietwat koele lucht voelde prettig tegen zijn blote huid.

Afgezien van het gladde, ultramoderne, zwartgelakte bed met zijden lakens bevatte de grote kamer geen ander meubilair, behalve twee bijpassende zwarte nachtkastjes en zwarte marmeren lampen met zwarte kap-

pen. Geen stereoinstallatie, televisie of radio. Er was geen stoel om ontspannen in te lezen; in boeken stelde hij geen belang, want die bevatten
geen kennis die hij nodig had, noch vermaak dat het haalde bij wat hij
zichzelf kon verschaffen. Als hij de fantoomlichamen, waarmee hij de
buitenwereld doorkruiste, schiep en manipuleerde, lag hij het liefst in bed
naar het plafond te kijken.

Hij had geen klok. Die had hij ook niet nodig. Hij was zó fijn afgestemd
op de werking van het universum, dat hij altijd op de minuut en seconde
nauwkeurig wist hoe laat het was. Dat was een deel van zijn gave.

De hele wand tegenover het bed was van vloer tot plafond één spiegel.
Overal in huis had hij spiegels; hij hield van het beeld dat ze hem van
zichzelf toonden, het beeld van goddelijkheid in Wording in al zijn gratie,
schoonheid en macht.

Op de spiegels na waren alle muren zwart geschilderd. Ook het plafond
was zwart.

De zwartgelakte planken van een grote boekenkast bevatten tientallen hal-
veliterpotten vol formaldehyde. Daarin dreven paren ogen, die Bryan zelfs
in de diepe schemering kon zien. Soms waren het ogen van menselijke
wezens: mannen, vrouwen en kinderen die hij geoordeeld had; diverse tinten blauw, bruin, zwart, grijs, groen. Andere waren de ogen van dieren, op
wie hij jaren geleden voor het eerst zijn macht had beproefd: muizen,
woestijnratten, hagedissen, slangen, schildpadden, katten, honden, vogels,
eekhoorns, konijnen; sommige waren zelfs in de dood nog lichtgevend en
gloeiden bleekrood of geel of groen.

Votiefogen. Aangeboden door zijn onderdanen. Symbolen van hun erkenning van zijn macht, zijn superioriteit, zijn Wording. Op elk uur van de
dag en de nacht waren de ogen daar; ze erkenden, bewonderden, aanbaden
hem.

*Zie naar mij op en beef, zegt de Heer. Want ik ben genade, maar ook ben
ik toorn. Ik ben vergiffenis, maar ook ben ik wraak. En al wat u toe-
stroomt, komt uit mijn handen.*

3

Ondanks de zoemende ventilatoren rook de ruimte naar bloed, gal, darm-
gassen en een scherp riekend desinfectiemiddel dat Connie met haar ogen
deed knipperen.

Harry besproeide zijn linkerhand met een beetje mondspray. Hij hield zijn bevochtigde handpalm over zijn neus, zodat de muntgeur in ieder geval een deel van de stank van de dood tegenhield.

Hij bood Connie de spray. Ze aarzelde en pakte hem aan.

De dode vrouw lag naakt en starend op de schuine tafel van roestvrij staal. De lijkschouwer had een lange, Y-vormige insnede in haar onderbuik gemaakt en de meeste van haar organen waren met zorg verwijderd.

Ze was een van Ordegards slachtoffers in het restaurant en heette Laura Kincade. Dertig jaar. Toen ze die ochtend uit bed stapte, was ze nog een knappe vrouw. Nu was ze een griezelfiguur uit een spookhuis op de kermis.

De tl-buizen gaven haar ogen een melkachtige glans, die tweelingbeelden van de microfoon boven haar hoofd en de gesegmenteerde, buigzame metalen ophangkabel weerspiegelden. Haar lippen stonden open, alsof ze op het punt stond om te gaan zitten, iets in de microfoon te zeggen en een paar opmerkingen bij te dragen aan het officiële verslag van haar autopsie.

De lijkschouwer en zijn twee assistenten waren nog laat aan het werk. Ze waren bijna klaar met het laatste van de drie onderzoeken naar Ordegard en zijn twee slachtoffers. De mannen zagen er lichamelijk en geestelijk uitgeput uit.

In alle jaren dat Connie bij de politie zat, had ze nog nooit een van die patholoog-anatomen ontmoet die in films en op de televisie zo vaak te zien waren: mannen die lijken opensnijden terwijl ze ruwe grappen maken en pizza eten, onberoerd door de tragedies van anderen. Integendeel. Dit was weliswaar een vak waar beroepsmatige afstandelijkheid noodzakelijk was, maar het geregelde intieme contact met de slachtoffers van geweldmisdrijven eiste altijd op een of andere manier zijn tol.

Teel Bonner, die het medisch onderzoek leidde, was vijftig maar zag er ouder uit. In het harde tl-licht was zijn gezicht eerder vaalgeel dan gebruind, en de wallen onder zijn ogen waren groot genoeg voor de verdediging van een middeleeuwse stad.

Bonner hield even op met snijden om te vertellen, dat de band van Ordegards autopsie al was uitgetikt door een typiste. Het afschrift lag in een map op zijn bureau in het glazen kantoor naast de snijkamer. 'Ik heb nog geen samenvatting geschreven, maar alle feiten staan erin.'

Connie was opgelucht dat ze de deur van het kantoor achter zich dicht kon doen. De kleine ruimte had een eigen ventilator en het rook er betrekkelijk fris.

De bruine stoelbekleding van vinyl was gescheurd, geplooid en gevlekt van ouderdom; het gebruikelijke metalen bureau zat vol krassen en moeten.

Dit was geen lijkenhuis in een grote stad met verscheidene snijkamers en een professioneel ingericht kantoor voor ontvangsten met verslaggevers en politici. In kleinere steden had een gewelddadige dood meestal minder glamour dan in grote metropolen.

Harry ging zitten en las het afschrift van de autopsieband, terwijl Connie bij de glazen wand ging staan en de drie mannen bekeek, die in de andere kamer rond het lijk stonden.

De oorzaak van James Ordegards dood waren drie kogelwonden in zijn borstkas wat Connie en Harry al wisten, omdat die drie kogels afkomstig waren uit Harry's revolver. Als gevolg van de kogels was de linkerlong doorboord en ingeklapt, was de dikke darm ernstig beschadigd, waren bloedvaten van de dunne en de kronkeldarm geschramd, was het nierbloedvat volledig doorgesneden, waren de maag en de lever diep ingescheurd door stukken bot en kogel, en was een scheur in het hart ontstaan, groot genoeg om onmiddellijke hartstilstand te veroorzaken.

'Rare dingen gevonden?' vroeg ze met haar rug naar hem toe.

'Zoals?'

'Zoals? Dat moet je míj niet vragen. Jij bent degene die denkt dat bezetenheid sporen achterlaat.'

De drie pathologen, die in de snijkamer met Laura Kincade bezig waren, leken griezelig veel op artsen die vochten om het leven van een patiënt te bewaren. Het enige dat déze mannen konden bewaren, was een verslag van hoe precies één kogel één kwetsbaar menselijk lichaam dodelijk had beschadigd, het hóe van Laura's dood. Op de belangrijkere vraag naar het waaròm hadden ze nog geen begin van een antwoord. Zelfs James Ordegard met zijn verknipte motieven kon het waarom niet verklaren. Die verklaring was de taak van priesters en wijsgeren, die elke dag hulpeloos in het duister tastten.

'Ze hebben een deel van het schedeldak verwijderd,' zei Harry vanaf de krakende lijkschouwersstoel.

'En?'

'Aan het oppervlak waren geen bloeduitstortingen zichtbaar. Geen ongewone hoeveelheid hersen- en ruggemergvocht, geen aanwijzingen voor overmatige druk.'

'Hebben ze ook een insnede in de hersenen uitgevoerd?' vroeg ze.

'Ongetwijfeld.' Hij bladerde de pagina's van het afschrift door. 'Ja, hier.'

'Hersentumor? Abces? Beschadigingen?'

Hij zweeg even en bestudeerde het verslag. Toen: 'Nee, niets van dien aard.'

'Bloedingen?'

'Niet vermeld.'

'Bloedvatverstoppingen?'

'Niet aangetroffen.'

'Pijnappelklier?'

De pijnappelklier kon soms van zijn plaats raken en onder druk komen van omringende hersenweefsels, hetgeen tot uitzonderlijk levendige hallucinaties en soms paranoia en gewelddadig gedrag leidde. Maar bij Ordegard was dat niet het geval.

Terwijl Connie van een afstand de autopsie bekeek, dacht ze aan haar zusje Colleen, die al vijf jaar dood was, overleden in het kraambed. Volgens haar was Colleens dood niet zinvoller dan die van Laura Kincade, die per ongeluk in het verkeerde restaurant was gaan lunchen.

Aan de andere kant: geen enkele dood was zinvol. Waanzin en chaos waren de motoren van het universum. Alles werd alleen maar geboren om te sterven. Waar schuilden de logica en redelijkheid daarvan?

'Niks,' zei Harry, en liet het verslag weer op het bureau vallen. De veren van de stoel piepten en *tjengden* toen hij opstond. 'Geen onverklaarde merktekenen op het lijk, geen bijzondere lichamelijke toestanden. Als Ordegard bezeten was door Tiktak, dan is daar in het lijk geen spoor van te vinden.'

Connie draaide zich om van de glaswand. 'En wat nu?'

Teel Bonner trok de la van de lijkenkast open.

Daar lag het naakte lichaam van James Ordegard in. Zijn witte huid had hier en daar een blauwige tint. Ze hadden zwart garen gebruikt om de vele incisies van de autopsie dicht te naaien.

Het vollemaansgezicht. Lijkstijfheid had zijn lippen tot een scheve glimlach vertrokken. In ieder geval waren zijn ogen dicht.

'Wat wilde je eigenlijk zien?' vroeg Bonner.

'Of hij hier nog steeds was,' zei Harry.

De lijkschouwer keek Connie aan. 'Waar anders?'

4

De vloer van de slaapkamer bestond uit zwarte tegels. Net als op kabbelend water glinsterde hier en daar de zwakke weerschijn van het omringende licht, afkomstig van de nacht voorbij het raam. Ze waren koel onder Bryans voeten.

Terwijl hij naar de glazen wand liep, die uitkeek op de oceaan, was in de spiegels zwart op zwart te zien, en zijn naakte gestalte dreef als een geest van rook door de gelaagde schaduwen.

Hij stond bij het raam naar de zwarte zee en de teerkleurige lucht te staren het gladde ebbezwart van het uitzicht alleen onderbroken door de toppen van krullende golven en door rijpachtige plekken op de buik van de wolken. Die rijp weerspiegelde de lichten van Laguna Beach achter hem; zijn huis bevond zich op een van de meest westelijke punten van de stad.

Het uitzicht was volmaakt sereen, omdat het menselijke element ontbrak. Geen man of vrouw of kind, geen bouwsel of machine of kunstvoorwerp drong erin door. Zo rustig, donker. Zo schoon.

Hij hunkerde ernaar de mensheid en al haar werken van grote delen van de aarde te vagen en de menselijke bewoning te beperken tot zorgvuldig gekozen reservaten. Maar hij beheerste zijn macht nog niet volledig, was nog steeds in Wording.

Van de lucht en de zee liet hij zijn blik naar het bleke strand aan de voet van de rots dalen.

Hij leunde met zijn voorhoofd tegen het glas en stelde zich leven voor en door het zich voor te stellen, schiep hij het. Op het zandtapijt vlak boven de vloedlijn ontstond beweging. Het zand rees en vormde een kegel zo groot als een man en wèrd toen een man. De zwerver. Het gezicht vol littekens. Reptieleogen.

Zo iemand had nooit bestaan. De zwerver was zuiver een produkt van Bryans verbeeldingskracht. Met dit en andere hulpmiddelen kon Bryan zich door de wereld begeven zonder zich bloot te stellen aan de gevaren ervan.

Zijn fantoomlichamen konden worden beschoten en verbrand en verpletterd zonder hemzelf te deren, maar zijn eigen lichaam was afschuwelijk kwetsbaar. Als hij zich sneed, bloedde hij. Als iemand hem sloeg, kreeg hij blauwe plekken. Zodra hij Geworden was, zouden – nam hij aan – onkwetsbaarheid en onsterfelijkheid, als symbool van zijn Opklimming tot goddelijkheid, de laatste gaven zijn die hem geschonken werden, en des te vuriger verlangde hij naar voltooiing van zijn opdracht.

Hij liet slechts een deel van zijn bewustzijn in zijn echte lichaam achter en verhuisde naar de zwerver op het nachtelijke strand. Van binnenuit die enorme gedaante tuurde hij omhoog naar zijn huis op de rots. Hij zag zijn eigen naakte lichaam bij het raam omlaag staren.

In de joodse folklore bestond een schepsel dat een golem heette. Een golem bestond uit aarde in de vorm van een man, was op een bepaalde manier levend en was heel vaak een instrument van wraak.

Bryan kon een oneindige verscheidenheid aan golems scheppen en via hen zijn prooi opjagen, de kudde uitdunnen, de wereld uitmesten. Maar de lichamen van echte mensen betreden en hun geest beheersen kon hij niet, hoe graag hij dat ook gewild had. Misschien zou hij ook die macht bezitten, als hij ten slotte Geworden was.

Hij trok zijn bewustzijn uit de golem op het strand terug en door er vanuit zijn hoge raam naar te kijken zorgde hij voor een vormverandering. De golem werd drie keer zo groot, kreeg de vorm van een reptiel en ontwikkelde immense vliesvleugels.

Soms ontsnapte een effect aan wat hij bedoelde. Dan kreeg het een eigen leven en verzette zich tegen zijn pogingen tot beheersing. Daarom oefende hij altijd, verfijnde hij zijn techniek en oefende hij zijn macht uit om die te versterken.

Geïnspireerd door de film *Alien* had hij ooit een golem geschapen waarmee hij tekeer wilde gaan in een kampement van tien dakloze zwervers onder een viaduct van de snelweg naar Los Angeles. Hij had twee van hen bliksemsnel af willen slachten en de anderen achterlaten met de herinnering aan zijn macht en meedogenloze berechting. Maar hun doodsangst bij de onverklaarbare verschijning van dat filmmonster wond hem op. Hij huiverde verrukt bij het gevoel van zijn klauwen die door hun vlees reten, de hitte van spuitend bloed, hun stinkende, stomende, stromende ontlasting, het gekraak van botten zo breekbaar als krijtjes in zijn monsterachtige handen. Het gegil van de stervenden was eerst doordringend schril geweest, maar werd toen zwak, trillend, erotisch; ze stonden hun leven aan hem af zoals minnaars zich konden overleveren, zo uitgeput door hun intense hartstocht dat ze slechts zuchtend, fluisterend en huiverend bezweken. Een paar minuten wàs hij het wezen dat hij geschapen had, een en al vlijmscherpe tanden en klauwen, gepunte ruggegraat en zwiepstaart, en was hij zijn echte lichaam vergeten waarin nog steeds zijn geest verbleef. Toen hij weer bij zinnen kwam, ontdekte hij dat hij alle tien de mannen onder het viaduct had gedood en in een slachthuis stond van bloed, rompen zonder ingewanden en afgerukte hoofden en ledematen.

Hij was niet geschokt door of geschrokken van de mate van geweld die hij gebruikt had alleen van het feit dat hij hen in onbeheersbare razernij allemaal gedood had. Zich leren beheersen was van het allergrootste belang als hij zijn opdracht wilde vervullen en wilde Worden.

Hij had zijn vermogen tot pyrokinese gebruikt om de lijken in brand te steken en schroeide hen met vlammen zó heet, dat zelfs de botten in rook opgingen. Hij liet degenen op wie hij oefende, altijd verdwijnen, want hij wilde de gewone mensen niet laten weten dat hij onder hen was, in ieder geval niet tot hij zijn macht vervolmaakt had en zijn kwetsbaarheid niet meer bestond.

Om die reden richtte hij zijn aandacht voorlopig vooral op straatzwervers. Als die rapporteerden dat ze werden geteisterd door een demon die willekeurig van vorm veranderde, zouden hun klachten worden afgedaan als de waanvoorstellingen van geestelijk gestoorde verschoppelingen die aan drugs en alcohol waren verslaafd. En als zij van het aangezicht van de aarde verdwenen, interesseerde dat niemand, en niemand probeerde te ontdekken wat er met hen gebeurd was. Maar de dag waarop hij mensen uit alle lagen van de samenleving in heilige doodsangst ging richten, kwam snel naderbij.

Dus oefende hij.

Als een goochelaar die zijn vingervlugheid vergroot.

Beheersing. Beheersing.

Op het strand vloog het gevleugelde reptiel weg van het zand waaruit hij geboren was. Hij schoot flapperend door de nacht als een spijbelende gargouille die terugkeert naar de balustrade van een kathedraal. Voor zijn raam bleef hij even hangen en tuurde met lichtgevend gele ogen naar binnen.

De pterodactylus was weliswaar een hersenloos ding totdat hij er een deel van zichzelf in projecteerde, maar niettemin een indrukwekkende creatie. Zijn immense leerachtige vleugels waaierden soepel door de lucht en in de opwaartse luchtstromen rond de rots bleef hij gemakkelijk zweven.

Bryan was zich bewust van de ogen in de potten achter hem. Ze staarden. Sloegen hem gade, waren verbaasd, bewonderden hem, aanbaden hem.

'Keer terug,' zei hij tegen de pterodactylus, en veroorloofde zich terwille van zijn publiek een dramatische toon.

Het gevleugelde reptiel veranderde weer in zand en regende neer op het strand beneden.

Genoeg gespeeld. Hij had werk te doen.

5

Harry's Honda stond dicht bij het gemeentegebouw onder een straatlantaarn geparkeerd.

Vroege lentemotten, die na de regen te voorschijn waren gekomen, beschreven dichte cirkels rond het licht. Hun enorme, misvormde schaduwen speelden over de auto.

Toen zij en Harry over het trottoir naar de Honda liepen, vroeg Connie: 'Zelfde vraag: wat nu?'

'Ik wil Ordegards huis in en een beetje rondkijken.'

'Waarom?'

'Geen idee. Maar het is het enige andere wat ik kan bedenken. Tenzij jij een idee hebt.'

'Ik wou dat ik iets wist.'

Toen ze in de buurt van de auto kwamen, zag ze iets rechthoekigs aan de achteruitkijkspiegel bengelen; het glom zacht voorbij de mottenschaduwen, die over de voorruit zwermden. Voorzover zij zich herinnerde, had er aan die spiegel geen luchtverfrisser of wat voor versiering dan ook gehangen.

Zij stapte als eerste de auto in en kon er eerder dan Harry een aandachtige blik op werpen. Het bengelde met een rood lint aan de spiegelpoot. Aanvankelijk besefte ze niet wat het was. Ze pakte het vast, draaide het zodat er meer licht op viel en zag toen dat het een handgemaakte gesp was, versierd met motieven uit het zuidwesten.

Harry ging achter het stuur zitten, sloeg de deur dicht en zag wat ze in haar hand had.

'O Jezus,' zei Harry. 'O Jezus. Ricky Estefan.'

6

De meeste rozen hadden het in de regen zwaar te verduren gehad, maar een paar bloemen hadden het noodweer ongeschonden doorstaan. In de nachtbries zwaaiden ze zachtjes heen en weer. De bloemblaadjes vingen het licht op dat uit de keukenramen viel en leken het te versterken; ze gloeiden alsof ze radioactief waren.

Ricky zat aan zijn keukentafel. Hij had zijn gereedschap en werk weggehaald. Hij was al een uur klaar met eten en had al die tijd port zitten nippen. Hij wilde in een roes zien te raken.

Voordat hij werd neergeschoten, had hij nooit veel gedronken, maar àls hij iets dronk, was het altijd tequila of bier. Iets verfijnders dan een glas Sauza of een fles Tecate dronk hij nooit. Maar na de buikoperaties die hij had gehad, kreeg hij van één glaasje Sauza of welke sterke drank dan ook al maagzuur en een hevige pijn in zijn hart, die het grootste deel van de dag aanhielden. Hetzelfde gold voor bier.

Hij merkte dat hij likeur goed verdroeg, maar dronken worden van Bailey's Irish Cream of crème de menthe of Midori vereiste de inname van zóveel suiker, dat zijn tanden allang wegrotten voordat zijn lever beschadigd werd. Gewone wijn beviel hem evenmin, maar port bleek precies wat hij nodig had: zoet genoeg om zijn tere ingewanden te ontzien, maar niet zo zoet dat hij er suikerziek van werd.

Goede port was zijn enige uitspatting. Dat wil zeggen: goede port en af en toe een beetje zelfmedelijden.

Naar de knikkende rozen in het donker kijkend, bracht hij het brandpunt van zijn blik soms wat dichterbij en staarde hij naar zijn weerspiegeling in het raam. Dat was geen volmaakte spiegel. Het toonde een kleurloos, doorzichtig gelaat als van een rondwarend spook; maar misschien was die weerspiegeling uiteindelijk wel degelijk accuraat, want hij was nog maar een zwakke weerschijn van zijn vroegere ik en in sommige opzichten al dood.

Een fles Taylor's stond op tafel. Hij schonk zijn portglas bij en nam een slokje.

Soms, zoals nu bijvoorbeeld, was het moeilijk te geloven dat het gezicht in het raam echt het zijne was. Voordat hij was neergeschoten, was hij een gelukkig mens geweest, zelden geneigd tot broedend zelfonderzoek, nooit een piekeraar. Zelfs tijdens zijn herstel en revalidatie had hij zijn gevoel voor humor bewaard, een optimisme over de toekomst dat geen hoeveelheid pijn kon verduisteren.

Pas toen Anita weg was, was zijn gezicht het gezicht in het raam geworden. Het was al meer dan twee jaar geleden, maar nog steeds kon hij moeilijk geloven dat ze weg was of bedenken wat hij aan moest met zijn eenzaamheid, die hem met grotere doeltreffendheid vernietigde dan kogels hadden gekund.

Ricky hief zijn glas en merkte dat er iets mis was zodra hij het naar zijn mond bracht. Misschien had hij onbewust het ontbreken van een portgeur opgemerkt of de zwakke, smerige lucht van wat ervoor in de plaats was gekomen. Hij stopte op het moment dat hij het glas schuin naar zijn lippen wilde brengen en zag wat erin zat: twee of drie vette, vochtige, verstrengelde aardwormen, levend en zwoel rond elkaar kronkelend.

Hij schreeuwde van schrik en liet het glas uit zijn vingers glippen. Omdat het van maar een paar centimeter hoogte op tafel viel, bleef het heel. Maar toen het omviel, glibberden de wormen het glanzende vurehout op.

Ricky duwde zijn stoel naar achteren, knipperde verwoed met zijn ogen…
… en de wormen waren weg.

Op de tafel blonk gemorste wijn.

Hij kwam half van zijn stoel overeind en staarde met zijn handen op de leuningen ongelovig naar het plasje robijnrode port.

Hij wist zeker dat hij wormen had gezien. Hij was zich geen dingen aan het verbeelden. Was niet dronken. Verdomme, hij vóelde die port nog niet eens.

Hij liet zich weer op zijn stoel zakken en sloot zijn ogen. Wachtte één, twee seconden. Keek toen weer. Op tafel glom nog steeds wijn.

Aarzelend raakte hij het plasje met zijn wijsvinger aan. Het was vochtig, echt. Hij wreef met zijn vinger over zijn duim en verspreidde de wijndruppel over zijn huid.

Hij controleerde de fles Taylor's om na te gaan of hij niet meer had gedronken dan hij dacht. Het was een donkere fles en hij moest hem dus tegen het licht houden om te zien hoeveel er nog in zat. Het was een nieuwe literfles en de port stond tot vlak onder de hals. Hij had niet meer dan die twee glazen uitgeschonken.

Evenzeer van streek door wat er gebeurd was als door zijn onvermogen om dat te verklaren, liep Ricky naar de gootsteen, deed het kastje eronder open en pakte de vochtige theedoek van de stang achter het deurtje. Weer terug bij de tafel veegde hij de gemorste wijn op.

Zijn handen beefden.

Hij was kwaad op zichzelf omdat hij zo bang was, ook al was de oorzaak van zijn angst begrijpelijk. Hij was bang dat hij had gehad wat artsen een t.i.a. noemen: een lichte beroerte, waarvan de opflikkerende hallucinatie van aardwormen het enige teken was geweest. Tijdens zijn lange verblijf in het ziekenhuis was hij banger geweest voor een beroerte dan voor wat dan ook.

Het ontstaan van bloedstolsels in de benen en rond de hechtingen van gerepareerde aderen en bloedvaten was een bijzonder gevaarlijk potentieel neveneffect van een buikchirurgie in de omvang die hij ondergaan had, en van de langdurige bedrust daarna. Als er een losraakte en in het hart terechtkwam, kon plotselinge dood het gevolg zijn. Als het in plaats daarvan in de hersenen kwam en daar de bloedsomloop blokkeerde, kon dat tot gehele of gedeeltelijke verlamming, blindheid, spraakverlies en een angstaanjagende afbraak van geestelijke vermogens leiden. Zijn artsen hadden hem medicijnen gegeven om propvorming te voorkomen en de verpleegsters hadden een programma van passieve oefeningen met hem afgewerkt, zelfs toen hij nog plat op zijn rug in bed moest liggen. Tijdens zijn langdurige herstel was er geen dag geweest dat hij zich geen zorgen maakte over de mogelijkheid dat hij plotseling verlamd was of niet meer kon praten, of niet meer wist waar hij was of hoe hij heette, of zijn vrouw niet meer herkende.

Het was in ieder geval geruststellend geweest om te weten dat Anita voor hem zorgde, wat er ook gebeurde. Nu had hij niemand meer. Van nu af aan moest hij tegenslagen zelf het hoofd bieden. Als hij niet meer kon praten en gehandicapt raakte door een beroerte, was hij aan de genade van vreemden overgeleverd.

Zijn vrees was begrijpelijk, maar besefte hij tot op zekere hoogte ook irrationeel. Hij was genezen. Hij had zijn littekens, natuurlijk. Wat hij had doorgemaakt, had zijn lichaam blijvend beschadigd. Maar hij was niet zieker dan de gemiddelde man op straat en waarschijnlijk gezonder dan velen van hen. Zijn laatste operatie was meer dan twee jaar geleden. Zijn kans op een hersenembolie was nu niet groter dan gemiddeld voor een man van zijn leeftijd. Zesendertig. Zulke jonge mannen kregen maar zelden een ernstige beroerte. Statistisch had hij meer kans om te sterven aan een verkeersongeluk of een hartaanval, als slachtoffer van een geweldmisdrijf of misschien wel door blikseminslag.

Wat hij vreesde was niet zozeer verlamming, afasie, blindheid of andere lichamelijke kwalen. Wat hem werkelijk angst aanjoeg was het alleen zijn, en dat griezelige gedoe van die aardwormen had duidelijk gemaakt hoe alleen hij was als er iets ongelegens gebeurde.

Vastbesloten om zich niet door vrees te laten leiden, legde Ricky de met port bevlekte theedoek opzij en zette hij het omgevallen glas overeind. Hij zou gaan zitten, nog een glas nemen en de zaak overdenken. Met nadenken werd het antwoord duidelijk. Die wormen moesten een verklaring hebben. Misschien was het een speling van het licht, die herhaald kon worden door het glas precies zo te houden of precies zo te draaien, en daardoor de omstandigheden van de illusie nauwkeurig te herscheppen.

Hij pakte de fles Taylor's en hield hem schuin naar het glas. Ofschoon hij hem nog maar een paar minuten geleden tegen het licht had gehouden om te kijken hoeveel er nog inzat, verwachtte hij even dat de fles glibberige hoopjes wriemelende wormen ging uitbraken. Er stroomde slechts port uit.

Hij zette de fles neer en hief het glas. Terwijl hij het naar zijn lippen bracht, aarzelde hij, walgend bij de gedachte om uit een glas te drinken waarin aardwormen hadden gezeten en dat glad was van het koude slijm dat ze afscheidden.

Zijn hand trilde weer, zijn voorhoofd was plotseling nat van het zweet en hij was woedend op zichzelf omdat hij zich zo idioot aanstelde. De wijn klotste tegen de zijkanten van het glas en glinsterde als een vloeibaar juweel.

Hij bracht het naar zijn lippen en nam een teugje. Het smaakte zoet en zuiver. Hij nam nog een slokje. Verrukkelijk.

Onwillekeurig lachte hij zacht en beverig. 'Zak,' zei hij, en voelde zich beter omdat hij om zichzelf kon lachen.

Hij vond eigenlijk dat wat noten of zoute koekjes best lekker zouden zijn bij de port. Hij zette zijn glas neer en liep naar het keukenkastje, waar hij blikjes geroosterde amandelen, gemengde noten en pakjes Che-Cri Cheese Crispies bewaarde. Toen hij het deurtje opentrok, krioelde het daar van de tarantula's.

Sneller en wendbaarder dan hij in jaren geweest was, rende hij bij het open kastje vandaan. Met een klap kwam hij tegen het aanrecht achter hem terecht.

Zes of acht van die reusachtige spinnen kropen over blikjes Blue Diamond-amandelen en Planter's Party Mix en onderzochten de dozen Che-Cri. Ze waren nog groter dan tarantula's horen te zijn, groter dan halve meloenen, rusteloze bewoners van de ergste spinnenhatersnachtmerrie.

Ricky perste zijn ogen dicht. Deed ze weer open. De spinnen waren er nog steeds.

Boven het gebons van zijn eigen hart en zijn ondiepe, luidruchtige ademhaling hoorde hij inderdaad de harige poten van de tarantula's langs het cellofaan van de pakjes kaaskoekjes schuren. Het chitineuze *tik-tik-tik* van hun poten of kaken tegen de stapels blikjes. Laag, kwaadaardig gesis.

Maar toen besefte hij dat hij zich in de geluidsbron vergiste. De geluiden kwamen niet uit het open kastje aan de andere kant van de keuken, maar uit de kastjes recht boven en achter hem.

Hij keek over zijn schouder omhoog naar de vurehouten deurtjes, waarachter alleen borden en kommen, kopjes en schotels hadden moeten staan. Ze werden naar buiten gedrukt door een uitpuilende massa. Eerst kierden ze maar een halve centimeter, toen een hele. Voordat Ricky zich bewegen kon, vlogen de kastdeurtjes open. Een waterval van slangen stortte zich over zijn hoofd en schouders.

Schreeuwend probeerde hij weg te rennen. Hij gleed uit op het wriemelende slangentapijt en viel er middenin.

Slangen zo dun als zwepen, dikke en gespierde slangen, zwarte, groene, gele en bruine slangen, effen slangen en met strepen, roodogige en geelogige slangen, sommige met een kap als cobra's, waakzaam en grijnzend, flitsende tongen, sissend, sissend. Hij moest aan het dromen zijn. Aan het hallucineren. Een grote zwarte slang, minstens een meter twintig lang, viel aan en beet hem, o Jezus, in de rug van zijn linkerhand; hij liet zijn tanden diep in zijn vlees zinken, waaruit onmiddellijk bloed omhoog kwam, en nog steeds had het een droom of een nachtmerrie kunnen zijn, als de pijn er niet geweest was.

In een droom had hij nooit pijn gevoeld, en zeker geen pijn als deze. Hij voelde een scherpe steek in zijn linkerhand en toen schoot een nog scherper borende pijnscheut als een elektrische stroom door zijn pols en via zijn onderarm helemaal naar zijn elleboog.

Geen droom. Dit gebeurde. Hoe dan ook. Maar waar kwamen ze vandaan? *Waar vandaan?*

Er waren er zestig of tachtig en ze glibberden allemaal over hem heen. Weer een andere viel hem aan, zette zijn tanden in de mouw van zijn overhemd en beet in zijn linker onderarm, waardoor de pijn daarin verdriedubbeld werd. Een derde beet door zijn sok en harkte met zijn tanden langs zijn enkel omlaag.

Hij krabbelde overeind en de slang die in zijn arm had gebeten, liet zich vallen, net als de slang bij zijn enkel, maar de slang met zijn tanden in zijn linkerhand hield zich vast alsof hij aan hem was vastgeniet. Hij greep hem beet en probeerde hem los te rukken. De pijnscheut was zó hevig en witheet, dat hij bijna flauwviel, en nog steeds klampte de slang zich aan zijn bloedende hand vast.

Een wirwar van slangen siste en kronkelde om hem heen. Zo te zien en te horen waren er geen ratelslangen bij. Hij wist te weinig van slangen om de andere soorten te kunnen herkennen en wist ook niet welke giftig waren en of er giftige soorten bij waren, inclusief de slangen die hem al gebeten hadden. Maar giftig of niet, als hij niet snel in actie kwam, werd hij door nog meer slangen gebeten.

Hij greep een hakmes van een messenrek aan de muur. Toen hij zijn linkerarm met een klap op het dichtstbijzijnde aanrecht liet vallen, sloeg de hardnekkige zwarte slang met zijn volle lengte op het betegelde blad. Ricky hief het hakmes, liet het neerkomen en sloeg dwars door de slang heen. Het stalen lemmet weergalmde tegen het keramische aanrechtoppervlak.

De kwaadaardig uitziende kop hield zich nog steeds aan zijn hand vast. Er zaten nog maar een paar centimeter van zijn zwarte lijf aan vast, maar zijn glinsterende ogen leken hem levend gade te slaan. Ricky liet het hakmes vallen. Hij probeerde de bek van de slang open te wrikken en zijn lange, gebogen tanden uit zijn vlees te trekken. Woedend van pijn schreeuwde en vloekte hij en bleef wrikken, maar het was zinloos.

Door zijn geschreeuw werden de slangen op de grond onrustig.

Hij rende naar de doorgang tussen de keuken en de gang en schopte slangen opzij voordat ze zich konden krommen en hem aanvallen. Sommige waren al gekromd en sloegen toe, maar zijn zware, loszittende kaki broek hield hun beten tegen.

Hij was bang dat ze over zijn schoenen, door een omslag in een van zijn kaki broekspijpen omhoog zouden glibberen. Maar hij bereikte de gang ongedeerd.

De slangen waren achter hem en volgden hem niet. Twee tarantula's waren uit het kastje met hapjes in de nachtmerrie van slangen op de grond gevallen, en de slangen vochten om hen. Verwoed schoppende spinnepoten verdwenen onder rimpelende schubben.

Bonk!

Ricky schrok verrast op.

Bonk!

Tot dusver had hij geen verband gelegd tussen dit vreemde geluid, dat hem die avond al eerder had geplaagd, en de spinnen en slangen.

Bonk!

Bonk!

Iemand had een spelletje met hem gespeeld, maar dit was geen spelletje meer. Dit was dodelijke ernst. Even onmogelijk en fantastisch als wat er in een droom gebeurt, maar ernst.

Bonk!

Ricky kon niet vaststellen waar het geluid vandaan kwam, niet eens of het van boven of onder hem kwam. De echo's van elke klap trilden hol tegen de muren en ramen. Hij voelde dat er iets aankwam, iets ergers dan spinnen of slangen, iets dat hij niet wilde ontmoeten.

Hijgend en met de kop van de zwarte slang nog steeds aan zijn linkerhand bungelend draaide Ricky zich om van de keuken en keek hij naar de voordeur aan het einde van de gang.

Bij elke slag van zijn mokerende hart deed zijn tweemaal gebeten arm verschrikkelijk pijn. Afschuwelijk, goeie god, een snel kloppend hart verspreidde het gif sneller, als er tenminste gif was. Hij moest proberen te kalmeren, langzaam en diep ademhalen, lopen in plaats van rennen, naar het huis van een van de buren gaan, het alarmnummer bellen en zorgen voor snelle medische hulp.

BONK!

Hij had de telefoon in de slaapkamer kunnen gebruiken, maar daar wilde hij niet naar binnen. Hij vertrouwde zijn eigen huis niet meer. Dat was knots, inderdaad, krankzinnig, maar hij had het gevoel dat zijn huis tot leven was gekomen en zich tegen hem had gekeerd.

BONK, BONK, BONK!

Het huis schudde alsof het op de rug van een bokkende aardbeving stond, en bijna werd hij omvergegooid. Hij wankelde opzij en stuitte af tegen de wand.

Het aardewerk beeldje van de Heilige Maagd tuimelde van het gangtafeltje, dat hij als altaar had ingericht, net als alle altaren die zijn moeder in huis had gehad. Om zich tegen de wreedheden van deze wereld te verdedigen had hij sinds de schietpartij onder druk van zijn angst teruggegrepen op het wapenarsenaal van zijn moeder. Het beeldje viel op de grond en verbrijzelde aan zijn voeten.

De zware houder van rood glas met de votiefkaars danste op de tafel en wierp spookachtige schaduwen over muren en plafond.

BONKBONKBONKBONK!

Ricky stond twee passen van de voordeur, toen de eiken vloer onheilspellend begon te kraken en met een klap bijna zo hard als een donderslag omhoogkwam. Hij wankelde achteruit.

Iets kwam brekend uit de kruipruimte onder de bungalow te voorschijn en versplinterde de vloer als een eierschaal. Een orkaan van stof en splinters en gekartelde planken maakte het korte tijd onmogelijk om te zien wat zich een weg de gang in had gebaand.

Toen zag Ricky een man in het gat. Zijn voeten stonden ongeveer een halve meter onder de vloer van het huis in de grond. Hij stond lager dan Ricky, maar torende niettemin reusachtig, dreigend boven hem uit. Zijn wilde haren en baard waren vuil en geklit en de zichtbare delen van zijn gezicht ontsierd door grote littekens. Zijn zwarte regenjas waaide rond hem op als een cape, want uit de kruipruimte en tussen de kapotte houten planken tochtte het fluitend.

Ricky wist dat hij naar de zwerver stond te kijken die aan Harry was verschenen uit een wervelwind. Alles kwam met zijn beschrijving overeen behalve zijn ogen.

Toen hij in die groteske ogen keek, bleef Ricky stokstijf tussen de scherven van de Heilige Maagd staan. Hij was verlamd van angst en wist dat hij krankzinnig was geworden. Zelfs als hij had willen ontsnappen of naar de achterdeur proberen te rennen, zou dat niet gelukt zijn, want de zwerver klom zo bliksemsnel als een toeslaande slang uit het gat de gang in. Hij greep Ricky, zwaaide hem met zoveel onmenselijke kracht van de grond dat verzet zinloos was, en smeet hem hard genoeg tegen de muur om barsten in zowel het stucwerk als zijn ruggegraat te veroorzaken.

De zwerver recht aankijkend en overspoeld door diens stinkende adem staarde Ricky in die ogen en was te doodsbang om te schreeuwen. Het waren niet de plassen bloed die Harry had beschreven. In werkelijkheid waren het helemaal geen ogen. Diep in de oogkassen zaten twee slangen genesteld: in elke kas twee gele oogjes en één gevorkte, heen-en-weer schietende tong.

Waarom ik? vroeg Ricky zich af.

Alsof het twee duveltjes in doosjes waren, schoten de slangen uit de oogkassen van de zwerver en beten ze in Ricky's gezicht.

7

Tussen Laguna Beach en Dana Point reed Harry zó hard, dat zelfs Connie, die dol was op snelheid en risico's, zich schrap zette en woordeloos haar afschuw uitte als hij te scherp door sommige bochten reed. Ze zaten in zijn eigen auto, geen dienstwagen, en hij had dus geen afneembaar zwaai-licht op zijn dak kunnen monteren. Hij had ook geen sirene, maar op een dinsdagavond om half elf was er niet veel verkeer op de snelweg langs de kust, en door zijn claxon te bewerken en met zijn koplampen te knipperen kon hij zich een weg banen door het weinige tegenwerkende verkeer dat hij ontmoette.

'Misschien moeten we Ricky bellen en hem waarschuwen,' zei ze, toen ze nog in Zuid-Laguna waren.

'Hebben geen autotelefoon,' zei hij.

'Stop dan bij een benzinestation of avondwinkel of weet ik veel.'

'Zonde van de tijd. Bovendien denk ik dat zijn telefoon het niet doet.'

'Waarom niet?'

'Die werkt alleen als Tiktak het wil.'

Ze schoten een heuvel op en namen een bocht te snel. Vanaf de achterban-den spoot grind uit de berm van de snelweg tegen het chassis en de benzi-netank. De rechter achterbumper schampte een metalen vangrail, en toen schoten ze weer zonder te remmen over het asfalt.

'Of laten we de politie van Dana Point bellen,' zei ze.

'Als we dit tempo volhouden en niet stoppen om te bellen, zijn wij er eer-der dan zij er kunnen zijn.'

'Misschien kunnen we hun versterking goed gebruiken.'

'We hebben geen versterking nodig als we te laat zijn en Ricky dood is als we komen.'

Harry was misselijk van bange voorgevoelens en woedend op zichzelf. Door eerder die dag naar hem toe te gaan had hij Ricky in gevaar ge-bracht. Op dat moment had hij niet kunnen weten hoe verschrikkelijk veel problemen hij zijn oude vriend bezorgde, maar later, toen Tiktak *alles en iedereen die je dierbaar is* bedreigde, had hij moeten beseffen dat Ricky gevaar liep.

Voor een man was het soms moeilijk toe te geven dat hij van een andere man hield, zelfs al was het maar op de manier van een broer. Hij en Ricky

Estefan waren partners geweest en hadden samen een paar netelige situaties beleefd. Ze waren nog steeds vrienden, en Harry hield van hem. Zo eenvoudig was dat. Maar de Amerikaanse traditie van macho-mannen die niemand anders nodig hebben, maakte het niet makkelijk om dat toe te geven.

Gelul, dacht Harry boos.

In werkelijkheid vond hij het moeilijk toe te geven dat hij van wie dan ook hield, of het nu een man was of een vrouw, want liefde was zo'n verdomde knoeiboel met alle mogelijke verplichtingen, beloften, complicaties en het delen van gevoelens. Als je toegaf dat je van mensen hield, moest je hen op een duidelijke manier in je leven toelaten, en zij brachten al hun ongeregelde gewoontes, kritiekloze smaak, vage meningen en ordeloze gedrag mee.

Terwijl ze over de gemeentegrens van Dana raasden en de knaldemper tegen een bult in de weg knalde, zei Harry: 'Jezus, soms ben ik een idioot.'

'Vertel 's iets wat ik nog niet weet,' zei Connie.

'Een ongeneeslijke sufferd.'

'We zijn nog steeds op bekend terrein.'

Voor het feit dat hij Ricky's gevaar niet had beseft, had hij maar één excuus: sinds de brand in zijn flat van minder dan drie uur geleden had hij gereageerd in plaats van gehandeld. Hij had ook geen keus gehad. De gebeurtenissen holderdebolderden elkaar zó snel achterna en waren zó krankzinnig, dat hij geen tijd had gehad om te denken. Een pover excuus, maar hij klampte er zich aan vast.

Hij wist niet eens hóe hij moest nadenken over dit soort waanzin. Met deductie, het nuttigste wapen van elke rechercheur, kon je het bovennatuurlijke niet te lijf. Hij had een inductieve redenering geprobeerd en was op die manier op zijn theorie van een onaangepaste met paranormale vermogens gekomen. Maar inductie was niet zijn kracht, want dat was bijna net zoiets als intuïtie, en intuïtie was zo onlogisch. Hij hield van hard bewijs, gezonde uitgangspunten, logische gevolgtrekkingen en keurige conclusies, allemaal met strikken en linten ingepakt.

Toen ze de hoek van Ricky's straat omreden, zei Connie: 'Verrek!'

Harry keek naar haar.

Ze staarde naar iets in haar gebogen hand.

'Wat?' vroeg hij.

Er lag iets in haar handpalm genesteld. Met trillende stem zei ze: 'Een paar seconden geleden was dit er niet. Waar komt dit in jezusnaam vandaan?'

'Wat is het?'

Toen hij onder een straatlantaarn voor Ricky's huis wilde parkeren, hield ze het omhoog, zodat hij het kon zien. Het hoofd van een aardewerk beeldje. Afgebroken bij de hals.

Zijn banden schraapten langs de stoeprand, hij kwam met een ruk tot stilstand en zijn veiligheidsgordel sloot zich strak om zijn borst.

Ze zei: 'Het leek net of mijn hand in een flits dichtschoot, en toen zat dit erin, God mag weten waarvandaan.'

Harry herkende het. Het hoofd van de Maagd Maria, die in het midden van het altaartje op Ricky Estefans gangtafel had gestaan.

Door duistere verwachtingen overmand gooide Harry de deur open en stapte hij de auto uit. Hij trok zijn revolver.

Het was vredig op straat. In de meeste huizen, ook in dat van Ricky, brandde een warm licht. Uit de stereoinstallatie van een buurman kwam door de koele lucht zó zacht muziek aanwaaien, dat hij het liedje niet herkende. Het windje fluisterde en ratelde zachtjes in de bladeren van de dadelpalmen op Ricky's voorgazon.

Maak je geen zorgen, leek de wind te zeggen, alles is hier rustig, hier is niets aan de hand.

Niettemin hield hij zijn revolver in zijn hand.

Hij haastte zich over het tuinpad door de avondschaduwen van de palmen naar de in bougainville gehulde veranda. Hij wist dat Connie vlak achter hem was en eveneens haar revolver had getrokken.

Laat Ricky alsjeblieft leven, dacht hij hartstochtelijk, laat hem alsjeblieft nog leven.

In geen jaren was hij zó dicht bij bidden geweest.

Achter de hor stond de voordeur op een kier. Een smalle reep licht wierp een gaaspatroon op de verandavloer.

Ofschoon hij dacht dat niemand dat merkte en zich dood had geschaamd als hij wist dat zijn angst zo overduidelijk was, had Ricky sinds de schietpartij een veiligheidsobsessie gehad. Hij hield alles achter slot en grendel. Dat een deur ook maar een paar centimeter openstond, was een slecht teken.

Harry probeerde door de spleet tussen de deur en de deurpost de hal te overzien. Maar de hordeur stond in de weg en hij kon niet dicht genoeg bij de kier komen om alles te kunnen zien.

Gordijnen blokkeerden het zicht door de ramen naast de deur. Ze waren stijf dicht en in het midden over elkaar heen getrokken.

Harry wierp een blik op Connie.

Ze wees met haar revolver naar de voordeur.

Normaal hadden ze kunnen splitsen; dan dekte Connie de achterkant en nam Harry de voordeur voor zijn rekening. Maar ze probeerden niet te verhinderen dat de dader ontsnapte, want deze klootzak kon niet in de hoek gedreven, overweldigd en geboeid worden. Ze probeerden alleen maar in leven te blijven, en Ricky in leven te houden als het voor hem niet al te laat was. Harry knikte en duwde de hordeur voorzichtig open. Scharnieren piepten. De sluitveer zong lang en zacht als het lied van een moerasinsekt.

Hij had gehoopt doodstil naar binnen te kunnen, maar de hordeur buiten had hem verslagen. Nu legde hij één hand op de binnendeur en duwde hij ertegen, want hij wilde snel en gebukt naar binnen. De deur ging naar rechts open en hij probeerde zich met zijn schouders een weg door de steeds wijdere kier te banen. De deur stuitte tegen iets en bleef steken voordat de opening groot genoeg was. Hij duwde. Gekraak. Geschraap. Een hard, kletterend geluid. De deur zwaaide helemaal open en schoof puin (of wat dan ook) voor zich uit. Harry stormde zó agressief naar binnen, dat hij bijna het gat in de gangvloer inschoot.

Hij moest denken aan de verwoeste gang in Laguna, boven het restaurant. Maar als een granaat deze schade had aangericht, was die in de kruipruimte ònder de bungalow ontploft. Bij de explosie waren balken, isolatiemateriaal en vloerplanken de gang ingeschoten. Maar de chemische brandlucht van een bom was niet te ruiken.

De plafondverlichting in de hal bescheen de aarde onder de vernielde eiken vloer en ondervloer. Gevaarlijk dicht bij de rand van de altaartafel stond de votiefkaars in zijn plompe glas en verspreidde flakkerende banieren licht en schaduw.

Halverwege de gang was de linkerwand bespat met bloed, geen emmers vol, maar genoeg om duidelijk te maken dat hier iemand gedood was. Onder de bloedvlekken op de grond, dicht bij de muur, lag het lijk van een man zó onnatuurlijk en verwrongen, dat het macabere feit van zijn dood ogenblikkelijk duidelijk was.

Harry kon net genoeg van het lijk zien om zonder spoor van twijfel te weten dat het Ricky was. Nog nooit was hij zó bedroefd geweest. In de afgrond van zijn maag kwam een kilte op en zijn benen werden slap.

179

Harry liep rond het gat in de vloer en Connie volgde hem het huis in. Ze zag het lijk, zei niets, maar gebaarde naar de doorgang van de woonkamer.

Voor Harry waren de vertrouwde politieprocedures op dat moment uiterst aantrekkelijk, ook al was het zinloos om hier en nu naar de moordenaar te zoeken. Wat voor soort schepsel Tiktak ook was: hij zat niet op zijn hurken in een hoek en klom evenmin uit een achterraam. Voor iemand die kon verdwijnen in een wervelwind of een vuurzuil, had dat geen zin. En tegen hem haalden wapens niets uit, zelfs niet als ze hem vonden. Niettemin had het iets geruststellends om in actie te komen alsof zij de eersten waren die de plaats van een normale misdaad bereikten; met beleid, methodisch handelen, traditie en ritueel werd orde geschapen uit chaos.

Net links om de hoek van de toegang naar de woonkamer lag een donkere hoop aarde van minstens honderdvijfentwintig kilo. Het leek of die aarde van onder het huis afkomstig was en met de explosie omhoog was gespoten, maar in de hal of gang waren geen sporen van aarde te zien. Het leek wel of iemand emmers aarde voorzichtig het huis in had gedragen en ze op het tapijt van de woonkamer had geleegd.

Hoe raar dat ook was: Harry wierp er slechts een vluchtige blik op en vervolgde zijn weg door de woonkamer. Later had hij tijd om dit mysterie uitgebreid te overdenken.

Ze doorzochten de twee bad- en slaapkamers, maar vonden alleen een dikke tarantula. Harry schrok zó van de spin, dat hij bijna schoot. Als de spin op hem af was gerend in plaats van onder een dressoir te verdwijnen, had hij hem misschien aan flarden geschoten voordat hij wist wat het was.

Voordat de mens water had aangevoerd en grote delen van Zuid-Californië bewoonbaar had gemaakt, was dit gebied een woestijn geweest en een volmaakte broedplaats voor tarantula's, maar die beperkten zich tot onbebouwde ravijnen en gebieden met lage begroeiing. Ze zagen er schrikwekkend uit, maar waren eigenlijk schuwe dieren, die het grootste deel van hun leven ondergronds doorbrachten en buiten de paartijd maar zelden boven de grond kwamen. Dana Point, of in ieder geval dit deel ervan, was veel te beschaafd om de belangstelling van tarantula's te wekken, en Harry vroeg zich af hoe deze spin zijn weg naar het hart van de stad had gevonden, waar hij even misplaatst was als een tijger.

Zwijgend liepen ze door het huis terug, de hal in, de gang in en voorbij het lijk. Een snelle blik bevestigde, dat voor Ricky elke hulp zinloos was. Stukjes aardewerk van het Mariabeeldje rinkelden onder hun voeten.

De keuken zat vol slangen.

'Jezus Christus,' zei Connie.

Eén slang lag net binnen de toegang tot de keuken. Twee andere waren op speurtocht tussen tafel- en stoelpoten. De meeste bevonden zich aan de andere kant van de ruimte: een verwarde massa kronkelende, krommende slangelijven, minstens dertig of veertig en misschien wel anderhalf keer zo veel. Een paar leken zich met iets te voeden.

Twee andere tarantula's schuifelden langs de rand van een witbetegeld aanrecht en hielden de krioelende slangen beneden in het oog.

'Wat is hier in vredesnaam gebeurd?' vroeg Harry, en was niet verbaasd toen hij zijn stem hoorde trillen.

De slangen begonnen Harry en Connie op te merken. De meeste hadden geen belangstelling, maar een paar begonnen zich glibberend uit de kolkende massa los te maken om op onderzoek te gaan.

Een schuifdeur scheidde de keuken van de gang. Harry trok hem snel dicht.

Ze onderzochten de garage. Ricky's auto. Een vochtige plek op het beton, waar eerder die dag het dak had gelekt, en een plas die nog niet helemaal was opgedroogd. Verder niets.

Weer terug in de gang knielde Harry eindelijk naast het lijk van zijn vriend. Hij had dat gevreesde onderzoek zo lang mogelijk uitgesteld.

Connie zei: 'Ik ga even kijken of er in de slaapkamer telefoon is.'

Geschrokken keek hij naar haar op. 'Telefoon? In godsnaam, nee, zet die telefoon uit je hoofd.'

'We moeten een moord rapporteren.'

'Luister,' zei hij. Hij keek op zijn horloge. 'Het is al bijna elf uur. Als we dit melden, zitten we hier nog uren vast.'

'Maar…'

'We hebben geen tijd te verliezen. Ik zie geen mogelijkheid om Tiktak vóór zonsopgang te vinden. Onze kansen zijn niet groter dan een op de miljoen. En zelfs als we hem vinden, weten we niet hoe we hem aan moeten pakken. Maar we zouden gek zijn als we het niet probeerden, vind je niet?'

'Ja, je hebt gelijk. Ik heb alleen geen zin om hier te zitten wachten op de klap.'

'Prima,' zei hij. 'Vergeet die telefoon dus.'

'Ik… ik wacht wel op je.'

'Pas op voor de slangen,' zei hij, toen ze de gang doorliep.

Hij richtte zijn aandacht op Ricky.

Het lijk was er nog erger aan toe dan hij gevreesd had. Hij zag de slangekop, die aan diep verzonken tanden aan Ricky's linkerhand hing, en huiverde. Kleine, dubbele gaatjes in zijn gezicht zouden beetafdrukken kunnen zijn. Zijn beide armen waren bij de ellebogen naar achteren gebogen; de botten waren niet gewoon gebroken, maar verpulverd. Ricky Estefan was zó verminkt, dat het moeilijk was om één wond als doodsoorzaak aan te wijzen; maar als hij nog niet dood was geweest toen het hoofd op zijn schouders honderdtachtig graden was gedraaid, was hij op dat brute ogenblik ongetwijfeld overleden. Zijn hals was gescheurd en gekneusd, zijn hoofd hing slap en zijn kin rustte tussen zijn schouderbladen.

Zijn ogen waren weg.

'Harry?' riep Connie.

In de lege oogkassen van de dode kijkend was Harry niet tot antwoorden in staat. Zijn mond was droog en zijn stem bleef als een klit in zijn keel steken.

'Harry, kom 's kijken!'

Hij had genoeg, te veel gezien van wat er met Ricky was gebeurd. Zijn woede op Tiktak werd alleen overtroffen door zijn woede op zichzelf.

Hij stond van het lijk op, draaide zich om en ving in de spiegel met zilveren bladeren boven de altaartafel een blik van zichzelf op. Hij was lijkbleek. Hij zag er even dood uit als de man op de grond. Een deel van hem wàs gestorven toen hij het lijk zag; hij voelde zich kleiner geworden.

Toen hij in zijn eigen ogen keek, moest hij zijn blik afwenden van de doodsangst, de verwarring en de primitieve woede die hij daarin zag. De man in de spiegel was niet de Harry Lyon die hij kende... of wilde zijn.

'Harry?' vroeg ze opnieuw.

In de woonkamer vond hij Connie gehurkt naast de modderhoop. Het was eigenlijk niet nat genoeg om modder te zijn, alleen maar honderd of honderdvijftig kilo vochtige, compacte aarde.

'Kijk hier 's naar, Harry.'

Ze wees naar iets onverklaarbaars, dat hij tijdens de speurtocht door het huis niet had opgemerkt. Het was voor het grootste deel een vormeloze hoop, maar uit die ongevormde massa stak één mensenhand uit, geen echte hand, maar gemodelleerd van vochtige aarde. Het was een grote, sterke hand met botte spatelvingers, even verfijnd gedetailleerd als de schepping van een groot beeldhouwer.

De hand stak uit de manchet van een jasmouw, die eveneens van modder was gemaakt, compleet met mouwband, split en drie knopen van aarde. Zelfs het weefsel van de stof was goed gemaakt.

'Wat denk jij hiervan?' vroeg Connie.

'Ik mag hangen als ik dat weet.'

Hij legde één vinger op de hand en porde ermee. Half verwachtte hij te ontdekken dat het een echte hand was, bedekt met een dun laagje modder. Maar hij bestond werkelijk helemaal uit aarde, verkruimelde bij zijn aanraking en was teerder dan hij leek, want alleen de manchet en twee vingers bleven over.

Een herinnering die hiermee iets te maken had, zwom Harry's geest in en uit voordat hij hem kon vangen, even ongrijpbaar als een halfgeziene vis die met een flits van kleur in de duistere diepten van een visvijver verdween. Naar de restanten van de modderhand kijkend, wist hij dat hij op het punt stond iets verschrikkelijk belangrijks over Tiktak te ontdekken. Maar hoe harder hij aan zijn sleepnet trok om zijn herinnering te vangen, des te leger bleef het.

'Laten we hier weggaan,' zei hij.

Hij liep achter Connie de gang door en keek niet naar het lijk.

Hij bewandelde de dunne lijn tussen beheersing en ontsporing en was vervuld van een woede zó hevig, dat die nauwelijks bedwingbaar was. Nooit eerder had hij zich zo gevoeld. Nieuwe gevoelens maakten hem altijd ongerust, want je wist maar nooit waartoe die leidden; hij had zijn gevoelsleven het liefst net zo op orde als zijn moordarchieven en zijn verzameling cd's. Als hij nog één keer naar Ricky keek, werd zijn woede misschien te groot om in te houden en raakte hij in de greep van een soort hysterie. Hij voelde de drang om tegen iemand te schreeuwen, tegen wie dan ook, te schreeuwen tot zijn keel pijn deed, en hij móest ook iemand in zijn gezicht slaan en zijn ogen uitsteken en hem trappen. Bij gebrek aan een doelwit dat zoiets verdiende, wilde hij zijn toorn op levenloze dingen richten, alles binnen handbereik vernielen en kapotgooien, hoe stompzinnig en zinloos dat ook was en zelfs ofschoon dat de wanhopig ongewenste aandacht van de buren had getrokken. Het enige dat hem weerhield om lucht te geven aan zijn woede, was het beeld van zichzelf voor zijn geestesoog: Harry Lyon met verwilderde en verdierlijkte blik in de greep van razernij; de gedachte dat iemand hem zó zijn zelfbeheersing zag verliezen, was onverdraaglijk, vooral als die iemand Connie Gulliver was.

Eenmaal buiten deden ze de deur helemaal dicht. Samen liepen ze naar de straat.

Net toen ze de auto bereikten, stond Harry stil en liet hij zijn blik over de buurt gaan. 'Luister.'

Connie fronste. 'Wat?'

'Het is zo rustig.'

'En?'

'Het moet een hele hoop lawaai hebben gemaakt,' zei hij.

Ze was het met hem eens. 'De explosie die de gangvloer vernielde. En hij moet geschreeuwd hebben, misschien om hulp hebben geroepen.'

'En waarom is dan geen enkele nieuwsgierige buurman naar buiten gekomen om te kijken wat er loos was? Dit is niet de grote stad. Dit is een behoorlijk hechte kleine gemeenschap. De mensen houden zich niet doof als ze bij de buren moeilijkheden horen. Dan komen ze helpen.'

'Dat betekent dat ze niets gehoord hebben,' zei Connie.

'Maar hoe kan dat nou?'

In een boom vlakbij zong een nachtvogel.

Uit een van de huizen kwam nog steeds zachte muziek. Dit keer herkende hij de melodie. *A String of Pearls.*

Misschien een blok verderop uitte een hond een eenzaam geluid, iets tussen kreunen en janken in.

'Ze hebben niets gehoord... maar hoe kan dat nou?' herhaalde Harry.

Nog verderop begon een zware vrachtwagen een steile helling op een verre snelweg te beklimmen. Zijn motor maakte het geluid van een zacht blaffende brontosaurus, die per ongeluk in een verkeerd tijdperk was beland.

8

Zijn keuken was helemaal wit, witte verf, witte marmeren aanrechten, witte apparaten. Het enige niet-wit waren het glanzend chroom en roestvrij staal van metalen omlijstingen en bedieningspanelen; andere witte oppervlakken weerspiegelden zich daarin.

Slaapkamers moesten zwart zijn. De slaap was zwart, behalve als de bioscoop van zijn geest dromen vertoonde. En ofschoon zijn dromen altijd bruisten van kleur, waren ze op een of andere manier ook donker; de luchten erin waren altijd zwart of kolkten van botsende regenwolken. Slaap leek op een korte dood. De dood was zwart.

Maar keukens moesten wit zijn, want keukens hadden met voedsel te maken en voedsel had met reinheid en energie te maken. Energie was wit: elektriciteit, bliksem.

Bryan zat in een roodzijden kamerjas in een schelpwitte stoel met witleren bekleding voor een wit gelakte tafel met een dik glazen blad. Hij hield van die jas. Hij had nog vijf identieke kamerjassen. De fijne zijde voelde prettig, glad en koel tegen zijn huid. Rood was de kleur van macht en gezag: het rood van een kardinaalstoog; het met goud en hermelijn afgezette koningsrood van een rijksmantel; het rood van het drakengewaad van een Chinese keizer.

Als hij geen naaktheid verkoos, droeg hij thuis alleen rood. Hij was een verborgen koning, een geheime god.

Betrad hij de buitenwereld, dan kleedde hij zich slonzig, want hij wilde geen aandacht trekken. Totdat hij Geworden was, was hij in ieder geval op ondergeschikte punten kwetsbaar. Anonimiteit was dus verstandig. Als zijn macht eenmaal geheel gerijpt was en hij die volledig had leren beheersen, zou hij zich eindelijk naar buiten kunnen wagen in kleding die paste bij zijn ware staat, en iedereen zou voor hem knielen of zich vol ontzag afwenden of in doodsangst vluchten.

Dat vooruitzicht was opwindend. Erkend worden. Bekend zijn en vereerd worden. Spoedig.

Aan zijn witte keukentafel at hij chocoladeijs met toffeesaus, overladen met cocktailkersen en bestrooid met kokos en verkruimelde suikerkoekjes. Hij was dol op zoetigheid. Ook op zoutjes. Chips, kaaskrullen, pretzels, pinda's, maïschips, gefrituurde stukjes varkenshuid. Hij at niets anders dan zoetigheid en zoutjes, omdat niemand hem meer kon voorschrijven wat hij eten moest.

Oma Drackman had een hartaanval gekregen als ze zag wat hij tegenwoordig at. Vrijwel vanaf zijn geboorte en tot hij achttien was, had zij hem opgevoed, en inzake voeding was ze compromisloos streng geweest. Drie maaltijden per dag, geen hapjes tussendoor. Groenten, fruit, volkorengranen, brood, pasta, vis, kip, geen rood vlees, magere melk, yoghurtijs in plaats van roomijs, heel weinig zout, heel weinig suiker, heel weinig vet, heel weinig pret.

Zelfs haar afschuwelijke hond, een valse poedel die Pierre heette, at noodgedwongen volgens oma's regels, die in zijn geval een vegetarisch dieet inhielden. Ze geloofde dat honden alleen maar vlees aten omdat iedereen dat van hen verwachtte, dat het woord 'carnivoor' een betekenisloos etiket van wetenschappelijke nitwits was, en dat elke soort om een of andere reden met name honden het vermogen had om zijn natuurlijke neigingen te ontgroeien en vreedzamer te leven dan ze meestal deden. Het spul in de bak van Pierre leek soms op muesli, soms op tahoeblokjes, soms op houtskool, en het enige dat ooit op vlees léék, was de plas sojajus met rundvleessmaak, aangemaakt met proteïnepoeder, waar zijn meeste maaltijden in dreven. Pierre zag er meestal gespannen en wanhopig uit, alsof hij gek werd van verlangen naar iets dat hij niet kon benoemen en dus ook niet bevredigen. Dat was waarschijnlijk de reden waarom hij zo vals en geniepig was, en zo graag op storende plaatsen zenuwachtig piste, zoals in Bryans kast, en wel over zijn schoenen.

Oma Drackman was bezeten van regels. Ze had regels voor je persoonlijke netheid, hoe je je moest aankleden, hoe je moest studeren en hoe je je in elke denkbare situatie moest gedragen. Een 10 Mb-computer had niet genoeg ruimte om al haar regels op te kunnen slaan.

De hond Pierre had zijn eigen regels te leren. Op welke stoelen hij mocht zitten en op welke niet. Geen geblaf. Geen gejank. Maaltijden strikt op tijd, geen restjes van de mensentafel. Twee keer in de week zijn haar borstelen, zit stil, geen drukte. Zit, rol, lig, niet met je poten aan de meubels...

Zelfs als vier- of vijfjarige begreep Bryan al op zijn manier, dat zijn grootmoeder zoiets als een geobsedeerd-dwangmatige persoonlijkheid was, een anaal-retentief wrak, en hij was heel behoedzaam met haar omgegaan, beleefd en gehoorzaam, liefde veinzend zonder haar ooit tot zijn innerlijke wereld toe te laten. Toen al op jonge leeftijd in kleine dingen bleek hoe bijzonder hij was, was hij slim genoeg om zijn uitbottende talenten voor haar verborgen te houden, want hij wist dat haar reactie... gevaarlijk kon zijn. Zijn puberteit bracht een groeispurt, niet alleen van zijn lichaam maar ook van zijn geheime vermogens; maar hij hield die nog steeds voor zichzelf en verkende zijn macht met behulp van een reeks kleine dieren, die bij veelsoortige, bevredigende martelingen om het leven kwamen.

Twee jaar geleden, maar een paar weken na zijn achttiende verjaardag, welde die vreemde en dynamische kracht weer in hem op, zoals op gezette tijden gebeurde. Hij voelde zich nog niet sterk genoeg om de hele wereld aan te kunnen, maar wist dat hij oma Drackman inmiddels wèl aankon. Ze zat in haar favoriete leunstoel met haar voeten op een poef reepjes wortel te eten, aan een glas koolzuurhoudend mineraalwater te nippen en een artikel over de doodstraf in de *Los Angeles Times* te lezen. Ze voegde daar hartgrondige opmerkingen aan toe over de noodzaak van medelijden, ook met de ergste misdadigers, toen Bryan zijn sinds kort vervolmaakte vermogen tot pyrokinese gebruikte om haar in brand te steken. Jezus, wat kon dàt mens branden! Ze had minder vet op haar botten dan de gemiddelde bidsprinkhaan, maar vlamde als een talgkaars. Een van haar regels was weliswaar dat je in huis nooit mocht schreeuwen, maar ze gilde bijna zo hard dat de ramen aan diggelen gingen zij het ook niet lang. Het was een beheerste brand, die beperkt bleef tot oma en haar kleren. De leunstoel en de poef werden alleen geschroeid, maar zijzelf laaide zó witheet, dat Bryan zijn ogen tot spleetjes moest knijpen als hij naar haar keek. Als een rups die in alcohol was gedoopt en aangestoken met een lucifer, siste en tikte en brandde ze steeds helderder, en verkoolde toen tot iets hards en kroms. Niettemin liet hij haar branden tot haar verkoolde botresten verast waren en tot de as roet was en tot de roet gewoon verwoei in een laatste *pfff* van groene vonken.

Toen sleepte hij Pierre uit zijn schuilplaats en bakte die ook.

Een heerlijke dag.

Dat was het einde van oma Drackman èn haar regels. Vanaf dat moment leefde Bryan volgens de zijne. Spoedig zou de hele wereld zich daaraan te houden hebben.

Hij stond op en liep naar de koelkast vol snoepgoed en dessertsauzen. Geen champignon of aardappel te zien. Hij nam een pot butterscotchsaus mee terug naar de tafel en goot wat saus over zijn ijs.

'Dingdong, de heks is dood, de valse heks, de heks is dood,' zong hij opgewekt.

Door met overheidsarchieven te knoeien had hij oma een officiële overlijdensakte gegeven, zijn officiële leeftijd in eenentwintig veranderd (zodat de rechter geen voogd zou aanwijzen) en zichzelf tot enig erfgenaam in haar testament benoemd. Dat was kinderspel, want geen enkel afgesloten kantoor en geen enkele kluis waren voor hem veilig; door zijn Grootste en Geheimste Macht te gebruiken kon hij gaan waar hij wilde, doen wat hij wilde, en niemand kwam ooit te weten dat hij daar was geweest. Hij had het huis in bezit genomen en helemaal laten leeghalen. Daarna had hij het naar eigen smaak ingericht en elk spoor van de worteletende heks uitgewist.

Ofschoon hij de laatste twee jaar meer had uitgegeven dan hij geërfd had, was verkwisting geen probleem. Op elk gewenst moment kon hij zoveel geld krijgen als hij nodig had. Dat was overigens niet vaak nodig, want dank zij zijn Grootste en Geheimste Macht kon hij ook aan bijna al zijn andere wensen voldoen zonder gesnapt te worden.

'Proost, oma!' zei hij, en hief een overvolle lepel roomijs met toffeesaus.

Hij was (nog) niet in staat zijn eigen wonden te genezen, niet eens om te zorgen dat een blauwe plek wegging, maar leek zijn lichaamsgewicht en uitstekende spierspanning wèl in stand te kunnen houden eenvoudig door er zich elke dag een paar minuten op te concentreren. Hij regelde zijn spijsvertering alsof hij aan een thermostaat draaide. Dank zij dit vermogen wist hij zeker dat zijn macht na nog een of twee groeispurts ook snelle zelfheling en uiteindelijk onkwetsbaarheid zou omvatten.

Intussen was hij ondanks alle snoepjes en zoutjes slank genoeg. Hij was trots op zijn magere gespierdheid. Dat was een van de redenen waarom hij het soms prettig vond om thuis naakt te zijn en in de vele spiegels een onverwachte glimp van zichzelf op te vangen.

Hij wist dat vrouwen van zijn lichaam zouden houden. Als vrouwen hem iets hadden kunnen schelen, had hij elke vrouw kunnen krijgen die hij wilde, misschien zelfs zonder ook maar een van zijn vermogens te gebruiken. Maar hij stelde geen belang in seks. Op de eerste plaats omdat seks de grootste vergissing van de oude god was geweest. De mensen waren door seks geobsedeerd geraakt, en al dat eindeloze, bezeten fokken had de ondergang van de wereld betekend. Vanwege de seks moest de nieuwe god de kudde uitdunnen en de planeet reinigen. Bovendien, waar hij een orgasme van kreeg, was niet seks maar de gewelddadige beëindiging van een mensenleven. Als hij een van zijn golems had gebruikt om iemand te doden en zijn volle bewustzijn weer terugtrok in zijn eigen lichaam, vond hij de zwarte zijden lakens vaak nat van glinsterende stroompjes zaad.

Wat zou oma dáárvan gezegd hebben!

Hij lachte.

Hij kon doen wat hij wilde en eten wat hij wilde, en waar was zijn zanikende grootmoeder? Verbrand, dood, voorgoed weg dáár was ze.

Hij was twintig jaar en werd misschien wel duizend, tweeduizend; mogelijk leefde hij eeuwig. Als hij lang genoeg leefde, zou hij zijn oma hoogstwaarschijnlijk helemaal vergeten, en dat was maar goed ook.

'Stomme ouwe koe,' zei hij, en giechelde. Het gaf een kietelend gevoel om op elke manier die hij wilde over haar te kunnen praten in het huis dat van haar was geweest.

Hij had een grote schaal roomijs met saus klaargemaakt en at het tot de laatste hap op. De uitoefening van zijn macht was bijzonder uitputtend en vereiste niet alleen meer dan de normale hoeveelheid slaap, maar ook veel meer calorieën per dag dan andere mensen nodig hadden. Een groot deel van de tijd sliep of snoepte hij, maar hij nam aan dat de behoefte aan voedsel en slaap uiteindelijk volledig verdween, zodra hij klaar was met Worden en ten slotte de nieuwe god was. Als zijn Wording voltooid was, sliep hij misschien nooit meer en nam hij voedsel niet uit noodzaak tot zich, maar slechts voor zijn genoegen.

Toen hij de laatste lepel op had, likte hij de schaal uit.

Oma Drackman had daar een bloedhekel aan.

Hij likte hem grondig schoon. Toen hij klaar was, leek de schaal net afgewassen.

'Ik kan alles doen wat ik wil,' zei hij. 'Alles.'

In een weckpot op tafel dreven de ogen van Enrique Estefan in een bewaarvloeistof en keken hem bewonderend aan.

9

Noordwaarts rijdend langs de nachtelijke kust, met Ricky dood in zijn door slangen vergeven huis, zei Harry: 'Wat er met hem is gebeurd, is mijn schuld.'

Vanaf haar passagiersstoel zei Connie: 'Zeik niet.'

'Ik zeik niet.'

'Dan was het zeker ook jouw schuld dat hij na zijn werk drie jaar geleden die supermarkt inliep.'

'Dank voor de opbeurende woorden, daar heb ik echt wat aan!'

'Heb je liever iets deprimerends? Kijk, dat ding waar we mee te maken hebben, die Tiktak, we kunnen op geen enkele manier voorspellen wat zijn volgende zet is.'

'Maar ik misschien wel. Op een of andere manier begin ik hem door te krijgen. Ik begin te weten wat ik kan verwachten. Maar ik loop nog steeds één pas achter die klootzak aan. Zodra ik die gesp zag, wist ik dat het logisch was dat hij Ricky te grazen nam. Dat was een deel van zijn dreigement. Ik zag het alleen te laat.'

'Precies wat ik bedoel. Misschien kunnen we die kerel wel helemaal niet inhalen. Hij is iets nieuws, iets verrekt nieuws, en zijn denken verschilt totaal van hoe jij en ik denken, van hoe de gemiddelde slijmbal denkt, past in geen enkel psychologisch profiel, en op geen enkele manier kan iemand dus van jou of wie ook verwachten dat je slimmer bent dan die hufter. Harry, hiervoor ben jij gewoon niet verantwoordelijk.'

Zonder haar van iets te willen beschuldigen maar niet in staat zijn woede nog langer te bedwingen, beet hij haar onwillekeurig toe: 'Dat is nou precies wat er tegenwoordig aan de hand is hier, Jezus, precíes wat er aan de hand is. Niemand wil nog ergens verantwoordelijk voor zijn. Iedereen wil een vergunning om alles te zijn en te doen wat in ze opkomt, maar niemand wil de rekening betalen.'

'Je hebt gelijk.'

Ze meende kennelijk wat ze zei, was het met hem eens en probeerde hem niet alleen maar te kalmeren, maar hij was nog niet al zijn stoom kwijt.

'Tegenwoordig is het nooit jouw schuld als je leven een rotzooi is, als je je familie en je vrienden hebt laten barsten. Ben je alcoholist? Hemeltje, misschien is dat wel genetisch bepaald. Pleeg je dwangmatig overspel met honderd sekspartners per jaar? Nou, misschien heb je je als kind nooit bemind gevoeld, hebben je ouders je te weinig geknuffeld. Allemaal gelul.'

'Precies,' zei ze.

'Heb je de kop van een winkelier weggeschoten of een oude vrouw doodgeslagen voor twintig piek? Hemeltje, jíj bent geen slechte jongen, nee hoor, het is niet jouw schuld. Het is de schuld van je ouders, het is de schuld van je leraren, het is de schuld van de samenleving, het is de schuld van de hele westerse cultuur, niet jouw schuld, nooit jouw schuld, wat grof om zoiets te suggereren, wat gevoelloos, wat hopeloos ouderwets.'

'Als jij een radioprogramma had, luisterde ik elke dag,' zei ze.

Hij bleef langzamer verkeer passeren, zelfs als hij daarvoor een dubbele gele lijn moest kruisen. Dat had hij nooit eerder gedaan, zelfs niet in een auto met sirene en flitsend zwaailicht.

Hij vroeg zich af wat hem bezielde. Hij vroeg zich af hoe hij zich dat af kon vragen maar ging er niettemin gewoon mee door; hij zwiepte rond een bestelwagen met een schilderij van de Rocky Mountains op de zijkant, de rijbaan van het tegemoetkomende verkeer op waar eigenlijk een blinde bocht was, en dat terwijl de bestelwagen zelf al de maximumsnelheid met vijf of tien kilometer overschreed.

Hij bleef razen. 'Je kunt je vrouw en je kinderen laten zitten zonder onderhoudsbijdrage, je investeerders voor miljoenen oplichten, iemands hoofd tot moes slaan omdat hij homo is of je niet genoeg respect betoonde…'

Connie viel in: '… of je baby in de vuilstortkoker gooien omdat je achteraf toch niet zo blij bent met het moederschap…'

'… de belastingen ontduiken, uitkeringsfraude plegen…'

'… drugs verkopen aan kinderen op de basisschool…'

'… je dochter misbruiken, en blijven zeggen dat jij het slachtoffer bent. Iedereen is tegenwoordig slachtoffer. Niemand degene die slachtoffers maakt. Welke wreedheid je ook begaat, je hebt recht op sympathie en mag je beklagen omdat je slachtoffer bent van racisme, omgekeerd racisme, seksisme, jeugdaanbidding, klassetegenstellingen, vooroordelen tegen dikke mensen, lelijke mensen, stomme mensen, slimme mensen. Daarom heb je die bank beroofd of die smeris van z'n sokken geschoten, want je bent slachtoffer, d'r zijn een miljoen manieren om slachtoffer te zijn. Ja natuurlijk, de eerlijke klachten van de echte slachtoffers verliezen daarmee hun waarde, maar wat kan jou dat schelen, we leven maar één keer en we moeten zien dat we ons deel van de taart krijgen, en trouwens: wie kan die echte slachtoffers wat schelen, Jezus Christus, dat zijn slappelingen.'

Hij kwam snel op een langzaam rijdende Cadillac af.

Op die plek was een extra rijstrook, maar een even langzaam rijdende Jeep stationwagen met twee stickers op de achterruit IK REIS MET JEZUS en BRANDING, BIKINI'S EN BIER reed in de weg.

Hij kon de dubbele gele lijn niet opnieuw over, want plotseling verscheen achter verblindende koplampen een hele stroom tegemoetkomend verkeer. Hij dacht eraan om te toeteren en de Caddy of de Jeep tot spoed aan te zetten, maar had er het geduld niet voor.

De berm van de snelweg was op dat punt ongewoon breed en hij maakte daar gebruik van door keihard te versnellen, de weg af te rijden en de Cadillac rechts te passeren. Nog terwijl hij dat deed, kon hij het niet geloven. De chauffeur van de Cadillac evenmin; Harry keek naar links en zag de man hem verbaasd aanstaren, een grappig ventje met een potlooddunne snor en een slechte toupet. Een wal van zachte, geërodeerde aarde vol ijskruid en wilde klimop kwam tot vlak bij de rechterkant van de Honda. Toen de berm nog breed was, bevond de wal zich vijf of tien centimeter van de deur… en toen werd de berm smaller. De Cadillac remde af en probeerde uit de buurt te blijven. Harry versnelde en de berm versmalde verder. Een bord van de Californische verkeerspolitie met NIET STOPPEN erop verscheen recht voor hem uit, en zou hem zeer beslist tot stilstand brengen als hij het raakte. Van de steeds smallere berm zwaaide hij weer het plaveisel op, schoot schuin voor de Caddy langs, kreeg de auto in zijn macht en bleef naar het noorden rijden, met de Stille Oceaan uitgestrekt en even zwart als zijn humeur aan zijn linkerhand.

'Dàt was brutaal!' zei Connie.

Hij wist niet of ze dat sarcastisch of goedkeurend bedoelde. Met haar voorliefde voor snelheid en risico waren beide mogelijk.

'Wat ik bedoel,' zei hij in een moeizame poging om witheet van woede te blijven, 'is dat ik niet zo wil zijn, iemand die altijd naar iemand anders wijst. Als ik verantwoordelijk ben, dan wil ik die verantwoordelijkheid op m'n rekening krijgen.'

'Ik hoor je wel.'

'Ik ben verantwoordelijk voor Ricky.'

'Wat je maar wilt.'

'Als ik slimmer was geweest, had hij nog geleefd.'

'Wat dan ook.'

'Ik heb hem op mijn geweten.'

'Lijkt me prima.'

'Ik ben verantwoordelijk.'

'En daarvoor zul je branden in de hel.'

Hij kon het niet helpen: hij moest lachen. Het was een duistere lach, en even was hij bang dat hij ging huilen om Ricky, maar zij was niet van plan om het zover te laten komen.

Ze zei: 'Ga maar een eeuwigheid in een kuil hondekots zitten, als je dat volgens jou verdient.'

Ofschoon Harry zijn razernij op volle toeren wilde houden, begon hij te kalmeren uiteraard. Hij keek haar aan en lachte harder.

Ze zei: 'Jij bent zo'n slecht iemand dat je wel, eh, misschien wel duizend jaar maden moet eten en demonengal drinken...'

'Ik houd helemaal niet van demonengal...'

Ook zij lachte. '... en je moet beslist toestaan dat Satan z'n dikke darm boven je openzet...'

'... en tienduizend keer naar *Hudson Hawk* kijken...'

'O nee, zelfs de hel heeft zijn grenzen.'

Ze bulderden nu van het lachen en bliezen stoom af, en ze lachten een hele tijd.

Toen ze er eindelijk het zwijgen toe deden, was het Connie die het verbrak: 'Gaat het een beetje met je?'

'Ik voel me rot.'

'Maar beter?'

'Een beetje.'

'Straks ben je weer oké.'

Hij zei: 'Ik neem aan van wel.'

'Natuurlijk. Als puntje bij paaltje komt, is dàt misschien de echte tragedie. Op een of andere manier groeit er een korstje over al onze wonden en verliezen, zelfs over de ergste en diepste. We gaan verder en niets blijft altijd pijn doen, al zou je soms zeggen dat dat misschien zou moeten.'

Ze bleven naar het noorden rijden. De zee aan hun linkerhand. Donkere heuvels bespikkeld met de lichtjes van huizen aan hun rechter.

Ze waren weer in Laguna Beach, maar hij wist niet waar ze heen gingen. Wat hij het liefst wilde, was de naald van het kompas blijven volgen, de hele kustweg langs, voorbij Santa Barbara, voorbij Big Sur, de Golden Gate over, Oregon, Washington, Canada in, misschien ook het verre Alaska, naar de sneeuw gaan kijken en de vrieskou van de poolwind voelen, en dan rechtuit blijven rijden over de Bering Straat, de auto over het water laten rijden met alle magische vanzelfsprekendheid van een sprookjesvoertuig, dan de bevroren kust langs van wat ooit de Sovjetunie was geweest, en vandaar China in om eens lekker te gaan eten in Szechuan.

Hij zei: 'Gulliver?'

'Ja.'

'Jij bent een aardig iemand.'

'Dat vindt iedereen.'

'Ik meen het.'

'Jij bent ook aardig, Lyon.'

'Het leek me goed om dat even te zeggen.'

'Blij dat je 't gedaan hebt.'

'Wat niet betekent dat we met elkaar gaan of zoiets.'

Ze glimlachte. 'Goed. Waarheen gaan we overigens wèl?'

Hij weerstond de verleiding om pekingeend in Peking voor te stellen. 'Het huis van Ordegard. Je weet zeker niet toevallig het adres?'

'Ik weet niet alleen toevallig het adres... ik ben er zelfs geweest.'

Hij was verbaasd. 'Wanneer?'

'Voordat ik terugging naar kantoor, terwijl jij verbalen zat te schrijven. Niets bijzonders aan dat huis, wel griezelig, maar ik denk niet dat we er iets vinden dat ons verder helpt.'

'Toen je daar de eerste keer was, wist je niets over Tiktak. Nu bekijk je de dingen met andere ogen.'

'Misschien. Twee blokken rechtdoor, dan rechtsaf.'

Hij deed wat ze gezegd had en ze reden langs smalle en kronkelende straten, overhuifd door palmen en verwilderde eucalyptussen, de heuvels in. Een witte uil met een vleugelwijdte van anderhalve meter schoot van de schoorsteen van het ene huis naar het puntdak van het andere en zeilde door de nacht als een verdoemde ziel die bescherming zocht. De sterrenloze hemel hing zó laag, dat Harry hem bijna zachtjes kon horen knarsen tegen de hoogste punten van de heuvelruggen.

10

Bryan deed de twee openslaande deuren open en stapte het balkon van de grote slaapkamer op.

De deuren waren niet op slot, de andere in huis evenmin. Tot hij Geworden zou zijn, was het verstandig op de achtergrond te blijven, maar hij was voor niemand bang, nooit geweest ook. Andere jongens waren lafaards, hij niet. Zijn macht gaf hem een zelfvertrouwen, dat misschien in de hele wereldgeschiedenis ongeëvenaard was. Hij wist dat niemand kon beletten dat hij zijn lotsbestemming vervulde; zijn reis naar de laatste troon was voorbestemd en hij had slechts het geduld nodig om zijn Wording te voltooien.

Het uur voor middernacht was koel en vochtig. De balkonvloer was bepareld met dauw. Vanaf zee waaide een verfrissende bries. Zijn rode kamerjas werd strak tegen zijn heupen geblazen, maar rond zijn benen spreidde de zoom zich als een uitbreidende plas bloed.

De lichtjes van Santa Catalina, veertig kilometer naar het westen, lagen verborgen achter een dikke mistbank, die meer dan dertig kilometer buiten de kust lag en ook zelf onzichtbaar was. Na de regen bleven de wolken laag hangen en verhinderden elke doorbraak van sterre- of maanlicht. De helder verlichte ramen van de buren kon hij niet zien, want zijn huis stond helemaal aan het uiteinde van de rotspunt en de achtertuin was aan drie kanten omgeven door steile rotswand.

Hij voelde zich gewikkeld in een duisternis even bemoedigend als zijn rode kamerjas. Het rollen en spatten en onophoudelijke fluisteren van de branding was kalmerend.

Als een tovenaar bij een eenzaam altaar hoog op een rotspunt sloot Bryan zijn ogen en legde contact met zijn macht.

Hij voelde niet langer de koele nachtlucht en kille dauw op de balkonvloer. Evenmin voelde hij nog de kamerjas opwaaien rond zijn benen of hoorde hij de golven breken op het strand beneden.

Eerst tastte zijn geest naar de vijf zieke kuddeleden, die in afwachting waren van de bijl. Elk had hij gemarkeerd met een lus psi-kracht om hen makkelijk te kunnen lokaliseren. Met zijn ogen gesloten had hij het gevoel hoog boven de aarde te zweven, en terwijl hij naar beneden keek zag hij vijf bijzondere lichtjes, aura's die verschilden van alle andere energiebronnen langs de zuidelijke kust. De prooien van zijn bloedige jacht.

Met behulp van helderziendheid of 'ver-ziendheid' kon hij die beesten en hun directe omgeving stuk voor stuk bekijken. Hij kon ze niet horen, en dat was soms frustrerend. Maar hij nam aan dat zijn helderziendheid alle vijf de zintuigen ging omvatten, zodra hij eindelijk de nieuwe god Werd.

Bryan wierp een blik op Sammy Shamroe, wiens marteling was uitgesteld vanwege de onverwachte noodzaak om af te rekenen met die snotneus van een schietsmeris. Die in alcohol gedrenkte sufferd zat niet ineengedoken in zijn kist onder de druipende takken van de oleander in zijn steeg zijn tweede tweeliterfles wijn weg te werken, zoals Bryan had verwacht. In plaats daarvan was hij op stap in het centrum van Laguna. Hij had iets bij zich dat op een thermosfles leek, strompelde dronken langs winkels met neergelaten rolluiken en leunde even tegen een boomstam om op adem te komen en zich te oriënteren. Toen wankelde hij tien of twintig stappen verder en leunde tegen een bakstenen muur. Hij liet zijn hoofd hangen en overwoog kennelijk om zich leeg te kotsen. Besloot zich in te houden, strompelde weer vooruit, knipperde verwoed met zijn ogen, kneep zijn ogen tot spleetjes en stak zijn hoofd vooruit met een ongewoon vastbesloten blik op zijn gezicht, alsof hij een belangrijke bestemming voor ogen had, hoewel hij hoogstwaarschijnlijk doelloos rondzwierf, gedreven door irrationele ossekopmotieven die alleen uit te leggen waren aan iemand wiens hersenen, zoals de zijne, gemarineerd waren in drank.

Bryan liet Sam de Nepper voor wat hij was en wierp een blik op die nepheld schietsmeris en dus ook op die smeristrut. Ze zaten in de Honda van de held en reden hoog in de heuvels het pad op van een eigentijds huis met een zijkant van verweerd cederhout en veel grote ramen. Ze zaten te praten. Kon niet horen wat ze zeiden. Levendig. Ernstig. De twee smerissen stapten de auto uit zonder te weten dat ze werden gadegeslagen. Bryan keek rond. Hij herkende de buurt, want hij had zijn hele leven in Laguna Beach gewoond, maar wist niet wiens huis het was.

Over een paar minuten zou hij Lyon en Gulliver wat rechtstreekser benaderen.

Ten slotte richtte hij zijn blik op Janet Marco en haar schooierskind. Ze zaten ineengedoken in hun wrakke Dodge op het parkeerterrein naast de methodistenkerk. De jongen op de achterbank leek te slapen. De moeder hing in haar stoel achter het stuur en tegen de deur aan. Ze was klaarwakker en hield de nacht rond de auto in het oog.

Hij had beloofd hen bij zonsopgang te doden en was van plan zich aan zijn zelf-opgelegde limiet te houden. Hij had daarnet zoveel energie besteed aan het martelen en opruimen van Enrique Estefan, dat afrekenen met hen èn de twee smerissen uitputtend ging worden. Maar met een of twee dutjes tussen nu en zonsopgang, een paar zakken chips en wat koekjes en mogelijk nog een schaal ijs, achtte hij zich in staat hen allemaal te verpletteren op manieren die verrukkelijk bevredigend zouden zijn.

Normaal gesproken had hij zich de laatste zes uur van het leven van moeder en zoon nog minstens twee of drie keer via een golem aan hen vertoond. Hij had hen gekweld tot hun doodsangst vlijmscherp was bijgeslepen. Doden was puur, hevig en orgiastisch genot. Maar de uren en soms dagen van marteling die aan zijn meeste moorden voorafgingen, waren bijna even verrukkelijk als het moment waarop dan eindelijk bloed vloeide. De angst die die beesten vertoonden, de afschuw en het ontzag dat hij hun inboezemde, wonden hem op; hij raakte in vervoering door hun verbijsterde ongeloof en hysterie, als hun zielige pogingen tot verstoppen of ontsnappen faalden zoals uiteindelijk altijd gebeurde. Maar bij Janet Marco en haar zoon zou hij het voorspel moeten overslaan. Hij kon hen nog maar één keer bezoeken: om hun bij zonsopgang de pijn- en bloedrekening te presenteren voor het feit dat ze de wereld met hun aanwezigheid hadden vervuild.

Bryan moest zijn energie bewaren voor die schietsmeris. Hij wilde die grote en machtige held meer martelen dan gewoonlijk. Hem vernederen. Hem breken. Een smekende, snotterende baby van hem maken. In die schietgrage held zat iets van een lafaard. In allemaal zat een lafaard. Bryan was van plan die lafaard op zijn buik te laten kruipen, te laten zien wat een zwakkeling hij eigenlijk was, een kwal, gewoon een schijtebroek die zich verstopte achter zijn penning en zijn wapen. Voordat hij die twee smerissen doodde, ging hij hen opjagen tot ze uitgeput waren, ging hij ze stukje voor stukje verscheuren en liet hij hen wensen dat ze nooit geboren waren.

Hij staakte zijn helderziendheid en verliet de Dodge op het parkeerterrein bij de kerk. Hij haalde zijn volledige bewustzijn weer terug naar zijn lichaam op het slaapkamerbalkon.

Hoge golven kwamen schuin uit het lichtloze westen en sloegen te pletter op het strand beneden. Ze deden Bryan denken aan de glimmende wol-kenkrabbers in zijn droomsteden, die kantelden bij de aanraking van zijn macht en miljoenen schreeuwende mensen begroeven onder golven glas en versplinterd staal.

Als zijn Wording voltooid was, zou hij nooit meer hoeven rusten of ener-gie sparen. Zijn macht zou de macht van het universum zijn: eindeloos en mateloos verlengbaar.

Hij liep weer naar de zwarte slaapkamer en schoof de balkondeur achter zich dicht.

Hij liet zijn rode kamerjas van zich af glijden.

Naakt strekte hij zich uit op het bed en installeerde zijn hoofd op twee kussens van ganzedons in zwarte slopen.

Een paar keer diep, langzaam ademhalen. De ogen sluiten. Het lichaam slap laten worden. De geest reinigen. Ontspannen.

In minder dan een minuut was hij klaar voor een schepping. Hij projec-teerde een aanzienlijk deel van zijn bewustzijn op de zijtuin van het mo-derne huis hoog in de heuvels met zijn betimmering van verweerd ceder-hout en zijn grote ramen, waar de Honda van de smeris op het pad stond.

De dichtstbijzijnde straatlantaarn stond een half blok verderop. Overal diepe schaduwen.

In de diepste schaduw begon een deel van het gazon te kolken. Het gras verdween in de aarde eronder alsof een grondverzetmachine aan het werk was, en de aarde bruiste omhoog met slechts het zachte, natte geluid van dik cakebeslag dat geroerd wordt met een rubberen spatel. Alles gras, aar-de, stenen, dode bladeren, aardwormen, kevers, een sigarenkistje met de veren en vergane botten van een parkiet, dat een kind daar lang geleden begraven had rees op in een duistere, bruisende pilaar zo hoog en breed als een lange man.

Uit die massa kreeg van boven naar beneden de kolossale gedaante vorm. Eerst verscheen het vette en verwarde haar. Daarna de baard. Een mond spleet open. Kromme, verkleurde tanden ontsproten. Lippen met druipen-de zweren.

Eén oog ging open. Geel. Kwaadaardig. Onmenselijk.

11

Hij loopt in een donkere steeg te trippelen en zoekt het spoor van het ding-dat-je-doodmaakt. Hij weet dat hij het kwijt is maar blijft snuffelen vanwege de vrouw, vanwege de jongen, en omdat hij een brave hond is, braaf.

Leeg blikje, metaallucht, roest. Plas regenwater met glimmende druppels olie erop. Dode bij drijft in het water. Interessant. Niet zo interessant als een dode muis, maar interessant.

Bijen vliegen, bijen zoemen, bijen doen pijn, zoals je weet dat een kat pijn kan doen, maar deze bij is dood. Eerste dode bij die hij ooit heeft gezien. Interessant dat bijen dood kunnen gaan. Maar hij kan zich ook niet herinneren dat hij wel eens een dode kat heeft gezien, en vraagt zich nu dus af of katten kunnen doodgaan als bijen.

Grappig om te bedenken dat katten kunnen doodgaan.

Wie zou hen doodmaken?

Ze kunnen steile bomen en plekken beklimmen waar niemand anders bij kan en met hun klauwen een jaap over je neus geven, zó snel dat je ze niet aan ziet komen. Als er dus iets is dat katten doodmaakt, dan kan dat ook niet goed zijn voor honden, iets dat sneller is dan katten, en vals.

Interessant.

Hij loopt verder de steeg door.

Ergens in een mensenplaats wordt vlees klaargemaakt. Hij likt zijn lippen af, want hij heeft nog steeds honger.

Stuk papier. Mars-verpakking. Ruikt lekker. Hij zet er een poot op om het vast te houden en likt het af. Het papier smaakt lekker. Hij likt, likt, likt, maar dan is het op, niet veel, alleen een zoete smaak op het papier. Zo gaat het meestal. Een paar likken of happen en dan is het op, zelden zoveel als hij wil, nooit méér dan hij wil.

Hij snuffelt voor alle zekerheid nog even aan het papier en het plakt aan zijn neus. Hij schudt dus zijn kop en het schiet los. Het vliegt de lucht in en zweeft dan op de bries de steeg door, op en neer, heen en weer, als een vlinder. Interessant. Leeft plotseling en vliegt. Hoe kan dat nou? Heel interessant. Hij draaft erachteraan, en daar zweeft het. Hij springt dus, hapt ernaar, mist, en nu wil hij het, wil hij het ècht, móet hij het hebben, springt, hapt, mist. Wat is hier aan de hand, wat is dat voor een ding? Gewoon een papiertje en nu vliegt het als een vlinder. Hij moet het ècht ècht ècht hebben. Hij draaft en springt en hapt en dit keer krijgt hij het te pakken, kauwt erop, maar het is gewoon papier en hij spuugt het dus uit. Hij staart ernaar, staart en staart ernaar, wacht, slaat het gade, klaar om toe te slaan, wil zich niet meer laten foppen, maar het beweegt niet meer, zo dood als de bij.

Politieman-wolveding! Het ding-dat-je-doodmaakt.

Op een zeebries waait plotseling dat vreemde en kwaadaardige spoor naar hem toe, en zijn spieren trillen. Hij snuffelt zoekend. Het slechte ding staat daar ergens in de nacht, ergens in de buurt van de zee.

Hij volgt de geur. Aanvankelijk is die zwak en vervaagt soms bijna helemaal, maar wordt dan sterker. Hij begint opgewonden te raken. Hij loopt van steeg naar straat naar park naar steeg en weer naar straat, en komt dichterbij, nog niet echt dicht, maar voortdurend dichter. Dat slechte ding is het vreemdste, interessantste ding dat hij ooit heeft geroken.

Heldere lichten. *Piep-piep-piiieeep.* Auto. Dichtbij. Had dood kunnen zijn zoals de bij in de plas.

Hij jaagt de geur van het slechte ding na, gaat sneller lopen, steekt zijn oren waakzaam en alert omhoog, maar vertrouwt nog steeds op zijn neus. Dan verliest hij het spoor.

Hij stopt, draait zich om, besnuffelt aan alle kanten de lucht. De bries is niet van richting veranderd en komt nog steeds uit zee. Maar voert niet meer de geur van het slechte ding mee. Hij wacht, snuffelt, wacht, draait zich om, jankt van frustratie en snuffelt snuffelt snuffelt.

Het slechte ding is niet meer buiten in de nacht. Het is ergens naar binnen gegaan, misschien in een mensenplaats waar de bries er niet overheen waait. Als een kat die hoog in een boom gaat zitten, buiten bereik.

Hij blijft een tijdje staan, hijgt, weet niet wat hij doen moet, en dan verschijnt een buitengewoon verbazende man op de stoep. Hij strompelt en wankelt heen en weer, heeft in zijn ene hand een rare fles en mompelt tegen zichzelf. De man verspreidt meer geuren dan de hond ooit eerder bij mensen heeft geroken, vooral slechte, net heel veel stinkende mensen in één lichaam. Zure wijn. Vettig haar, zuur zweet, uien, knoflook, kaarsenrook, bosbessen. Drukinkt, oleander. Vochtig kaki. Vochtig flanel. Opgedroogd bloed, zwakke mensenpisgeur, pepermunt in zijn ene jaszak, een oud stukje opgedroogde ham en vergeten, beschimmeld brood in een andere, opgedroogde mosterd, aarde, gras, een heel klein beetje mensenkots, verschaald bier, rottende schoenen van canvas, rotte tanden. Al wankelend laat hij ook steeds winden, laat winden en mompelt, leunt even tegen een boom, laat een wind, wankelt dan weer verder en stopt om tegen de muur van een mensenplaats te leunen en nog wat meer winden te laten.

Dat is allemaal interessant, heel interessant, maar het interessantste van alles is dat de man tussen zijn vele geuren ook een vleug van de geur van het slechte ding bij zich heeft. Hijzelf is niet het slechte ding, o nee, maar hij kent het slechte ding, komt van een plaats waar hij niet lang geleden het slechte ding heeft ontmoet, heeft de aanraking van het slechte ding op zijn lichaam.

Het is zonder twijfel díe geur, zo vreemd en kwaadaardig: als de geur van de zee op een koude dag, een ijzeren hek op een hete dag, dode muizen, bliksem, donder, spinnen, bloed, donkere gaten in de grond zoals al die dingen maar toch eigenlijk als niets anders.

De man strompelt hem voorbij en hij gaat met zijn staart tussen zijn poten opzij. Maar de man lijkt hem niet eens te zien, wankelt verder en gaat de hoek om een steeg in.

Interessant.

Hij kijkt toe.

Hij wacht.

Uiteindelijk volgt hij hem.

12

Harry voelde zich onbehaaglijk in Ordegards huis. Een kennisgeving van de politie aan de voordeur verbood de toegang tot het misdaadonderzoek voltooid was, maar hij en Connie waren niet volgens de voorgeschreven procedures binnengekomen. In een klein leren foedraal had ze een compleet stel lopers bij zich en maakte Ordegards sloten sneller soldaat dan een politicus een miljard dollar.

Gewoonlijk had Harry een afkeer van dat soort methodes, en dit was de eerste keer sinds ze zijn partner was, dat hij haar toestond om lopers te gebruiken. Er was gewoon niet genoeg tijd om de regels te volgen; over minder dan zeven uur ging de zon op en ze waren nog niet dichter bij Tiktaks opsporing dan uren geleden.

Het huis had drie slaapkamers en was niet groot, maar goed ontworpen. Net als aan de buitenkant ontbraken ook in het interieur scherpe hoeken. Alle hoeken waren afgerond en veel kamers hadden minstens één gebogen

muur. Overal waren afgeronde, sterk glimmende, witgelakte profielen gebruikt. Ook op de meeste wanden was witte hoogglansverf aangebracht,
waarmee de kamers een parelende schittering kregen, maar de eetkamer
was mat gehouden en gaf de illusie dat hij bekleed was met luxueus beige
leer.

De ruimte leek op het interieur van een cruiseschip en had kalmerend,
zelfs gezellig moeten zijn. Maar Harry was nerveus, niet alleen omdat de
moordenaar met het vollemaansgezicht hier had gewoond of omdat ze
zich illegaal toegang hadden verschaft, maar ook om redenen die hij niet
kon benoemen.

Zijn onbehagen had misschien iets met de meubels te maken. Allemaal
waren ze Scandinavisch-modern, streng, onversierd, vlakgeel ahornkleu-
rig gevernist, even hoekig als het huis afgerond was. Door die extreme tegenstelling met de vorm van het huis leek het of de scherpe randen van de
leuningen en bijzettafeltjes en sofageraamtes puntig in zijn richting staken. Er lag een vliesdun berbertapijt op de grond; misschien veerde het
onder zijn voeten, maar dan zó weinig, dat hij het niet voelde.

Op hun weg door de woonkamer, eetkamer, studeerkamer en keuken zag
Harry dat er geen kunst aan de muren hing. Er was geen enkel siervoor-
werp; tafels waren volstrekt leeg, op eenvoudige, zwart-witte, aardewerk
lampen na. Nergens waren boeken of tijdschriften te zien.

De kamers hadden iets van een klooster, alsof degene die daar woonde
langdurig boete deed voor zijn zonden.

Ordegard leek een man met twee verschillende karakters. De organische
lijnen en materialen van het huis zelf wezen op een sterk sensuele bewoner, die in harmonie was met zichzelf en zijn gevoelens, ontspannen en tot
op zekere hoogte toegeeflijk jegens zichzelf. Aan de andere kant wezen de
meedogenloze monotonie van het meubilair en het volstrekte gebrek aan
ornamenten op een man die koud was, hard jegens zichzelf en anderen, in-
trovert, broedend.

'Wat vind jij?' vroeg Connie, toen ze de gang inliepen die naar de slaapkamers leidde.

'Griezelig.'

'Dat zei ik je al. Maar waarom precies?'

'De tegenstellingen zijn te… extreem.'

'Ja. En het lijkt niet bewoond.'

Ten slotte hing er in de grote slaapkamer een schilderij aan de muur recht
tegenover het bed. Dit was het eerste dat Ordegard zag als hij wakker

werd en het laatste voordat hij elke nacht ging slapen. Het was de reproduktie van een beroemd kunstwerk dat Harry kende, ofschoon hij geen idee had hoe het heette. Volgens hem was het van Francisco de Goya; zoveel had hij nog wel opgestoken van een cursus kunstgeschiedenis. Het werk was dreigend, schuurde de zenuwen en bracht gevoelens van wanhoop en afschuw over, niet in de laatste plaats omdat er een reusachtige, demonische grafgeest op voorkwam die bezig was een bloederig en onthoofd mensenlichaam te verslinden.

Het was diep verontrustend, schitterend opgezet en uitgevoerd en zonder twijfel een groot kunstwerk maar geschikter voor de wanden van een museum dan voor een particulier huis. Het moest gedomineerd worden door een reusachtige tentoonstellingsruimte met een koepelplafond; hier, in deze kamer met normale afmetingen, was het schilderij te overweldigend en zijn duistere energie bijna verlammend.

Connie vroeg: 'Met wie heeft hij zich geïdentificeerd, volgens jou?'

'Wat bedoel je?'

'Met de geest of met het slachtoffer?'

Hij dacht even na. 'Met allebei.'

'Verslond zichzelf.'

'Ja. Verslonden door zijn eigen waanzin.'

'En niet in staat om dat tegen te houden.'

'Misschien erger dan niet in staat. Hij wilde ook niet. Sadist en masochist, samen in één doos.'

Connie vroeg: 'Maar helpt dat begrijpen wat er gebeurd is?'

Harry zei: 'Voorzover ik kan zien niet.'

'Tiktak,' zei de zwerver.

Toen ze bij het horen van zijn lage, knarsende stem om hun as wentelden, stond de zwerver maar een centimeter of tien bij hen vandaan. Hij kon niet ongemerkt zo dichtbij zijn gekropen, en toch stond hij er.

Tiktaks rechterarm sloeg dwars over Harry's borst met wat de kracht leek van een stalen bouwgiek. Hij werd naar achteren gesmeten. Hij sloeg hard genoeg tegen de muur om de slaapkamerramen in hun sponningen te doen trillen. Zijn tanden klapten zó hard op elkaar, dat hij zijn tong had afgebeten als die ertussen had gezeten. Hij kwam op zijn gezicht op de grond terecht, zoog stof en tapijtdeeltjes naar binnen en worstelde om de adem weer binnen te krijgen die uit hem was geslagen.

Met enorme inspanning hief hij zijn gezicht van de berber en zag dat Connie van haar voeten was getild. Tiktak plakte haar tegen de muur en schudde haar verwoed. De achterkant van haar hoofd en haar hakken roffelden als trommelstokken.

Eerst Ricky, nu Connie.

Eerst iedereen die je dierbaar is...

Harry kwam niet verder dan op handen en knieën en kokhalsde van de tapijtdeeltjes die in zijn keel waren blijven steken. Met elke hoest joeg een pijnscheut door zijn borst, en hij had het gevoel dat zijn ribbenkast een bankschroef was die rond zijn hart en longen was vastgedraaid.

Tiktak schreeuwde in Connies gezicht woorden die hij niet begreep, omdat zijn oren tuitten.

Schoten.

Het was haar gelukt haar revolver te trekken en die in de hals en het gezicht van haar overvaller leeg te schieten. Bij de inslag van de kogels maakte hij lichte rukbewegingen, maar zijn greep op haar werd niet losser.

Grimassend van de pijn in zijn borst en naar een strak-modern Deens dressoir graaiend kwam Harry moeizaam, duizelig en met piepende ademhaling overeind. Hij trok zijn eigen wapen, maar wist dat dat tegen deze tegenstander geen zin had.

Nog steeds schreeuwend en Connie in de lucht houdend zwaaide Tiktak haar bij de muur weg en smeet haar naar de twee schuifdeuren van het balkon. Als afgeschoten uit een kanon knalde ze dwars door één ervan. Het venster van gehard glas verplinterde tot tienduizenden dikke stukjes.

Nee. Met Connie mocht dat niet gebeuren. Hij mocht Connie niet verliezen. Ondenkbaar.

Harry schoot tweemaal. In de rug van Tiktaks zwarte regenjas verschenen twee rafelige gaten.

De ruggegraat van de zwerver had verbrijzeld moeten zijn. Splinters bot en lood zouden al zijn vitale organen doorboord moeten hebben. Hij had tegen de grond moeten gaan als King Kong die van het Empire State Building duikt.

In plaats daarvan draaide hij zich om.

Schreeuwde niet van pijn. Waggelde niet eens.

Hij zei: 'Grote schietheld.'

Hoe hij nog steeds kon praten was een mysterie, misschien wel een wonder. In zijn keel zat een kogelwond zo groot als een zilveren dollar.

Connie had ook een deel van zijn gezicht weggeschoten. Door het ontbrekende weefsel was van zijn kaaklijn tot vlak onder zijn rechteroog aan de linkerkant een groot gat ontstaan, en zijn linkeroor was weg.

Er vloeide geen bloed. Er lag geen bot bloot. Zijn vlees was niet rood maar bruinzwart en vreemd.

Zijn glimlach was verschrikkelijker dan ooit, want door de vernieling van zijn linkerkaak waren al zijn rotte tanden aan die kant van zijn gezicht bloot gekomen. In die kooi van kalk kronkelde zijn tong als een vette paling in een fuik.

'Vindt jezelf zo'n slechterik, harde jongen, schietsmeris,' zei Tiktak. Ondanks zijn diepe en raspende stem klonk hij merkwaardig genoeg als een jongetje op het schoolplein dat uitdaagt tot een gevecht, en zelfs zijn vreeswekkende uiterlijk kon het kinderlijke van zijn gedrag niet helemaal verbergen. 'Maar je bent niets, niemand, alleen maar een bang klein mannetje.'

Tiktak stapte naar hem toe.

Harry richtte zijn revolver op de reusachtige aanvaller en…

… zat op een stoel in James Ordegards keuken. Hij had het wapen nog steeds in zijn hand, maar de loop was tegen de onderkant van zijn kin gedrukt, alsof hij op het punt stond zelfmoord te plegen. Het staal voelde koud tegen zijn huid en het vizier boorde zich pijnlijk tegen zijn onderkaak. Zijn vinger was rond de trekker gekromd.

Hij liet de revolver vallen alsof hij in zijn hand een gifslang had ontdekt en sprong op van de stoel.

Hij kon zich niet herinneren dat hij naar de keuken was gegaan, een stoel bij de tafel vandaan had getrokken en was gaan zitten. Hij leek in een oogwenk daarheen getransporteerd en gestimuleerd om zich naar de rand van de zelfvernietiging te begeven.

Tiktak was weg.

Het huis was stil. Onnatuurlijk stil.

Harry liep naar de deur…

… en zat weer op dezelfde stoel als eerst, opnieuw met het wapen in zijn hand. De loop stak in zijn mond en zijn tanden beten op het staal.

Verbijsterd haalde hij de .38 uit zijn mond en legde hem op de grond naast de stoel. Zijn handpalm was vochtig. Hij veegde hem af aan zijn broek.

Hij stond op. Zijn benen voelden onvast. Het zweet brak hem uit en achter in zijn mond kwam de zure smaak van halfverteerde pizza naar boven.

Ofschoon hij niet begreep wat er met hem gebeurde, wist hij zeker dat hij geen zelfmoordneigingen had. Hij wilde leven. Zo mogelijk voor altijd. In nog geen miljoen jaar had hij vrijwillig de loop van de revolver tussen zijn lippen gestoken.

Hij ging met één trillende hand langs zijn klamme gezicht en…

… zat weer op de stoel met de revolver in zijn hand. De loop stak in zijn rechteroog en hij staarde in de donkere loop. Twaalf centimeter eeuwigheid. Zijn vinger rond de trekker.

Goeie god.

Zijn hart klopte zó hard, dat hij het in elke blauwe plek van zijn lichaam kon voelen.

Zorgvuldig stak hij de revolver in de schouderholster onder zijn gekreukte jas.

Hij voelde zich gevangen in een betovering. Magie leek de enige verklaring voor wat hier gebeurde. Toverij, hekserij, voodoo plotseling wilde hij aan alles geloven, mits dat hem maar begenadigde van het vonnis dat Tiktak over hem had uitgesproken.

Hij likte zijn lippen af. Ze waren gekloofd, droog, branderig. Hij keek naar zijn handen, die bleek waren, en nam aan dat zijn gezicht nog bleker was.

Toen hij onvast overeind was gekomen, aarzelde hij even en begon toen naar de deur te lopen. Tot zijn verrassing bereikte hij die zonder op onverklaarbare wijze weer op die stoel te belanden.

Hij moest denken aan de vier verbruikte kogels die hij in zijn borstzakje vond na de zwerver vier keer geraakt te hebben, en hij herinnerde zich eveneens de ontdekking van de krant onder zijn arm, toen hij eerder die avond de supermarkt verliet. Dat hij drie keer op de keukenstoel bleek te zitten zonder zich te herinneren dat hij daar naar toe was gegaan, was naar hij vermoedde slechts een andere toepassing van dezelfde truc als waarmee die kogels in zijn zak en die krant onder zijn arm terecht waren gekomen. Een verklaring van hoe dat werd bereikt, lag vlak over de rand van zijn bewustzijn… maar bleef ongrijpbaar.

Toen hij zonder nieuwe incidenten voorzichtig de keuken verliet, stelde hij vast dat de betovering was verbroken. Op een nieuwe ontmoeting met Tiktak bedacht, rende hij naar de grote slaapkamer, maar de zwerver leek verdwenen.

Hij was bang om Connie dood te vinden, met haar hoofd verdraaid zoals bij Ricky en haar ogen uitgestoken.

Ze zat op de balkonvloer in glinsterende plassen gehard glas. Goddank leefde ze nog. Ze hield haar hoofd in haar handen en kreunde zachtjes. Haar korte, donkere haar fladderde in de nachtbries. Het was glimmend en zacht, en Harry wilde het aanraken en strelen.

Naast haar gehurkt vroeg hij: 'Alles in orde?'

'Waar is-ie?'

'Weg.'

'Ik wil zijn longen uit zijn lijf scheuren.'

Bij dat staaltje van lef lachte Harry bijna van opluchting.

Ze zei: 'D'ruit scheuren en op de plek plakken waar de zon niet schijnt, zodat-ie van nu af door z'n reet moet ademen.'

'Dat houdt hem waarschijnlijk niet tegen.'

'Maar vertraagt hem wel een beetje.'

'Misschien zelfs dat niet.'

'Waar kwam-ie verdomme vandaan?'

'Waarin hij ook verdwenen is. Het niets.'

Ze kreunde weer.

Harry vroeg: 'Weet je zeker dat alles oké is?'

Eindelijk haalde ze haar gezicht uit haar handen. Haar rechter mondhoek bloedde en bij de aanblik van haar bloed huiverde hij evenzeer van angst als van woede. Die hele kant van haar gezicht was rood, alsof ze hard en herhaaldelijk was geslagen. Morgen was dat waarschijnlijk één blauwe plek.

Als ze morgen nog leefden.

'Man, een paar aspirines zouden er wel ingaan,' zei ze.

'Bij mij ook.'

Harry haalde het buisje aspirine te voorschijn dat hij een paar uur geleden uit haar medicijnkastje had genomen.

'Een echte padvinder,' zei ze.

'Ik haal wat water voor je.'

'Dat kan ik zelf ook wel.'

Harry hielp haar overeind. Uit haar haar en kleren vielen stukjes glas.

Toen ze van het balkon naar binnen liepen, hield Connie nog even stil om naar het schilderij op de slaapkamermuur te kijken. Het onthoofde menselijke lichaam. De hongerige grafgeest met zijn waanzinnige, starende ogen.

'Tiktak had gele ogen,' zei ze. 'Niet als eerst, buiten het restaurant, toen hij me aanklampte. Heldergele ogen met zwarte spleetjes als pupillen.'

Ze liepen naar de keuken om water te halen en hun aspirines weg te spoelen. Harry had het irrationele gevoel dat de ogen van de grafgeest op de Goya bewogen om hen gade te slaan terwijl hij en Connie voorbijliepen, en dat het monster van het doek kroop en hen door het huis van de dode achternasloop.

4

1

De uitoefening van zijn macht vermoeide hem soms, en dan werd Bryan Drackman nors en stuurs. Hij genoot nergens meer van. Als het 's avonds koud was, wilde hij het warm hebben; als het warm was, koud. Roomijs smaakte te zoet, maïschips te zout, chocolade veel te veel naar chocolade. Zelfs het gevoel van zijn rode kamerjas tegen zijn lichaam, laat staan van andere kleren, was onverdraaglijk irritant, en toch voelde hij zich kwetsbaar en vreemd als hij naakt was. Hij wilde niet in huis blijven en wilde niet naar buiten. Als hij zich in de spiegel bekeek, beviel zijn eigen spiegelbeeld hem niet, en als hij voor de potten vol ogen ging staan, had hij de indruk dat ze hem eerder bespotten dan aanbaden. Hij wist dat hij moest slapen om zijn energie te hernieuwen en zijn humeur te verbeteren, maar hij walgde evenzeer van de wereld van de droom als van de wakende wereld.

Zijn prikkelbaarheid groeide tot hij twistziek werd. Omdat hij in zijn heiligdom aan zee niemand had om ruzie mee te maken, kon hij geen stoom afblazen. Zijn opvliegendheid verhevigde tot woede. Woede werd blinde razernij.

Te uitgeput om zijn woede af te reageren in lichamelijke activiteit zat hij naakt in zijn zwarte bed tegen zijn in zwart gehulde kussens geleund, en liet zich verteren door woede. Op zijn dijen balde hij zijn handen tot vuisten, kneep harder en harder, tot zijn nagels pijnlijk in zijn handpalmen beten en zijn armspieren schrijnden van inspanning. Met zijn knokkels naar onderen om zich zoveel mogelijk pijn te doen, stompte hij met zijn vuisten eerst op zijn dijen, toen op zijn buik, toen op zijn borst. Hij draaide strengen haar rond zijn vingers en trok tot tranen zijn blik vertroebelden.

Zijn ogen. Hij boog zijn vingers, drukte zijn nagels tegen zijn oogleden en probeerde genoeg moed te verzamelen om zijn eigen ogen uit te steken, los te trekken en in zijn vuisten te verpletteren.

Hij begreep niet waarom hij overweldigd werd door de drang om zichzelf blind te maken, maar de impuls was hevig.

Hij werd door irrationele gevoelens overmand.

Hij jammerde, schudde gekweld zijn hoofd en beukte, trapte en ranselde de zwarte lakens, schreeuwde en spuugde en vloekte met een gemak en hevigheid die zijn driftaanval het werk deden lijken van een hels creatuur dat hem bezat. Hij vervloekte de wereld en zichzelf, maar bovenal vervloekte hij die teef, die broedse teef, die stomme, walgelijke broedse teef. Zijn moeder.

Zijn moeder.

Zijn woede veranderde abrupt in jammerend verdriet en zijn boze geschreeuw en haatdragende gegil in huiverende, gekwelde snikken. Hij kromde zich tot de foetushouding, streelde zijn gestompte en pijnlijke lichaam en huilde net zo hevig als hij eerst had geschreeuwd en geranseld, even hartstochtelijk in zijn zelfbeklag als in zijn woede.

Wat van hem werd verwacht was niet eerlijk, helemaal niet eerlijk. Hij moest Worden zonder gezelschap van een broer, zonder de vaderlijke, leidende hand van een timmerman, zonder het liefdevolle medelijden van zijn moeder. Toen Jezus aan het Worden was, genoot hij de volmaakte liefde van Maria, maar dit keer was er geen Heilige Maagd, geen stralende Madonna aan zijn zijde. Dit keer was er een heks, afgeleefd en verzwakt door haar gulzige begeerten en toegeeflijkheid, die zich walgend en bang van hem afwendde, onwillig en niet in staat hem te troosten. Het was zo oneerlijk, zo bitter oneerlijk dat hij moest Worden en de wereld herscheppen zonder de bewonderende apostelen die aan Jezus' zijde hadden gestaan, en zonder een moeder als Maria, Koningin van de Engelen.

Langzaam verstierf zijn jammerlijke gesnik.

Zijn tranen stroomden langzamer en droogden op.

Hij lag daar ellendig eenzaam.

Hij moest slapen.

Sinds zijn laatste dutje had hij een golem geschapen om Ricky Estefan te doden, een andere om de zilveren gesp aan de achteruitkijkspiegel van Lyons Honda te binden, zijn goddelijkheid geoefend door het vliegende reptiel tot leven te wekken uit het zand op het strand, en nog een andere golem geschapen om die grote held schietsmeris en zijn partner angst aan te jagen. Hij had ook zijn Grootste en Geheimste Macht gebruikt om de spinnen en slangen in Ricky Estefans keukenkastjes te zetten, het afgebroken kopje van het Mariabeeldje in Connie Gullivers stijf geballde hand te leggen en Lyon half krankzinnig te maken door hem driemaal in verschillende zelfmoordhoudingen op die keukenstoel te zetten.

Bryan giechelde bij de herinnering aan Harry Lyons opperste verwarring en vrees.

Stomme smeris. Grote held. Piste bijna in zijn broek van angst.

Bryan giechelde opnieuw. Hij rolde zich om en verborg zijn gezicht in het kussen toen het giechelen heviger werd.

Piste bijna in zijn broek. Wat een held.

Al snel was zijn aanval van zelfbeklag over. Hij was weer in een veel beter humeur.

Hij was nog steeds uitgeput en moest slapen, maar had ook honger. Bij de uitoefening van zijn macht had hij een reusachtige hoeveelheid calorieën verbruikt en hij was minstens een kilo magerder geworden. Tot hij zijn hongergevoel stilde, kon hij niet slapen.

Hij deed zijn rode zijden kamerjas aan en liep de trap af naar de keuken. Hij haalde een pak Mallomars, een pak Oreos en een grote zak chips met uiesmaak uit de kast. Uit de koelkast pakte hij twee flessen Yoo Hoo, de ene chocolade en de andere vanille.

Hij liep door de woonkamer en nam het eten mee naar buiten, naar de Mexicaans-betegelde patio, die voor een deel werd overhuifd door het balkon van de slaapkamer op de eerste verdieping. Hij ging in de leunstoel naast de balustrade zitten, zodat hij de donkere oceaan kon zien.

Nu de dinsdagavond middernacht passeerde en woensdag werd, was de oceaanbries koel, maar dat kon Bryan niet schelen. Oma Drackman zou hem aan het hoofd hebben gezeurd over de longontsteking die hij opliep. Maar als het te koel werd, kon hij met weinig inspanning zijn spijsvertering aanpassen en zijn lichaamstemperatuur verhogen.

Hij spoelde de hele zak Mallomars weg met vanille-Yoo Hoo.

Hij kon eten wat hij wilde.

Hij kon doen wat hij wilde.

Ofschoon Worden een eenzaam proces was en het oneerlijk leek om het zonder bewonderende apostelen en een eigen Heilige Moeder te moeten stellen, was dat allemaal uiteindelijk toch het beste. Jezus was een god van medelijden en genezing geweest, maar Bryan moest de god van de toorn en de reiniging worden; om die reden was het gewenst dat hij Werd in eenzaamheid, zonder week te worden door moederliefde, ongehinderd door lessen over zorg en genade.

2

Deze stinkende man, stinkender dan rotte sinaasappelen die uit de boom zijn gevallen en vol wriemelende dingen zitten, stinkender dan een muis die drie dagen dood is, stinkender dan wat ook, stinkend genoeg om van te moeten niezen als je te veel van hem ruikt, gaat dus van straat naar straat en een steeg in, en laat wolken geuren achter.

De hond volgt hem op een paar passen, nieuwsgierig, houdt afstand, probeert het spoor van het ding-dat-je-doodmaakt tussen al die andere geuren uit te snuffelen.

Ze houden halt aan de achterkant van een plaats waar mensen eten maken.

Lekkere geuren, bijna sterker dan die van de stinkende man, hongerigmakende geuren, een heleboel, heleboel. Vlees, kip, wortelen, kaas. Kaas is lekker, plakt aan je tanden maar is echt lekker, veel beter dan oude kauwgum op straat, dat aan je tanden plakt maar niet zo lekker is. Brood, erwten, suiker, vanille, chocolade en nog meer waar je kaken pijn van doen en het water van in je bek loopt.

Soms komt hij bij etensplaatsen als deze. Dan kwispelt hij jankend met zijn staart en geven ze hem wat lekkers. Maar meestal jagen ze hem weg, gooien dingen naar hem toe, schreeuwen, stampen met hun voeten. In veel dingen zijn mensen raar, bijvoorbeeld met eten. Mensen bewaken vaak hun eten en geven jou niets en dan gooien ze een deel weg in bakken waar het gaat stinken zodat je ziek wordt. Als je die bakken omgooit om het eten eruit te halen vóór het je ziek maakt, komen de mensen schreeuwend naar buiten gerend en jagen je weg alsof ze denken dat je een kat bent of zoiets.

Hij is niet om op te jagen voor de lol. Katten jaag je op voor de lol. Hij is geen kat. Hij is een hond. Voor hem lijkt dat duidelijk.

Mensen kunnen raar zijn.

Nu klopt de stinkende man op een deur, klopt nog eens, en de deur wordt opengemaakt door een dikke man in het wit, helemaal omgeven door hongerigmakende geuren.

Goeie god, Sammy, je bent nog een grotere smeerboel dan anders, zegt de dikke man in het wit.

Geef me wat koffie, zegt de stinkende man, en houdt een fles naar voren die hij bij zich heeft. *Ik wil je echt niet lastigvallen, ik vind dit afschuwe-lijk, maar ik heb een beetje koffie nodig.*

Ik weet nog hoe je jaren geleden…

Een beetje koffie om nuchter te worden.

… begon te werken met dat kleine reclamebureau in Newport Beach…

Ik moet snel nuchter worden.

… voordat je de grote jongen uithing in L.A. Je zag er altijd tiptop uit, al-tijd de mooiste kleren.

Als ik niet nuchter word, ga ik dood.

Daar sla je de spijker op de kop, zegt de dikke man.

Alleen een thermosfles koffie, Kenny. Alsjeblieft.

Van koffie alleen word je niet nuchter. Ik zal wat eten voor je inpakken. Beloof me dat je het opeet.

Ja, natuurlijk doe ik dat, en wat koffie, alsjeblieft.

Ga even wat meer opzij, bij de deur vandaan. Ik wil niet dat m'n baas je ziet en merkt dat ik je wat geef.

Natuurlijk, Kenny, natuurlijk. Ik ben je echt heel dankbaar, want ik moet gewoon nuchter worden.

De dikke man kijkt langs en achter de stinkende man en zegt: *Heb je te-genwoordig een hond, Sammy?*

Hè? Ik? Een hond? Jezus, nee.

De stinkende man draait zich om, kijkt en is verbaasd.

Misschien zou de stinkende man hem hebben geschopt of weggejaagd, maar de dikke man is anders. De dikke man is aardig. Iedereen die naar zoveel lekkere etensdingen ruikt, moet aardig zijn.

De dikke man buigt zich voorover in de deur, met het licht uit de etens-plaats achter zich. Op de toon van mensen-die-je-eten-geven zegt hij: *Hé daar, knul, hoe gaat het met je?*

Mensengeluid. Eigenlijk begrijpt hij daar geen woord van, want het is mensengeluid.

Hij kwispelt dus met zijn staart, want dat vinden de mensen altijd leuk, en hij houdt zijn kop schuin en gaat kijken op de manier waarvan de mensen altijd *ahhhhh* roepen.

De dikke man zegt: *Ahhhhh, jij hoort niet op straat, knul. Welke rare men-sen laten een lief beest als jij aan zijn lot over? Heb je honger? Vast wel. Daar kan ik wel iets aan doen, knul.*

Knul is een van de namen die de mensen hem geven, hem meestal geven. Hij weet nog dat hij, toen hij nog een pup was, Prins werd genoemd door een klein meisje dat van hem hield, maar dat is lang geleden. De vrouw en haar zoon noemen hem Woofer, maar Knul hoort hij het vaakst.

Hij kwispelstaart nog harder en jankt om te laten zien dat hij de dikke man aardig vindt. En hij trilt een beetje om te laten zien hoe ongevaarlijk hij is, een brave hond, een heel brave hond, braaf. Daar houden de mensen van.

De dikke man zegt iets tegen de stinkende man, verdwijnt in de etensplaats en laat de deur in het slot vallen.

Moet nuchter worden, zegt de stinkende man, maar hij praat alleen maar in zichzelf.

Tijd om te wachten.

Gewoon wachten is moeilijk. Wachten op een kat in een boom is nog moeilijker. En wachten op eten is het moeilijkste wachten van allemaal. De tijd tussen wanneer mensen aanstalten maken om je eten te geven en wanneer ze dat ook echt doen, is altijd zó lang, dat het wel lijkt of je intussen nog een kat kunt opjagen, een auto opjagen, alle andere honden in de buurt besnuffelen, achter je staart aan zitten tot je duizelig bent, een heleboel bakken vol ziekmakend eten omgooien en misschien nog een dutje doen, en dan moet je nog stééds wachten tot ze terugkomen met iets om te eten.

Ik heb dingen gezien die de mensen moeten weten, zegt de stinkende man.

Hij blijft uit de buurt van de man en kwispelt nog steeds met zijn staart. Hij probeert om niet alle geuren te ruiken die uit de etensplaats komen, want dat maakt het wachten alleen maar moeilijker. Maar de geuren blijven komen. Hij kan ze niet *niet* ruiken.

De ratteman bestaat echt. Hij is echt.

Eindelijk komt de dikke man terug met die rare fles en een zak voor de stinkende man en een bord vol restjes.

Hij kwispelstaart trillend, hij denkt dat die restjes voor hem zijn, maar hij wil niet te brutaal zijn, wil niet op die resten afgaan en dan blijken ze ineens niet voor hem en geeft de dikke man hem een trap of zoiets. Hij wacht. Hij jankt, zodat de dikke man hem niet vergeet. Dan zet de dikke man het bord neer, wat betekent dat de restjes voor hem zijn, en dit is lekker, dit is vreselijk lekker, o dit is zalig.

Hij sluipt naar het bord en neemt een snelle hap van het eten. Ham. Rundvlees. Stukken brood boordevol jus. Ja ja ja ja ja ja ja.

De dikke man gaat op zijn hurken zitten, wil hem aaien, achter zijn oren krabben, hij laat hem dus maar begaan, ofschoon hij het een beetje eng vindt. Sommige mensen plagen je met eten, ze houden het voor je neus, geven het aan je, doen net of ze je willen aaien, en dan meppen ze op je neus of geven een trap of nog erger.

Hij moet denken aan een paar jongens die op een dag eten voor hem hadden, lachende jongens, blije jongens. Stukken vlees. Mocht uit hun hand eten. Aardige jongens. Allemaal aaiden ze hem en krabden achter zijn oren. Hij besnuffelde ze, rook niets slechts. Likte hun handen. Blije jongens, roken naar zomerzon, zand, zeezout. Hij ging op zijn achterpoten staan en hij joeg achter zijn eigen staart allemaal om ze blij en aan het lachen te maken. En lachen déden ze. Ze stoeiden met hem. Hij ging zelfs op zijn rug liggen. Liet zijn buik zien. Ze mochten over zijn buik wrijven. Aardige jongens. Misschien nam een van hen hem wel mee naar huis om hem elke dag eten te geven. Maar toen grepen ze hem bij zijn nekvel en een van hen had vuur op een stokje en ze probeerden zijn vacht in brand te steken. Hij kronkelde, piepte, jankte en probeerde los te komen. Het vuurstokje ging uit. Ze staken een ander aan. Hij had hen kunnen bijten. Maar dat was stout geweest. Hij was een brave hond. Braaf. Hij rook verbrande vacht maar raakte niet echt in brand. Ze moesten dus nog een vuurstokje aansteken, en toen ontsnapte hij. Ze konden hem niet inhalen. Hij keek naar ze om. Lachende jongens. Roken naar zon, zand en zeezout. Blije jongens. Ze wezen naar hem en lachten.

De meeste mensen zijn aardig, maar sommige niet. Soms ruikt hij de niet-aardige mensen meteen. Ze ruiken... naar koude dingen... zoals ijs... zoals metaal in de winter... zoals de zee als hij grijs is en zonder zon en alle mensen weg zijn van het strand. Maar andere keren ruiken de niet-aardige mensen net als de aardige. Mensen zijn de interessantste dingen ter wereld. Maar ook de engste.

De dikke man achter de etensplaats is aardig. Geen gemep op zijn neus. Geen geschop. Geen vuur. Alleen lekker eten, ja ja ja ja, en een aardige lach als je zijn handen likt.

Eindelijk maakt de dikke man duidelijk dat het eten voorlopig op is. Je gaat op je achterpoten staan, je jankt, je jammert, je rolt je om en laat je buik zien, je gaat zitten en bedelt, je doet een rondedansje, je houdt je kop scheef, je kwispel-kwispel-kwispelstaart, schudt je kop en flappert met je oren, doet al je eten-krijg-trucjes, maar je krijgt niets meer van hem los. Hij gaat naar binnen en doet de deur dicht.

Nou ja, je zit ook eigenlijk vol. Hebt geen eten meer nodig.

Dat betekent niet dat je niet meer wìlt.

Dus toch maar even wachten. Bij de deur.

Het is een aardige man. Hij komt terug. Hoe kan hij jou, je dansje, je kwispelstaart en je smekende jank vergeten?
Wacht.
Wacht.
Wacht. Wacht.
Langzamerhand herinnert hij zich, dat hij iets interessants aan het doen was toen hij die dikke man met het eten tegenkwam. Maar wat?
Interessant...
Dan weet hij het weer: de stinkende man.
Die vreemde, stinkende man is op de hoek aan de andere kant van de steeg. Hij zit tussen twee struiken op de grond met zijn rug tegen de etensplaats. Hij eet uit een zak en drinkt uit een grote fles. Koffiegeur. Eten.
Eten.
Hij draaft naar de stinkende man, want misschien krijgt hij nog wat te eten, maar dan staat hij stil, want plotseling ruikt hij het slechte ding. Op de stinkende man. Maar ook in de nachtlucht. Nu weer heel sterk, dat spoor, koud en verschrikkelijk, meegedragen op de wind.
Het ding-dat-je-doodmaakt is weer buiten.
Hij kwispelstaart niet meer. Hij draait zich om van de stinkende man, haast zich door de nachtelijke straten en volgt dat ene spoor tussen duizenden andere, gaat in de richting van waar het land ophoudt, waar alleen nog maar zand is en dan water, naar de donderende, koude, donkere, donkere zee.

3

Evenmin als de buren van Ricky Estefan lieten die van James Ordegard blijken dat ze het tumult naast hen hadden gehoord. Op de schoten en het verbrijzelende glas kwam geen reactie. Toen Harry de voordeur opendeed en links en rechts de straat af keek, bleef de nacht stil en in de verte klonken geen sirenes.
Het leek of de confrontatie met Tiktak had plaatsgevonden in een droom waartoe alleen Harry en Connie toegang hadden. Maar bewijzen te over, dat de ontmoeting echt was geweest: verbruikte hulzen in hun revolvers; overal op het slaapkamerbalkon gebroken glas; sneden, schrammen en pijnlijke plekken, die later blauw zouden worden.
Harry's en Connies eerste opwelling was: 'm smeren voor de zwerver te-

rugkwam. Maar ze wisten allebei dat Tiktak hen elders net zo makkelijk vond als hier en moesten na hun confrontatie met hem te weten zien te komen wat er te weten viel.

Weer in James Ordegards slaapkamer, onder de kwaadaardige staarblik van de grafgeest op de Goya, zocht Harry nog één bewijs. Bloed.

Connie had Tiktak minstens drie, misschien vier keer van dichtbij geraakt. Een deel van zijn gezicht was weggeschoten en hij had een grote keelwond. Toen de zwerver Connie door de glazen schuifdeur had gegooid, had Harry twee kogels in zijn rug gepompt.

Bloed had zo rijkelijk moeten vloeien als bier in een studentenhuis. Op de wanden en het tapijt was geen druppel te zien.

'En?' vroeg Connie vanuit de deur met een glas water in haar hand. De aspirine zat vast in haar keel. Ze probeerde de tabletten nog steeds weg te spoelen. Of misschien had ze die makkelijk genoeg doorgeslikt en zat iets anders in haar keel bijvoorbeeld angst, ofschoon ze die normaal gesproken zonder moeite wegslikte. 'Heb je iets gevonden?'

'Geen bloed. Alleen deze... aarde, volgens mij.'

Als hij het spul tussen zijn vingertoppen verkruimelde, voelde het beslist als vochtige aarde, en zo rook het ook. Kluitjes en losse stukjes ervan lagen verspreid over het tapijt en de beddesprei.

Harry bewoog zich gehurkt door de kamer, hield bij de grote kluiten even stil en porde eraan met zijn vinger.

'Deze nacht gaat te snel voorbij,' zei Connie.

'Zeg maar niet hoe laat het is,' zei hij zonder op te kijken.

Ze zei het tòch. 'Paar minuten over twaalf. Heksenuur.'

'Beslist.'

Hij ging verder en vond in een klein hoopje aarde een worm. Hij was nog steeds vochtig en hij glom, maar was dood.

Hij legde een prop rottend plantaardig materiaal bloot, die uit ficusbladeren leek te bestaan. Hij kon ze één voor één lostrekken als lagen filodeeg in een Griekse pastei. In het midden ervan had een zwart kevertje met stijve pootjes en juweelgroene ogen zijn graf gevonden.

Bij een van de nachtkastjes vond Harry een iets misvormde loden kogel: een die Connie in Tiktak had geschoten. Er plakte vochtige aarde aan. Hij pakte hem op, rolde hem tussen duim en wijsvinger en staarde er nadenkend naar.

Connie kwam verder de kamer in om te zien wat hij ontdekt had. 'Wat is dat volgens jou?'

'Ik weet het niet precies… maar misschien…'

'Wat?'

Hij keek aarzelend rond naar de aarde op het kleed en de sprei.

Hij herinnerde zich bepaalde volkslegenden, sprookjes in zekere zin, maar met een nog sterkere godsdienstige ondertoon dan die van Hans Christian Andersen. Oorspronkelijk joods, als hij zich niet vergiste. Verhalen over kabbalistische magie.

Hij zei: 'Als je al die aarde en al dat vuil verzamelt en echt stijf op elkaar perst… denk je dat je dan precies de juiste hoeveelheid materiaal krijgt om de wond in zijn keel en het gat aan de zijkant van zijn gezicht op te vullen?'

Connie zei fronsend: 'Misschien. Waar wil je heen?'

Hij stond op en stak de kogel in zijn zak. Hij wist dat hij haar niet aan de onverklaarbare hoop aarde in Ricky Estefans woonkamer hoefde te herinneren noch aan de verfijnd gebeeldhouwde hand en jasmouw die daar uitgestoken hadden.

'Ik weet nog niet precies waar ik heen wil,' zei Harry. 'Ik moet er nog een beetje over nadenken.'

Op hun weg door Ordegards huis draaiden ze de lampen uit. Het donker dat ze achterlieten, leek te leven.

Buiten in de namiddernachtelijke wereld overspoelde oceaanlucht het land zonder het te reinigen. Harry had de oceaanwind altijd fris en schoon gevonden, maar nu niet meer. Hij geloofde niet langer dat de krachten van de natuur de chaos van het leven voortdurend tot de orde riepen. Vannacht deed de koele bries hem aan onreine dingen denken: kerkhofgraniet, ontvleesde botten in de eeuwige omarming van ijskoude grond, de glimmende rugschilden van kevers die zich te goed deden aan dood vlees.

Hij was toegetakeld en moe; misschien kwam dat nieuwe, sombere onheilsgevoel uit zijn uitputting voort. Maar wat de oorzaak ook was, hij begon naar Connies opvatting te neigen dat de natuurlijke staat van de dingen chaos en niet orde was en dat je je daartegen niet verzetten kon. Je kon het slechts berijden op de manier waarop een surfer een torenhoge en mogelijk dodelijke golf berijdt.

Op het gazon tussen de voordeur en het pad waar hij de Honda geparkeerd had, struikelden ze bijna over een grote berg verse aarde. Toen ze naar binnen waren gegaan, lag die er nog niet.

Connie pakte een lantaarn uit het handschoenenkastje van de Honda, kwam terug en richtte de straal op de berg aarde, zodat Harry hem beter kon onderzoeken. Eerst liep hij er zorgvuldig omheen en onderzocht hij hem van dichtbij, maar hij kon geen hand of ander menselijk lichaamsdeel ontdekken dat daarvan geboetseerd was. Dit keer was de vernietiging totaal.

Maar toen hij er met zijn handen aarde vanaf schraapte, legde hij bundels dode en rottende bladeren bloot, net als de prop die hij in Ordegards slaapkamer had ontdekt. Gras, stenen, dode wormen. Doorweekte stukken van een beschimmelde sigarendoos. Stukjes wortel en twijgen. Dunne parkietebotjes, waaronder het breekbare, verkalkte kant van een opgevouwen vleugel. Harry wist niet precies wat hij verwachtte te vinden: misschien een hart geboetseerd van aarde, even gedetailleerd als de hand die ze in Ricky's woonkamer hadden gezien, en nog steeds kloppend met een vreemd, kwaadaardig leven.

Toen hij in de auto de motor had gestart, zette hij de verwarming aan. Hij was tot op het bot verkild.

Wachtend tot het warm werd en naar de zwarte hoop aarde op het gazon starend vertelde Harry aan Connie over dat wraakzuchtige monster uit legendes en folklore, de golem. Ze luisterde zonder commentaar en was nog minder sceptisch over deze verbazingwekkende mogelijkheid dan toen hij eerder die avond in haar flat georeerd had over een onaangepast iemand met paranormale vermogens en de demonische macht om zich meester te maken van andere mensen.

Toen hij klaar was, zei ze: 'Dus hij maakt een golem en gebruikt die om te doden, terwijl híj ergens veilig blijft zitten.'

'Misschien.'

'Maakt een golem van aarde.'

'Of van zand of oude struiken of misschien wel van van alles.'

'Maakt hem met de kracht van zijn geest.'

Harry zei niets.

Ze vroeg: 'Met de kracht van zijn geest of met toverij zoals in die volksverhalen?'

'Jezus, dat weet ik niet. Het is allemaal zo waanzinnig.'

'En denk je nog steeds dat hij ook mensen in bezit neemt en als marionetten gebruikt?'

'Waarschijnlijk niet. Daar is tot dusver geen bewijs voor.'

'En Ordegard dan?'

'Volgens mij is er geen relatie tussen Ordegard en die Tiktak.'

'O nee? Maar je wilde naar het lijkenhuis omdat je dacht…'

'Dat dacht ik, maar nu niet meer. Ordegard was een gewone huis-tuin-en-keukengek uit het laatste decennium van de eeuw. Gistermiddag schoot ik hem op de vliering van de sokken; einde verhaal.'

'Maar Tiktak dook op in Ordegards huis…'

'Omdat wij daar waren. Op een of andere manier weet hij ons te vinden. Hij kwam hier omdat wij er waren, niet omdat hij iets met James Ordegard te maken heeft.'

Een harde stroom hete lucht spoot uit roostertjes op het dashboard. De lucht overspoelde hem zonder het ijs te smelten dat hij in de afgrond van zijn maag meende te voelen.

'In een paar uur tijd zijn we tegen twee gestoorde types aangelopen,' zei Harry. 'Eerst Ordegard, toen deze vent. Een slechte dag voor de thuisploeg, meer niet.'

'Eentje voor de recordboeken,' zei Connie instemmend. 'Maar als Tiktak Ordegard niet is, als hij niet kwaad was omdat je Ordegard neerschoot, waarom moet hij jou dan zo nodig hebben? Waarom wil hij je dood?'

'Dat weet ik niet.'

'Toen je nog in je flat was, voordat die afbrandde, zei hij toen niet dat je hèm niet dood kon schieten en dan denken dat je met hem klaar was?'

'Ja, dat is een van de dingen die hij gezegd heeft.' Harry probeerde zich de rest te herinneren van wat de golem-zwerver hem had toegebruld, maar de herinnering was ongrijpbaar. 'Nu ik erover nadenk: hij heeft Ordegard nooit genoemd. Ik nam gewoon aan… Nee, Ordegard is een doodlopend spoor.'

Hij was bang dat ze ging vragen hoe ze het echte spoor, het ware spoor dat naar Tiktak leidde, konden oppikken. Maar ze besefte kennelijk dat hij het volstrekt bijster was, want ze vroeg niet verder door.

'Het wordt hier te heet,' zei ze.

Hij zette de knop van de verwarming lager.

Hij was nog steeds tot op het bot verkild.

In het licht van het dashboard zag hij zijn handen. Ze zaten onder het vuil als de handen van een man die voortijdig is begraven en zich wanhopig klauwend een weg heeft gebaand uit een nieuw graf.

Harry reed achteruit het pad af en daalde langzaam de steile hellingen van Laguna af. Op dit late uur waren de straten in de woonwijken helemaal verlaten. De meeste huizen waren donker. Wat hun betrof, daalden ze af door een moderne spookstad, waar alle bewoners verdwenen waren zoals de bemanning van het oude zeilschip Mary Celeste: lege bedden in donke-

re huizen, televisies die aanstaan in verlaten woonkamers, middernachte-
lijke maaltijden op borden in stille keukens waar niemand meer is om te
eten.

Hij keek op het dashboardklokje. 0.18 uur.

Iets meer dan zes uur tot zonsopgang.

'Ik ben zo moe dat ik niet meer helder kan denken,' zei Harry. 'En godverdomme, ik móet denken.'

'Laten we een kop koffie drinken en iets gaan eten. Dat geeft nieuwe energie.'

'Ja, prima. Waar?'

'Green House. Pacific Coast Highway. Dat is een van de weinige tenten
die zo laat nog open is.'

'The Green House. Ja, dat ken ik.'

Na een stilte waarin ze een nieuwe heuvel afdaalden, zei Connie: 'Weet je
wat ik in Ordegards huis nog het engst vond?'

'Wat?'

'Het deed me denken aan mijn flat.'

'Echt? Hoezo?'

'Doe niet stommer dan je bent, Harry. Je hebt ze vanavond allebei gezien.'

Harry had inderdaad een zekere gelijkenis gezien, maar had daar niet over
na willen denken. 'Hij heeft meer meubels dan jij.'

'Niet zo heel veel. Geen snuisterijen, geen sierdingen, geen familiefoto's.
Eén kunstwerk in zijn huis, één in de mijne.'

'Maar er is een groot verschil, een enorm verschil jij hebt die posterfoto,
genomen door een skydiver, helder en opwekkend; alleen al door ernaar te
kijken, krijg je een gevoel van vrijheid, en niet die grafgeest, die op stukken van een lijk zit te kauwen.'

'Dat weet ik nog zo net niet. Het schilderij in die slaapkamer gaat over de
dood, het menselijk lot. Misschien is mijn poster eigenlijk helemaal niet
zo opwekkend. Misschien gaat die eigenlijk ook wel over de dood, over
vallen en vallen terwijl je parachute niet opengaat.'

Harry maakte zijn blik los van de straat. Connie keek hem niet aan. Ze zat
met haar hoofd achterover en had haar ogen dicht.

'Jij hebt net zo min zelfmoordneigingen als ik,' zei hij.

'Wat weet jij daarvan?'

'Dat weet ik.'

'Ja, dat zal wel.'

Hij stopte voor een rood verkeerslicht op Pacific Coast Highway en keek haar opnieuw aan. Ze had haar ogen nog steeds niet open. 'Connie…'

'Ik heb altijd de vrijheid nagejaagd. En wat is de ultieme vrijheid?'

'Zeg maar.'

'De ultieme vrijheid is de dood.'

'Ga tegenover mij geen psychiatertje spelen, Gulliver. Een van de dingen die ik in je mag, is dat je niet probeert om iedereen te analyseren.'

Het strekte haar tot eer dat ze glimlachte; kennelijk wist ze nog dat ze in het hamburgerrestaurant na de schietpartij met Ordegard datzelfde tegen hem had gezegd, toen hij zich afvroeg of ze vanbinnen net zo hard was als ze voorgaf.

Ze deed haar ogen open en controleerde het verkeerslicht. 'Groen.'

'Ik ben nog niet zo ver.'

Ze keek hem aan.

Hij zei: 'Eerst wil ik weten of je gewoon zit te leuteren of dat je volgens jou echt iets gemeen hebt met een halvegare als Ordegard.'

'Al dat gelul van mij over hoe je de chaos moet beminnen en omhelzen? Nou, misschien moet dat ook wel, als je in deze opgenaaide wereld overleven wilt. Maar vanavond zat ik te denken dat ik de chaos altijd wilde berijden, omdat ik heimelijk hoopte dat die me op een dag zou verslinden.'

'Altijd?'

'Ik heb geloof ik niet meer zoveel zin in chaos als vroeger.'

'Door Tiktak heb je er nu genoeg van?'

'Niet door hem. Maar… eerder op de avond, meteen na het werk, voordat jouw flat afbrandde en alles naar de klote ging, ontdekte ik tot mijn verbazing dat ik een reden heb om te leven.'

Harry zei niets. Hij was bang dat elke onderbreking voorkwam dat ze haar verhaal afmaakte. In zes maanden tijd was haar polaire terughoudendheid nooit ontdooid, tot ze in haar flat heel even op het punt had gestaan iets intiems en fundamenteels te onthullen. Het gat was snel weer dichtgevroren, maar nu begon het gletsjeroppervlak scheuren te vertonen. Zijn verlangen om in haar wereld toegelaten te worden, was zó hevig, dat het evenveel onthulde over zijn eigen behoefte aan wederzijds contact als over de mate waarin ze tot dusver haar privacy had bewaakt; zo nodig was hij bereid de zes laatste uren van zijn leven voor dit stoplicht te blijven wachten tot ze hem een beter begrip gaf van de bijzondere vrouw, die volgens hem onder het harde vernis van een straatslimme smeris schuilging.

'Ik had een zusje,' zei ze. 'Heb ik tot vanavond nooit geweten. Ze is dood.

Al vijf jaar. Maar ze had een kind. Een dochter. Eleanor. Ellie. Nu wil ik niet meer worden opgeslokt of de chaos berijden. Ik wil alleen maar de kans om Ellie te ontmoeten, haar leren kennen, kijken of ik van haar kan houden, en dat kan ik misschien. Wat er met mij als kind gebeurd is, heeft de liefde misschien niet voorgoed weggebrand. Misschien kan ik meer dan alleen haten. Dat moet ik ontdekken. Ik kan niet wàchten tot ik dat ontdekt heb.'

Hij was ontzet. Als hij haar goed begreep, voelde ze voor hem nog niet bij benadering de liefde die hij voor haar had opgevat. Maar dat was goed zo. Ongeacht haar twijfels wist hij dat ze lief kon hebben en dat ze voor haar nicht een plekje in haar hart zou vinden. En als dat voor het meisje wel kon, waarom dan niet voor hem?

Ze beantwoordde zijn blik en glimlachte. 'Goeie god, moet je mij horen! Ik klink als een van die biechtende neuroten die hun vuile was buiten hangen tijdens een religieuze middagshow op de tv.'

'Helemaal niet. Ik… ik wil het graag horen.'

'Straks ga ik je nog zitten vertellen dat ik graag seks bedrijf met mannen die zich aankleden als hun moeder.'

'Doe je dat graag?'

Ze lachte. 'Wie niet?'

Hij wilde weten wat ze bedoelde toen ze zei: *wat er met mij als kind gebeurd is*, maar durfde het niet te vragen. Die ervaring was misschien niet de kern van haar, maar zíj geloofde van wel en zou daar alleen in haar eigen tempo over kunnen praten. Bovendien waren er nog duizend andere dingen die hij wilde weten, tienduizend, en als hij daaraan begon, stonden ze hier bij die kruising werkelijk tot de zon opging, Tiktak kwam en zij doodgingen.

Het stoplicht sprong weer op groen. Hij reed de kruising op en sloeg rechtsaf. Twee blokken verder naar het noorden parkeerde hij voor The Green House.

Toen hij en Connie uit de auto stapten, zag Harry een smerige zwerver in de schaduwen bij de hoek van het restaurant, vlak bij een steeg die langs de achterkant van het gebouw liep. Het was niet Tiktak, maar een kleiner, zielig uitziend exemplaar. Hij zat met opgetrokken benen tussen twee struiken uit een zak in zijn schoot te eten, dronk hete koffie uit een thermosfles en zat met aandrang tegen zichzelf te mompelen.

De man sloeg hen fel en koortsachtig gade toen ze naar de ingang van The Green House liepen. Zijn bloeddoorlopen ogen leken op die van veel andere straatbewoners tegenwoordig en brandden van paranoïde angsten. Misschien dacht hij achtervolgd te zijn door boosaardige ruimtewezens, die microgolven naar hem uitstraalden om zijn gedachten te vertroebelen. Of door de gluiperige bende van tienduizendtweeëntachtig samenzweerders die de werkelijke moordenaars van John F. Kennedy waren en sindsdien in het geheim de wereld hadden beheerst. Of door duivelse Japanse zakenlieden, die alles overal opkochten, alle andere mensen in slavernij brachten en de organen van Amerikaanse kinderen rauw opdienden in sushibars in Tokio. De laatste tijd leek het wel of de helft van de gezònde bevolking of wat daar tegenwoordig voor doorging in een of andere aantoonbaar belachelijke samenzweringstheorie geloofde. En bij de meeste stomdronken straatzwervers zoals deze man deden zulke fantasieën opgeld.

Connie zei tegen de zwerver: 'Kun je me horen of zit je ergens op de maan?'

De man keek haar kwaad aan.

'Wij zijn van de politie. Snap je dat? Politie. Als jij met je vingers aan de auto zit terwijl wij weg zijn, smijten we je zó snel in een ontwenningskuur dat je van voren niet weet dat je van achteren nog leeft. Drie maanden lang geen drank of drugs meer.'

Gedwongen ontwenning was het enige dreigement dat bij sommige gootridders nog iets uithaalde. Ze zaten al op de bodem van het moeras en waren er al aan gewend om alle kanten op te worden getrapt en door grotere dieren opgevreten te worden. Ze hadden niets te verliezen behalve de kans op een roes van goedkope wijn of wat ze zich ook maar konden veroorloven.

'Politie?' vroeg de man.

'Goed,' zei Connie. 'Je hebt me dus gehoord. Politie. Drie maanden zonder één druppel; dat gaan drie eeuwen lijken.'

De vorige week had een dronken zwerver in Santa Ana misbruik van hun onbewaakte dienstauto gemaakt door bij wijze van maatschappelijk protest zijn faeces op de chauffeursstoel achter te laten. Of misschien zag hij hen voor ruimtewezens aan voor wie een gift van menselijk afval een gebaar van welkom was en een uitnodiging tot intergalactische samenwerking. In beide gevallen had Connie die vent zijn nek om willen draaien en Harry moest al zijn diplomatie en overredingskracht aanwenden om haar ervan te overtuigen dat gedwongen ontwenning wreder was.

'Doe jij de deuren dicht?' vroeg Connie aan Harry.

'Ja.'

Terwijl ze The Green House inliepen, zei de zwerver achter hen nadenkend: 'Politie?'

<h1 style="text-align:center">4</h1>

Toen de koekjes en de chips op waren, gebruikte Bryan even zijn Grootste en Geheimste Macht om zich van volledige privacy te verzekeren, ging aan de rand van de patio staan en urineerde tussen de spijlen in de stille zee beneden. Hij vond het altijd heerlijk om in het openbaar dit soort dingen te doen, soms midden op straat met mensen om zich heen. Hij wist dat zijn Grootste en Geheimste Macht hem tegen ontdekking beschermde. Toen zijn blaas leeg was, zette hij alles weer in beweging en liep terug naar het huis.

Eten alleen was maar zelden genoeg om zijn energie aan te vullen. Hij was immers een god in Wording en volgens de bijbel had ook de eerste god zelf op de zevende dag rust nodig gehad. Voordat hij nieuwe wonderen kon verrichten, moest Bryan even een dutje doen, misschien wel een uur lang.

In de slaapkamer, slechts door één bedlampje verlicht, ging hij een tijdje voor de zwart gelakte planken staan, waar ogen in alle soorten en kleuren in bewaarvloeistof dreven. Hij voelde hun onafgebroken, eeuwige blik. Hun aanbidding.

Hij maakte zijn kamerjas los en liet hem op de grond vallen.

Die ogen hielden van hem. Hielden van hem. Hij voelde hun liefde en aanvaardde die.

Hij opende een van de potten. De ogen erin waren van een vrouw geweest die uit de kudde was verwijderd, omdat ze een van degenen was wier verdwijning van de wereld geen consternatie wekte. Het waren blauwe ogen, die eens mooi waren geweest. Nu was de kleur vervaagd en waren de lenzen melkwit.

Hij stak zijn hand in de sterk riekende vloeistof, haalde een van de blauwe ogen eruit en hield het in zijn linkerhand. Het voelde als een rijpe dadel zacht maar stevig en vochtig.

Het oog tussen handpalm en borstkas gevangen houdend, rolde hij het voorzichtig tussen zijn tepels heen en weer. Hij drukte niet te hard en zorgde dat hij het niet beschadigde, maar wilde zich dolgraag in al zijn Wordende glorie, met elk glad, vlak stuk van hem, elke ronding en porie, aan de dode vrouw vertonen. Het bolletje was koel tegen zijn warme vlees en liet een vochtspoor op zijn huid na. Hij huiverde verrukt. Hij liet de gladde bol omlaag naar zijn buik glijden, beschreef er cirkels mee en hield hem toen even in de holte van zijn navel.

Uit de open pot haalde hij het tweede blauwe oog. Hij hield het onder zijn rechterhand en liet beide ogen zijn lichaam verkennen: borstkas en zijden en dijen, omhoog over zijn buik en weer naar zijn borst, langs de zijkanten van zijn hals, zijn gezicht; voorzichtig rolde hij de vochtige en sponzige bolletjes over zijn wangen, almaar rond en rond. Zo bevredigend om het voorwerp van aanbidding te zijn. Zo volmaakt glorieus voor de dode vrouw, aan wie dit intieme moment met de Wordende god werd gegund, die haar berecht en veroordeeld had.

Spiralende sporen bewaarvloeistof markeerden de route van elk oog over zijn lichaam. Terwijl de vloeistof verdampte, was het makkelijk te geloven dat het maaswerk van koelte eigenlijk een kantwerk van tranen op zijn huid was, geplengd door de dode vrouw die zich verblijdde over deze aanraking van het allerheiligste.

De andere ogen op de plank keken vanuit hun afzonderlijke door glas omgeven vloeibare universums toe en leken jaloers op de blauwe ogen aan wie deze eenwording was gegund.

Bryan wou dat hij zijn moeder hier kon brengen om haar alle ogen te laten zien, die hem aanbaden en koesterden en vereerden en voor wie geen onderdeel van hem reden was om hun blik af te wenden.

Maar natuurlijk zou ze niet kijken, kon ze niet zien. Die koppige, verwelkte heks zou hem hardnekkig blijven vrezen. Ze beschouwde hem als een monster, ofschoon zelfs haar duidelijk moest zijn dat hij een superieure geestelijke macht aan het Worden was, zwaard der gerechtigheid, aanstichter van het armageddon, redder van een wereld die geteisterd werd door een overvloed aan mensheid.

Hij deed het paar blauwe ogen weer in de pot en schroefde het deksel dicht.

Hij had zijn ene honger met koekjes en chips gestild, een andere gestild door zijn glorie te onthullen aan de schare in de potten en door hun ontzag voor hem te zien. Nu was het tijd om even te slapen en zijn accu op te laden; zonsopgang kwam steeds dichterbij, en hij had beloften na te komen.

Toen hij zich op het verwarde beddegoed installeerde, reikte hij naar de schakelaar van de lamp op het nachtkastje, maar besloot hem aan te laten. De ontlichaamde gelovigen in de potten zagen hem beter als de kamer niet helemaal donker was. Het was een aangename gedachte dat hij zelfs in zijn slaap werd bewonderd en vereerd.

Bryan Drackman sloot zijn ogen, gaapte en viel zoals altijd direct in slaap. Dromen: grote vallende steden, brandende huizen, instortende monumenten, massagraven van kapot beton en verwrongen staal tot aan de horizon, bezocht door troepen vretende gieren zó talrijk, dat zij in hun vlucht de hemel verduisterden.

<h1 style="text-align:center">5</h1>

Hij rent, draaft, gaat langzamer lopen en kruipt ten slotte behoedzaam van schaduw naar schaduw. Hij komt steeds dichter bij het ding-dat-je-dood-maakt. De geur ervan is overrijp, sterk, smerig. Niet vies zoals de stinkende man. Anders. Op zijn eigen manier erger. Interessant.

Hij is niet bang. Hij is niet bang. Niet bang. Hij is een hond. Hij heeft scherpe tanden en klauwen. Sterk en snel. De drang tot opsporen en jagen zit in zijn bloed. Hij is een hond, listig en fel, en loopt nergens voor weg. Hij is geboren om te jagen, níet om prooi te zijn, en onbevreesd achtervolgt hij alles wat hij wil, zelfs katten. Ofschoon katten zijn neus hebben gekrabd, hem gebeten en vernederd hebben, jaagt hij ze toch zonder vrees op, want hij is een hond, misschien niet zo slim als sommige katten, maar een hònd.

Dribbelt langs een rij dikke oleanders. Mooie bloemen. Bessen. Eet geen bessen. Maken je ziek. Dat weet je door hun geur. Ook de bladeren. Ook de bloemen.

Eet nooit bloemen, nóóit. Hij heeft het ooit een keer geprobeerd. Er zat een bij in de bloem, toen in zijn bek, zoemde in zijn bek, stak in zijn tong. Een heel erge dag, erger dan katten.

Hij kruipt verder. Niet bang. Niet. Niet. Hij is een hond.

Mensenplaats. Hoge witte muren. Donkere ramen. Bijna bovenin een vierkant van bleek licht.

Hij sluipt langs de zijkant van de plaats.

De geur van het slechte ding is hier sterk en wordt steeds sterker. Brandt bijna in zijn snuit. Zoals maar toch niet zoals ammoniak. Een koude en donkere geur, kouder dan ijs en donkerder dan nacht.

Halverwege de hoge witte muur houdt hij halt. Luistert. Snuffelt.

Hij is niet bang. Hij is niet bang.

Iets boven zijn hoofd doet *Whoooooeeeeee*.

Hij is bang. Wentelt om zijn as en begint terug te rennen langs de weg die hij gekomen is.

Whoooooeeeeee.

Wacht. Hij kent dat geluid. Een uil die boven hem door de nacht schiet en op zijn eigen prooi jaagt.

Hij was bang van een uil. Stoute hond. Stoute hond. Stout.

Je moet aan de jongen denken. De vrouw en de jongen. Bovendien... die geur, die plaats, dat moment zijn interessant.

Hij draait zich weer om en blijft langs de zijkant van de mensenplaats kruipen, witte muren, één bleek licht hoog boven zijn hoofd. Hij komt bij een ijzeren hek. Nauwe spijlen. Niet zo nauw als de rioolbuis waar je de kat achterna zit en dan vast komt te zitten, en de kat rent dan verder, en jij kronkelt en trapt en worstelt heel lang in die pijp, je denkt dat je nooit meer loskomt, en dan vraag je je af of de kat misschien door het donker van de pijp terugkomt en je neus krabt terwijl jij vastzit en je niet kunt bewegen. Nauw, maar niet zó nauw. Hij schudt zijn achterdeel, trapt en is erdoor.

Hij komt bij het einde van de plaats, loopt een hoek om en ziet het ding-dat-je-doodmaakt. Hij kan lang niet zo goed zien als ruiken, maar hij onderscheidt een man, jong, en hij weet dat dit het slechte ding is, want het stinkt naar die vreemde, donkere, koude geur. Eerst zag het er anders uit, nooit een jongeman, maar de geur is dezelfde. Dit is het ding. Beslist.

Hij blijft stokstijf staan.

Hij is niet bang. Hij is niet bang. Hij is een hond.

Het jongeman-slechte-ding loopt de mensenplaats in. Heeft zakken eten bij zich. Chocolade. Marshmallows. Chips.

Interessant.

Zelfs het slechte ding eet. Het is buiten geweest om te eten en gaat nu naar binnen, en misschien is er nog wat eten over. Met een kwispelstaart, een vriendelijke jank, de zit-en-bedeltruc krijgt hij misschien iets lekkers, ja ja ja ja.

Nee nee nee nee. Slecht idee.

Maar chocolade.

Nee. Vergeet het. Het soort slechte idee waarbij ze je neus krabben. Of nog erger. Dood als de bij in de plas, de muis in de goot.

Het ding-dat-je-doodmaakt gaat naar binnen en doet de deur dicht. Die griezelige geur is nu niet meer zo sterk.

De chocoladegeur evenmin. Nou ja.

Whoooooeeeeee.

Gewoon een uil. Wie is er nou bang voor een uil? Een hond niet.

Hij snuffelt een tijdje achter de mensenplaats rond, deels gras, deels aarde, deels platte stenen die mensen neerleggen. Struiken. Bloemen. Drukke kevers in het gras, allerlei soorten. Een paar van die dingen waar mensen in zitten... en naast één daarvan een stukje koek. Chocolade. Lekker, lekker, weg. Snuffel verder, onder, hier, daar, maar niets meer te vinden.

Een kleine hagedis! Zoef, zo snel, over de stenen, pak hem, pak hem, pak hem, pak hem. Deze kant, die kant, deze kant, tussen je poten, die kant, daar komt-ie, daar gaat-ie waar is-ie? Dáár, zoef, laat hem niet ontsnappen, pak hem, pak hem, wil hem, moet hem, *knal* tegen een ijzeren hek uit het niets.

De hagedis is weg, maar de spijlen ruiken naar verse mensenpis. Interessant.

Het is de pis van het ding-dat-je-doodmaakt. Geen lekkere lucht. Geen slechte lucht. Alleen interessant. Het ding-dat-je-doodmaakt ziet eruit als een mens, pist als een mens, moet dus een mens zijn, ook al is hij vreemd en anders.

Hij volgt de route van het slechte ding toen het stopte om te pissen en de mensenplaats inging, en onder in de grote deur vindt hij een kleinere deur, min of meer zo groot als hij. Hij snuffelt eraan. De kleinere deur ruikt naar een andere hond. Zwak, heel zwak, maar een andere hond. Heel lang geleden ging een hond in en uit deze deur. Interessant. Zó lang geleden, dat hij moet snuffelen snuffelen snuffelen snuffelen om iets te weten te komen. Een mannetjeshond. Niet klein, niet al te groot. Interessant. Zenuwachtige hond... of misschien ziek. Lang geleden. Interessant.

Denk hierover na.

Deur voor mensen. Deur voor honden.

Denk.

Dit is dus niet alleen een mensenplaats. Dit is een mensen-en-hondenplaats. Interessant.

Hij duwt met zijn neus tegen het koude metalen deurtje en het zwaait naar binnen. Hij steekt zijn kop naar binnen en tilt het deurtje net ver genoeg op om diep te snuffelen en rond te kijken.

Mensenetensplaats. Er is eten verstopt, niet waar hij het kan zien, maar hij kan het nog wel ruiken. Het sterkst van alles is de geur van het slechte ding, zó sterk dat hij geen belang meer stelt in eten.

227

De geur stoot hem af en maakt hem bang, maar trekt hem ook aan, en nieuwsgierigheid drijft hem verder. Hij wringt zich door de opening, het metalen deurtje glijdt over zijn rug, over zijn staart, en valt dan zacht piepend dicht.

Binnen.

Hij luistert. Zoemen, tikken, een zachte klik. Machinegeluiden. Voor de rest stilte.

Niet veel licht. Alleen gloeiende plekjes op sommige machines.

Hij is niet bang. Nee, nee, nee.

Hij kruipt van de ene donkere plek naar de andere, tuurt in de schaduwen, luistert, snuffelt, maar vindt het ding-dat-je-doodmaakt pas als hij onder aan een trap komt. Hij kijkt naar boven en weet dat het ding daar ergens in een van die plaatsen is.

Hij begint de trap op te lopen, staat stil, gaat door, staat stil, kijkt naar de vloer beneden, kijkt omhoog, gaat door, staat stil, en vraagt zich af wat hij zich op zeker moment altijd afvraagt als hij een kat opjaagt: wat doet hij hier eigenlijk? Als er geen eten is, als er geen loops vrouwtje is, als hier niemand is die hem aait en krabt en met hem speelt, waarom is hij hier dan? Hij weet eigenlijk niet waarom. Misschien is het gewoon de aard van een hond om zich af te vragen wat er om de volgende hoek of achter de volgende heuvel is. Honden zijn bijzonder. Honden zijn nieuwsgierig. Het leven is vreemd en interessant, en hij heeft het gevoel dat elke nieuwe plaats of elke nieuwe dag iets anders en bijzonders voor hem in petto heeft, en dat hij de wereld beter begrijpt en gelukkiger wordt door dat te zien en te besnuffelen. Hij heeft het gevoel dat hij ooit iets prachtigs gaat vinden, iets prachtigs dat hij zich niet voor kan stellen, iets dat nog beter is dan eten of loopse vrouwtjes, beter dan aaien, krabben, spelen, rennen langs het strand met de wind in zijn vacht, een kat opjagen, of zelfs beter dan een kat vangen, als zoiets mogelijk zou zijn. Zelfs hier, in deze enge plaats, met de geur van het ding-dat-je-doodmaakt zó sterk, dat hij er bijna van moet niezen, blijft hij voelen dat misschien net om de volgende hoek het prachtige te vinden is.

En vergeet de vrouw niet, de jongen. Ze zijn aardig. Ze vinden hem aardig. Dus misschien vindt hij een manier om te zorgen dat het slechte ding hen niet meer lastigvalt.

Na de bovenste tree loopt hij een smalle plaats in. Hij trippelt verder en snuffelt aan deuren. Achter één ervan zacht licht. En heel zwaar, bitter: de geur van het ding-dat-je-doodmaakt.

Niet bang, niet bang, hij is een hond, sluiper en jager, braaf en dapper, brave hond, braaf.

De deur staat op een kier. Hij steekt zijn neus door het gat. Hij kan hem openduwen en in de plaats erachter gaan, maar hij aarzelt.

Dáár is niets prachtigs. Misschien wel ergens anders in deze mensen-plaats, misschien om elke andere hoek, maar daar niet.

Misschien moet hij nu maar weggaan, terug naar de steeg, kijken of de dikke man nog wat eten voor hem heeft.

Maar dat is iets voor katten. Wegglippen. Wegrennen. Hij is geen kat. Hij is een hond.

Maar krijgen katten ooit krabben over hun neus, diepe sneden, bloedend, dagenlang pijnlijk? Interessante gedachte. Hij heeft nog nooit een kat ge-zien met een gekrabde neus, is nooit dicht genoeg in de buurt gekomen om er een te krabben.

Maar hij is een hond, geen kat, dus duwt hij tegen de deur. Hij gaat verder open. Hij gaat de plaats erachter in.

Jongeman-slecht-ding ligt op zwarte lappen boven de grond. Beweegt zich helemaal niet, maakt geen geluid, dichte ogen. Dood? Dood slecht ding op zwarte lappen.

Hij dribbelt dichterbij, snuffelt.

Nee, niet dood. In slaap.

Het ding-dat-je-doodmaakt eet en pist en slaapt nu ook; het is dus in veel opzichten net als andere mensen, ook net als honden, zelfs als het noch mens, noch hond is.

Wat nu?

Hij staart naar het slapende slechte ding en overweegt er bovenop te sprin-gen, in zijn gezicht te blaffen, hem bang te maken, zodat hij dan misschien niet meer in de buurt van de vrouw en de jongen komt. Het misschien zelfs te bijten, een beetje maar, voor één keer een stoute hond zijn, alleen om de vrouw en de jongen te helpen, in zijn kin te bijten. Of in zijn neus.

Slapend ziet het er niet zo gevaarlijk uit. Niet zo sterk en snel. Hij weet niet meer waarom het eerst zo griezelig was.

Hij kijkt de zwarte kamer rond en dan naar boven, en er glinstert licht in een heleboel ogen, die daar drijven in flessen, mensenogen zonder men-sen, dierenogen zonder dieren. Interessant, maar niet goed, helemaal niet goed.

Opnieuw vraagt hij zich af wat hij hier doet. Hij beseft dat deze plaats op een rioolbuis lijkt waarin je vast komt te zitten, of een hol in de grond waar grote spinnen wonen, die het niet leuk vinden als je je snuit naar hen toesteekt. En dan beseft hij dat het jongeman-slechte-ding op het bed een beetje lijkt op die lachende jongens, die naar zand en zon en zeezout ruiken, die je aaien en achter je oren krabben en dan je vacht in brand proberen te steken.

Domme hond. Dom om hier te komen. Goed maar dom.

Het slechte ding mompelt in zijn slaap.

Hij wijkt terug van het bed, draait zich om, houdt zijn staart laag en trippelt de kamer uit. Hij loopt de trap af, gaat hier vandaan, niet bang, niet bang, alleen voorzichtig, niet bang, maar zijn hart bonst hard en snel.

6

Door de week was Tanya Delaney de particuliere verpleegster van de 'kerkhofploeg': de ploeg van middernacht tot 's morgens acht uur. Er waren nachten dat ze inderdaad liever op een kerkhof had gewerkt. Jennifer Drackman was spookachtiger dan alles wat Tanya zich over kerkhofwezens voor kon stellen.

Tanya zat in een leunstoel bij het bed van de blinde vrouw en las in stilte een roman van Mary Higgins Clark. Ze las graag en was van nature een nachtmens, dus de ploeg van de kleine uurtjes was geknipt voor haar. Sommige nachten las ze een hele roman uit en kon ze aan een nieuwe beginnen, want dan sliep Jennifer door.

Andere keren kon Jennifer niet in slaap komen. Dan werd ze verteerd door doodsangst en ijlde ze onsamenhangend. Tanya wist dat die arme vrouw dan irrationeel was en niets te vrezen had, maar de angst van de patiënt was zó hevig, dat de verpleegster ermee besmet werd. Tanya voelde dan zelf overal kippevel; ze kreeg een tintelend gevoel in haar nek, wierp een onbehaaglijke blik naar de duisternis achter het raam alsof iemand daar lag te wachten, en schrok van elk onverwacht geluid.

Gelukkig waren de uren vóór de dageraad die woensdag niet vervuld van geroep en gepijnigde kreten en woordenreeksen zo betekenisloos als het maniakale gewauwel van een godsdienstmaniak die het lijdensverhaal herbeleeft en in tongen spreekt. Jennifer sliep, hoewel niet erg goed, want ze werd geplaagd door boze dromen. Af en toe kreunde ze zonder wakker te worden, graaide met haar goede hand naar het bedhek en probeerde vergeefs zichzelf omhoog te werken. Haar witte bottenvingers haakten rond het staal, haar verschrompelde spieren nauwelijks zichtbaar in haar vlees-loze armen, haar gezicht ingevallen en bleek, haar oogleden dichtgenaaid en hol in haar oogkassen. Op die manier zag ze er niet uit als een zieke vrouw in bed, maar als een lijk dat worstelend uit een kist probeert te klimmen. Als ze in haar slaap iets zei, riep ze niet maar praatte ze bijna fluisterend en met enorme aandrang; haar stem leek uit het niets te komen en door de kamer te zweven, zo griezelig als een geest die tijdens een se-ance iets zegt. '*Hij doodt ons allemaal... doodt... doodt ons allemaal...*'

Tanya huiverde en probeerde zich op haar spannende roman te concentre-ren, ofschoon ze zich schuldig voelde omdat ze haar patiënt verwaarloos-de. Op z'n minst moest ze die bottenhand losmaken van het hek, Jennifers voorhoofd voelen om te kijken of ze koorts had, kalmerende woordjes mompelen en proberen om haar uit haar stormachtige droom naar de kal-mere, ondiepe wateren van de slaap te loodsen. Ze was een goede ver-pleegster en normaal had ze zich gehaast om een patiënt in de ban van een nachtmerrie te kalmeren. Maar ze bleef in haar leunstoel zitten met haar roman van Clark, want ze was bang om Jennifer wakker te maken. Als de vrouw eenmaal wakker was, verruilde ze de nachtmerrie misschien voor een van haar angstaanjagende aanvallen van geschreeuw, gehuil zonder tranen, gejammer en gillende glossolalie, die Tanya het bloed in haar ade-ren deed stollen.

De geestenstem uit de slaap zei: '*... de wereld staat in brand... vloedgol-ven bloed... vuur en bloed... ik ben de moeder van de hel... God helpe me. Ik ben de moeder van de hel...*'

Tanya wilde de thermostaat hoger zetten, maar wist dat het al een beetje te warm was. De kilte die ze voelde, zat binnen in haar, niet daarbuiten.

'*... zo'n koude geest... dood hart... kloppend maar dood...*'

Tanya vroeg zich af wat die arme vrouw had meegemaakt dat ze er zo af-schuwelijk aan toe was. Wat had ze gezien? Wat had ze geleden? Welke herinneringen teisterden haar?

7

The Green House langs de Pacific Coast Highway omvatte een groot res-taurant in typisch Californische stijl met zelfs naar Harry's smaak te veel varens en potho's, en een forse bar, waar de varenmoede klanten al lang geleden het groen onder de duim hadden leren houden door de potgrond af en toe te vergiftigen met een scheutje whiskey. Op dat tijdstip was het restaurantgedeelte dicht.

De populaire bar was tot twee uur open. Hij was in art deco-stijl verbouwd met veel zwart en zilver en groen en leek met zijn moeizame poging tot chic in niets op het aangrenzende restaurant. Maar in ieder geval kon je er broodjes krijgen bij je drank.

Tussen kunstmatig klein gehouden en vergelende planten zaten ongeveer dertig gasten te drinken, te praten en naar de jazz van een viermanscombo te luisteren. De musici speelden grillige, semi-progressieve arrangementen van beroemde nummers uit de tijd van de big bands. Twee paartjes, niet beseffend dat deze muziek beter was om naar te luisteren, waren dapper aan het dansen op de quasi melodische muziek vol voortdurende tempoveranderingen en spiralende improvisaties, die zelfs Fred Astaire of Baryshnikov voor onoplosbare problemen zouden hebben gesteld.

Toen Harry en Connie binnenkwamen, begroette de manager-gastheer, een man van in de dertig, hen met een twijfelende blik. Hij droeg een Armani-pak, een handbeschilderde zijden stropdas en mooie schoenen van een zó zacht uitziend leer, dat het van een kalfsfoetus leek. Zijn nagels waren gemanicuurd, zijn tanden volmaakt verzorgd en zijn haar gepermanent. Hij gebaarde bijna onzichtbaar naar een van de barkeepers; ongetwijfeld moest die helpen hen de deur uit te gooien.

Afgezien van het opgedroogde bloed aan haar mondhoek en de blauwe plek die nog maar net donker begon te worden maar wèl een hele kant van haar gezicht omvatte, was Connie redelijk toonbaar, zij het wat verkreukt. Maar Harry was het bekijken waard. Zijn kleren waren uitgezakt en misvormd omdat ze kletsnat waren geweest, en kreukeliger dan de lijkwade van een oude mummie. Zijn overhemd, eens fris en wit, was grijs gevlekt en stonk naar de rook van de brand in zijn flat, waaruit hij maar nauwelijks ontsnapt was. Zijn schoenen zaten vol schaafplekken, schrammen en modder. Een vochtige, bloedige schaafwond ter grootte van een kwartje ontsierde zijn voorhoofd. Zijn kin was zwaar gestoppeld omdat hij zich al achttien uur niet geschoren had en zijn handen waren vies, omdat hij daarmee in de hoop aarde op Ordegards gazon had gewroet. Hij besefte hoe hij eruitzag: maar één wankele stap hoger op de ladder dan de zwerver buiten de bar, die Connie net gewaarschuwd had over gedwongen ontwenning, en voor de fronsende blik van de barhouder eigenlijk identiek.

Gisteren zou Harry zich nog dood hebben geschaamd als hij zo verslonsd onder de mensen was gekomen. Op dit moment kon het hem niet veel schelen. Zijn overleving baarde hem meer zorg dan hoe hij en zijn kleren eruitzagen.

Voordat hij hen The Green House uit kon gooien, lieten ze allebei hun identiteitsbewijs van Bijzondere Politietaken zien.

'Politie,' zei Harry.

Geen loper, geen wachtwoord, geen adelboek, geen koninklijke afstamming opende deuren zo effectief als een politiepenning. Meestal onwillig weliswaar, maar niettemin.

Wat ook hielp, was dat Connie Connie was:

'Niet alleen politie,' zei Connie, 'maar ook politie in een pestbui na een zware dag en niet in de stemming om te pikken dat een nuffige klootzak ons bediening weigert omdat we aanstoot geven aan zijn afgeleefde klanten.'

Ze werden hoffelijk naar een hoektafel geleid, die toevallig in de schaduw stond, uit de buurt van de meeste gasten.

Er verscheen onmiddellijk een serveerster. Ze zei dat ze Bambi heette, rimpelde haar neus, glimlachte en nam hun bestelling op. Harry bestelde koffie en een niet te doorbakken hamburger met cheddar.

Connie wilde haar hamburger bijna rauw met blauwe kaas en veel rauwe ui. 'Doe mij ook maar koffie, en breng twee dubbele cognac, Rémy Martin.' Tegen Harry zei ze: 'Formeel zijn we niet meer in diensttijd. En als je je zo klote voelt als ik, heb je een steviger oppepper nodig dan alleen koffie en een hamburger.'

Terwijl de serveerster hun bestelling ging halen, ging Harry naar het herentoilet om zijn vuile handen te wassen. Hij voelde zich net zo klote als Connie al dacht en de spiegel in het toilet bevestigde dat hij er nog erger uitzag dan hij zich voelde. Hij kon nauwelijks geloven, dat dat ruwe, hologige, door wanhoop getekende gezicht in de spiegel van hem was.

Hij boende zijn handen grondig, maar onder zijn nagels en in wat groeven van zijn knokkels bleef hardnekkig een beetje vuil zitten. Zijn handen leken op die van een automonteur.

Hij plensde koud water over z'n gezicht, maar daarmee zag hij er niet frisser uit, noch minder bezorgd. Deze dag had een tol geëist, die misschien voor altijd zichtbaar bleef. Het verlies van zijn huis en al zijn bezittingen, de gruwelijke dood van Ricky en de bizarre keten van bovennatuurlijke gebeurtenissen hadden zijn geloof in rede en orde geschokt. Die gekwelde blik hield hij misschien nog heel lang als hij de komende paar uur tenminste overleefde.

Verward door zijn vreemde spiegelbeeld verwachtte hij bijna dat het een toverspiegel zou blijken. In sprookjes waren spiegels dat vaak, een deur naar een ander land, een venster naar verleden of toekomst, de kerker waarin de ziel van een boze koningin gevangen zat, een pratende toverspiegel, zoals de spiegel waaruit de valse stiefmoeder van Sneeuwwitje te weten kwam dat ze niet meer de mooiste van het land was. Hij legde een hand op het glas, voelde de kou onder zijn warme vingers, maar er gebeurde niets.

Maar gelet op de gebeurtenissen van de laatste twaalf uur was het geen waanzin om toverij te verwachten. Hij leek gevangen in een soort sprookje, maar dan in zo'n duister verhaal als *De rode schoenen*. Daarin worden de hoofdpersonen aan verschrikkelijke martelingen en geestelijk lijden blootgesteld, en als ze ten slotte worden beloond met geluk, is dat niet in deze wereld maar in de hemel. Voor wie niet heel zeker wist dat daarboven inderdaad een hemel op je wachtte, was dat een onbevredigend plot.

De enige aanwijzing dat hij níet gevangen zat in een kinderfantasie, was de afwezigheid van een pratend dier. Pratende dieren waren in sprookjes even opgelegd pandoer als psychotische moordenaars in moderne Amerikaanse films.

Sprookjes. Toverij. Monsters. Psychose. Kinderen.

Plotseling voelde Harry dat hij bijna iets had ontdekt dat een belangrijk feit over Tiktak zou onthullen.

Toverij. Psychose. Kinderen. Monsters. Sprookjes.

De onthulling liet zich niet vangen.

Hij spande zich ervoor in. Nutteloos.

Hij besefte dat zijn vingertoppen niet langer zachtjes hun spiegelbeeld raakten, maar dat zijn hand hard genoeg op de spiegel drukte om het glas te breken. Toen hij zijn hand weghaalde, bleef even een vage, vochtige indruk achter, die snel verdampte.

Alles verdwijnt. Zelfs Harry Lyon. Misschien bij zonsopgang.

Hij verliet het toilet en liep terug naar de tafel in de bar, waar Connie zat te wachten.

Monsters. Toverij. Psychose. Sprookjes. Kinderen.

De band speelde een medley van Duke Ellington in een moderne jazz-versie. De muziek was waardeloos. Ellington had eenvoudig geen verbetering nodig.

Op tafel stonden twee dampende kopjes koffie en twee ballonglazen cognac, waarin Rémy gloeide als vloeibaar goud.

'De burgers komen over een paar minuten,' zei Connie, toen hij een van de zwarte houten stoelen onder de tafel vandaan trok en ging zitten.

Psychose. Kinderen. Toverij.

Niets.

Hij besloot even op te houden met nadenken over Tiktak en zijn onderbewuste de kans te geven om ontspannen te werken.

'Ik Moet Het Weten,' zei hij met een toespeling op een titel van een Presley-song.

'Wat moet je weten?'

'Zeg Waarom.' Weer een Presley-song.

'Hè?'

'Nu of Nooit.' Nummer drie.

Ze begreep wat hij bedoelde en glimlachte. 'Ik ben een fanatieke Presley-fan.'

'Dat had ik al begrepen.'

'Kwam goed uit.'

'Waarschijnlijk verhinderde dat Ordegard om nog een granaat naar ons te gooien. Redde ons leven.'

'Op de koning van de rock-'n'-roll,' zei ze, en hief haar glas.

De band staakte zijn marteling van Ellington-melodieën en nam een pauze; misschien was er dus tòch nog een God in de hemel en heerste een zegenrijke orde in het heelal.

Harry en Connie klonken en nipten van hun cognac. Hij vroeg: 'Waarom Elvis?'

Ze zuchtte. 'De vroege Elvis die hàd iets. Hij vertegenwoordigde de vrijheid, zijn wat je wilt zijn, niet van hot naar her worden gestuurd omdat je anders bent. *Don't step on my blue suede shoes.* Songs uit zijn eerste tien jaar waren al gouwe ouwe toen ik pas zeven of acht was, maar ze zeiden me iets. Snap je?'

'Zeven of acht? Zwaar spul voor een kind. Ik bedoel, de meeste van die songs gaan over eenzaamheid, gebroken harten.'

'Natuurlijk. Hij was iemand uit een droom een gevoelige rebel, beleefd maar niet bereid om wat dan ook te pikken, romantisch en cynisch tegelijk. Ik ben opgegroeid in weeshuizen en pleeggezinnen, dus ik wist wat eenzaamheid was en mijn eigen hart had hier en daar zijn eigen barsten.'

De serveerster bracht hun hamburgers en de hulpkelner schonk een tweede kop koffie in.

Harry begon zich weer een menselijk wezen te voelen. Een smerig, verkreukt, pijnlijk, vermoeid en bang menselijk wezen, maar niettemin een menselijk wezen.

'Oké,' zei hij. 'Ik begrijp dat je gek was op de vroege Elvis en zijn vroege songs uit je hoofd kende. Maar later?'

Connie schudde ketchup op haar hamburger en zei: 'Op een bepaalde manier was het einde even interessant als het begin. Een Amerikaanse tragedie.'

'Tragedie? Eindigen als een vette zanger in Vegas in een lovertjespak?'

'Natuurlijk. De knappe en moedige koning, zo vol beloften en superieur en dan struikelt hij vanwege een tragische karakterfout en valt heel diep. Dood op zijn tweeënveertigste.'

'Stierf op het toilet.'

'Ik zei niet dat dit een tragedie van Shakespeare was. Er zit iets absurds in. Daarom is het een Amerikáánse tragedie. Geen land ter wereld heeft ons gevoel voor het absurde.'

'Noch de democraten, noch de republikeinen zie ik die zin snel als verkiezingsleus gebruiken.' De hamburger was verrukkelijk. Met zijn mond vol vroeg hij: 'En wat was Elvis' tragische karakterfout?'

'Hij weigerde volwassen te worden. Of misschien kon hij dat niet.'

'Zeggen ze niet dat een kunstenaar moet vasthouden aan het kind in hem?'

Ze nam een hap van haar broodje en zei: 'Dat is niet hetzelfde als eeuwig een kind blíjven. Snap je, de jonge Elvis verlangde hartstochtelijk naar vrijheid, net als ik altijd, en via zijn muziek bereikte hij de totale vrijheid om alles te doen wat hij wilde. Maar toen hij eenmaal zo ver was en voor altijd vrij kon zijn... wat gebeurde er toen?'

'Vertel maar.'

Ze had hier kennelijk veel over nagedacht. 'Elvis verloor zijn richting uit het oog. Volgens mij werd hij meer verliefd op de roem dan op de vrijheid. Echte vrijheid, vrijheid niet zonder verantwoordelijkheid dat is een waardige, volwassen droom. Maar roem is alleen maar goedkope opwinding. Alleen een onvolwassene geniet echt van roem, denk je niet?'

'Voor mij hoeft de roem niet. Niet dat ik daarvoor in aanmerking kom, trouwens.'

'Waardeloos, vluchtig, een prul dat alleen een kind voor een juweel aanziet. Elvis... zag eruit als een volwassene, praatte als een volwassene...'

'En zeker weten dat hij op zijn best ook zong als een volwassene.'

'Ja. Maar emotioneel was hij een geval van gestremde ontwikkeling, en de volwassene was alleen maar een kostuum dat hij droeg, een maskerade.

Dat is de reden waarom hij altijd zoveel mensen om zich heen had, als zijn eigen privé-jongensclub, en vooral broodjes at met gebakken banaan en pindakaas, kindereten, en hele pretparken afhuurde als hij lol wilde maken met zijn vrienden. Daarom kon hij ook niet verhinderen dat mensen als kolonel Parker van hem profiteerden.'

Volwassenen. Kinderen. Gestremde ontwikkeling. Psychose. Roem. Toverij. Sprookjes. Gestremde ontwikkeling. Monsters. Maskerade.

Harry ging rechtop zitten en zijn hersens draaiden op volle toeren.

Connie praatte nog steeds, maar haar stem leek van een afstand te komen: '... het laatste deel van Elvis' leven bewijst hoeveel valkuilen er zijn...'

Psychotisch kind. Gefascineerd door monsters. Met de macht van een tovenaar. Gestremde ontwikkeling. Ziet eruit als een volwassene, maar dat is een maskerade.

'... hoe gemakkelijk je je vrijheid verliest en de weg terug nooit meer vindt...'

Harry legde zijn broodje neer. 'Mijn god, volgens mij weet ik wie Tiktak is.'

'Wie dan?'

'Wacht. Laat me hier even over nadenken.'

Vanaf een tafel met luidruchtige, dronken mensen in de buurt van het podium klonk plotseling schril gelach. Twee vijftigers met een air van rijkdom om zich heen, twee blondjes van in de twintig. Zij probeerden hun eigen sprookjes te beleven: de mannen van middelbare leeftijd die droomden van volmaakte seks en de jaloezie van andere mannen; de vrouwen die droomden van rijkdom, zalig onbewust van het feit dat zelfs zij hun fantasieën ooit saai, vervelend en smakeloos zouden vinden.

Harry wreef met de ballen van zijn handen over zijn ogen en probeerde uit alle macht zijn gedachten te ordenen. 'Heb je niet iets kinderlijks aan hem opgemerkt?'

'Aan Tiktak? Die beer?'

'Dat is zijn golem. Ik heb het over de echte Tiktak, degene die de golems maakt. Voor hem is dit een spelletje. Hij speelt met me zoals een stout jongetje de vleugels uit een vlieg trekt en dan naar zijn moeizame vliegpogingen kijkt, of een kever martelt met lucifers. De limiet van zonsopgang, zijn tergende aanvallen, kinderlijk, net of hij de bullebak van het schoolplein is die gein maakt.'

Hij herinnerde zich een paar andere dingen die Tiktak had gezegd toen hij opstond van het bed in zijn flat, vlak voordat hij alles in brand stak: ...

237

mensen zijn zo grappig om mee te spelen... grote held... jij denkt dat je ie-
dereen maar neer kunt schieten, iedereen maar bevelen kunt geven...
Iedereen maar bevelen kunt geven...
'Harry?'
Hij knipperde met zijn ogen en huiverde. 'Sommige onaangepaste misda-
digers zijn gevormd door mishandelingen in hun jeugd. Andere zijn gewoon verknipt geboren.'
'Een puinhoop in hun genen,' zei ze instemmend.
'Stel dat Tiktak slecht geboren is.'
'Een engel is hij nooit geweest.'
'En stel dat die ongelooflijke macht niet afkomstig is van een eng labora-
toriumexperiment, maar eveneens van die puinhoop in zijn genen. Als hij
met deze macht is geboren, dan scheidde hem dat van de andere mensen
op dezelfde manier als de roem met Presley deed. Hij heeft nooit geleerd
om op te groeien, wilde of hoefde niet op te groeien. In zijn hart is hij nog
steeds een kind. Hij speelt een kinderspel. Ik bedoel een spel van kleine
kinderen.'
Harry moest denken aan de berensterke zwerver in zijn slaapkamer, die
rood van woede almaar riep: *Heb je me gehoord, held, heb je me gehoord,*
heb je me gehoord, heb je me gehoord HEB JE ME GEHOORD, HEB JE ME
GEHOORD...? Dat gedrag was afschrikwekkend geweest vanwege de
kracht en omvang van de zwerver, maar achteraf had het beslist iets van
een kinderlijke driftbui.
Connie boog zich over tafel en wapperde met één hand voor zijn gezicht.
'Word even niet catatonisch, Harry. Ik zit nog steeds op de clou te wachten. Wie is Tiktak? Denk je dat hij misschien echt een kind ìs? In jezus-
naam, zijn we op zoek naar een schooljongen, of -meisje?'
'Nee. Hij is ouder. Nog jong. Maar ouder.'
'Hoe weet je dat?'
'Omdat ik hem ontmoet heb.'
Iedereen maar bevelen geven...
Hij vertelde over de jongeman die onder de gele afzettingstape was ge-
glipt en over het trottoir naar het verbrijzelde raam van het restaurant was
gelopen, waar Ordegard op de lunchgasten had geschoten. Tennisschoe-
nen, spijkerbroek, een T-shirt van Tecate.
'Hij staarde naar binnen en was gefascineerd door het bloed en de lijken.
Hij had iets engs... hij had die verre blik... en likte zijn lippen alsof... als-
of, ik weet niet, alsof al dat bloed en die lijken iets erotisch hadden. Hij

negeerde me toen ik zei dat hij terug moest achter de afzetting; waarschijnlijk hoorde hij me niet eens... hij leek wel in trance... likte z'n lippen af.'

Harry pakte zijn glas en dronk de laatste cognac in één teug op.

'Heb je zijn naam gevraagd?' vroeg Connie.

'Nee. Ik heb het verpest. Ik heb dat slecht aangepakt.'

Voor zijn geestesoog zag hij hem het joch grijpen, over het trottoir duwen, misschien wel of misschien niet slaan had hij hem een knietje in zijn kruis gegeven? aan hem rukken en wringen, hem dubbelvouwen en onder de afzettingstape dwingen.

'Later was ik er misselijk van,' zei hij. 'Ik walgde van mezelf. Kon niet geloven dat ik hem zó hard had aangepakt. Ik denk dat ik nog steeds opgefokt was over dat gedoe op de vliering, bijna doodgeschoten door Ordegard, en toen ik zag dat dat joch zich stond op te geilen bij dat bloed, reageerde ik zoals... zoals...'

'Zoals ik,' zei Connie, en pakte haar hamburger weer op.

'Ja. Zoals jij.'

Ofschoon hij geen trek meer had, nam hij nog een hap van zijn broodje, want hij wist dat hij zijn energie op peil moest houden voor wat ze misschien nog te wachten stond.

'Maar ik snap nog steeds niet waarom jij zo verdomd zeker weet dat dat joch Tiktak is,' zei Connie.

'Ik wéét het.'

'Alleen maar omdat hij een beetje griezelig is...'

'Het is meer dan dat.'

'Een voorgevoel?'

'Veel meer dan een voorgevoel. Noem het maar smerisinstinct.'

Ze staarde hem een seconde lang aan en knikte. 'Oké. Weet je nog hoe hij eruitzag?'

'Levendig, volgens mij. Misschien negentien, niet ouder dan een jaar of eenentwintig.'

'Lengte.'

'Twee centimeter kleiner dan ik.'

'Gewicht?'

'Misschien drieënzeventig kilo. Mager. Nee, dat klopt niet. Niet mager, geen vel over been. Slank, maar gespierd.'

'Huid?'

'Licht. Hij is veel binnen. Dik haar, donkerbruin of zwart. Knap joch, lijkt een beetje op die acteur Tom Cruise, maar agressiever. Hij heeft ongewone ogen. Grijs. Als zilver dat een beetje mat is geworden.'

Connie zei: 'Wat ik zit te denken is: waarom gaan we niet naar Nancy Quan? Ze woont hier in Laguna Beach…'

Nancy was een tekenares die voor Bijzondere Politietaken werkte. Als een getuige een verdachte beschreef, had zij de gave om de nuances daarin te horen en juist te interpreteren. Haar potloodschetsen bleken vaak verbazend goede portretten van de daders, als die ten slotte gegrepen en in verzekerde bewaring werden gesteld.

'… jij beschrijft haar dat joch, zij tekent hem, we brengen de schets naar de politie van Laguna, en kijken of ze die kleine engerd kennen.'

Harry zei: 'En zo niet?'

'Dan gaan we van deur tot deur de schets laten zien.'

'Deuren? Waar?'

'Huizen en flats in een straal van één blok van waar je hem tegenkwam. Waarschijnlijk woont hij daar vlakbij. Zelfs als hij daar niet woont, hangt hij er misschien rond, heeft hij vrienden in die buurt…'

'Dat joch heeft geen vrienden.'

'… of familie. Iemand herkent hem misschien.'

'De mensen vinden het vast niet lollig als we midden in de nacht op hun deur komen kloppen.'

Connie trok een vies gezicht. 'Wacht jij liever tot de zon opgaat?'

'Eigenlijk niet.'

De band keerde terug voor hun laatste optreden.

Connie dronk de rest van haar koffie in één teug op, schoof haar stoel naar achteren, stond op, haalde wat opgevouwen geld uit haar jaszak en gooide een paar biljetten op tafel.

'Laat mij de helft betalen,' zei Harry.

'Ik trakteer.'

'Nee, echt. Ik moet de helft betalen.'

Ze gaf hem een blik van ben-je-wáánzinnig.

'Ik wil graag met iedereen de rekening in evenwicht hebben. Dat weet je,' legde hij uit.

'Laat je 's lekker gaan, Harry. Laat je rekeningen maar lekker uit evenwicht raken. Weet je wat, als de zon opgaat en we worden wakker in de hel, mag jij het ontbijt betalen.'

Ze liep naar de deur.

Zodra de gastheer met het Armani-pak en de handbeschilderde zijden das haar aan zag komen, schuifelde hij voor alle zekerheid de keuken in.

Harry liep achter Connie aan en keek op zijn horloge. Het was tweeëntwintig minuten over een 's nachts.

Over een uur of vijf ging de zon op.

8

Door de nachtelijke stad dribbelen. In hun donkere plaatsen allemaal mensen slaperig om hem heen.

Hij gaapt en denkt erover om onder wat struiken te gaan liggen en te slapen. Als hij slaapt, is er een andere wereld, een wereld waarin hij bij een gezin is dat in een warme plaats woont en waar hij welkom is, waar hij elke dag eten krijgt, waar ze altijd als hij spelen wil met hem spelen, waar ze hem Prins noemen, hem meenemen in de auto en hem met flapperende oren zijn kop uit het raam laten steken in de wind o wat heerlijk, de geuren komen zoef zo snel, ja ja ja en hem nooit schoppen. Het is een goede wereld in zijn slaap, ofschoon hij ook daar geen katten kan vangen.

Dan herinnert hij zich het jongeman-slechte-ding, de zwarte plaats, de mensen- en dierenogen zonder lichaam, en heeft hij geen slaap meer.

Hij moet iets tegen dat slechte ding doen, maar hij weet niet wat. Hij voelt dat het de vrouw en de jongen pijn gaat doen, erg pijn gaat doen. Het heeft veel woede in zich. Haat. Het zou hun vacht in brand steken, als ze vacht hadden. Hij weet niet waarom. Of wanneer of hoe of waar. Maar hij moet iets doen, hen redden, een brave hond zijn, braaf.

Dus…

Doe iets.

Oké.

Dus…

Tot hij kan bedenken wat hij tegen het slechte ding kan doen, kan hij net zo goed nog wat te eten zoeken. Misschien heeft de glimlachende dikke man achter de mensenetensplaats nog wat restjes voor hem. Misschien staat de dikke man daar nog in de open deur, kijkt links en rechts de steeg af en hoopt Knul weer te zien. Misschien denkt hij wel dat hij Knul best in huis wil, hem een warme plaats wil geven, elke dag eten geven, elke keer als hij wil met hem speelt, Knul meenemen voor ritjes in de auto met zijn kop buiten in de wind.

Opschieten. De dikke man proberen te ruiken. Staat hij buiten? Te wachten?

Snuffelend, snuffelend passeert hij een naar roest en vet en olie ruikende auto, geparkeerd in een grote lege plaats, en dan ruikt hij de vrouw, de jongen, zelfs door de dichte ramen heen. Hij stopt en kijkt omhoog. De jongen slaapt, is onzichtbaar. De vrouw hangt tegen de deur met haar hoofd tegen het raam. Ze is wakker, maar ziet hem niet.

Misschien vindt de dikke man de vrouw en de jongen aardig, heeft hij ruimte voor allemaal in zijn lekkere warme mensenplaats en kunnen ze allemaal samen spelen, eten wanneer ze willen, ritjes maken in auto's met hun kop uit het raam, de geuren komen zoef snel. Ja ja ja ja ja ja. Waarom niet? In de slaapwereld is er een gezin. Waarom niet ook in deze wereld?

Hij is opgewonden. Dit is goed. Dit is echt goed. Hij voelt het prachtige ding om de hoek komen, waarvan hij altijd al wist dat het ergens was. Goed. Ja. Goed. Ja ja ja ja ja.

De mensenetensplaats met de wachtende dikke man is niet ver van de auto, dus misschien moet hij blaffen om te zorgen dat de vrouw hem ziet, en dan haar en de jongen naar de dikke man brengen.

Ja ja ja ja ja.

Maar wacht, wacht, het kan te lang, te lang duren om te zorgen dat ze hem volgen. Mensen zijn soms traag van begrip. De dikke man gaat misschien weg. Dan komen ze daar, de dikke man is weg, zij staan in de steeg en ze weten niet waarom, ze denken dat hij gewoon een domme hond is, een domme dwaze hond, vernederend zoals wanneer een kat hoog in een boom op hem neerkijkt.

Nee nee nee nee nee. De dikke man kan niet weggaan. Dat kan niet. De dikke man gaat weg, dan gaan ze niet meer samen naar een lekkere warme plaats of in een auto met de wind.

Wat nu, wat nu? Opgewonden. Blaffen? Niet blaffen? Blijven, gaan, ja, nee, blaffen, niet blaffen?

Pissen. Moet pissen. Licht zijn poot op. Ah. Ja. Sterk ruikende pis. Stoomt op het plaveisel, stoomt. Interessant.

Dikke man. Vergeet de dikke man niet. Staat te wachten in de steeg. Ga eerst naar de dikke man, voordat hij naar binnen gaat en voor altijd verdwijnt, haal hem en breng hem hier, ja ja ja ja, want de vrouw en de jongen gaan nergens naar toe.

Goede hond. Slimme hond.

Hij draaft weg van de auto. Rent dan. Naar de hoek. Afslaan. Een beetje verder. Nog een hoek. De steeg achter de mensenetensplaats.

Hijgend en opgewonden rent hij naar de deur waar de dikke man hem restjes heeft gegeven. Hij is dicht. De dikke man is weg. Geen restjes meer op de grond.

Hij is verbaasd. Hij wist het zo zeker. Allemaal samen, zoals in de slaapwereld.

Hij krabbelt aan de deur. Krabbelt, krabbelt.

De dikke man komt niet. De deur blijft dicht.

Hij blaft, wacht, blaft.

Niets.

Nou. Dus. Wat nu?

Hij is nog steeds opgewonden, maar minder dan eerst. Niet zo opgewonden dat hij moet pissen, maar te opgewonden om stil te blijven staan. Hij ijsbeert voor de deur door de steeg heen en weer, jankt verward en gefrustreerd, begint een beetje bedroefd te worden.

Van de andere kant van de steeg komt de echo van stemmen, en hij weet dat een ervan de stem van de stinkende man is, die naar alle smerige dingen tegelijk ruikt, ook naar de aanraking van het ding-dat-je-doodmaakt. Zelfs van een afstand ruikt hij de stinkende man heel goed. Hij weet niet van wie de andere stemmen zijn, kan die mensen niet zo goed ruiken, omdat de geur van de stinkende man overheerst.

Misschien is een van hen de dikke man, die Knul zoekt.

Zou kunnen.

Kwispelstaartend haast hij zich naar het einde van de steeg, maar als hij daar komt, vindt hij er niet de dikke man; hij houdt dus op met kwispelstaarten. Alleen een man en een vrouw die hij nooit eerder heeft gezien. Ze staan bij een auto voor de mensenetensplaats met de stinkende man. Allemaal praten ze.

Zijn jullie echt van de politie? vraagt de stinkende man.

Wat heb je met die auto gedaan? vraagt de vrouw.

Niks. Ik heb niks met de auto gedaan.

Als er rotzooi in die auto ligt, ga jij de pijp uit.

Nee, luister in godsnaam.

Gedwongen ontwenning, viespeuk.

Hoe kan ik die auto in als hij op slot zit?

Dus je hebt het wel geprobeerd, hè?

Ik heb alleen maar even gekeken of jullie echt van de politie zijn.

Ik zal je laten zien of we wel of niet van de politie zijn, jij luizenbos.

Hé, laat me los.

Jezus, wat stink je.

Laat me los, laat me los!

Ga mee, laat hem los. Oké, kalm aan maar, zegt de man die niet zo stinkt.

Snuffelend, snuffelend ruikt hij iets aan deze nieuwe man dat hij ook aan de stinkende man ruikt, en dat verrast hem. De aanraking van het ding-dat-je-doodmaakt. Deze man is nog niet zo lang geleden in de buurt van het slechte ding geweest.

Je stinkt als een wandelende gifbelt, zegt de vrouw.

Ook zij heeft de geur van het ding-dat-je-doodmaakt bij zich. Alledrie. Stinkende man, man en vrouw. Interessant.

Hij komt snuffelend dichterbij.

Luister, alstublieft, ik moet met iemand van de politie praten, zegt de stinkende man.

Praat maar op, zegt de vrouw.

Ik heet Sammy Shamroe. Ik heb een misdaad aan te geven.

's Raden... iemand heeft je nieuwe Mercedes gestolen.

Ik heb hulp nodig!

Wij ook, makker.

Alledrie hebben ze niet alleen de aanraking van het slechte ding bij zich, maar ruiken ook naar angst. Diezelfde angst heeft hij geroken bij de vrouw en de jongen die hem Woofer noemen. Allemaal zijn ze bang van het slechte ding.

Iemand gaat me vermoorden, zegt de stinkende man.

Ja, ik namelijk, als je 'm niet snel smeert.

Kalm aan. Rustig aan maar.

De stinkende man zegt: *Hij is ook niet menselijk. Ik noem hem de ratte-man.*

Misschien zouden deze mensen de vrouw en de jongen in de auto moeten leren kennen. Allemaal zijn ze afzonderlijk bang. Samen misschien niet bang. Samen kunnen ze misschien allemaal op een warme plaats wonen, de hele tijd spelen, hem elke dag eten geven, allemaal in de auto naar plaatsen gaan behalve de stinkende man; die moet erachteraan rennen, tenzij hij ophoudt met zó te stinken, dat je ervan moet niezen.

Ik noem hem de ratteman omdat-ie is gemaakt van ratten. Hij valt uit el-kaar en dan is-ie gewoon een hoop ratten die overal en nergens heenren-nen.

Maar hoe? Hoe krijgt hij ze samen met de vrouw en de jongen? Hoe kan hij dat duidelijk maken aan mensen, die soms zo traag zijn van begrip?

9

Toen de hond rond hun voeten kwam snuffelen, wist Harry niet of hij bij die schooier Sammy hoorde of gewoon een loslopende zwerfhond was. Als de zwerver zich echt ging verzetten en zij geweld moesten gebruiken, koos de hond misschien partij. Hij zag er niet gevaarlijk uit, maar je wist maar nooit.

Sammy leek dreigender dan de hond. Het leven op straat en wat hem daartoe veroordeeld had, hadden hem vermagerd, of eigenlijk vel over been gemaakt. De gratis kleren van het Leger des Heils hingen zó los om hem heen, dat je zijn botten dacht te horen rammelen als hij liep, maar dat wou niet zeggen dat hij zwak was. Hij was zenuwachtig door een overmaat aan energie. Zijn ogen stonden zó wijd open, dat zijn oogleden weggetrokken leken en met spelden vastgezet. Zijn gezicht zat vol spanningsrimpels en zijn lippen trokken zich herhaaldelijk van zijn rotte tanden terug in een woeste grom, die misschien als innemende glimlach bedoeld was maar hem eerder schrik aanjoeg.

'De ratteman, ziet u, zo noem ik hem, hijzelf niet. Nooit gehoord hoe hij zichzelf noemt. Weet verdomd niet waar-ie vandaan komt, waar-ie onderduikt. Hij ìs er gewoon plotseling, waar je bijstaat, die sadistische klootzak, die doodenge hufter…'

Hij leek misschien heel zwak, maar Sammy zou een robotmechanisme kunnen zijn dat te veel stroom ontvangt, overbelaste circuits krijgt, trillend op de rand van de ontploffing staat en uiteenspat in een slagregen van tandwielen en veren en gebarsten pneumatische buizen, die iedereen binnen een blok afstand doodt. Misschien had hij een mes, een vuurwapen. Harry had al eerder beverige mannetjes zoals hij gezien, die eruitzagen alsof een sterke windvlaag hen helemaal naar China zou blazen, maar dan bleken ze onder de invloed van PCP, dat poesjes in tijgers kon veranderen, en waren er drie sterke mannen nodig om ze te ontwapenen en in bedwang te krijgen.

'… ziet u, misschien kan het me niet schelen als-ie me vermoordt, misschien is dat wel een zegen, gewoon stomdronken worden en 'm me laten vermoorden, zó ver heen dat ik nauwelijks merk wat-ie met me doet,' zei

Sammy. Hij drong zich aan hen op, ging naar links als zij naar links gingen en naar rechts als zij die richting probeerden. Hij éiste een confrontatie. 'Maar vanavond, toen ik flink aan 't zuipen was en m'n tweede dubbele liter soldaat maakte, begreep ik wie die ratteman moet zijn, ik bedoel, wàt hij moet zijn, een ruimtewezen!'

'Ruimtewezen,' zei Connie walgend. 'Bij jullie, halvegaren, zijn het altijd ruimtewezens. Smeer 'm, vette luizenbos, of ik zweer bij God dat ik…'

'Nee, nee, luister. We hebben toch altijd geweten dat ze komen? Altijd geweten, en nu zijn ze hier, en ze zijn 't eerst bij mij gekomen, en als ik de wereld niet waarschuw, gaat iedereen dood.'

Harry pakte Sammy's arm en probeerde hem weg te loodsen. Hij was bijna even op zijn hoede voor Connie als voor de schooier. Sammy was dan misschien een te strak opgewonden veermechaniek dat op het punt stond te ontploffen, maar Connie was een kerncentrale op het punt om af te smelten. Ze was gefrustreerd. De zwerver hield hen op bij hun poging Nancy Quan, de politietekenares, te bereiken en ze was er zich scherp van bewust dat uit het oosten de dageraad kwam aangesneld. Ook Harry was gefrustreerd, maar anders dan Connie had hij niet de neiging om Sammy een knietje in zijn kruis te geven en hem door een van de restaurantramen achter hen te smijten.

'… wil er niet voor verantwoordelijk zijn dat ruimtewezens de hele wereld uitmoorden. Ik heb al te veel op m'n geweten, te veel, kan het idee niet verdragen dat ik verantwoordelijk ben, ik heb al zoveel mensen in de steek gelaten…'

Als Connie die vent een dreun gaf, bereikten ze Nancy Quan nooit en vervloog iedere kans om Tiktak op te sporen. Dan zaten ze hier minstens een uur vast om Sammy's arrestatie te organiseren, terwijl ze intussen probeerden om niet te stikken in zijn lichaamsgeur en moeizaam ontkennend dat de politie gewelddadig was opgetreden (een paar bargasten sloegen hen met hun gezicht tegen het raam gade). Te veel kostbare minuten gingen dan verloren.

Sammy greep Connies mouw. 'Luister naar me, mevrouw, luister naar me.'

Connie rukte zich los en balde haar vuist.

'Nee!' zei Harry.

Connie bedwong zichzelf met moeite, op het punt een dreun uit te delen.

Sammy besproeide hen met speeksel terwijl hij doorging met zijn kletsverhaal. '… het gaf me nog zesendertig uur te leven, de ratteman, maar dat zijn er nu vast nog maar vierentwintig of minder, weet niet zeker…'

Harry trachtte met één hand Connie tegen te houden, die opnieuw probeerde uit te halen naar Sammy, en tegelijkertijd duwde hij met zijn andere hand Sammy weg. Toen sprong de hond op hem toe. Grijnzend, hijgend en kwispelstaartend. Harry draaide zich weg, schudde met zijn been en de hond viel op alle vier zijn poten terug op het trottoir.

Sammy wauwelde als een razende. Hij klemde zich nu met beide handen aan Harry's mouw vast en probeerde al rukkend de aandacht te trekken, alsof hij die al niet had: '… heeft ogen als slangeogen, groen en verschrikkelijk, verschrikkelijk, en zegt dat ik zesendertig uur te leven heb, tiktak, tiktak…'

Angst en verbazing huiverden door Harry bij het horen van dat woord en de oceaanbries leek plotseling kouder dan eerst.

Geschrokken staakte Connie haar pogingen om Sammy ervan langs te geven: 'Wacht 's, wat zei je daar?'

'Ruimtewezens! Ruimtewezens!' riep Sammy boos. 'Je luistert niet naar me, verdomme.'

'Niet dat over die ruimtewezens,' zei Connie. De hond sprong op haar af. Ze streelde zijn kop, duwde hem weg en zei: 'Harry, zei hij wat ik denk dat hij zei?'

'Ik ben net zo goed een burger,' piepte Sammy. Zijn behoefte tot getuigen was verhevigd tot bezeten vastberadenheid. 'Ik heb net zo goed het recht dat iemand af en toe naar me luistert.'

'Tiktak,' zei Harry.

'Precies,' bevestigde Sammy. Hij trok zó hard aan Harry's mouw, dat die bijna scheurde. ' ''Tiktak, tiktak, je hebt niet veel tijd meer. Morgen als de zon opgaat, ben je dood, Sammy.'' En dan lost-ie gewoon op in een troep ratten, gewoon waar ik bijsta.'

Of in een wervelwind van vuil, dacht Harry, of in een vuurzuil.

'Oké, wacht. Laten we praten,' zei Connie. 'Kalmeer, Sammy, en laten we dit bespreken. Het spijt me dat ik dat daarnet tegen je gezegd heb. Dat spijt me echt. Maar kalmeer.'

Sammy moest hebben gedacht dat ze veinsde en hem alleen maar zijn zin gaf in de hoop dat hij zijn dekking liet varen, want hij beantwoordde haar nieuwe achting en egards niet. Hij stampte gefrustreerd met zijn voeten. Zijn kleren fladderden rond zijn bottige lijf en hij leek een vogelverschrikker, heen en weer geschud door een herfstwind. 'Ruimtewezens, stom wijf, ruimtewezens, ruimtewezens, ruimtewezens!'

Naar The Green House kijkend, zag Harry dat er nu een aantal mensen door de ramen van de bar stond te kijken.

Hij besefte wat een bijzonder schouwspel ze boden: alle drie verfomfaaid, aan elkaar trekkend en rukkend en over ruimtewezens schreeuwend. Hij werd achtervolgd door iets paranormaals en buitengewoon kwaadaardigs; dit waren waarschijnlijk de laatste uren van zijn leven, en zijn wanhopige gevecht voor overleving was, althans voor even, veranderd in gooi-en-smijt-theater op straat.

Welkom in de jaren negentig. Amerika op de drempel van het millennium. Christus.

Gedempte muziek sijpelde de straat op: het viermanscombo speelde nu wat swing van de westkust, *Kansas City*, maar met vreemde riffs.

De gastheer in het Armani-pak was een van de mensen aan het raam. Hij schold zichzelf waarschijnlijk in stilte de huid vol omdat hij zich had laten bedriegen door wat, naar hij nu vast geloofde, valse penningen waren en hij kon elk moment de echte politie bellen.

Een passerende auto ging langzamer rijden; de chauffeur en zijn passagier gaapten.

'Stom, stom, stom wijf!' schreeuwde Sammy tegen Connie.

De hond kreeg de rechter pijp van Harry's broek te pakken en trok hem bijna omver. Hij wankelde, wist zijn evenwicht te bewaren en zich los te trekken van Sammy, maar niet van de hond. Die kronkelde achteruit en probeerde Harry koppig mee te trekken. Harry verzette zich, en verloor bijna opnieuw zijn evenwicht toen het beest hem plotseling losliet.

Connie probeerde nog steeds Sammy te kalmeren en de zwerver was haar nog steeds aan het vertellen hoe stom ze was, maar in ieder geval probeerde geen van beiden elkaar te slaan.

De hond rende een paar stappen langs het zuiden over het trottoir, kwam in een stortvloed van licht uit een straatlantaarn glijdend tot stilstand, keek achterom en blafte naar hen. De bries rimpelde zijn vacht en maakte zijn staart donzig. Hij schoot nog een stukje verder naar het zuiden, bleef dit keer in de schaduw stilstaan en blafte opnieuw.

Sammy zag dat Harry was afgeleid door de hond en werd nog razender door zijn onvermogen om serieus aandacht te krijgen. Zijn stem werd spottend en sarcastisch. 'O, natuurlijk, dàt is 't, meer aandacht besteden aan zo'n rothond dan aan mij! Wie ben ìk, nietwaar? Gewoon een stuk straatvuil, minder dan een hond, geen reden om naar afval zoals ik te luisteren. Ga maar, Timmy, ga maar kijken wat Lassie wil; misschien ligt pa-

pa onder een omgevallen tractor op die kloteweg nummer veertig naar het zuiden.'

Harry moest onwillekeurig lachen. Van iemand als Sammy had hij zo'n opmerking nooit verwacht en hij vroeg zich af wie die man was geweest voordat hij aan lager wal was geraakt.

De hond piepte jammerend en onderbrak Harry's lachen. Hij stak zijn harige staart tussen zijn poten, stak zijn oren in de lucht, hief komisch zijn kop, beschreef een cirkel en besnuffelde de nachtlucht.

'Er is iets mis,' zei Connie, die bezorgd de straat langskeek.

Harry voelde het ook. Een verandering in de lucht. Een vreemde druk. Iets. Smerisinstinct. Smeris- en hòndeninstinct.

Het beest ving een geur op waarvan het ging janken van angst. Hij wentelde op het trottoir, beet in de lucht en rende toen naar Harry terug. Even dacht hij dat de hond frontaal tegen hem aan ging botsen en hem van de sokken zou lopen, maar de hond boog af naar de voorkant van The Green House, dook een border vol struikgewas in en verstopte zich plat op zijn buik tussen azalea's, zodat alleen zijn snuit en ogen zichtbaar waren.

Het voorbeeld van de hond volgend, draaide Sammy zich om en sprintte naar de steeg in de buurt.

Connie riep: 'Hé, nee, wacht!' en begon achter hem aan te rennen.

'Connie,' zei Harry waarschuwend. Hij wist niet precies waarvoor hij waarschuwde, maar voelde dat het geen goed idee was om zich precies nu op te splitsen.

Ze daaide zich om. 'Wat?'

Achter haar verdween Sammy om de hoek.

Op dat moment stond alles stil.

Op de zuidelijke rijbaan van de snelweg langs de kust had een sleepwagen zich grommend heuvelopwaarts gewerkt, kennelijk op weg om een gestrande automobilist te helpen; hij stond van het ene moment op het andere stil, maar zonder piepende remmen. Van de ene seconde op de andere viel zijn zwoegende motor uit zonder naklinkend gepuf, gekuch of gesputter, ofschoon zijn koplampen nog steeds brandden.

Tegelijkertijd bleef ook een Volvo dertig meter achter de truck geluidloos staan.

Op hetzelfde moment stierf de wind. Hij ging niet langzaam liggen en sputterde niet uit, maar verdween zo snel alsof een kosmische ventilator was afgezet. Duizenden en duizenden bladeren hielden als één blad op met ruisen.

Precies toen het verkeer en de plantegroei stilvielen, werd de muziek vanuit de bar midden in een noot afgesneden.

Harry had ongeveer het gevoel dat hij stokdoof was geworden. Zelfs in een volledig gecontroleerde ruimte had hij nog nooit zo'n diepe stilte ervaren, laat staan buitenshuis, waar het stadsleven en de ontelbare achtergrondgeluiden van de natuurwereld een onafgebroken atonale symfonie voortbrachten, zelfs in de betrekkelijke stilte tussen middernacht en dageraad. Hij kon zichzelf niet horen ademhalen, maar besefte toen dat zijn eigen bijdrage aan die bovennatuurlijke rust vrijwillig was; hij was eenvoudig zó verbijsterd over de verandering van de wereld, dat hij zijn adem inhield.

Behalve het geluid was ook de beweging uit de nacht gestolen. De sleepwagen en de Volvo waren niet de enige dingen die volledig tot stilstand waren gekomen. De bomen langs de stoeprand en de struiken langs de voorkant van The Green House leken in een flits bevroren. De bladeren waren niet alleen opgehouden met ruisen, maar hadden elke beweging gestaakt; uit steen gehouwen hadden ze niet stiller kunnen hangen. Boven de ramen van The Green House hadden de geschulpte, afhangende randen van de canvas markiezen gefladderd in de wind, maar waren midden in een fladder doodstil blijven hangen; ze hingen zo stijf alsof ze van plaatstaal waren. Aan de overkant van de straat was de aan-en-uitknipperende pijl van een neonbord in de 'aan'-stand bevroren.

Connie vroeg: 'Harry?'

Hij schrok, zoals hij van elk geluid geschrokken zou zijn, behalve het intiem gedempte geluid van zijn eigen rikketikkende hart.

Hij zag zijn eigen verwarring en vrees in haar gezicht weerspiegeld.

Ze kwam naast hem staan en vroeg: 'Wat gebeurt hier?'

Haar stem trilde niet alleen op een manier die hij nooit eerder had gehoord, maar verschilde ook vaag van hoe hij normaal klonk: wat vlakker van toon en met iets minder buiging.

'Ik mag hangen als ik dat weet,' zei hij.

Zijn stem leek sterk op de hare en afkomstig van een mechanisch apparaat dat heel handig maar niet volmaakt de spraak van elk menselijk wezen kon nabootsen.

'Hier zit hij achter,' zei ze.

'Op een of andere manier,' zei Harry instemmend.

'Tiktak.'

'Ja.'

'Maar Jezus, dit is waanzin.'

'Verwacht van mij geen tegenspraak.'

Ze begon haar revolver te trekken, maar liet het wapen weer in haar schouderholster glijden. Een dreigende sfeer van angstige verwachting doordrenkte de omgeving. Maar althans op dit moment was er niets om op te schieten.

'Waar is die engerd?' vroeg ze zich af.

'Ik heb het gevoel dat hij zo opduikt.'

'Dat weet ik ook wel.' Naar de sleepwagen op straat wijzend zei ze: 'Jezus Christus… moet je dàt zien!'

Hij dacht aanvankelijk dat ze doelde op het feit dat het voertuig net als al het andere plotseling tot staan was gebracht, maar toen besefte hij waardoor de naald op haar verbazingsmeter was uitgeslagen. Voor de auto's was de lucht net koel genoeg geweest om het uitlaatgas (maar niet hun adem) tot bleke pluimen te laten condenseren. Die dunne vlagen mist hingen achter de sleepwagen in de lucht; ze verspreidden zich niet en verdampten evenmin zoals damp had moeten doen. Hij zag een nauwelijks zichtbaar grijswit spook nog aan de uitlaatpijp van de Volvo verderop hangen.

Toen hij er eenmaal op ging letten, bleken overal om hem heen vergelijkbare mirakels te bestaan, en hij wees ze voor haar aan. Licht afval papiertjes van Marsen en kauwgum, een versplinterd stuk van een ijslolliestokje, droge bruine bladeren, een verward stuk rood garen waren opgewaaid; er was geen wind meer om ze in de lucht te houden, en toch bleven ze zweven alsof de lucht eromheen plotseling in het zuiverste kristal was veranderd en ze voor eeuwig onbeweeglijk gevangen had. Op armlengte en maar dertig centimeter boven zijn hoofd hingen twee late wintermotten, wit als sneeuwvlokken, doodstil; hun vleugels glommen zacht en parelglad in het licht van de straatlantaarn.

Connie tikte op haar horloge en liet het aan Harry zien. Het was een traditionele Timex met een ronde wijzerplaat en wijzers, niet alleen een grote en een kleine, maar ook een secondenwijzer. Het stond stil op negenentwintig over één plus zestien seconden.

Harry controleerde zijn eigen horloge, dat digitaal afleesbaar was. Ook hij had het 1.29 uur, en het kleine knipperende puntje dat de functie van secondenwijzer vervulde, brandde aan één stuk door en telde niet meer elk zestigste deel van een minuut.

'De tijd staat…' Connie was niet in staat haar zin af te maken. Verbaasd

keek ze de straat langs, slikte met moeite en kon eindelijk weer iets uitbrengen. 'De tijd staat stil... staat gewoon stil. Is dàt 't?'

'Wat bedoel je?'

'Staat stil voor de rest van de wereld maar niet voor ons?'

'De tijd staat niet... kàn niet gewoon stilstaan.'

'Wat dan wel?'

Natuurkunde was nooit zijn lievelingsvak geweest. En ofschoon hij affini-
teit met de wetenschap voelde vanwege haar rusteloze speurtocht naar orde in het universum, was hij niet zo wetenschappelijk belezen als nodig
was in een tijdperk waarin de wetenschap koning kraaide. Maar hij had
genoeg onthouden van zijn lessen op school, genoeg tv-documentaires gezien en genoeg populair-wetenschappelijke boeken van de bestsellerlijst
gelezen om te weten dat Connies uitspraak geen verklaring bood voor talrijke aspecten van wat er met hen gebeurde.

Op de eerste plaats: als de tijd echt stilstond, waarom waren zij dan nog
steeds bij bewustzijn? Hoe konden ze dat verschijnsel waarnemen? Waarom waren ze niet op het laatste moment van de voortschrijdende tijd versteend net als het afval in de lucht, net als de motten?

'Nee,' zei hij onvast, 'zó eenvoudig is het niet. Als de tijd stilstond, zou
níets bewegen toch? Niet eens de atomaire deeltjes. En zonder beweging
van de atomaire deeltjes zouden de luchtmoleculen... zouden de luchtmoleculen dan niet net zo hard worden als ijzermoleculen? Hoe konden we
dan ademen?'

Als reactie op die gedachte haalden ze allebei diep en dankbaar adem. De
lucht smaakte een beetje chemisch, net zo licht afwijkend als het timbre
van hun stem, maar leek in staat om het leven in stand te houden.

'En het licht,' zei Harry. 'De lichtgolven zouden niet meer bewegen. Onze
ogen zouden geen lichtgolven meer waarnemen. Hoe zou je dan iets anders kunnen zien dan duisternis?'

Als de tijd echt stilstond, was het gevolg daarvan waarschijnlijk oneindig
veel rampzaliger dan de rust en stilte, die op deze maartse nacht over de
wereld waren neergedaald. Hij meende te weten dat ruimte en tijd on-
scheidbare onderdelen van de schepping waren, en als de voortgang van
de tijd werd afgesneden, hield de materie onmiddellijk op te bestaan. Het
universum implodeerde toch? Stortte in zichzelf ineen tot een kleine bal
van buitengewone dichtheid... of hoe dicht dat spul ook was voordat het
was ontploft om het universum te creëren.

Connie ging op haar tenen staan, reikte omhoog en nam de vleugel van een van de motten voorzichtig tussen duim en wijsvinger. Ze liet zich weer op haar hielen zakken en bracht het insekt dichter bij haar ogen om het beter te kunnen zien.

Harry had niet geweten of ze de positie van het diertje zou kunnen veranderen. Het had hem niet verbaasd als de mot onbeweegbaar in de doodstille lucht was blijven hangen, even stevig op zijn plaats als een mot van metaal die aan een stalen muur was gelast.

'Niet zo zacht als een mot zou moeten zijn,' zei ze. 'Net of hij van tafzij is gemaakt... of van een of andere gesteven stof.'

Toen zij haar vinger opendeed en de vleugel losliet, bleef de mot in de lucht hangen waar zij hem had losgelaten.

Harry raakte het dier zachtjes aan met de rug van zijn hand en zag gefascineerd hoe de mot een centimeter of tien omlaagtuimelde voordat hij weer in de lucht tot stilstand kwam. Hij hing weer net zo onbeweeglijk als voordat ze ermee gespeeld hadden, alleen in een andere positie.

De manier waarop zij de dingen konden beïnvloeden, leek min of meer normaal. Hun schaduwen bewogen met hen mee, ofschoon alle andere schaduwen even onbeweeglijk waren als de dingen die ze wierpen. Ze konden de wereld beïnvloeden en er doorheen lopen zoals altijd, maar interactie kwam niet tot stand. Ze had de mot kunnen bewegen, maar haar aanraking had hem niet in hun werkelijkheid en niet weer tot leven gebracht.

'Misschien staat de tijd niet stil,' zei ze. 'Misschien is hij voor alles en iedereen alleen maar heel, heel erg vertraagd, behalve voor ons.'

'Dat is het evenmin.'

'Hoe weet je dat zo zeker?'

'Dat weet ik niet zeker. Maar ik denk... als wij de tijd zo verschrikkelijk veel sneller zouden ervaren, als het verschil groot genoeg was om de indruk te geven dat de rest van de wereld stilstond, dan kregen al onze bewegingen een *ongelooflijke* relatieve snelheid. Denk je niet?'

'En?'

'Ik bedoel, veel meer snelheid dan een kogel uit een vuurwapen. Snelheid is vernietigend. Als ik een kogel pak en naar je toe gooi, richt hij geen schade aan. Maar met een kilometer per seconde slaat hij een flink gat in je.'

Ze knikte en staarde nadenkend naar de hangende mot. 'Dus als het alleen maar zo was dat wij de tijd veel sneller ervaren, zou die mot door jouw klap uiteen zijn gevallen.'

'Ja. Ik denk van wel. En waarschijnlijk zou ook mijn hand een beetje beschadigd zijn.' Hij keek naar zijn hand. Niets te zien. 'En als de lichtgolven zich alleen maar langzamer verplaatsten dan normaal... zouden de lampen niet zo helder branden als nu. Dan waren ze zwakker en... roodachtig, denk ik, bijna als infrarood licht. Misschien. En de luchtmoleculen waren traag...'

'Net of je water of stroop ademt?'

Hij knikte. 'Ik denk van wel. Ik weet het niet zeker. Allemachtig, misschien kon zelfs Albert Einstein dit niet verklaren als hij hier bij ons was.'

'Als dit zo doorgaat, kan hij elk moment opduiken.'

Uit de sleepwagen noch uit de Volvo was iemand uitgestapt. Voor Harry was dat een aanwijzing, dat de inzittenden net als de motten gevangen waren in de veranderde wereld. Van de twee mensen op de voorbank van de Volvo verderop kon hij alleen de beschaduwde vormen zien, maar hij had een beter zicht op de man achter het stuur van de sleepwagen, die bijna recht tegenover hem aan de andere kant van de weg stond. Noch de schaduwen in de auto, noch de vrachtwagenchauffeur hadden zich ook maar een fractie van een centimeter bewogen sinds de stilte was ingevallen. Harry nam aan dat ze, als ze niet in hetzelfde tijdsspoor als hun voertuig hadden gezeten, door de voorruit waren geslagen en langs de snelweg waren getuimeld op het moment dat de wielen overhaast hadden opgehouden met draaien.

Bij de ramen van de bar van The Green House bleven zes mensen naar buiten turen in precies dezelfde houding als toen de grote Pauze kwam. (Harry noemde het liever een Pauze dan een Stop, want hij nam aan dat Tiktak vroeg of laat de zaak weer op gang zou brengen. Aangenomen dat Tiktak die stilstand op zijn geweten had. En als hij het niet was, wie dan wel? God?) Twee van hen zaten aan een raamtafeltje, de andere vier stonden ernaast, twee aan elke kant.

Harry stak de stoep over en ging tussen de struiken staan om de toekijkers van dichterbij te bekijken. Connie ging met hem mee. Ze stonden recht voor het raam en misschien dertig centimeter onder de mensen in de bar.

Behalve het grijsharige echtpaar aan de tafel stond er een jonge blondine met haar vijftigjarige vriend een van de paren die in de buurt van de band hadden gezeten, te veel lawaai hadden gemaakt en te hartelijk hadden gelachen. Nu stonden ze daar zo stil als grafbewoners. Aan de andere kant van de tafel stonden de gastheer en een kelner. Alle zes tuurden ze door het raam, bogen zich iets voorover naar het glas.

Terwijl Harry ze bestudeerde, knipperde niemand met zijn ogen. Geen enkele gezichtsspier trilde. Geen haartje roerde zich. Hun kleren hingen om hen heen alsof elk kledingstuk uit marmer was gehouwen.

Hun onveranderlijke gelaatsuitdrukking varieerde van vermaak, verbazing en nieuwsgierigheid tot, in het geval van de gastheer, ergernis. Maar ze reageerden niet op de ongelooflijke stilte die over de nacht was gekomen. Die beseften ze niet, omdat ze er deel van waren. In plaats daarvan staarden ze over Harry's en Connies hoofd heen naar de plek op het trottoir, waar zij tweeën het laatst gestaan hadden toen Sammy en de hond gevlucht waren. Hun gelaatsuitdrukking was een reactie op dat onderbroken stukje straattheater.

Connie hief een hand boven haar hoofd en zwaaide ermee voor het raam, recht in het gezichtsveld van de toekijkers. De zes reageerden op geen enkele manier.

'Ze zien ons niet,' zei Connie verwonderd.

'Misschien zien ze ons op het trottoir staan, op het moment dat alles stilhield. Ze kunnen bevroren zijn in die ene waarnemingsflits en niets hebben gezien van wat we daarna hebben gedaan.'

Vrijwel tegelijkertijd keken hij en Connie, even bezorgd over die onnatuurlijke rust, achterom en wierpen een blik op de doodstille straat achter hen. In James Ordegards slaapkamer was Tiktak met verbluffende steelsheid achter hen opgedoken, en ze hadden met pijn moeten boeten voor hun gebrek aan een vooruitziende blik. Hier was hij nog niet in zicht, maar Harry wist zeker dat hij eraan kwam.

Connie richtte haar aandacht weer op het groepje in de bar en tikte met haar knokkels op een raam. Het klonk een beetje dun, anders dan het èchte geluid van knokkels tegen glas, in dezelfde kleine, maar hoorbare mate als waarin hun huidige stemmen verschilden van hun echte.

De toekijkers reageerden niet.

Wat Harry betrof, leken ze veiliger opgesloten dan de meest geïsoleerde mens in de diepste cel van 's werelds ergste politiestaat. Als vliegen in barnsteen waren ze op een betekenisloos moment van hun leven in de val geraakt. Hun hulpeloze suspensie en zalige onwetendheid daarvan hadden iets afschuwelijk kwetsbaars.

Ofschoon ze zich van hun situatie bijna zeker onbewust waren, voelde Harry een kilte in zijn ruggegraat. Hij wreef over zijn nek om die te verwarmen.

'Als zij ons nog steeds op het trottoir zien,' vroeg Connie, 'wat gebeurt er dan als we hier weggaan en alles dan weer begint te lopen?'

'Ik neem aan dat zíj de indruk hebben dat wij onder hun ogen in het niets zijn verdwenen.'

'Mijn god.'

'Dat zal ze wel even aan het denken zetten.'

Ze draaide zich om van het raam en keek hem aan. Haar voorhoofd was gerimpeld van zorg. Haar donkere ogen stonden gekweld en haar stem klonk zó somber, dat dat niet alleen aan de verandering van timbre en toonhoogte kon liggen. 'Harry, deze hufter is geen gewone lepelbuigende, toekomstvoorspellende, vingervlugge loungegoochelaar uit Vegas.'

'We wisten al dat hij echte macht heeft.'

'Macht?'

'Ja.'

'Harry, dit is meer dan macht. Dat woord is gewoon niet toereikend, hoor je me?'

'Ik hoor je,' zei hij sussend.

'Met zijn wilskracht alleen kan hij de tijd staken, de machine van de wereld uitzetten, het hele raderwerk vast laten lopen, en doen wat-ie verdomme ook maar gedaan heeft. Dat is meer dan macht. Dat is… God zijn. Welke kans hebben we tegen iemand als hij?'

'We hebben een kans.'

'Wèlke kans? Hoe?'

'We hebben een kans,' hield hij koppig vol.

'Ja? Volgens mij kan die vent ons verpletteren als kevers op elk moment dat hij wil, en hij stelt dat alleen maar uit omdat hij het leuk vindt om kevers pijn te zien lijden.'

'Je klinkt niet als de Connie Gulliver van vroeger,' zei Harry scherper dan hij bedoeld had.

'Misschien ben ik dat ook wel niet.' Ze stak een duim in haar mond en trok er met haar tanden een half maantje nagel af.

Hij had haar nooit eerder nagel zien bijten en was bij dat blijk van nervositeit bijna even verbaasd als wanneer hij haar had zien instorten en huilen.

Ze zei: 'Misschien heb ik wel een golf proberen te berijden die te groot voor me was, ben ik op mijn bek gegaan en heb ik de moed verloren.'

Voor Harry was het onvoorstelbaar dat Connie bij wat dan ook de moed verloor, zelfs niet bij het vreemde en schrikwekkende dat er met hen aan het gebeuren was. Hoe kon zij de moed verliezen terwijl ze een en al moed wàs, een kilo of vijfenzeventig massieve moed?

Ze draaide zich om, liet haar blik weer over de straat glijden, liep naar wat azaleastruiken en hield ze met één hand uiteen, waarbij de hond, die zich daar verstopt had, in zicht kwam. 'Ze voelen niet helemaal als bladeren. Stijver. Meer als dun karton.'

Hij kwam naast haar staan, bukte en streelde de hond, die net zo versteend was door de Pauze als de gasten in de bar. 'Zijn vacht voelt als dun ijzerdraad.'

'Ik denk dat hij ons iets probeerde duidelijk te maken.'

'Ik ook. Achteraf.'

'Want hij wist beslist dat er iets te gebeuren stond toen hij zich in deze bosjes verstopte.'

Harry moest denken aan zijn gedachte in het herentoilet van The Green House: *De enige aanwijzing voor het feit dat ik niet gevangen ben in een sprookje, is de afwezigheid van een pratend dier.*

Grappig, hoe moeilijk de greep van een mens op zijn geestelijke gezondheid te breken was. Na honderd jaar Freudiaanse analyse waren de mensen gewend geraakt aan de gedachte dat die gezondheid een kwetsbaar bezit was, dat iedereen potentieel het slachtoffer was van neuroses en psychoses als gevolg van mishandeling, verwaarlozing of zelfs de normale druk van het dagelijks leven. Als hij de gebeurtenissen van de laatste dertien uur in de bioscoop had gezien, had hij het plot van die film ongeloofwaardig gevonden in de behaaglijke zekerheid dat de mannelijke hoofdpersoon, hijzelf, er bij de spanning van zoveel bovennatuurlijke voorvallen en ontmoetingen, gecombineerd met zoveel lichamelijke martelingen, onderdoor moest zijn gegaan. Desondanks: hier stond hij dan. Met pijn in de meeste spieren en de helft van zijn gewrichten, maar zijn verstand ongeschonden.

Hij besefte vervolgens, dat hij misschien niet uit mocht gaan van een ongeschonden verstand. Hoe onwaarschijnlijk ook: misschien lag hij al vastgesnoerd op een bed in een psychiatrische afdeling met een stuk rubber in zijn mond om te voorkomen dat hij in dolle razernij zijn tong afbeet. De stille en bewegingloze wereld was misschien slechts een waanbeeld.

Leuke gedachte.

Toen Connie de azaleatakken losliet die ze opzij had getrokken, schoten ze niet terug op hun plaats. Harry moest er zachtjes aan trekken om te zorgen dat de hond weer aan het zicht was onttrokken.

Ze kwamen overeind en speurden het hele zichtbare stuk van de Pacific

Coast Highway af, de winkels en kantoren die zich langs beide zijden verdrongen, de donkere, nauwe openingen tussen de gebouwen.

De wereld was één reusachtig veermechaniek met een verbogen sleutel, kapotte veren en in roest gevangen tandwielen. Harry probeerde zichzelf voor te houden dat hij aan deze griezelige toestand gewend begon te raken, maar dat was niet overtuigend. Als zijn schrik voorbij was, waarom zat er dan koud zweet op zijn voorhoofd, onder zijn armen en op het smalle deel van zijn rug? Van de volledig tot rust gekomen nacht ging geen kalmerende invloed uit, want achter zijn vreedzame façade gingen snaarstrak geweld en plotselinge dood schuil; in plaats daarvan was hij diep griezelig en bij elke niet-seconde werd dat sterker.

'Betovering,' zei Harry.

'Wat?'

'Zoals in een sprookje. De hele wereld is het slachtoffer van een kwaadaardige bezwering, een toverspreuk.'

'En waar is de heks dan die die heeft uitgesproken? Dat zou ik wel 's willen weten.'

'Geen heks,' verbeterde Harry. 'Heks is vrouwelijk. Een mannelijke heks is een heksenmeester. Of tovenaar.'

Ze kookte van woede. 'Kan me niet schelen. Verdomme, waar is-ie, waarom speelt-ie met ons, waarom duurt 't zo lang voor-ie z'n gezicht laat zien?'

Een blik op zijn horloge bevestigde dat de rode secondenverklikker nog niet aan het knipperen was en dat het afleesscherm nog steeds 1.29 uur aanwees. 'Hoeveel tijd hij daarvoor neemt, hangt eigenlijk af van de manier waarop je het bekijkt. Volgens mij kun je ook zeggen, dat hij nog helemaal geen tijd heeft genomen.'

Ze keek op haar horloge. 1.29 uur. 'Schiet op, schiet op, ik heb er genoeg van. Of denk je dat hij wacht tot we hem gaan zoeken?'

Elders in de nacht stak het eerste geluid sinds de Pauze op, dat ze niet zelf hadden gemaakt. Gelach. De diepe, knarsende lach van de golem-zwerver, die in Harry's flat had gebrand als een talgkaars en later opnieuw was verschenen om hen in Ordegards huis een rammeling te geven.

Uit gewoonte reikten ze weer naar hun revolvers, maar ze herinnerden zich de nutteloosheid van vuurwapens tegen deze tegenstander en lieten hun wapens in hun holster.

Ten zuiden van hen, aan de kant van het blok dat hoger de heuvel op lag en aan de overkant van de straat, kwam Tiktak de hoek om. Hij droeg het overbekende uiterlijk van de zwerver. De golem leek zo mogelijk nog groter dan eerst, meer dan twee meter tien in plaats van twee meter, en zijn haar was verwarder en zijn baard wilder dan de laatste keer dat ze hem zagen. Leeuwekop. Nek als een boomstam. Massieve schouders. Onmogelijk brede borstkas. Handen zo groot als tennisrackets. Zijn zwarte regenjas had het volume van een tent.

'Waarom was ik verdomme zo ongeduldig om hem te zien?' vroeg Connie zich af, en verwoordde daarmee een identieke gedachte van Harry.

Tiktaks valse trollenlach verstierf. Hij stapte de stoeprand af en begon schuin de straat over te steken, recht op hen af.

'Wat is het plan?' vroeg Connie.

'Welk plan?'

'Er is altijd een plan, verdomme.'

Harry was inderdaad verbaasd toen hij besefte, dat ze op de golem hadden staan wachten zonder ook maar één keer na te denken over een gedragslijn. Ze zaten al zoveel jaar bij de politie en waren al zolang partners, dat ze in elke situatie en tegenover vrijwel iedere dreiging wisten hoe ze moesten optreden. Meestal hoefden ze de koppen niet bij elkaar te steken om een strategie uit te stippelen; ze handelden instinctief, en beiden gingen ervanuit, dat ook de ander de juiste dingen deed. De zeldzame keren dat ze over een actieplan moesten praten, waren een paar éénwoordige zinnen genoeg, het steno van goed op elkaar afgestemde partners. Maar geconfronteerd met een bijna onkwetsbare tegenstander, gemaakt van bloedloze aarde en stenen en wormen en god weet wat nog meer, een felle en meedogenloze vechter die maar één lid was van het eindeloze leger dat hun èchte vijand kon scheppen, leken ze beroofd van zowel hun instinct als hun verstand en konden ze slechts verlamd staan wachten tot hij kwam.

Rennen, dacht Harry, en stond op het punt zijn eigen raad op te volgen, toen de boomlange golem vijftien meter verderop midden op straat bleef staan.

De ogen van de golem waren anders dan alle andere keren dat Harry hem gezien had. Ze gloeiden niet alleen, maar brandden. Blauw. Het hete blauw van gasvlammen. Dansten helder in zijn oogkassen. Zijn ogen wierpen beelden van flikkerend blauw vuur op zijn jukbeenderen, waardoor de kroezige randen van zijn baard op dunne draden blauw neon leken.

Tiktak spreidde zijn armen en hief zijn enorme handen boven zijn hoofd als een oudtestamentische profeet, die vanaf een berg zijn volgelingen beneden toespreekt en boodschappen van gene zijde doorgeeft. Binnen die royale regenjas konden stenen tafelen met wel honderd geboden verborgen zijn.

'Over één uur echte tijd begint de wereld weer te draaien,' zei Tiktak. 'Ik tel tot vijftig. Jullie voorsprong. Overleven jullie één uur, dan laat ik jullie leven en martel ik jullie nooit meer.'

'Lieve moeder Gods,' fluisterde Connie, 'hij is ècht een kind dat stoute spelletjes speelt.'

Dat maakte hem minstens zo gevaarlijk als elke andere psychopaat. Zelfs gevaarlijker. In hun onwetendheid van empathie hadden sommige jonge kinderen het vermogen tot buitengewone wreedheid.

Tiktak zei: 'Ik jaag jullie met eerlijke middelen op en gebruik geen van mijn trucs, alleen mijn ogen,' en hij wees op zijn brandend blauwe oogkassen, 'mijn oren,' en hij wees naar één ervan, 'en mijn verstand.' Hij tikte met een dikke wijsvinger op de zijkant van zijn schedel. 'Geen trucs. Geen bijzondere vermogens. Zo heb ik meer pret. Een… twee… jullie kunnen maar beter gaan rennen, hè? Drie… vier… vijf…'

'Dit geloof ik niet,' zei Connie, maar ze draaide zich toch maar om en rende.

Harry volgde haar. Ze sprintten naar de steeg en sloegen bij The Green House de hoek om. Bijna botsten ze tegen de broodmagere zwerver die zichzelf Sammy had genoemd en nu, hachelijk midden in een stap, versteend was. Terwijl ze langs Sammy schoten en dieper het donkere achterafstraatje inrenden, maakten hun voetstappen een vreemd, hol kletsend geluid op het asfalt bijna het geluid van rennende voeten, maar niet helemaal. Ook de echo's klonken niet precies als echo's in de echte wereld. Ze weerkaatsten minder en duurden te kort.

Kreunend van wel honderd verschillende pijnen die bij elke stap door zijn lichaam joegen, probeerde Harry onder het rennen moeizaam een strategie te bedenken om het uur te overleven. Maar net als Alice was hij door de spiegel gestapt, het rijk van de Rode Koningin in, en in dat land van de Gekke Hoedenmaker en de Kat uit Cheshire, waar de rede werd geminacht en de chaos werd omhelsd, werkten geen logische plannen.

5

1

'Elf… twaalf… wie niet weg is, die is dood… dertien…'
Bryan had de tijd van zijn leven.
Hij lag naakt uitgespreid op de zwarte zijden lakens. Hij had het druk met scheppen en Werd in glorie, terwijl de votiefogen hem vanuit hun glazen reliekschrijnen aanbaden.
Toch was een deel van hem in de golem, wat eveneens stimulerend werkte. Ditmaal had hij het schepsel extra groot gemaakt, een felle en onstuitbare moordmachine om die grote schietheld en zijn trut nog beter te terroriseren. Diens immense schouders waren ook zíjn schouders en diens machtige armen te zíjner beschikking. Die armen te buigen, en te voelen hoe die onmenselijke spieren zich rekten en spanden en rekten, was zó vervoerend, dat hij zijn opwinding over de komende jacht nauwelijks kon bedwingen.
'… zestien… zeventien… achttien…'
Deze reus had hij gemaakt van aarde en klei en zand, had zijn lichaam het uiterlijk van vlees gegeven en hem bezield net zoals de eerste god Adam had geschapen uit levenloze aarde. Ofschoon het zijn lotsbestemming was om een meedogenlozer godheid te zijn dan alle andere die hem waren voorgegaan, kon hij even goed scheppen als vernietigen; niemand kon zeggen dat hij een mindere god was dan de andere die geheerst hadden, niemand. Niemand.
Midden op de Pacific Coast Highway, boven alles uittorenend, overzag hij de rust en stilte van de wereld en hij was tevreden met wat hij geschapen had. Dit was zijn Grootste en Geheimste Macht, het vermogen om alles net zo makkelijk stil te zetten als een horlogemaker een tikkend klokje stilzet door de afdekplaat te verwijderen en op het centrale punt van het mechaniek het juiste gereedschap in te zetten.
'… vierentwintig… vijfentwintig…'
Tijdens een van zijn paranormale groeispurts, toen hij zestien was, was deze macht in hem opgekomen, ofschoon hij hem pas op zijn achttiende goed had leren gebruiken. Dat was te verwachten. Ook Jezus had tijd no-

dig om te leren hoe je water in wijn verandert en een paar broden en vissen vermenigvuldigt zodat massa's mensen genoeg te eten hebben.

Wil. De macht van de wil. Dat was het gereedschap om de werkelijkheid te herscheppen. Vóór het begin van de tijd en de geboorte van dit heelal was er één wil geweest, die alles in het leven had geroepen, een bewustzijn dat de mensen God noemden, ofschoon God ongetwijfeld sterk verschilde van alle manieren waarop de mensheid Hem had afgeschilderd misschien niet meer dan een spelend kind dat als spelletje hele melkwegen schiep als korrels zand. Als het heelal een eeuwig bewegende machine was die als wilsdaad was geschapen, dan kon het ook door pure wilskracht worden veranderd, herschapen of vernietigd. Al wat nodig was om de schepping van de eerste god te manipuleren of bewerken, waren macht en begrip; beide waren Bryan gegeven. De macht van het atoom was maar een zwak schijnsel vergeleken met de verblindend schitterende macht van de geest. Hij had gemerkt dat hij, door zijn wilskracht toe te passen, door zijn gedachten en verlangens aandachtig te richten, fundamentele veranderingen in de diepste fundamenten van het bestaan kon aanbrengen.

'… eenendertig… tweeëndertig… drieëndertig…'

Omdat hij nog steeds ijverig aan het Worden was en nog niet de nieuwe god was, kon Bryan deze veranderingen maar korte pozen in stand houden, meestal niet langer dan een uur echte tijd. Af en toe werd hij ongeduldig over zijn beperkingen, maar hij wist zeker dat ooit de dag kwam waarop hij de huidige werkelijkheid kon veranderen op manieren die permanent waren, zo hij dat wenste. Zolang hij bleef Worden, stelde hij zich intussen tevreden met amusante ingrepen, die alle wetten van de natuurkunde tijdelijk negeerden en de werkelijkheid in ieder geval voor korte tijd aan zijn wensen aanpaste.

Ofschoon Lyon en Gulliver de indruk hadden dat de tijd tot stilstand was gekomen, was de waarheid ingewikkelder. Het was bijna net als een wens doen voordat je de kaarsjes op een verjaardagstaart uitblaast: door zijn buitengewone wilskracht toe te passen, had hij de aard van de tijd geherformuleerd. Wat eerst een altijd stromende rivier met voorspelbare gevolgen was geweest, was nu veranderd in een reeks stromen, grote rustige meren en geisers met een *verscheidenheid* aan gevolgen. Deze wereld lag nu in een van de meren, waar de tijd zó martelend traag voortschreed dat hij stil leek te staan maar eveneens op grond van zijn wil waren zijn relatie en die van de twee smerissen met deze nieuwe werkelijkheid vrijwel gelijk aan die met de oude; bij de meeste wetten van materie, energie, beweging en kracht namen ze slechts ondergeschikte veranderingen waar.

'... veertig... eenenveertig...'

Alsof hij op zijn verjaardag, of bij het zien van een vallende ster, of aan het adres van een petemoei uit een sprookje een wens deed, had hij door met al zijn aanzienlijke macht te wensen, te wensen en nog eens te wensen het volmaakte speelterrein geschapen voor een pittige ronde verstoppertje spelen. En wat gaf het, dat hij het heelal had verbogen om er zijn speeltje van te maken?

Hij besefte dat hij twee personen was van sterk verschillende aard. Aan de ene kant was hij een god in Wording, verheven, met onvoorstelbare autoriteit en verantwoordelijkheid. Aan de andere kant was hij een roekeloos en zelfzuchtig kind, wreed en vol trots.

Wat dat betrof leek hij volgens hem op de mensheid zelf alleen extremer.

'... vijfenveertig...'

In feite geloofde hij juist gezalfd te zijn vanwege het soort kind dat hij geweest was. Zelfzucht en trots weerspiegelden slechts het ego, en zonder sterk ego had niemand het zelfvertrouwen om te scheppen. Een zekere mate van roekeloosheid was nodig om de grenzen van je creatieve kracht te durven beproeven; risico's nemen zonder acht te slaan op de gevolgen kon bevrijdend zijn en een deugd betekenen. En omdat hij de god was die de mensheid zou straffen voor zijn vervuiling van de aarde, was wreedheid een voorwaarde voor Wording. Door zijn vermogen om een kind te blijven en te voorkomen dat hij zijn scheppende energie verspilde aan het nutteloze fokken van nog meer dieren voor de kudde, was hij de volmaakte kandidaat voor de goddelijkheid.

'... negenenveertig... vijftig...'

Even zou hij zijn belofte houden om hen alleen met behulp van normale menselijke zintuigen op te sporen. Dat zou grappig zijn. Uitdagend. En het was goed om de ernstige beperkingen van hun bestaan te ervaren, niet om medelijden met hen te ontwikkelen ze verdienden geen medelijden maar om vollediger te genieten van zijn, vergeleken daarmee, buitengewone vermogens.

In het lichaam van de reusachtige zwerver liep Bryan de straat af en het fabelachtige pretpark van de doodstille, fluisterloze stad in.

'Ik kom...' riep hij.

2

Een vallende denneappel was midden in zijn val door de Pauze gestuit en bungelde als een kerstboomversiering aan een draadje aan de tak erboven. Midden in zijn sprong van een boomtak naar de top van een gestucte muur was een wit-oranje kat tot stilstand gekomen; hij hing in de lucht met zijn voorpoten vooruit en zijn achterpoten gestrekt. Een stijve, onveranderlijke rooksliert krulde uit de schoorsteen van een open haard.

Terwijl zij en Harry verder het vreemde, niet-kloppende hart van de verlamde stad inrenden, geloofde Connie niet dat ze de jacht zouden overleven. Niettemin bedacht en verwierp ze talloze tactieken om Tiktak één uur te ontlopen. Onder het harde pantser van cynisme, dat ze zo lang zo liefderijk had gevoed, koesterde ze net als elke andere dwaas ter wereld kennelijk de hoop dat zij anders was en eeuwig leefde.

Dat ze in zichzelf het domme, dierlijke geloof in haar eigen onsterfelijkheid ontdekte, had haar eigenlijk moeten generen. Maar ze omhelsde het. Hoop kon een verraderlijk soort zelfvertrouwen scheppen, maar ze zag niet in hoe hun benarde toestand kon verergeren door een beetje positief denken.

In één nacht had ze zoveel nieuwe dingen over zichzelf geleerd. Het zou jammer zijn als ze niet lang genoeg leefde om op basis van deze ontdekkingen een beter leven op te bouwen.

Alleen hulpeloze tactieken schoten haar te binnen, hoe koortsachtig ze ook nadacht. Zonder te vertragen en tussen steeds rafeliger ademhalingen door stelde ze voor om zo vaak mogelijk van straat te veranderen en zo veel mogelijk de hoek om te gaan, in de zwakke hoop dat een bochtig spoor moeilijker te volgen was dan een kaarsrecht. En ze leidde hen waar mogelijk langs een route heuvelafwaarts, want dan legden ze in minder tijd een grotere afstand af dan wanneer ze moeizaam een helling moesten beklimmen.

De bewegingloze inwoners van Laguna Beach om hen heen beseften niet dat zij voor hun leven renden. En als zij en Harry gevangen werden, zou geen enkel hulpgeroep deze betoverde slapers wekken.

Ze wist waarom Ricky Estefans buren niet hadden gehoord hoe de golem krakend door de gangvloer was gebroken en hem had doodgeslagen. In elke hoek van de wereld had Tiktak de tijd stilgezet, behalve in die bungalow. Ricky was in alle sadistische kalmte gemarteld en vermoord terwijl voor de rest van de mensheid geen enkele tijd verstreek. Toen Tiktak hen in Ordegards huis had overvallen en Connie door de glazen schuifdeur op het balkon voor de slaapkamer had gegooid, reageerden de buren evenmin op de herrie of de schoten die daaraan voorafgingen, want de hele confrontatie had plaatsgevonden in niet-tijd, in een dimensie die één stap verwijderd was van de werkelijkheid.

Op topsnelheid verder rennend telde Connie in zichzelf. Ze probeerde het langzame tempo vast te houden waarin Tiktak geteld had. Veel te gauw was ze bij vijftig en ze betwijfelde of ze ook maar half genoeg afstand tot hem hadden geschapen om veilig te zijn.

Als ze door had geteld, had ze misschien de honderd bereikt toen ze eindelijk even moesten stoppen. Ze leunden tegen een bakstenen muur om op adem te komen.

Haar borstkas knelde en haar hart leek tot het punt van barsten gezwollen. Elke ademhaling was verschroeiend heet, alsof ze een vuurspuwer in een circus was, die ontbrande benzinedampen inademde. Haar keel voelde rauw. Haar kuit- en dijspieren deden zeer en haar versnelde bloedsomloop deed de pijn weer opvlammen in alle builen en blauwe plekken die ze die avond had opgelopen.

Harry zag er nog erger uit dan zij zich voelde. Natuurlijk, hij had bij meer ontmoetingen met Tiktak meer klappen opgelopen dan zij en was langer op de vlucht.

Toen ze iets kon zeggen, zei ze: 'En nu?'

Aanvankelijk klonk elk woord als een puffende plof. 'Wat. Denk. Je. Van. Granaten?'

'Granaten?'

'Zoals Ordegard.'

'Ja, ja, dat weet ik nog.'

'Tegen een golem halen kogels niets uit…'

Ze zei: 'Dat heb ik gemerkt.'

'… maar als we dat kloteding opblazen…'

'Maar waar vinden we granaten? Hè? Weet jij een gezellige buurtwinkel in explosieven?'

'Misschien een arsenaal van de Nationale Garde. Zoiets.'

'Wees effe reëel, Harry.'

'Waarom? De rest van de wereld is dat niet.'

'Als we een van die klotedingen aan diggelen blazen, pakt hij gewoon wat aarde en maakt een nieuwe.'

'Maar het vertraagt hem wel.'

'Misschien twee minuten.'

'Elke minuut telt,' zei hij. 'We moeten het gewoon één uur zien vol te houden.'

Ze keek hem ongelovig aan. 'Denk jij ècht dat hij zijn belofte houdt?'

Met de mouw van zijn jas veegde Harry het zweet van zijn gezicht. 'Nou, misschien.'

'Geen schijn van kans.'

'Misschien wel,' hield Harry vol.

Ze schaamde zich omdat ze hem wilde geloven.

Ze luisterde naar de nacht. Niets. Dat betekende niet dat Tiktak ver weg was.

'We moeten weer weg,' zei ze.

'Waarheen?'

Connie hoefde niet langer steun te zoeken tegen de muur. Ze keek rond en ontdekte dat ze op het parkeerterrein naast een bank stonden. Vijfentwintig meter verderop was een auto gestopt naast een geldautomaat. In de blauwige gloed van een veiligheidslamp boven hun hoofd stonden twee mannen bij het apparaat.

Iets in de houding van die twee deugde niet. Ze stonden niet alleen stil als standbeelden. Er was ook nog iets anders.

Connie begon over het parkeerterrein naar het vreemde tafereel te lopen.

'Waar ga je naar toe?' vroeg Harry.

'Even kijken.'

Haar instinct bleek betrouwbaar. De Pauze had midden in een beroving toegeslagen.

De eerste man gebruikte zijn creditcard van de bank om driehonderd dollar uit het apparaat te halen. Hij was achter in de vijftig, had grijs haar, een grijze snor en een vriendelijk gezicht, waarin nu angstrimpels stonden. Het pakje knisperende biljetten was uit de geldgleuf zijn hand in beginnen te glijden, toen alles stilstond.

De dader was iets onder of boven de twintig, blond en knap. Nu had hij Nikes, een spijkerbroek en een sweater aan, maar hij was een van de strandtypes die de hele zomer lang in elke straat van het centrum van Laguna te vinden waren: op sandalen en in afgeknipte broeken, slank, donker gebruind en met witte haren van de zon. Zoals hij er nu uitzag, of eruit zou zien als de zomer kwam, leek hij geen ambities maar vooral talent voor vrijetijdsbesteding te hebben; je kon je niet voorstellen dat iemand die er zo gezond uitzag, misdadige bedoelingen kon hebben. Nog tijdens de beroving had hij iets engelachtigs en hij glimlachte vriendelijk. Hij had een .32 pistool in zijn rechterhand en ramde de loop tegen de ruggegraat van de oudere man.

Connie liep om het tweetal heen en bekeek hen nadenkend.

'Wat ben je aan het doen?' vroeg Harry.

'We moeten dit even regelen.'

'Daar hebben we geen tijd voor.'

'Zijn we van de politie of niet?'

Harry zei: 'In jezusnaam, we worden opgejaagd!'

'Wie verhindert dat de wereld naar de knoppen gaat, als wij dat niet doen?'

'Wacht 's even, wacht 's even,' zei hij. 'Ik dacht dat jij dit werk deed voor de spanning en om jezelf iets te bewijzen. Dat heb je vanavond toch zelf gezegd?'

'En jíj deed dat toch om de orde te handhaven en de onschuldigen te beschermen?'

Harry haalde diep adem alsof hij met haar in discussie wilde, maar ademde toen weer uit in een explosieve zucht van ergernis. Dit was niet voor het eerst in de laatste zes maanden dat ze hem deze reactie ontlokte.

Ze vond hem heel lief als hij geïrriteerd was; dat week op een prettige manier af van zijn gebruikelijke gelijkmoedigheid, die vervelend werd omdat die altijd hetzelfde was. Eigenlijk hield Connie van hoe hij er nu uitzag: slordig en ongeschoren. Ze had hem op deze manier nooit eerder gezien, had nooit verwàcht hem zo te zien, en ze vond hem er eerder ruig dan slonzig uitzien, en gevaarlijker dan ze voor mogelijk had gehouden.

'Oké, oké,' zei hij. Hij liep naar de berovingsscène om de dader en het slachtoffer wat nauwkeuriger te bekijken. 'Wat stel je voor?'

'Een paar aanpassingen.'

'Kan gevaarlijk zijn.'

'Die snelheidskwestie? Nou, die mot is niet uiteengevallen.'

Voorzichtig raakte ze met één vinger het gezicht van de dader aan. Zijn huid voelde leerachtig aan en zijn vlees was wat steviger dan het zou moeten zijn. Toen ze haar vinger weghaalde, bleef een ondiepe holte in zijn wang achter, die klaarblijkelijk pas verdween als de Pauze eindigde.

In zijn ogen starend zei ze: 'Engerd.'

Hij negeerde haar aanwezigheid volstrekt. Voor hem was ze onzichtbaar.

Als de tijd zijn gebruikelijke loop hervatte, zou hij niet beseffen dat ze hier ooit was geweest.

Ze trok de arm van de dader met het wapen terug. Dat ging, maar stijf en met weerstand.

Connie was geduldig, want ze was bang dat de tijd weer ging lopen als ze daar het minst op bedacht was; dan kon de tot leven gewekte schutter van haar aanwezigheid schrikken en ongewild de trekker overhalen. In dat geval kon hij best de oudere man overhoop schieten, ofschoon hij eerst misschien alleen van plan was geweest om hem te beroven.

Toen de loop van de .32 niet langer tegen de ruggegraat van het slachtoffer was gedrukt, duwde Connie het wapen langzaam naar links, tot het niet meer op de man was gericht maar onschadelijk naar de nacht wees.

Harry wrikte de vingers van de schutter zorgvuldig van het pistool. 'We lijken wel kinderen die met levensgrote actiepoppen spelen.' De .32 bleef midden in de lucht hangen, precies waar de hand van de dader hem omklemd had gehouden.

Connie merkte dat het pistool makkelijker te bewegen was dan de schutter, ofschoon het nog steeds wat weerstand bood. Ze bracht het naar de man bij de automaat, drukte het in zijn rechterhand en sloot zijn vingers er strak omheen. Als de Pauze ophield, zou hij een pistool vasthouden dat er een fractie van een seconde eerder nog niet was geweest, zonder het flauwste idee te hebben hoe dat in zijn hand was gekomen. Ze haalde het gebanderolleerde pakje biljetten van twintig dollar uit de geldla van het apparaat en stopte het in de linkerhand van de klant.

'Nu snap ik hoe dat tientje weer in mijn hand getoverd werd nadat ik het aan die zwerver had gegeven,' zei ze.

Met een onbehaaglijke blik op de nacht zei Harry: 'En hoe de vier kogels die ik in zijn lijf had geschoten, in het zakje van mijn overhemd terechtkwamen.'

'Het kopje van dat Mariabeeldje uit Ricky's altaar.' Ze fronste. 'Doodgriezelig om te bedenken dat wij net als deze mensen bevroren waren in de tijd en dat die klootzak met ons speelde.'

'Ben jij hier klaar?'

'Bijna. Kom op, help even om die man weg te draaien van het apparaat.'

Samen draaiden ze hem schommelend honderdtachtig graden om, alsof hij een marmeren tuinbeeld was. Toen ze klaar waren, had het slachtoffer niet alleen het pistool, maar had hij ook de dader onder schot.

Alsof ze een wassenbeeldenmuseum met buitengewoon realistische poppen opnieuw inrichtten, hadden ze het tafereel gewijzigd en nieuwe dramatiek gegeven.

'Oké, en nou weg,' zei Harry, en begon weg te lopen over het parkeerterrein van de bank.

Connie aarzelde en bekeek hun handwerk.

Hij keek achterom, zag dat ze hem niet volgde en draaide zich om. 'En?'

Ze zei hoofdschuddend: 'Dit is te gevaarlijk.'

'Nu heeft de goeie het pistool.'

'Ja, maar hij is verrast als hij dat merkt. Misschien laat hij het vallen. Die engerd hier krijgt het dan misschien of zelfs waarschijnlijk weer te pakken, en dan zijn we terug bij af.'

Harry liep rood aan en keerde terug. 'Ben jij een zekere smerige, dementerende, gelittekende heer in een zwarte regenjas vergeten?'

'Ik hoor hem nog niet.'

'Connie, in godsnaam, hij kan de tijd ook voor òns stilzetten. Dan heeft hij alle tijd van de wereld om naar ons toe te lopen, te wachten tot hij recht voor ons staat en ons dan weer mee te laten doen met het spel. In dat geval hoor je hem pas als hij je neus eraf scheurt en vraagt of je een zakdoek wilt.'

'Als hij op die manier vals gaat spelen…'

'Valsspelen? Waarom zou hij níet vals spelen?' vroeg Harry geïrriteerd, ofschoon hij twee minuten geleden zelf had gezegd dat Tiktak misschien zijn belofte hield en het spel eerlijk speelde. 'We hebben niet met Moeder Teresa te maken!'

'… dan maakt het ook niet uit of we ons werk hier afmaken of niet. In beide gevallen krijgt hij ons te pakken.'

De autosleuteltjes van de grijsharige bankcliënt zaten in het contactslot. Connie haalde ze eruit en deed de achterbak open. Het deksel schoot niet omhoog. Ze moest het optillen alsof ze het deksel van een doodskist opendeed.

'Dit is anaal-retentief,' zei Harry tegen haar.

'O ja? Zoals jíj dat meestal aanpakt, hè?'

Hij knipperde met zijn ogen.

Harry pakte de dader onder zijn armen en Connie greep zijn voeten. Ze droegen hem naar de achterkant van de auto en lieten hem zachtjes in de kofferbak zakken. Het lichaam leek iets zwaarder dan het in de echte tijd geweest zou zijn. Connie probeerde het deksel dicht te slaan, maar in deze veranderde werkelijkheid gaf haar duw het niet genoeg vaart om helemaal dicht te gaan; ze moest erop gaan hangen om het slot dicht te laten klikken.

Als de Pauze eindigde en de tijd weer begon, bevond de dader zich in de achterbak van de auto, zonder de minste herinnering aan hoe hij in die ongelukkige positie terecht was gekomen. In een oogwenk was hij van aanvaller in gevangene veranderd.

Harry zei: 'Volgens mij begrijp ik nu hoe ik drie keer op dezelfde stoel in Ordegards keuken terechtkwam met de loop van mijn eigen wapen in mijn mond.'

'Hij haalde je steeds uit de echte tijd en zette je daar neer.'

'Ja. Een kind dat grappen uithaalt.'

Connie vroeg zich af of op deze manier ook de slangen en tarantula's in Ricky Estefans keuken terecht waren gekomen. Had Tiktak die tijdens een vorige Pauze uit dierenwinkels, laboratoria of zelfs uit hun nesten in het wild gehaald en in de bungalow gezet? Had hij toen de tijd weer op gang gebracht althans voor Ricky en die arme man laten schrikken van een plotselinge plaag?

Connie liep bij de auto vandaan het parkeerterrein op. Daar stond ze stil en luisterde naar de onnatuurlijke nacht.

Het leek of alles op de wereld plotseling gestorven was, van de wind tot de hele mensheid aan toe, zodat een planeetgroot kerkhof was ontstaan, waar het gras en de bloemen en de rouwdragers van hetzelfde graniet waren gemaakt als de grafstenen.

De afgelopen jaren had ze soms overwogen om de politie de politie te laten en naar een goedkope hut aan de rand van de Mojave te verhuizen, zo ver mogelijk weg van de mensen. Ze leefde zó Spartaans, dat ze heel wat gespaard had; levend als een woestijnrat kon ze het met dat geld heel lang uitzingen. De kale, mensenloze uitgestrektheid van zand en struiken en rotsen waren buitengewoon aantrekkelijk vergeleken met de moderne beschaving.

Maar de Pauze was heel anders dan de vrede van een zongeblakerd woestijnlandschap, waar het leven nog steeds tot de natuurlijke orde hoorde en de beschaving, hoe ziek ook, ergens achter de horizon nog steeds bestond. Na pas ongeveer tien niet-minuten van doodsdiepe stilte en rust verlangde Connie naar de flamboyante dwaasheid van het mensencircus. Deze soort was veel te dol op liegen, bedriegen, jaloezie, onwetendheid, zelfmedelijden, intolerantie en utopische visioenen die altijd tot massamoord leidden maar totdat deze soort zichzelf misschien vernietigde, bezat hij ook het vermogen om zich te verheffen, verantwoordelijkheid voor zijn daden te nemen, te leven en te laten leven en het rentmeesterschap van de aarde te verdienen.

Hoop. Voor het eerst in haar leven was Connie beginnen te geloven dat de hoop op zichzelf al een reden was om te leven en de beschaving te gedogen zoals die was.

Maar zolang Tiktak leefde, was hij het einde van de hoop.

'Ik haat die hufter zoals ik nog nooit iemand gehaat heb,' zei ze. 'Ik wil hem te pakken krijgen. Ik wil hem zó verschrikkelijk graag mollen, dat ik het nauwelijks uithoud.'

'Om hem te grijpen, moeten we eerst in leven blijven,' hielp Harry herinneren.

'Kom op.'

3

In die bewegingloze wereld leek blijven rennen aanvankelijk het verstandigste wat ze konden doen. Als Tiktak zich aan zijn belofte hield en alleen zijn ogen en oren en verstand gebruikte om hen op te sporen, waren ze veiliger naarmate ze meer afstand schiepen tussen hem en zichzelf.

Met Connie van de ene stille straat naar de andere rennend, achtte Harry het waarschijnlijk dat die psychoot zich aan zijn woord hield, hen alleen met normale middelen besloop en ongedeerd uit de Pauze bevrijdde, als hij hen binnen één uur echte tijd niet te pakken kreeg. Die klootzak was immers ondanks zijn ongelooflijke macht aantoonbaar kinderlijk, een kind dat een spelletje deed, en kinderen vatten spelletjes soms ernstiger op dan het echte leven.

Maar als hij hen vrijliet en de klokken eindelijk weer liepen, was het natuurlijk nog steeds pas negenentwintig minuten over één 's nachts. De zon bleef over vijf uur opgaan. En Tiktak speelde dìt spel-in-een-spel misschien strikt volgens de regels die hij had opgesteld, maar was nog steeds van plan hen bij zonsopgang te doden. De Pauze overleven betekende slechts de geringe kans om hem te vinden en te vernietigen zodra de tijd weer startte.

En zelfs als Tiktak zijn belofte brak en een zesde zintuig gebruikte om hen op te sporen, was het verstandig om in beweging te blijven. Misschien had hij hen paranormale etiketten opgeplakt, zoals Harry al eerder had vermoed; in dat geval kon hij hen, als hij inderdaad vals speelde, waar dan ook vinden. Door in beweging te blijven waren ze in ieder geval veilig totdat en tenzij hij hen kon vangen of een voorsprong kreeg door hun volgende afslag te voorzien.

Met vaag metalige voetstappen renden ze van straat naar steeg naar straat, over binnenplaatsen en tussen huizen, klommen over hekken, renden over een schoolplein en passeerden een man in een tweedjas, die zijn Schotse terriër uitliet, beide zo onbeweeglijk als bronzen beelden. Elke schaduw leek duurzaam als ijzer; de neonbuizen brandden standvastiger dan Harry ooit eerder had gezien en schilderden eeuwige regenbogen op het plaveisel.

Ze holden langs een smal stroompje, waar regenwater van de buien eerder op de dag in de tijd bevroren was, maar helemaal niet zoals ijs: doorzichtiger dan ijs, zwart door de weerschijn van de nacht en bespikkeld met zuivere, zilveren lichtjes in plaats van rijpwitte kristallen. Het oppervlak was ook niet glad als een bevroren beek in de winter, maar golvend en stromend en kolkend van turbulentie. Waar het water in zijn loop over stenen spatte, hing een onbeweeglijke sproeiregen glinsterend water in de lucht, die aan ingewikkelde beeldhouwwerken van glassplinters en kralen deed denken.

Hoewel ze beter konden blijven rennen, was verder vluchten onpraktisch. Ze waren al moe en stijf van de pijn toen ze begonnen; elke extra inspanning eiste een meetkundig evenkundig grotere tol van hen.

Ze leken zich in deze versteende wereld net zo makkelijk te bewegen als in die waaraan ze gewend waren, maar Harry merkte dat ze bij het rennen geen wind produceerden. De lucht week als boter rond een mes, maar hun doortocht veroorzaakte geen turbulentie, en dat wees erop dat de lucht objectief dichter was dan subjectief leek. Hun snelheid was misschien heel wat kleiner dan ze dachten, en in dat geval eiste hun beweging meer inspanning dan ze merkten.

De koffie, cognac en hamburger die Harry genuttigd had, klotsten bovendien zurig in zijn maag. Scheuten maagzuur brandden in zijn borst.

Nog belangrijker was dat een onverklaarbare omkering van biologische reacties hun ellende nog vergrootte met elk blok dat ze verder door die mausoleumstad vluchtten. Bij zo'n inspannende activiteit zouden ze moeten puffen van de hitte, maar ze kregen het steeds kouder. Harry kon met de beste wil van de wereld geen zweet voortbrengen, niet eens koud zweet. Zijn tenen en vingers voelden alsof hij over een gletsjer in Alaska had geploeterd in plaats van door een Zuidcalifornische badplaats.

De nacht zelf was niet merkbaar koeler dan vóór de Pauze, in feite zelfs minder koel, omdat de frisse wind van de oceaan samen met al het andere tot stilstand was gekomen. De oorzaak van die eigenaardige lichamelijke kilte was kennelijk iets anders dan de buitentemperatuur, iets geheimzinnigers en onpeilbaarders en angstaanjagenders.

Het was alsof de wereld om hen heen, nu zijn overvloed aan energie gevangen was in stilstand, een soort zwart gat was geworden, dat hun energie graad voor graad meedogenloos opzoog en wegzoog, tot ze net zo levenloos werden als al het andere. Het was van het grootste belang, vermoedde hij, om zuinig om te springen met de reserves die ze nog hadden.

Toen onontkoombaar duidelijk werd dat ze moesten stoppen om een veelbelovende schuilplaats te vinden, hadden ze een woonbuurt achter zich gelaten en waren ze de oostkant van een ravijn met door struiken bedekte hellingen ingegaan. Langs een driebaansweg, die verlicht werd door rijen natriumlampen zodat de nacht in een tweekleurig, zwart en geel schilderij veranderde, was de vlakke grond bebouwd met halfindustriële bedrijven van het soort dat imagobewuste steden als Laguna Beach zorgvuldig verre hielden van de belangrijke toeristische routes.

Ze liepen gewoon inmiddels en huiverden. Zij sloeg haar armen om zich heen. Hij zette zijn kraag op en trok de panden van zijn sportjasje over elkaar heen.

'Hoever is het uur al voorbij?' vroeg Connie.

'Ik mag hangen als ik 't weet. Ik ben elk gevoel van tijd kwijt.'

'Een halfuur?'

'Misschien.'

'Langer?'

'Misschien.'

'Korter?'

'Misschien.'

'Klote.'

'Misschien.'

Op een uitgestrekt opslagterrein voor vakantievoertuigen aan hun rechterhand, achter een zwaar harmonikahek dat was afgezet met prikkeldraad, stonden kampeerauto's naast elkaar in het duister als eindeloze rijen sluimerende olifanten.

'Hoe komen al die auto's hier?' vroeg Connie zich af.

Half op de smalle berm en half op de weg stonden ze aan beide kanten van de weg geparkeerd en ze vernauwden de drie rijbanen tot niet meer dan twee. Dat was vreemd, want geen van deze bedrijven kon open zijn geweest toen de Pauze toesloeg. In feite waren ze allemaal donker en al zeven of acht uur dicht.

Aan hun rechterhand was een uit betonblokken opgetrokken bedrijf voor parkarchitectuur gevestigd; daarachter bevond zich een boomkwekerij, die zich terrasvormig tot halverwege de helling uitstrekte.

Recht onder een van de straatlantaarns kwamen ze langs een auto waarin een jong paartje zat te vrijen. Haar blouse stond open en hij had zijn hand erin; een marmeren handpalm omvatte haar borst. Wat Harry betrof was hun bevroren, vurig hartstochtelijke gelaatsuitdrukking, natriumgeel en half gezien door een autoraam, ongeveer zo erotisch als een paar lijken dat bij elkaar op een bed was geploft.

Ze passeerden twee garagebedrijven tegenover elkaar, links en rechts van de weg; elk was gespecialiseerd in een ander buitenlands merk. Naast beide bedrijven lag hun eigen autokerkhof vol gekannibaliseerde auto's, afgezet met een hoog harmonikahek.

Nog steeds stond de weg aan beide kanten vol auto's, die de ingang naar de bedrijven blokkeerden. Een achttien- of negentienjarige jongen, zonder hemd maar in spijkerbroek en Rockports en even grondig in de greep van de Pauze als ieder ander die ze tot dusver hadden gezien, lag wijdbeens over de motorkap van een zwarte Camaro uit 1986. Hij lag met zijn armen uitgestrekt en zijn handpalmen omhoog naar de verstilde hemel te kijken alsof daar iets te zien was en had de domme, verzalig de uitdrukking op zijn gezicht van iemand die stoned is.

'Dat is raar,' zei Connie.

'Heel raar,' zei Harry, die zijn handen spande om te voorkomen dat zijn knokkels te stijf van de kou werden.

'Maar weet je…'

'Komt me bekend voor,' zei hij.

'Ja.'

Langs het laatste stuk van de driebaans asfaltweg waren alle bedrijven magazijnen. Sommige waren van betonblokken gebouwd, bedekt met stoffig pleisterwerk en vol roestvlekken van het water, dat al vele regenseizoenen lang van hun golfijzeren daken stroomde. Andere waren tunnelvormig en helemaal van metaal.

In het laatste blok van de weg, die aan het einde van het ravijn doodliep, werden de auto's talrijker. Hier en daar stonden ze dubbel geparkeerd, waardoor de weg tot één rijbaan werd versmald.

Het laatste gebouw langs de weg was een groot magazijn zonder bedrijfs-naam. Het was gepleisterd en had een golfijzeren dak. Een reusachtig spandoek met TE HUUR en het telefoonnummer van een makelaar erop was over de voorgevel gespannen.

Veiligheidslampen beschenen van bovenaf de voorkant van het gebouw en de metalen roldeuren, hoog genoeg om grote trekker-met-oplegger-combinaties door te laten. Bij de zuidwestelijke hoek van het gebouw was een kleinere, manshoge deur waarbij twee agressief uitziende mannen van even in de twintig stonden. Met behulp van steroïden waren hun spieren dikker geworden dan met gewichtheffen en dieet alleen mogelijk was.

'Een paar uitsmijters,' zei Connie, terwijl ze naar de door de Pauze ver-steende mannen liepen.

Plotseling begreep Harry wat hier gaande was. 'Het is een house-party.'

'Op een door-de-weekse dag?'

'Ik denk dat iemand een feest geeft vanwege zijn verjaardag of zoiets.'

Het house-verschijnsel was een paar jaar geleden uit Engeland geïmpor-teerd en had veel aantrekkingskracht voor tieners en begin-twintigers die zonder toezicht van elk gezag een hele nacht feest wilden vieren.

'Is dit een slimme schuilplaats?' vroeg Connie zich af.

'Net zo slim als wat dan ook, denk ik, en misschien slimmer dan sommige andere.'

House-organisatoren huurden voor een of twee nachten magazijnen en bedrijfsgebouwen en verhuisden van de ene plaats naar de andere om ontdekking door de politie te voorkomen. Waar ze plaatsvonden, werd aangekondigd in stiekeme blaadjes en pamfletten, uitgereikt in platen-winkels, nachtclubs en scholen, met uitdrukkingen als 'De Mickey Mouse X-pres', 'De Amerikaanse X-pres', 'Mickey dubbelloops', 'Laat je IK Stralen', 'Alles over tandchirurgie' en 'Gratis ballonnen voor de kin-deren'. Mickey Mouse en X waren aanduidingen voor een krachtige drug die bekender was onder de naam Ecstasy; verwijzingen naar de tandarts en ballonnen betekenden dat distikstofoxide ofwel lachgas te koop was.

Ontdekking door de politie voorkomen was essentieel. Elke illegale hou-se-party draaide anders dan de tamme imitaties in legale house-clubs om seks, drugs en anarchie.

Harry en Connie liepen langs de uitsmijters naar binnen en het hart van de chaos in, maar in déze chaos had de Pauze een vliesdunne, kunstmatige orde geschapen.

De spelonkachtige ruimte werd verlicht door een aantal groene en rode lasers, misschien een tiental gele en rode spots en door stroboscooplampen. Die hadden allemaal geknipperd en over de menigte gezwaaid toen de Pauze alles stilzette. Nu werden sommige feestgangers getroffen door kleurige, onbeweeglijke spiesen licht, terwijl andere in de schaduw bleven.

Vier- of vijfhonderd mensen de meeste tussen de achttien en de vijfentwintig, maar sommige niet ouder dan vijftien waren al dansend, of gewoon rondhangend versteend. Omdat discjockeys bij house-party's altijd keiharde techno-dansmuziek draaiden met een snel bonkende bas waarvan muren konden wankelen, waren veel jonge feestvierders in bizarre houdingen ge-Pauzeerd: met wapperend haar en verwrongen lichaam zwaaiden ze vol overgave met hun armen en draaiden ze om hun as. De meeste mannen en jongens droegen jeans of kaki-broeken met flanellen hemden en omgekeerde honkbalpetten, of nette jasjes boven een T-shirt, maar sommigen hadden zich helemaal in het zwart gestoken. De meisjes en jonge vrouwen droegen een ruimere verscheidenheid aan kleding, maar altijd iets provocerends strak, kort, diep uitgesneden, doorzichtig, onthullend; house-party's waren immers de viering van het vleselijke. De dreunende muziek en het geschreeuw en geroep van de feestgangers hadden plaats gemaakt voor stilte; de combinatie van de stilte en het griezelige licht gaven die ontblote kuiten, dijen en borsten iets anti-erotisch en lijkachtigs.

Terwijl hij en Connie zich door de menigte bewogen, zag Harry dat de gezichten van de dansers vertrokken waren tot groteske uitdrukkingen, die toen ze nog bewogen waarschijnlijk opwinding en opgepepte vrolijkheid hadden uitgestraald, maar in deze versteende toestand griezelig waren vervormd tot maskers van woede, haat en pijn.

In de felle gloed van de lasers en schijnwerpers en met de psychedelische beelden die filmprojectoren op twee reusachtige muren wierpen, kon je je gemakkelijk voorstellen dat dit eigenlijk geen feest was maar een kijkkast van de hel, waarin de verdoemden kronkelden van pijn en jammerden om verlossing van deze folterende kwelling.

Door het geluid en de beweging van het feest met zijn netten weg te vissen, had de Pauze misschien de waarheid van deze gebeurtenis weten te vangen. De onaangename waarheid onder dit geflits en gebeuk was misschien dat deze pretmakers met hun geobsedeerde zucht naar sensatie diep in hun hart helemaal geen plezier hadden, maar eigen privé-misères hadden waarvoor ze bezeten maar vergeefs verlichting zochten.

Harry leidde Connie van de dansers naar de toekijkers, die zich langs de rand van de enorme, overkoepelde ruimte verzameld hadden. De Pauze had sommigen gevangen in kleine groepjes, midden in geschreeuwde gesprekken en overdreven gelach. Hun gezichts- en halsspieren stonden strak van de inspanning om boven de donderende muziek uit te komen.

Maar de meesten leken alleen en zonder contact met de mensen om hen heen. Sommigen staarden ingezakt en leeg naar de menigte. Anderen waren gespannen als snaren en hadden een onthutsend koortsachtige, starende blik. Misschien kwam het van de spookachtige verlichting en de scherpe schaduwen, maar in beide gevallen hologig of woest kijkend deden de verstarde housers langs de zijlijn Harry denken aan filmzombies, midden in een moordopdracht verlamd.

'Het lijkt wel een spookhuis,' zei Connie onbehaaglijk. Ook zij zag kennelijk het dreigende aspect van het tafereel, dat misschien niet zo duidelijk was geweest als ze hier vóór de Pauze binnen waren gelopen.

'Welkom in de jaren negentig.'

Sommige zombies naast de dansvloer hadden ballonnen; die hadden een verscheidenheid aan heldere kleuren, maar zaten niet aan stokjes of touwtjes. Er stond bijvoorbeeld een roodharige, sproeterige jongen van zeventien of achttien, die het slangetje van een kanariegele ballon had uitgerekt en om zijn wijsvinger had gewonden om te voorkomen dat hij leegliep. Een andere jongeman, met een Pancho Villa-snor, hield het slangetje stevig tussen duim en wijsvinger, net als een blond meisje met lege blauwe ogen. Wie zijn vingers niet gebruikte, hield hem dicht met een soort scharnierende papierhouder die in een kantoorboekwinkel per doos te koop was. Een paar housers hadden het slangetje van hun ballon tussen hun lippen en namen teugen lachgas, gekocht van een handelaar die ongetwijfeld vanuit een bestelwagen achter het gebouw werkte. Met al die lege of intense blikken en die vrolijke ballonnen leek het of een troep wandelende doden op een kinderpartijtje was beland.

Ofschoon de Pauze het tafereel oneindig vreemd en fascinerend had gemaakt, was Harry er akelig vertrouwd mee. Hij was immers moordrechercheur, en tijdens house-party's stierven mensen soms plotseling.

Soms aan overdoses drugs. Geen tandarts verdoofde een patiënt met meer dan tachtig procent lachgas, maar het gas dat bij house-party's verkocht werd, was vaak zuiver, zonder toegevoegde zuurstof. Neem in te korte tijd te veel teugen van dat spul of neem één teug te lang, en je maakt niet alleen een giechelend schouwspel van jezelf, maar veroorzaakt misschien ook een dodelijke beroerte of, nog erger, een beroerte zonder dodelijke afloop, maar mèt een onherstelbare hersenbeschadiging waarbij je als een vis op de grond spartelt of verstart.

Aan de achterkant ontdekte Harry over de hele breedte van het gebouw zeven meter boven de vloer een verdieping, die van beide kanten met een houten trap bereikbaar was.

'Naar boven,' zei hij tegen Connie, en wees.

Vanaf dat hoge dek konden ze het hele magazijn overzien en snel vaststellen waar Tiktak was als ze hem hoorden binnenkomen, welke deur hij ook gebruikte. Dank zij de twee trappen hadden ze een ontsnappingsroute ongeacht de richting waaruit hij op hen afkwam.

Dieper het gebouw inlopend passeerden ze twee meisjes met welige boezems in strakke T-shirts met een afbeelding van lady Di een verwijzing naar de twee eerste letters van distikstofoxide.

Ze moesten om drie meisjes heen lopen, die bij de muur op de grond lagen. Twee van hen hielden halfleeg ballonnen vast en waren met rood aangelopen gezichten midden in een giechelaanval ge-Pauzeerd. De derde lag met open mond bewusteloos met een geheel lege ballon op haar borst.

Bij de achterkant, niet ver van de rechter trap, stond een enorme witte X op de muur, groot genoeg om vanuit elke hoek van het magazijn zichtbaar te zijn. Twee jongens in Mickey Mouse-sweaters een van hen droeg ook een hoed met muizeoren waren midden in hun drukke verkoop versteend. Ze namen twintigdollarbiljetten aan van klanten in ruil voor capsules Ecstasy of discokoekjes die vol zaten met hetzelfde spul.

Ze kwamen bij een teenager, niet ouder dan vijftien, met argeloze ogen en een gezicht zo onschuldig als een jonge non. Ze droeg een zwart T-shirt met de afbeelding van een hagelgeweer en de woorden PUMP ACTION. Ze was ge-Pauzeerd terwijl ze een discokoekje in haar mond stak.

Connie plukte het koekje uit haar stijve vingers en trok het tussen haar halfgeopende lippen vandaan. Ze gooide het op de grond. Het koekje had net niet genoeg vaart om helemaal beneden te komen, maar bleef een paar centimeter boven het beton hangen. Connie duwde het met haar teen op de grond en stampte het met haar voet fijn. 'Stom wicht.'

'Zo ken ik je niet,' zei Harry.

'Wat?'

'Als saaie volwassene.'

'*Iemand* moet dat doen.'

Methyleendioximethamfetamine, ofwel Ecstasy, een amfetamine met hallucinogene effecten, kon de gebruiker een overmaat aan energie en een euforisch gevoel geven. Onder invloed van die drug kon ook een vals gevoel van diepe intimiteit ontstaan met elke vreemde in wiens gezelschap de gebruiker toevallig verkeerde.

Ofschoon bij house-party's soms ook andere drugs opdoken, werden lachgas en Ecstasy verreweg het vaakst gebruikt. Lachgas was gewoon een niet-verslavend giechelluchtje toch? Ecstasy kon je in harmonie met je medemensen brengen en je laten meevibreren met Moeder Natuur. Nietwaar? Die reputatie hadden ze. De uitverkoren drug van ecologisch gezinde vredespleiters, flink genuttigd tijdens bijeenkomsten om de planeet te redden. Natuurlijk was het gevaarlijk voor mensen met hartklachten, maar in de hele Verenigde Staten was er nog niemand aanwijsbaar aan gestorven. Natuurlijk hadden wetenschappers kort geleden ontdekt, dat Ecstasy speldgrote gaatjes in de hersenen veroorzaakte, bij voortgezet gebruik wel honderden of duizenden, maar er was geen bewijs dat deze gaatjes tot vermindering van de geestelijke vermogens leidde, dus waarschijnlijk dienden ze alleen om de kosmische stralen beter te laten doordringen, snap je, en de geestelijke verlichting te bevorderen. Nietwaar?

Op de trap naar de bovenverdieping kon Harry tussen de treden doorkijken, want er waren geen stootborden. In de schaduwen onder de trap zag hij paartjes bevroren in vrijhoudingen.

Alle seksuele opvoeding ter wereld, alle indringende pamfletten over condoomgebruik konden met één tablet Ecstasy van tafel worden geveegd, als de gebruiker een erotische reactie voelde, zoals meestal het geval was. Je kon je toch geen zorgen maken over ziektes, als die onbekende die je net ontmoet had zo geweldig op jouw golflengte zat, het yin tegenover jouw yang, zo stralend en zuiver voor je derde oog, zozeer in harmonie met elke wens en behoefte van jou?

Toen hij en Connie de bovenverdieping bereikten, bleek het licht daar zwakker dan beneden, maar Harry zag paartjes op de grond liggen of naast elkaar met hun rug tegen de achtermuur zitten. Hier vrijden ze agressiever dan onder aan de trap en waren ge-Pauzeerd in tongduels met losgeknoopte bloesjes, opengeritste broeken en handen die naar binnen tastten.

Twee of drie paartjes onder Ecstasy-invloed waren het contact met waar ze waren en het normale fatsoen misschien zelfs zodanig kwijt, dat ze het op een of andere manier aan het doen waren toen de Pauze toesloeg.

Harry had geen behoefte om dat vermoeden bevestigd te krijgen. Net als het treurige circus beneden was het tafereel op de bovenverdieping alleen maar deprimerend. Voor een voyeur met zekere minimumnormen had het volstrekt niets erotisch, maar leidde het tot evenveel sombere gedachten als een schilderij van Hiëronymus Bosch over helse domeinen en de schepselen daarin.

Terwijl Harry en Connie tussen de paartjes door naar de linker balustrade liepen, vanwaar ze naar beneden konden kijken, zei hij: 'Wees voorzichtig met waar je in trapt.'

'Je bent walgelijk.'

'Ik probeer alleen maar een heer te zijn.'

'Dan ben je de enige hier.'

Vanaf de balustrade hadden ze een goed uitzicht op de eeuwig feestende menigte beneden.

Connie zei: 'Jezus, wat heb ik het koud.'

'Ik ook.'

Naast elkaar staande legden ze hun arm om elkaars middel, oppervlakkig gezien om zich aan elkaar te warmen.

Harry had zich zelden in zijn leven zo dicht bij iemand gevoeld als op dat moment bij haar. Niet dichtbij in erotische zin. De bedwelmde en elkaar betastende paartjes op de grond beneden waren anti-romantisch genoeg om hem te beveiligen tegen elk romantisch gevoel dat in hem op mocht komen. Daarvoor heerste niet de juiste sfeer. Wat hij in plaats daarvan voelde was de platonische nabijheid van twee vrienden, van partners die tot aan en voorbij de grens van hun vermogen beproefd waren, die hoogstwaarschijnlijk vóór de zon opging samen gingen sterven zonder en dat was nog het allerbelangrijkste dat een van beiden had vastgesteld wat ze werkelijk in het leven wilden of wat de zin daar allemaal van was.

Ze zei: 'Ga me niet vertellen dat alle kinderen tegenwoordig naar dit soort plekken gaan en hun hersens volstoppen met chemicaliën.'

'Nee. Niet allemaal. Niet eens de meesten. De meeste kinderen gaan heel behoorlijk met elkaar om.'

'Ik zou niet graag willen denken dat deze menigte kenmerkend is voor "onze nieuwe leidersgeneratie", zoals ze zeggen.'

'Dat is-ie ook niet.'

'Want als dat wèl zo is, dan wordt de horlepiep van ná de millenniumwisseling nog kwalijker dan die we de laatste paar jaar hebben beleefd.'

'Ecstasy veroorzaakt speldgrote gaatjes in de hersenen,' zei hij.

'Dat weet ik. Stel je maar voor hoe nog veel onbekwamer de regering zou zijn als het Congres vol jongens en meisjes zat die graag meerijden met de X-prestrein.'

'Wat schenkt jou de overtuiging dat dat al niet zo is?'

Ze lachte wrang. 'Dat zou een boel verklaren.'

Het was noch warm noch koud, maar ze huiverden erger dan ooit.

Het magazijn bleef doodstil.

'Wat afschuwelijk van je flat,' zei ze.

'Wat bedoel je?'

'Hij is afgebrand, weet je nog?'

'Nou ja.' Hij haalde zijn schouders op.

'Ik weet hoeveel je ervan hield.'

'Er bestaat nog zoiets als een verzekering.'

'Desondanks. Het was er zo prettig, zo gezellig, alles op z'n plaats.'

'O ja? De enige keer dat je er was, had je het over "de volmaakte, zelfge-bouwde gevangenis" en ik was "een prachtvoorbeeld voor elke anaal-re-tentieve, geschifte pietlut tussen Boston en San Diego".'

'Nietwaar.'

'Wel waar.'

'Echt?'

'Je was boos op me.'

'Dat moet wel. Waarover?'

Hij zei: 'Dat was de dag dat we Norton Lewis arresteerden. Hij liet ons nogal rennen voor ons geld en ik wou niet dat je hem doodschoot.'

'Dat is waar. Ik wilde hem ècht doodschieten.'

'Was onnodig.'

Ze zuchtte: 'Ik was er echt toe in staat.'

'We kregen hem hoe dan ook te pakken.'

'Maar het had verkeerd af kunnen lopen. Je had geluk. En in ieder geval verdiende die klootzak een kogel in z'n lijf.'

'Daar kan ik niets tegen inbrengen.'

'Nou ja, ik meende dat niet dat van je flat.'

'Wel waar.'

'Oké, toen wel, maar ik kijk er nu een beetje anders tegenaan. Dit is een verziekte wereld en we moeten er allemaal mee leren omgaan. Jij doet het beter dan de meesten. Beter dan ik eigenlijk.'

'Weet je wat hier aan het gebeuren is? Volgens mij is dit wat de psychologen ''partnervorming'' noemen.'

'Mijn god, dat zal toch niet?'

'Ik denk van wel.'

Ze glimlachte. 'Ik denk dat dat al weken of maanden geleden gebeurd is, maar we durven het nu pas toe te geven.'

Ze bleven even in vriendschappelijk zwijgen staan.

Hij vroeg zich af hoeveel tijd verstreken was sinds ze van de tellende golem op Pacific Coast Highway waren weggevlucht. Hij had het gevoel dat ze al zeker een uur op de loop waren, maar de werkelijke tijd was moeilijk vast te stellen als je er niet in leefde.

Hoe langer ze in de Pauze zaten, des te sterker was Harry geneigd te geloven dat hun beproeving maar een uur zou duren, zoals hun vijand had beloofd. Hij had het gevoel, deels misschien eerder smerisinstinct dan een pure wensgedachte, dat Tiktak niet zo almachtig was als hij leek, dat er zelfs aan zíjn fenomenale vermogens grenzen waren en dat de Pauze tot stand brengen zó inspannend was, dat hij dat niet lang vol kon houden.

De toenemende innerlijke kou, waar zowel hij als Connie last van hadden, kon een aanwijzing zijn dat het voor Tiktak steeds moeilijker werd om hen uit te sluiten van de betovering die de rest van de wereld tot stilstand had gebracht. Ondanks de poging van hun kwelgeest om zijn eigen, veranderde werkelijkheid in bedwang te houden, werden Harry en Connie misschien langzaam van beweegbare schaakstukken veranderd in onbeweegbare onderdelen van het bord.

Hij herinnerde zich hoe geschokt hij was toen hij gisteravond op topsnelheid op weg van zijn brandende flat in Irvine naar Connies flat in Costa Mesa die knarsende stem via de autoradio tegen hem hoorde praten. Maar tot dusver had hij niet het belang beseft van wat de golem-zwerver had gezegd: *Moet nu rusten, held... moet nu rusten... moe... een dutje...* Er was nog meer gezegd, voornamelijk dreigementen, voordat de raspende stem ten slotte tot ruis en stilte vervaagde. Maar Harry begreep plotseling dat het belangrijkste element in dat voorval niet het feit was, dat Tiktak op een of andere manier de ether beheerste en via de radio met hem kon praten, maar de openbaring dat zelfs de godachtige vermogens van dit wezen grenzen hadden en dat hij af en toe moest rusten, net als elke gewone sterveling.

Toen Harry daarover nadacht, besefte hij dat Tiktaks opzichtigste manifestaties altijd gevolgd waren door een periode van een uur of nog langer, waarin hij niet in de buurt kwam om zijn marteling voort te zetten.

Moet nu rusten, held... moet nu rusten... moe... een dutje...

Hij wist nog dat hij eerder op de avond in Connies flat tegen haar gezegd had, dat zelfs een onaangepaste met enorme paranormale vermogens beslist zwaktes en kwetsbare plekken had. In de tussenliggende uren had hij Tiktak een serie trucs zien uitvoeren waarvan elke volgende nog verbazingwekkender was dan de vorige, en was hij pessimistischer geworden over hun kansen. Nu bloeide zijn optimisme weer op.

Moet nu rusten, held... moet nu rusten... moe... een dutje...

Hij wilde net Connie deelgenoot van die hoopvolle gedachten maken, toen zij plotseling verstijfde. Zijn arm lag nog steeds om haar middel en hij voelde dus ook dat ze plotseling ophield met huiveren. Even was hij bang dat de kou te diep in haar was doorgedrongen, dat de entropie had toegeslagen en dat ze deel van de Pauze was geworden.

Toen zag hij dat ze haar hals had gestrekt in reactie op een geluid, dat hij, in zijn dagdroom verdiept, niet gehoord had.

Daar was het weer. Een klik.

Toen een hard geschraap.

Een veel harder gerinkel.

Alle geluiden waren vlak en afgeknepen, net als die van henzelf tijdens hun lange vlucht van de snelweg langs de kust.

Connie liet haar arm geschrokken van Harry's middel glijden en hij liet haar eveneens los.

Op de begane grond van het magazijn bewoog de golem-zwerver zich tussen de toekijkende zombies en versteende dansers door ijzeren schaduwen en onthullende schachten bevroren licht. Tiktak was hen op het spoor en was door dezelfde deur binnengekomen als zij.

4

Instinctief wilde Connie een stap naar achteren doen, bij de balustrade van de bovenverdieping vandaan, zodat de golem haar niet zag als hij opkeek, maar ze beheerste die reflex en bleef onbeweeglijk staan. In de bodemloze stilte van de Pauze zou zelfs de fluisterende wrijving van een schoenzool tegen de vloer of het allerzachtste gekraak van een vloerplank onmiddellijk de ongewenste aandacht van het schepsel trekken.

Ook Harry zette snel genoeg een domper op zijn instinctieve reactie en bleef bijna even onbeweeglijk als de housers, die gevangen waren in de Pauze. Goddank.

Als het ding opkeek, zag het hen waarschijnlijk niet. Het meeste licht was beneden en de bovenverdieping was in schaduwen gehuld.

Ze besefte dat ze zich vastklampte aan de domme hoop dat Tiktak hun spoor werkelijk met alleen normale zintuigen volgde en zijn belofte hield. Alsof je van een meervoudige psychopatische moordenaar, paranormaal begaafd of niet, mocht verwachten dat hij zijn belofte hield. Dom. Beneden haar niveau. Maar ze klampte zich er niettemin aan vast. Als de wereld onder een sprookjesdiepe betovering kon vallen, wie durfde dan te ontkennen dat ook haar eigen hoop en wensen minstens enige macht konden hebben?

En was het niet wèrkelijk vreemd dat dat idee uitgerekend van haar kwam? Zij had toch als kind al de hoop opgegeven en voorzover ze zich herinneren kon nooit een gave of zegen, zelfs niet het einde van haar beproevingen gewenst?

Iedereen kan veranderen, zeiden ze. Dat had ze nooit geloofd. Het grootste deel van haar leven was ze onveranderlijk gebleven, verwachtte ze niets van de wereld dan wat zijzelf dubbel en dwars verdiend had en putte ze perverse troost uit het feit dat haar verwachtingen nooit overtroffen werden.

Soms kan het leven zo bitter zijn als draketranen. Maar of draketranen bitter of zoet zijn, hangt af van hoe iemand die smaak ervaart.

Dat gold dus ook voor een vrouw.

Nu voelde ze iets in zich roeren, een belangrijke verandering, en ze wilde blijven leven om te zien hoe dat afliep.

Maar onder haar loerde de jagende golem-zwerver.

Connie ademde langzaam en stil door haar open mond.

Tussen de gefossiliseerde dansers lopend, draaide het zwaargebouwde schepsel zijn dikke hoofd naar links en rechts en zocht systematisch de menigte af. Als hij bevroren lasers en schijnwerpers passeerde, veranderde hij van kleur: van rood in groen, van groen in geel, van geel in rood in wit in groen, en in grijs en zwart als hij tussen lichtschachten liep. Maar zijn ogen waren altijd blauw, stralend en vreemd.

De opening tussen de dansers werd nauwer en de golem duwde een jongeman in spijkerbroek en een blauw corduroy jasje opzij. De danser tuimelde naar achteren, maar de weerstand die alle ge-Pauzeerde dingen ondergingen, voorkwam dat hij helemaal op de grond viel. In een hoek van vijfenveertig graden met de vloer bleef hij gevaarlijk hangen. Hij bewaarde zijn danshouding en had nog steeds een feestelijke uitdrukking op zijn gezicht, maar zou in de eerste fractie van de seconde zijn val afmaken zodra de tijd weer liep, als dat tenminste ooit gebeurde.

Op zijn weg van de voor- naar de achterkant van de spelonkachtige ruimte duwde de immense golem ook andere dansers opzij. Ze kwamen in vallende, tollende, struikelende en hoofdbotsende houdingen terecht, die pas voltooid zouden worden als de Pauze eindigde. Dit gebouw veilig verlaten wanneer de echte tijd weer startte, werd nog een heel karwei, want de geschrokken housers, die het beest niet hadden zien passeren zolang ze in de Pauze zaten, zouden de omstanders de schuld geven van het feit dat ze waren neergeslagen en weggeduwd. In de eerste halve minuut zouden er gevechten uitbreken. Dan barstte een pandemonium los en leidde de verwarring onvermijdelijk tot paniek. Met lasers en schijnwerpers die over de menigte zwiepten, de dreunende bas van de technomuziek die de muren deed schudden en het onverklaarbare geweld dat overal opdook, ging iedereen rennen om buiten te komen en verstopten ze de deuren, en het zou een wonder zijn als sommigen niet in het gewoel vertrapt werden.

Connie had geen bijzondere sympathie voor de menigte op de dansvloer; ongehoorzaamheid aan wet en politie was immers een van de redenen waarom ze een illegale house-party bijwoonden. Maar hoe rebels en destructief en maatschappelijk verward ze ook waren, het bleven menselijke wezens, en ze ontstak in woede over de gevoelloosheid waarmee Tiktak zich een weg door hen heen baande, zonder na te denken over wat er met hen ging gebeuren als de wereld plotseling weer in de versnelling werd gezet.

Ze wierp een blik op Harry naast haar en zag een even grote woede in zijn blik. Hij klemde zijn tanden zó stijf dicht, dat zijn kaakspieren uitstaken.

Maar wat beneden plaatsvond, was niet tegen te houden. Kogels haalden niets uit en voor innige smeekbeden was Tiktak hoogstwaarschijnlijk niet gevoelig.

Door iets te zeggen verrieden ze bovendien slechts hun aanwezigheid. De golem-zwerver had nog niet één keer opgekeken, en tot dusver was er geen reden om te denken dat hij meer dan normale zintuigen gebruikte om hen op te sporen, of dat hij wist dat ze in het magazijn waren.

Toen pleegde Tiktak een schanddaad die duidelijk maakte dat hij wel degelijk bewust paniek zaaide en in zijn kielzog een bloederig tumult wilde veroorzaken. Voor een meisje van twintig met ravezwart haar bleef hij staan. Haar slanke armen had ze boven haar hoofd geheven in een van die houdingen van verrukte vreugde, die ritmische bewegingen en een primitief stuwende muziek zelfs zonder de hulp van drugs aan een danser konden geven. Hij torende even boven haar uit en bestudeerde haar, alsof hij haar schoonheid in zich op wilde nemen. Toen greep hij een van haar armen met beide monsterlijk grote handen beet, wrikte eraan met schokkend geweld en trok hem uit het schoudergewricht. Hij uitte een lage, natte lach en gooide de arm naar achteren, waar hij tussen twee andere dansers in de lucht bleef hangen.

Hij verminkte haar zo onbloedig alsof hij slechts de arm van een paspop losmaakte, maar natuurlijk ging het bloed pas stromen als ook de tijd weer stroomde. Dan werden de waanzin van die daad en de gevolgen ervan maar al te duidelijk.

Connie kneep haar ogen dicht, onmachtig om naar zijn volgende stap te kijken. Als moordrechercheur had ze talloze daden van zinloze barbarij of de gevolgen daarvan gezien; ze had stapels krantenknipsels over misdaden van werkelijk duivelse wreedheid, en had gezien wat deze psychotische hufter de arme Ricky Estefan had aangedaan, maar de wrede woestheid van wat hij op de dansvloer deed, schokte haar als niets eerder.

Het verschil lag misschien in de totale hulpeloosheid van dit jonge slachtoffer. Connie werd alle adem benomen en ze huiverde, niet van een kilte binnen of buiten haar, maar van ijskoude afschuw. In meer of mindere mate waren alle slachtoffers hulpeloos; om die reden waren ze het doelwit van de woestelingen. Maar de hulpeloosheid van deze knappe jonge vrouw was oneindig veel verschrikkelijker, want ze had haar aanvaller niet eens zien komen, zou hem niet zien gaan of weten wie hij was, en ze werd even plotseling getroffen als een onschuldige veldmuis, doorboord door de messcherpe klauwen van een neerduikende havik, die hij nooit uit de lucht had zien schieten. Ze was al verminkt maar nog steeds onbewust van de aanval, bevroren in het laatste moment van zuiver geluk en zorgenvrij bestaan dat ze ooit nog zou kennen, een lach nog steeds op haar gezicht, ook al zou ze voor altijd een arm missen en misschien ter dood veroordeeld zijn. Ze kon haar verlies ook pas beseffen of de pijn voelen of schreeuwen, als haar aanvaller haar het vermogen tot voelen en reageren teruggaf.

Connie wist dat zij voor deze monsterachtige vijand even schokkend kwetsbaar was als de dansende jonge vrouw beneden. Hulpeloos. Hoe hard ze ook rende en welke listige tactieken ze ook bedacht, geen verdediging was voldoende en geen schuilplaats veilig.

Hoewel ze nooit bijzonder godsdienstig was geweest, begreep ze plotseling waarom een vrome, steile christen kon sidderen bij de gedachte dat Satan de hel verliet om door de wereld te sluipen en armageddon aan te richten. Zijn ontzagwekkende macht. Zijn vasthoudendheid. Zijn harde, grijnzende, meedogenloze wreedheid.

Een vettige misselijkheid gleed door haar ingewanden en ze was bang dat ze over ging geven.

Naast haar uitte Harry zijn angst met een heel zacht gesis, en Connie deed haar ogen open. Ze was vastbesloten de dood onder ogen te zien met alle tegenstand die ze op kon brengen, hoe zinloos ook.

Beneden in het magazijn bereikte de golem-zwerver de onderkant van dezelfde trap als waarlangs zij en Harry naar de bovenverdieping waren gegaan. Daar aarzelde hij, alsof hij overwoog zich om te draaien en weg te lopen om ergens anders te gaan zoeken.

Connie durfde te hopen dat hun volgehouden stilte, ondanks alle aanleiding om het uit te schreeuwen, Tiktak had helpen overtuigen dat ze zich hier tussen de housers niet verstopt konden hebben.

Toen hoorden ze die ruwe, duivelse stem. 'Iet wiet waait,' zei hij, en begon de trap op te lopen. 'Ik ruik het bloed van smerishelden.'

Zijn lach was zo koud als het geluid van een krokodil maar griezelig herkenbaar klonk er iets van kinderlijk vermaak in door.

Gestremde ontwikkeling.

Psychotisch kind.

Ze herinnerde zich dat Harry haar verteld had wat de zwerver zei toen hij bezig was zijn flat te verwoesten: *Jullie, mensen, zijn zo leuk om mee te spelen.* Dit was zijn eigen spelletje, gespeeld volgens zijn eigen regels, of als hij wilde zonder regels, en zij en Harry waren gewoon zijn speelgoed. Ze was dwaas geweest, toen ze hoopte dat hij zijn belofte nakwam.

Elke voetstap dreunde zwaar en joeg trillingen eerst door de treden en vandaar door het hele gebouw. Op zijn weg naar boven schudde de vloer van de bovenverdieping, en hij klom snel: BOEM, BOEM, BOEM, BOEM.

Harry greep haar bij de arm. 'Snel, de andere trap!'

Ze draaiden zich van de balustrade weg naar de andere kant van de bovenverdieping, tegenover de trap waar de golem liep.

Boven aan de tweede trap stond een tweede golem, identiek aan de eerste. Enorm. Verwarde bos haar. Wilde baard. Regenjas als een zwarte cape.

Hij grijnsde breed. Blauwe vlammen flikkerden helder in zijn oogkassen.

Nu leerden ze alweer iets over het bereik van Tiktaks vermogens. Hij kon minstens twee kunstlichamen tegelijk scheppen en besturen.

De eerste golem bereikte de bovenkant van de trap rechts. Hij begon op hen af te lopen en schopte zich meedogenloos een weg door de verstrengelde lichamen van minnaars op de grond.

Links kwam, met even weinig respect voor de ge-Pauzeerde mensen op zijn pad, de tweede golem nader. Als de wereld weer ging draaien, zou overal op deze brede bovenverdieping worden geschreeuwd van pijn en woede.

Harry had Connies arm nog steeds vast. Hij duwde haar weer tegen de balustrade en fluisterde: '*Spring!*'

BOEM-BOEM-BOEM-BOEM-BOEM de bonkende voetstappen van de tweelinggolem deden de bovenverdieping schudden en BOEM-BOEM-BOEM-BOEM haar bonzende hart deed Connie schudden, en die twee geluiden gingen onontwarbaar in elkaar over.

Harry's voorbeeld volgend legde ze haar handen achter zich op de balustrade en drukte ze zich op, zodat ze op de leuning kwam te zitten.

De golems schopten nog gemener naar de menselijke obstakels tussen hen en hun prooi en sloten Harry en Connie van beide kanten steeds sneller in.

Ze hief haar benen, draaide zich om en kwam met haar gezicht naar het magazijn. Een val van minstens zeven meter naar de grond. Diep genoeg om een been te breken of haar schedel te kraken? Waarschijnlijk.

Beide golems waren minder dan zeven meter bij hen vandaan en kwamen met de onweerstaanbare kracht van een goederentrein op hen af. Hun gasvlamogen brandden heet als hellevuur en ze reikten naar haar met enorme handen.

Harry sprong.

Met een kreet van berusting zette Connie zich met haar voeten tegen de spijlen en haar handen tegen de leuning af, sprong de leegte in…

… en viel maar een meter of twee voordat ze midden in de lucht naast Harry volledig stil kwam te hangen. Ze keek recht naar beneden, had haar armen en benen gespreid in een onbewuste imitatie van de klassieke skydivers-houding, en zag onder zich de bevroren dansers, die haar aanwezigheid evenmin beseften als al het andere sinds de betovering hen in zijn greep had.

De steeds fellere kou in haar botten en de steeds snellere uitputting van haar energie tijdens hun vlucht door Laguna Beach waren aanwijzingen geweest, dat ze zich door de ge-Pauzeerde wereld niet zo makkelijk voortbewoog als ze dacht, en zeker niet zo makkelijk als door de normale wereld. Het feit dat bij het rennen geen wind ontstond, wat ook Harry had opgemerkt, leek het vermoeden te bevestigen dat hun beweging wel degelijk weerstand ondervond, ook al waren ze zich daarvan niet bewust, en haar gestuite val bewees dat. Als ze zich inspanden, konden ze in beweging blijven, maar ze konden zich niet op hun eigen vaart, niet eens op de zwaartekracht verlaten om ver te komen zonder zich daarvoor in te spannen.

Over haar schouder kijkend zag Connie dat ze maar anderhalve meter van de balustrade was weggeschoten, ofschoon ze zich met alle kracht had afgezet. Maar in combinatie met de ongeveer twee meter van haar val was ze ver genoeg weg om buiten bereik van de golems te zijn.

Ze stonden aan de balustrade van de bovenverdieping naar buiten gebogen, reikten en graaiden naar haar, maar vingen slechts handen vol lucht.

Harry riep naar haar: 'Probeer vooruit te komen, dat kàn!'

Ze zag dat hij zijn armen en benen gebruikte ongeveer als bij de schoolslag. Centimeter voor centimeter werkte hij zich moeizaam schuin naar de vloer, alsof de lucht helemaal geen lucht was, maar een vreemde vorm van heel dicht water.

Ze besefte al snel dat ze helaas niet gewichtloos was als een astronaut in een spaceshuttle in een baan rond de aarde, en niet het bewegingsgemak van een zwaartekrachtvrije omgeving bezat. Een klein experiment bewees dat ze niet met het gemak van een astronaut vooruit kon schieten of van richting kon veranderen.

Maar Harry's voorbeeld volgend merkte Connie, dat ze zich wèl door de lijmerige lucht kon werken als ze methodisch en vastbesloten te werk ging. Heel even leek dit nog leuker dan skydiven, want de vrije val, waarin je als een vogel leek te vliegen, vond op betrekkelijk grote hoogte plaats; en omdat de dingen op de grond snel groter werden, was de illusie nooit volmaakt. Maar hier hing ze recht boven het hoofd van andere mensen en binnen een gebouw in de lucht, en zelfs in die omstandigheden gaf haar dat een stimulerend gevoel van macht en lichtheid, dat veel leek op een van die zalige dromen over vliegen, die haar slaap maar zo zelden inspireerden.

Als Tiktak niet in de vorm van twee golems aanwezig was geweest en zij niet voor haar leven aan het vluchten was, had Connie misschien zelfs van deze bizarre ervaring genoten. Ze hoorde het BOEM-BOEM-BOEM-BOEM van hun haastige, zware voetstappen op de houten bovenverdieping, en toen ze over haar schouder naar boven keek, zag ze dat ze allebei op weg waren naar een verschillende trap.

Ze was nog steeds drie of drieëneenhalve meter van de magazijnvloer en 'zwom' moeizaam en gekmakend langzaam centimeter voor centimeter omlaag door de kleurige, verstarde schijnwerpers en feestlasers. Door de uitputting moest ze hijgend ademhalen en kreeg ze het intussen steeds kouder, kouder.

Als ze zich tegen iets stevigs had kunnen afzetten, tegen een nabije muur of een dragende pijler bijvoorbeeld, had ze zich sneller kunnen voortstuwen. Maar behalve de lucht was er niets om zich tegen af te zetten het was bijna of ze zich aan haar eigen haar uit een moeras probeerde te trekken.

Links van haar had Harry ongeveer dertig centimeter voorsprong, maar hij kwam niet sneller vooruit dan zij. Hij was alleen maar verder omdat hij eerder begonnen was.

Trappen. Intrekken. Vechten.

Haar indruk van vrijheid en lichtheid maakte snel plaats voor het gevoel dat ze in de val zat.

BOEM-BOEM-BOEM-BOEM-BOEM. De voetstappen van hun achtervolgers echoden vlak door de enorme ruimte.

Ze was misschien nog tweeëneenhalve meter boven de grond en bewoog zich naar een open plek tussen de dansers. Trappen. Intrekken. Trappen en intrekken. In beweging blijven, bewegen. Zo koud.

Ze wierp weer een blik over haar schouder, ook al was ze bang dat ze daarmee haar voortgang vertraagde.

Minstens één van de golems had de bovenkant van de trap bereikt. Met twee treden tegelijk liep hij de trap af. In zijn capeachtige regenjas, met zijn ronde schouders en gebogen hoofd en zijn dartele, aapachtige manier van springen deed hij haar aan een illustratie in een lang vergeten sprookjesboek denken: de afbeelding van een kwaadaardige trol uit een middeleeuwse legende.

Met een zó verbeten inspanning dat haar hart leek te ontploffen, werkte ze zich nog dertig centimeter verder. Maar ze hing met haar hoofd schuin naar beneden en moest zich dus helemaal naar de betonnen vloer worstelen, het eerste stevige oppervlak waar ze haar evenwicht kon herstellen en overeind komen.

BOEM-BOEM-BOEM-BOEM.

De golem bereikte de onderkant van de trap.

Connie was uitgeput. Verkild tot op het bot.

Ze hoorde Harry de kou en de tegenstribbelende lucht vervloeken.

De aangename droom van vliegen was de klassiekste van alle nachtmerries geworden, waarin de dromer zich slechts vertraagd kan voortbewegen en het monster hem met schrikwekkende snelheid en wendbaarheid achtervolgt.

Connie concentreerde zich op de vloer, die nog iets meer dan twee meter onder haar lag, maar zag niettemin vanuit een ooghoek beweging en hoorde Harry schreeuwen. Een golem had hem bereikt.

Een donkerder schaduw viel over de beschaduwde vloer recht achter haar. Met tegenzin wendde ze haar hoofd naar rechts.

Met haar voeten boven en achter haar in de lucht hing ze oog in oog met de golem, als een engel die omlaagschoot om het gevecht met een demon aan te gaan. Maar anders dan een engel was ze helaas niet gewapend met een vurig zwaard of bliksemflits of door God gezegend amulet om demonen terug te meppen naar de vlammen en de kokende teer van de krocht.

Tiktak greep haar grijnzend bij de keel. De hand van de golem was zó groot, dat zijn dikke vingers in haar nek over zijn vette duim heen kwamen te liggen. Ze omvatten haar hals en nek volledig, ofschoon hij niet onmiddellijk haar luchtpijp verbrijzelde en haar adem afsneed.

Ze herinnerde zich hoe Ricky Estefans hoofd was omgedraaid op zijn schouders en hoe moeiteloos de slanke arm van het dansende, zwartharige meisje uit haar lichaam was gerukt.

Een vlaag woede brandde haar doodsangst weg en ze spuwde in het reusachtige en verschrikkelijke gezicht. 'Laat me los, strontkop.'

Ze trok een vies gezicht bij de stinkende ademhaling die haar overspoelde, en de golem-zwerver met zijn vele littekens zei: 'Gefeliciteerd, trut. De tijd is om.'

Even lichtten zijn vlamblauwe ogen feller op; toen knipperden ze uit. Diepe, zwarte oogkassen bleven achter. Connie meende daardoorheen het einde van de eeuwigheid te kunnen zien. Het afgrijselijke gezicht van de zwerver, de prominente bekroning van deze overmaatse golem, veranderde abrupt van vlees en haar in een uiterst gedetailleerd bruin gelaat, dat geboetseerd leek van klei of aarde. Een fijn web van haardunne barsten ontstond bij de brug van zijn neus en draaide snel spiraalvormig over zijn gezicht; in een oogwenk waren zijn trekken verkruimeld.

Het hele lichaam van de reusachtige zwerver viel uiteen, en met oorverdovend ontploffende technomuziek, die midden in een noot op volle sterkte werd hervat, begon de wereld weer te lopen. Connie hing niet langer in de lucht maar viel de laatste twee meter op de magazijnvloer en kwam met haar gezicht naar beneden in de vochtige hoop aarde en zand en gras en rottende bladeren en ongedierte terecht, die het lichaam van de golem was geweest. De nu levenloze massa beschermde haar tegen verwondingen, maar ze kokhalsde en spuugde walgend.

Zelfs boven de stampende muziek uit hoorde ze geschreeuw van schrik, angst en pijn om zich heen.

5

'Klaar met spelen voorlopig,' zei de golem-zwerver, en was toen zo vriendelijk om uiteen te vallen. Harry viel en kwam wijdbeens op zijn maag op de resten van de golem terecht, die sterk roken, maar alleen naar rijke, vochtige aarde.

Vlak voor zijn ogen stak een volledig aarden hand uit, net als de hand die ze in Ricky's bungalow hadden gezien maar dan groter. Twee vingers trilden nog met een restant bovennatuurlijke energie en leken zijn neus te willen grijpen. Hij verpulverde die ontlichaamde gruwel met zijn vuist.

Schreeuwende dansers struikelden tegen hem aan en vielen languit over zijn benen en armen. Hij krabbelde onder de vallende lichamen vandaan en kwam overeind.

Een boze jongen met een Batman-т-shirt rende op hem af en haalde uit. Harry bukte zich, dreef een rechtse in de maag van het joch, zette een linkse uppercut onder zijn kin, stapte over hem heen toen hij viel en keek rond naar Connie.

Ze was vlakbij. Ze vloerde een agressief uitziend teenage-meisje met een karatetrap, draaide op één voet om haar as en pootte haar elleboog in de plexus solaris van een zwaar gespierde jongeman, die met verbaasde blik tegen de grond ging. Hij had kennelijk gedacht dat hij de vloer met haar aan kon vegen.

Als ze zich net zo beroerd voelde als Harry, hield ze misschien niet lang stand. Zijn gewrichten deden nog steeds pijn van de kou die daar in de Pauze binnen was gesijpeld, en hij was moe alsof hij vele kilometers lang een zware last had gedragen.

Harry voegde zich bij haar, en schreeuwend om zich boven de muziek en de andere geluiden verstaanbaar te maken zei hij: 'Wij zijn te oud voor deze zooi! Kom op, we gaan!'

Door de streken die Tiktak tijdens zijn weg door de ge-Pauzeerde menigte had uitgehaald, had het dansen bijna overal plaatsgemaakt voor vechten, of in ieder geval krachtig duwen en trekken. Maar niet alle feestgangers leken te beseffen dat de house-party in een gevaarlijke vechtpartij was ontaard, want sommige duwers en trekkers lachten, alsof ze verzeild meenden te zijn in een weliswaar luidruchtige, maar betrekkelijk onschuldige stoeipartij.

Harry en Connie waren te ver van de voorkant van het gebouw om langs die weg te kunnen ontsnappen voordat de menigte met een schok de situatie begreep. Niets had nog de directe dreiging van een brand, maar de paniekerige menigte zou maar al te makkelijk op het geweld reageren alsof er vlammen gesignaleerd waren. Sommigen zouden zelfs ècht denken dat ze vlammen hadden gezien.

Harry greep Connies hand om te voorkomen dat ze in het gewoel gescheiden raakten en leidde haar naar de achtermuur, die dichterbij was en waar beslist andere deuren moesten zijn.

In die chaotische sfeer was het makkelijk te begrijpen dat de feestvierders echt geweld verwarden met namaak, zelfs als ze niet onder de invloed van drugs waren geweest. Schijnwerpers zwaaiden heen en weer en over het metalen plafond, felkleurige lasers sneden ingewikkelde patronen door de ruimte, stroboscooplampen flitsten, fantasmagorische schaduwen sprongen, kronkelden en tolden door de wild bewegende menigte, jonge gezichten keken vreemd en geheimzinnig uit steeds veranderende carnavalsmaskers van weerkaatst licht, de discjockeys dreven het volume van hun manische muziek op, en alleen al het lawaai van de menigte was genoeg om verward te raken. De zintuigen waren overprikkeld en zagen een flits van gewelddadige confrontatie gemakkelijk aan voor een uiting van joligheid of iets nog onschuldigers.

Ver achter Harry kwam een schreeuw uit de menigte die anders was dan de andere, zó schril en hysterisch dat het door het gebrul op de achtergrond brak en zelfs in die kakofonie de aandacht wist te trekken. Sinds het einde van de Pauze was hooguit een minuut verstreken, misschien nog minder. Harry nam aan dat de nieuwe schreeuwer ofwel het zwartharige meisje was, dat bijkwam uit haar verdoving en ontdekte dat haar schouder in een bloederige stomp eindigde of degene die zich plotseling geconfronteerd zag met die gruwelijk afgerukte arm.

Zelfs als die hartverkillende kreet niet de aandacht had getrokken, was de menigte niet veel langer onwetend blijven feestvieren. Niets prikt de fantasie zó grondig door en geeft zo'n scherp besef van de werkelijkheid als een klap in je gezicht. Zodra de meerderheid van de housers de sfeerverandering besefte, werd de stormloop op de uitgangen potentieel dodelijk, zelfs zonder brand.

Zijn plichtsgevoel en geweten als politieman zeiden Harry dat hij terug moest om het meisje te zoeken dat haar arm kwijt was, en EHBO moest toepassen. Maar in die kolkende massa kon hij haar waarschijnlijk niet vinden, en zelfs als hij haar vond, kon hij haar nooit helpen niet in die steeds sterkere maalstroom van mensen, die al het equivalent van orkaankracht leek te hebben.

Connies hand stevig vasthoudend werkte Harry zich uit het gewoel van de dansers en door de inmiddels luidruchtige toekijkers met hun flessen bier en ballonnetjes lachgas heen. Ze bereikten de achterkant van het gebouw, ver onder de bovenverdieping. Buiten bereik van de feestverlichting. De donkerste plek in het gebouw.

Hij keek naar links en rechts. Geen deur te zien.

Dat was niet verrassend, want deze illegale house-party was in wezen een drugsfeest in een verlaten magazijn, geen schoolbal met chaperonnes in de balzaal van een hotel met goed verlichte rode pijlen die de uitgang wezen. Maar Jezus, het was zo zinloos en stompzinnig om de Pauze en de golems te overleven, slechts om dood te worden getrapt door honderden kinderen onder de drugs, die zich als bezetenen allemaal tegelijk door een deur probeerden te wringen.

Om geen betere reden dan dat hij ergens heen moest, besloot Harry naar rechts te gaan. Bewusteloze kinderen lagen op de grond bij te komen van lange teugen lachgas. Harry probeerde op niemand te trappen, maar onder de bovenverdieping was zó weinig licht, dat hij sommigen met donkere kleren aan pas zag als hij over hen struikelde.

Een deur. Hij was er bijna voorbijgelopen zonder hem te zien.

In het magazijn achter hem bleef de muziek doorbonken, maar iets in het lawaai van de menigte veranderde plotseling. Het was niet meer zozeer een feestgedruis, maar het werd een dreigender, onaangenamer gerommel doorschoten met kreten van paniek.

Connie greep Harry's hand zó stevig vast, dat zijn knokkels over elkaar maalden.

Harry duwde in het donker tegen de deur. Duwde met zijn schouders. Gaf niet mee. Nee. Het moest een deur zijn die naar binnen openging. Maar ook dat lukte niet.

De menigte barstte naar de buitenmuren. Een vloedgolf van gegil zwol aan en Harry kon de hitte en doodsangst van de aanstormende massa, die zelfs naar de achtermuur stroomde, echt voelen. Waarschijnlijk waren ze te verward om zich te herinneren waar de hoofdingang was.

Hij tastte naar de hendel, de knop, de duwstang of wat dan ook en bad dat de deur niet op slot zat. Hij vond een verticale hendel met een drukslot, duwde erop en voelde iets klikken.

De voorsten uit de ontsnappende menigte botsten van achteren tegen hem aan. Connie schreeuwde. Harry duwde hen terug, probeerde hen uit de buurt te houden zodat hij de deur open kon trekken *alstublieft, God, laat het geen toilet of kast zijn, want dan worden we verpletterd* bleef met zijn duim hard op de klink drukken, de deur schoot open, hij trok hem naar binnen, schreeuwde naar de menigte achter hem om te wachten, in godsnaam te wachten, en toen werd de deur uit zijn greep gerukt en helemaal opengeslagen, en werden hij en Connie op de wanhopige vloedgolf van mensen achter hen naar buiten gedragen, de koele nachtlucht in.

Op de parkeerplaats stonden tien tot vijftien housers rond de achterkant van een witte Ford-bestelwagen. De auto was behangen met twee snoeren witte en rode kerstboomlampjes, die aangesloten waren op de accu. In de pikzwarte nacht tussen de achterkant van het gebouw en de met struikgewas begroeide wand van de kloof waren ze de enige verlichting. Een langharige man vulde ballonnetjes uit een hogedruktank lachgas, die met banden aan een steekwagentje was bevestigd. Een volstrekt kale man nam biljetten van vijf dollar in ontvangst. Zowel de verkopers als de klanten keken verbaasd op, toen schreeuwende en gillende mensen uit de achterdeur van het magazijn kwamen stormen.

Harry en Connie gingen uiteen en passeerden iedereen achter de bestelwagen. Zij liep naar de passagiersdeur en hij naar de chauffeurskant. Hij rukte de deur open en begon achter het stuur te klimmen.

De knul met het kaalgeschoren hoofd greep hem bij zijn arm, hield hem tegen en trok hem naar buiten. 'Hé, wat ben jij daar aan 't doen?'

Terwijl hij achterwaarts de auto uit werd getrokken, reikte Harry in zijn jas en trok zijn revolver. Hij draaide zich om en ramde de loop tegen de lippen van zijn tegenstander. 'Moet ik je tanden uit je bek schieten?'

De ogen van de kale man gingen wijd open. Snel week hij achteruit en hief zijn handen om te laten zien dat hij onschadelijk was. 'Nee, hé, kalm aan, neem de auto mee, hij is van jou, geniet ervan, veel plezier ermee.'

Hoe walgelijk Connies methoden ook waren, Harry moest toegeven dat haar soort probleemoplossing tijdbesparend en doeltreffend was.

Hij ging weer achter het stuur zitten, trok de deur dicht en stak de revolver in de holster.

Connie zat al in de passagiersstoel.

De sleuteltjes zaten in het contactslot en de motor liep om de accu op spanning te houden voor de kerstboomverlichting. Kerstboomverlichting, Jezus. Feestelijk stelletje, deze gasverkopers.

Hij trok de handrem los, deed de koplampen aan, zette de versnelling in zijn één en gaf plankgas. Even tolden en rookten de banden, piepend als boze varkens, op het asfalt, en de housers stoven uiteen. Toen pakte het rubber. De bestelwagen schoot naar de achterste hoek van het magazijn en Harry bewerkte de toeter om iedereen uit de buurt te houden.

'Over twee minuten is deze hele weg verstopt,' zei Connie. Terwijl ze net niet op twee wielen de hoek van het magazijn omreden, zette ze zich schrap tegen het dashboard.

'Ja,' zei hij. 'Iedereen probeert weg te komen voordat de politie komt.'

'Smerissen zijn toch zùlke pretbedervers.'

'Zulke sufkoppen.'

'Hebben nooit plezier.'

'Kwezels.'

Ze scheurden het brede dienstpad langs de zijkant van het magazijn af, waar geen uitgangen waren en dus ook geen paniekerige mensen om zich zorgen over te maken. De bestelwagen reageerde goed, had werkelijk een sterke motor en een goede wielophanging. Hij nam aan dat een paar ingrepen waren verricht om snel te kunnen ontsnappen als er politie opdook.

Aan de voorkant van het magazijn was de situatie anders. Hij moest zijn remmen en claxon gebruiken en wild zigzaggen om vluchtende feestgangers te vermijden. Meer mensen waren sneller uit het gebouw ontsnapt dan hij voor mogelijk had gehouden.

'De organisatoren zijn zo slim geweest om een grote roldeur omhoog te draaien zodat de mensen eruit kunnen,' zei Connie, die zich omdraaide en bij het passeren uit het zijraam keek.

'Het verbaast me dat die deur het nog deed,' zei Harry. 'God mag weten hoe lang die ruimte al leegstaat.'

Nu binnen de druk zo snel terugliep, zou het eventuele dodental ook aanzienlijk dalen.

Linksaf scherp de straat op schietend schampte Harry met zijn achterbumper een geparkeerde auto, maar reed door en toeterde naar de paar housers die al tot hier waren gekomen en over het midden van de straat renden als doodsbange mensen in een van die Godzilla-films, op de vlucht voor de reuzenhagedis.

Connie zei: 'Je hebt die kale met je revolver bedreigd.'

'Ja.'

'Hoorde ik je zeggen dat je z'n tanden uit z'n bek ging schieten?'

'Zoiets.'

'Heb je niet je penning laten zien?'

'Nam aan dat hij respect had voor m'n revolver, niet voor m'n penning.'

Connie zei: 'Ik ga je nog een keer aardig vinden, Harry Lyon.'

'Daar zit geen muziek in tenzij we zonsopgang overleven.'

In een paar seconden waren ze alle feestgangers die het magazijn te voet verlaten hadden, voorbij. Harry reed plankgas. Ze schoten langs de kwekerij, de carrosseriebedrijven en de handel in vrijetijdsauto's, die ze ook op de heenweg gepasseerd waren, en hadden de geparkeerde auto's van de feestgangers al snel achter zich.

Hij wilde een flink eind uit de buurt zijn als de politie van Laguna Beach verscheen wat spoedig het geval zou zijn. Verstrikt raken in de nasleep van de ramp tijdens de house-party kostte te veel tijd, misschien wel zoveel dat hun enige kans om Tiktak de loef af te steken, voorbijging.

'Waar ga je heen?' vroeg Connie.

'The Green House.'

'Ja. Misschien is Sammy er nog.'

'Sammy?'

'Die schooier. Zo heet-ie.'

'O ja. En de pratende hond.'

'Pratende hond?' vroeg ze.

'Nou ja, misschien praat-ie niet, maar hij wil ons iets vertellen dat we weten moeten, daar ben ik verdomd zeker van, en misschien praat-ie wel degelijk, God mag 't weten, dit is een waanzinnige wereld, een waanzinnige nacht. Als er in sprookjes pratende dieren zijn, waarom dan geen pratende hond in Laguna Beach?'

Harry besefte dat hij leuterde, maar reed te snel en te roekeloos om zijn blik van de weg te willen halen, niet eens om te zien of Connie hem sceptisch aankeek.

Ze klonk niet bezorgd over zijn geestelijke gezondheid toen ze vroeg: 'En het plan?'

'Volgens mij hebben we een heel klein greintje kans.'

'Omdat hij af en toe moet rusten. Zoals hij over de autoradio tegen je gezegd heeft.'

'Ja. Vooral na iets als dit. Tot dusver is er altijd minstens een uur verlopen tussen zijn… verschijningen.'

'Manifestaties.'

'Of wat dan ook.'

Na een paar bochten waren ze weer in een woonbuurt en doorkruisten ze Laguna in de richting van de Pacific Coast Highway.

Op een kruising flitsten een politieauto en een ambulance met zwaailichten voorbij. Bijna zeker waren ze op weg gestuurd naar het magazijn.

'Snelle reactie,' zei Connie.

'Iemand met een autotelefoon zal het alarmnummer wel gebeld hebben.'

Misschien kwam de hulp snel genoeg om het meisje te redden dat haar arm kwijt was. Misschien kon ook haar arm worden gered en er weer worden aangenaaid. Ja, en misschien bestond Moeder de Gans echt.

Harry was opgetogen geweest omdat ze aan de Pauze en de party ontsnapt waren. Maar zijn adrenalinestoot liep snel leeg bij de al te levendige herinnering, hoe woest de golem de slanke arm van het meisje had gescheurd. Aan de randen van zijn denken sloop weer wanhoop binnen.

'Misschien is er een greintje kans als hij rust of zelfs slaapt,' zei Connie. 'Maar hoe vinden we hem snel genoeg?'

'Niet met een van Nancy Quans portretten, dat staat vast. Voor die benadering is er geen tijd meer.'

Ze zei: 'De volgende keer dat hij zich vertoont, doodt hij ons volgens mij; geen spelletjes meer.'

'Dat denk ik ook.'

'Of in ieder geval mij, en jou de keer daarna.'

'Bij zonsopgang. Dat is een belofte die ons jochie houdt.'

Ze zwegen allebei somber.

'Wat staat ons dus te doen?' vroeg ze.

'Die zwerver bij The Green House…'

'Sammy.'

'… misschien weet hij iets dat ons verder helpt. En zo niet… dan… verdomme, dan weet ik het niet. Het ziet er hopeloos uit, hè?'

'Nee,' zei ze scherp. 'Niets is hopeloos. Zolang er leven is, is er hoop. Zolang er hoop is, is het de moeite waard om te blijven proberen, om verder te gaan.'

Van de ene straat vol donkere huizen sloeg hij de hoek om naar de volgende, reed weer rechtuit, verminderde zijn vaart een beetje en keek haar verbaasd aan. 'Is niets hopeloos? Wat is er met jou gebeurd?'

Ze schudde haar hoofd. 'Dat weet ik niet. Maar het gebeurt nog steeds.'

6

Ofschoon het tijdens hun vlucht minstens de helft van het uur Pauze had gekost om bij het magazijn aan het einde van het ravijn te komen, hadden ze op geen stukken na zoveel tijd nodig om terug te keren naar waar ze begonnen waren. Volgens Connies horloge bereikten ze de snelweg langs de kust in minder dan vijf minuten nadat ze de auto van de lachgasverkopers hadden gekaapt, deels omdat ze op de terugweg een kortere route namen, en deels omdat Harry zó snel reed, dat zelfs zij er bang van werd.

Toen ze voor The Green House glijdend tot stilstand kwamen, waarbij een paar nog steeds niet kapotte kerstboomlampjes luidruchtig langs de zijkant van de bestelwagen rinkelden, was het in feite pas zevenendertig minuten en vijfendertig seconden over één in de ochtend. Dat was weinig minder dan acht minuten na het begin en einde van de Pauze om 1.29 uur. Het had hen dus ongeveer drie minuten gekost om zich een weg uit het overvolle magazijn te banen en met getrokken revolver hun vervoermiddel te confisqueren ofschoon het beslist veel langer geleken had.

De sleepwagen en de Volvo, die op de rijbaan naar het zuiden bevroren waren geweest, waren weg. Toen de tijd weer ging lopen, waren hun berijders doorgereden zonder te beseffen dat er iets ongewoons was gebeurd. Andere auto's reden noord- en zuidwaarts.

Connie was opgelucht dat ze Sammy bij de gevel van The Green House zag staan. Hij stond wild gebarend te discussiëren met de gepermanente gastheer in het Armani-pak met de handbeschilderde zijden das. Een van de kelners stond in de deur, kennelijk gereed om zijn baas te helpen als de confrontatie op een handgemeen uitliep.

Toen Connie en Harry uit de bestelwagen stapten, zag de gastheer hen en hij draaide zich om. 'Jullie!' zei hij. 'Mijn god, jùllie zijn het!' Hij liep resoluut, bijna boos op hen af, alsof ze waren weggegaan zonder te betalen.

Bargasten en andere personeelsleden stonden bij de ramen te kijken. Connie herkende sommigen van hen als degenen die haar en Harry met Sammy en de hond hadden gadegeslagen en met starende blik waren verstard toen de Pauze toesloeg. Ze waren niet langer versteend, maar keken nog steeds gefascineerd.

'Wat is hier aan de hand?' vroeg de naderende gastheer met iets hysterisch in zijn stem. 'Hoe gebeurde dat allemaal, waar gingen jullie heen? Wat is dit voor een… voor een… bestelwagen?'

Connie moest zichzelf voorhouden dat de man hen had zien verdwijnen in wat hem een fractie van een seconde leek. De hond had gejankt, in de lucht gebeten en een duik in de struiken genomen. Daarmee had hij hen geattendeerd op het feit dat er iets te gebeuren stond. Sammy was daar genoeg van geschrokken om de steeg in te sprinten. Maar Connie en Harry waren op het trottoir gebleven, volop in het zicht van de mensen bij de ramen. De Pauze sloeg toe, zij moesten rennen voor hun leven, en toen eindigde de Pauze zonder dat zij op de plek waren waar ze oorspronkelijk hadden gestaan. Voor de toekijkers leek het alsof twee mensen in het niets waren verdwenen. Om acht minuten later weer op te duiken in een witte bestelwagen, versierd met rode en groene kerstboomlampjes.

De geïrriteerde nieuwsgierigheid van de gastheer was begrijpelijk.

Als hun greintje kans om Tiktak te vinden en met hem af te rekenen niet zo miniem was geweest, als elke wegtikkende seconde hen niet onverbiddelijk dichter bij een plotselinge dood had gebracht, was het tumult voor het restaurant zelfs grappig geweest. Verdomme, het wàs grappig, maar dat wilde niet zeggen dat zij en Harry tijd hadden om te lachen. Later misschien. Als ze in leven bleven.

'Wat is dit? Wat is hier gebeurd? Wat is hier gaande?' vroeg de gastheer. 'Ik snap geen hout van wat die malende gek van jullie hier aan het vertellen is.'

Met 'malende gek' bedoelde hij Sammy.

'Dat is niet onze malende gek,' zei Harry.

'Dat is-ie wel,' hielp Connie Harry herinneren. 'Ga jij maar even met hem praten. Ik handel dit wel af.'

Ze was een beetje bang dat Harry die hun tijdsdruk even scherp besefte als zij de gastheer onder schot nam en hem de tanden uit zijn kop dreigde te schieten als hij zijn bek niet hield en naar binnen ging. Ze vond het uitstekend dat Harry bepaalde problemen wat agressiever benaderde, maar alles op z'n tijd, en dit was geen moment voor agressie.

Harry liep weg om met Sammy te praten.

Connie legde een arm om de schouders van de gastheer en leidde hem over het pad naar de voordeur van zijn restaurant. Ze praatte zacht maar met gezag, liet weten dat zij en rechercheur Lyon midden in een belangrijke en dringende politiezaak zaten, en verzekerde hem oprecht dat ze terugkwam om alles uit te leggen, ook datgene wat onverklaarbaar leek, 'zodra de huidige situatie is opgelost'.

Gezien het feit dat het traditioneel Harry's werk was om mensen te kalmeren en te verzoenen, en haar werk om hen overstuur te maken, was haar optreden bij de restauranthouder een doorslaand succes. Ze was niet van plan ooit terug te komen om wat dan ook aan hem uit te leggen en had geen idee hoe hij dacht dat iemand kon uitleggen dat mensen in het niets verdwenen. Maar hij kalmeerde en zij overreedde hem om met zijn lijfwacht in de deur naar binnen te gaan.

Ze keek in het struikgewas, maar dat bevestigde wat ze al wist: de hond lag daar niet langer verstopt. Hij was weg.

Ze voegde zich net op tijd bij Harry en Sammy op het trottoir om de zwerver te horen zeggen: 'Hoe moet ik weten waar hij woont? Het is een ruimtewezen, heel ver van zijn planeet; hij moet hier ergens in de buurt een ruimteschip verborgen hebben.'

Geduldiger dan Connie verwachtte, zei Harry: 'Vergeet dat gedoe over dat ruimtewezen. Hij…'

Er blafte een hond en ze schrokken.

Connie draaide om haar as en zag het beest met zijn afhangende oren. Hij kwam een eind heuvelopwaarts de zuidelijke hoek van het blok om. Achter hem aan liepen een vrouw en een jongetje van een jaar of vijf.

Zodra de hond zag dat hij hun aandacht had getrokken, zette hij zijn tanden in een broekomslag van de jongen en trok hem ongeduldig mee. Na een paar stappen liet hij hem weer los, rende in Connies richting, bleef halverwege tussen zijn mensen en de hare staan, blafte naar haar, blafte naar de vrouw en de jongen, blafte weer naar Connie, en ging toen gewoon zitten. Hij keek naar links en naar rechts en weer naar links alsof hij zeggen wilde: *Nou, heb ik soms niet genoeg gedaan?*

De vrouw en de jongen leken nieuwsgierig, maar bang. De moeder was op een bepaalde manier aantrekkelijk en het kind was lief en netjes en schoon gekleed, maar allebei hadden ze de vermoeide en gekwelde blik van mensen die de straat maar al te goed kennen.

Connie liep langzaam en glimlachend op hen af. Toen ze de hond passeerde, kwam hij van zijn krent en ging hij hijgend en grijnzend naast haar dribbelen.

Het ogenblik had iets geheimzinnigs, ontzagwekkends. Ze stonden op het punt een contact te leggen dat wist Connie voor haar en Harry het verschil tussen leven en dood zou betekenen, en misschien wel voor hen alle vier.

Ze had geen idee wat ze tegen hen moest zeggen, maar toen ze vlakbij was, vroeg ze: 'Hebt u... hebt u óók... de laatste tijd een vreemde ervaring gehad?'

De vrouw knipperde verrast met haar ogen. 'Een vreemde ervaring? O ja. O hemel, ja.'

Deel drie
Het enge hutje in het bos

In het verre China
zeggen mensen meest:
'Leven is vaak bitter,
al te zelden feest.'
Bitt're draketranen,
golven van verdriet,
smoren onze jaren.
Toekomst is er niet.

In het verre China
zeggen mensen tevens:
'Leven is soms heerlijk,
zij het grauw daarnevens.'
Bitt're draketranen
kruiden heel ons leven,
maar kruiden kunnen slechts
smaak aan alles geven.
In de rijst van 't leven
tranen zijn slechts kruid,
wie 't verdriet verwijdert,
haalt de smaak eruit.

THE BOOK OF COUNTED SORROWS

6

1

Nu weten ze het.

Hij is een brave hond, brave hond, braaf.

Nu zijn ze allemaal samen. De vrouw en de jongen, de stinkende man, de niet-zo-stinkende man en de vrouw zonder jongen. Allemaal ruiken ze naar de aanraking van het ding-dat-je-doodmaakt, en daardoor wist hij dat ze samen moeten zijn.

Zij weten het ook. Ze weten waarom ze samen zijn. Ze staan voor de mensenetensplaats met elkaar te praten. Ze praten snel, allemaal opgewonden, soms praten ze allemaal tegelijk, terwijl de vrouw en de jongen en de niet-zo-stinkende man altijd zorgen om uit de lucht van de stinkende man te blijven.

Ze bukken zich steeds om hem te aaien en achter zijn oren te krabben en te zeggen dat hij een brave hond is, braaf, en ze zeggen nog meer aardige dingen over hem die hij eigenlijk niet verstaat. Dit is het allerfijnste. Het is zo heerlijk als de mensen hem strelen en krabben en van hem houden, want hij weet bijna zeker dat deze mensen zijn vacht niet in brand steken en ze hebben ook helemaal geen kattelucht bij zich.

Ooit, lang na het kleine meisje dat hem Prins noemde, namen mensen hem mee naar hun plaats en gaven hem eten. Ze waren aardig voor hem en noemden hem Max, maar ze hadden een kat. Een grote kat. Vals. De kat heette Pluis. Max was aardig voor Pluis. Max joeg Pluis nooit op. In die tijd joeg Max nooit katten op. Of tenminste bijna nooit. Sommige katten vond hij aardig. Maar Pluis hield niet van Max en wilde Max niet in die mensenplaats, dus Pluis stal soms het eten van Max en andere keren piste Pluis in Max' waterbak. Overdag, als de aardige mensen niet in hun plaats waren en naar een andere plaats waren gegaan, waren Max en Pluis alleen. Dan krijste en blies Pluis als een gek en maakte Max bang en joeg Max door de plaats. Of sprong van hoge dingen af bovenop Max. Grote kat. Krijste. Blies. Gek. Max begreep dus dat dit de plaats van Pluis was, niet van Max en Pluis, alleen van Pluis. Hij liep dus weg van de aardige mensen en werd gewoon weer Knul.

Sindsdien maakt hij zich altijd zorgen als hij aardige mensen treft die hem mee willen nemen naar hun plaats en hem altijd eten willen geven. Ze hebben een kattelucht bij zich, en als hij meegaat naar hun plaats en met hen door hun deur gaat, zit Pluis daar. Groot. Vals. Gek.

Het is dus fijn dat géén van deze mensen een kattelucht heeft, want als een van hen gezin voor hem wil zijn, is hij veilig en hoeft hij zich over pis in zijn waterbak geen zorgen te maken.

Na een tijdje praten ze zó opgewonden met elkaar, dat ze hem niet meer zo vaak strelen en zeggen wat een brave hond hij is. Hij gaat zich dus vervelen. Hij gaapt. Gaat liggen. Gaat misschien slapen. Is moe. Heeft een drukke dag gehad met een brave hond zijn.

Maar dan ziet hij de mensen in de etensplaats. Ze kijken uit de ramen van de etensplaats. Interessant. Ze kijken uit de ramen naar buiten. Ze kijken naar hem.

Misschien vinden ze hem lief.

Misschien willen ze hem eten geven.

Waarom zouden ze hem géén eten geven?

Hij staat dus op en dribbelt naar de etensplaats. Kop omhoog. Hij huppelt een beetje. Kwispelstaart. Daar houden ze van.

Hij wacht bij de deur. Niemand doet open. Hij legt er een voorpoot tegen. Wacht. Niemand. Hij krabt. Niemand.

Hij gaat naar een plek waar de mensen bij het raam hem kunnen zien. Hij kwispelstaart. Hij houdt zijn kop schuin, steekt één oor in de lucht. Ze zien hem. Hij weet dat ze hem zien.

Hij gaat weer naar de deur. Wacht. Wacht.

Wacht.

Krabt. Niemand.

Misschien weten ze niet dat hij eten wil. Of misschien zijn ze bang voor hem, denken ze dat hij een stoute hond is. Hij ziet er niet uit als een stoute hond. Hoe kunnen ze dus bang zijn? Weten ze dan niet wanneer ze bang moeten zijn en wanneer niet? Hij zou nooit van hoge plaatsen boven op hen springen of in hun waterbak pissen. Domme mensen. Dom.

Ten slotte stelt hij vast dat hij geen eten krijgt en gaat dus terug naar de aardige mensen die hij samen heeft gebracht. Onderweg houdt hij zijn kop omhoog, huppelt, kwispelstaart om de mensen bij het raam gewoon te laten zien wat ze missen.

Als hij terugkomt bij de vrouw en de jongen en de stinkende man en de niet-zo-stinkende man, is er iets mis. Hij voelt het en hij ruikt het.

Ze zijn bang. Dat is niets nieuws. Sinds hij elk van hen voor het eerst heeft geroken, zijn ze allemaal bang geweest. Maar dit is anders bang. Erger bang.

En er is een vleug gewoon-gaan-liggen-en-doodgaan in hun geur. Dieren krijgen die geur soms als ze oud zijn, als ze heel moe en ziek zijn. Mensen niet zo vaak. Hoewel hij een plaats kent waar mensen die geur hebben. Eerder op de avond was hij daar met de vrouw en de jongen.

Interessant.

Maar niet fijn interessant.

Hij is bezorgd omdat deze mensen een beetje gewoon-gaan-liggen-en-doodgaan in hun geur hebben. Wat is er met ze aan de hand? Niet ziek. De stinkende man misschien wel, een beetje ziek, maar de rest niet. Zijn ook niet oud.

Ook hun stemmen zijn anders. Een beetje opgewonden, niet meer zoveel als eerst. Moe, een beetje. Bedroefd, een beetje. Iets anders… Wat? Iets. Wat? Wat?

Hij snuffelt rond hun voeten, om de beurt, snuffelt snuffelt snuffelt snuffelt, zelfs bij de stinkende man, en plotseling weet hij wat er aan de hand is, en hij kan het niet geloven, kan het niet.

Hij is verbaasd. Verbaasd. Hij gaat een beetje naar achteren en kijkt hen verbaasd aan.

Allemaal hebben ze die speciale geur die zegt: jaag-ik-het-op-of-jaagt-het-mij-op?-moet-ik-weglopen-of-moet-ik-vechten?-heb-ik-genoeg-honger-om-iets-op-te-graven-of-moet-ik-wachten-om-te-zien-of-mensen-me-iets-lekkers-geven? Het is de geur van niet weten wat je doen moet, wat soms een ander soort van angstgeur is. Zoals nu. Ze zijn bang voor het ding-dat-je-doodmaakt, maar zijn ook bang omdat ze niet weten wat ze moeten doen.

Hij is verbaasd omdat hij dat wèl weet, en hij is niet eens een mens. Maar soms zijn mensen ook zo traag van begrip.

Oké. Hij zal ze laten zien wat ze doen moeten.

Hij blaft, en natuurlijk kijken ze allemaal naar hem, want hij is geen hond die veel blaft.

Hij blaft nog eens en rent langs hen heen de heuvel af, rent, rent, en staat dan stil, kijkt om en blaft nog eens.

Ze staren hem aan. Hij is verbaasd.

Hij rent terug, blaft, draait zich om, rent weer de heuvel af, rent, rent, staat stil, kijkt om, blaft weer.

Ze praten. Ze kijken naar hem en praten. Lijkt wel of ze het snappen.
Hij rent dus nog een beetje verder, draait zich om, kijkt, blaft.
Ze zijn opgewonden. Ze snappen het. Verbazend.

2

Ze wisten niet of de hond hen ver weg ging brengen en vonden allemaal dat ze met z'n vijven om twee uur 's morgens te opzichtig waren. Ze besloten te kijken of Woofer net zo gretig voor de bestelwagen uit rende als dat hij hen te voet de weg wees, want in de auto baarden ze veel minder opzien.

Janet hielp rechercheur Gulliver en rechercheur Lyon om snel de kerstboomlampjes van de bestelwagen te halen. Op sommige plaatsen zaten ze met metalen klemmen vast, op andere met afplakband.

De hond zou hen wel niet rechtstreeks naar degene leiden die zij Tiktak noemden. Maar als dat wèl zo was, konden ze maar beter geen aandacht trekken met snoeren groene en rode lampjes.

Sammy Shamroe volgde hen onder het werken rond de auto en zei niet voor het eerst dat hij een dwaas en diep gezonken was geweest, maar hierna een nieuwe bladzij omsloeg. Het leek voor hem belangrijk dat zij overtuigd waren van de oprechtheid van zijn belofte tot een nieuw leven alsof hij nodig had dat andere mensen dat geloofden voordat hij zichzelf ervan kon overtuigen.

'Eigenlijk dacht ik altijd dat de wereld niets van mij echt nodig had,' zei Sammy, 'vond mezelf knap waardeloos, gewoon een nep-artiest, een gladde prater, leeg vanbinnen, en nu ben ik hier de wereld aan het redden van een ruimtewezen. Oké, eigenlijk geen ruimtewezen en ik red alleen mezelf, niet de wereld, maar ik hèlp die wel degelijk redden.'

Janet was nog steeds verbaasd over wat Woofer had gedaan. Niemand begreep precies hoe hij wist dat ze alle vijf onder dezelfde bizarre dreiging leefden of dat het nuttig was dat ze samenkwamen. Iedereen wist dat dierlijke zintuigen in sommige opzichten zwakker zijn dan die van mensen, maar in veel andere opzichten sterker, en dat dieren naast de vijf gebruikelijke zintuigen misschien nog andere hebben, die moeilijk te begrijpen zijn. Maar na dèze belevenis bekeek ze elke hond en wat dat betrof elk dier met andere ogen dan eerst.

Dat ze die hond had opgenomen en gevoed toen ze zich dat het minst kon veroorloven, zou misschien het verstandigste blijken dat ze ooit gedaan had.

Zij en de twee rechercheurs maakten de laatste lampjes los, rolden de snoeren op en legden ze achter in de bestelwagen.

'Ik ben voorgoed gestopt met drinken,' zei Sammy, die hen volgde naar de achterdeur. 'Is dat niet ongelooflijk? Maar het is waar. Niks meer. Geen druppel. Nada.'

Woofer zat bij Danny op het trottoir in de lichtkring van een straatlantaarn. Hij sloeg hen gade en wachtte geduldig.

Toen ze ontdekte dat mevrouw Gulliver en meneer Lyon rechercheurs waren, had Janet aanvankelijk bijna Danny's arm gepakt om weg te lopen. Ze had immers eigenhandig haar echtgenoot vermoord en het lijk onder het woestijnzand van Arizona aan rotting prijsgegeven, en kon op geen enkele manier achterhalen of die gehate man zich nog steeds bevond waar zij hem had begraven. Als het lijk van Vince gevonden was, werd ze misschien gezocht voor ondervraging; er was misschien zelfs een arrestatiebevel uitgevaardigd.

Nog belangrijker was, dat geen enkele gezagsdrager in haar leven ooit een vriend was geweest, behalve misschien meneer Ishigura van het Verpleeghuis Pacific View. Ze beschouwde hen als een heel ander soort mensen, met wie zij niets gemeen had.

Maar mevrouw Gulliver en meneer Lyon leken betrouwbaar en vriendelijk en oprecht. Ze achtte hen niet het soort mensen dat Danny van haar zou laten afpakken, hoewel ze absoluut niet van plan was te vertellen dat zij Vince had gedood. En Janet had beslist dingen met hen gemeen niet in de laatste plaats de wil om te leven en het verlangen om Tiktak te grazen te nemen voordat hij hen te grazen nam.

Dat ze de rechercheurs besloot te vertrouwen, was vooral omdat ze geen keus had, ze zaten allemaal in hetzelfde schuitje. Maar ze besloot hen ook te vertrouwen omdat de hond hen vertrouwde.

'Het is vijf minuten voor twee,' zei rechercheur Lyon met een blik op zijn horloge. 'Laten we in godsnaam gaan.'

Janet riep Danny bij zich en hij ging achter in de bestelwagen zitten, samen met haar en Sammy Shamroe, die de achterdeur achter hen dichtdeed.

Rechercheur Lyon klom op de chauffeursstoel, startte de motor en zette de koplampen aan.

De laadruimte van de bestelwagen stond in open verbinding met het voorste stuk. Janet, Danny en Sammy verdrongen zich om over de voorbank door het raam te kunnen kijken.

Kronkelende slierten dunne mist begonnen vanuit de oceaan over de kustweg te glijden. De koplampen van een tegemoetkomende auto, de enige andere die te zien was, troffen de lui voortdrijvende mist precies onder de juiste hoek om een horizontaal lint van regenboogachtige kleuren te creëren, dat bij de rechter stoeprand begon en bij de linker eindigde. De auto reed dwars door de kleuren heen en nam ze mee de nacht in.

Rechercheur Gulliver stond nog steeds met Woofer op het trottoir.

Rechercheur Lyon maakte de handrem los en zette de auto in zijn één. Iets harder dan normaal zei hij: 'Oké, klaar.'

Rechercheur Gulliver kon hem op het trottoir horen, omdat het zijraam van de bestelwagen open was. Ze zei iets tegen de hond, maakte een *ksss*-gebaar met haar hand en de hond keek haar met een koddige uitdrukking aan.

Woofer begreep wat ze wilden, namelijk dat hij hen naar de plaats bracht waar hij hen een paar minuten geleden naar toe had willen brengen, en begon over de stoep noordwaarts de heuvel af te lopen. Hij rende ongeveer een derde van een blok, stond stil en keek om of rechercheur Gulliver hem volgde. Hij leek blij toen hij zag dat ze bij hem bleef. Hij kwispelstaartte.

Rechercheur Lyon haalde zijn voet van de rem en liet de auto vlak achter rechercheur Gulliver heuvelafwaarts rijden. Hij hield gelijke tred met haar om de hond duidelijk te maken dat ook de auto hem volgde.

Ofschoon ze niet hard reden, greep Janet de rugleuning achter het hoofd van rechercheur Lyon vast om zich in evenwicht te houden, en Sammy greep de hoofdsteun van de lege stoel. Danny hield zich met één hand vast aan Janets riem en ging op zijn tenen staan om te zien wat er buiten gebeurde.

Toen rechercheur Gulliver Woofer bijna had ingehaald, rende de hond weer weg, sprintte naar het einde van het blok, bleef bij de kruising staan en keek om. Hij bekeek de vrouw die naar hem toe kwam, bestudeerde de bestelwagen even, toen de vrouw, toen de bestelwagen. Het was een slimme hond; hij begreep de bedoeling beslist.

'Ik wou dat-ie gewoon tegen ons praatte en zei wat we weten moeten,' zei rechercheur Lyon.

'Wie?' vroeg Sammy.

'De hond.'

Toen rechercheur Gulliver de hond over de kruising en tot de helft van het volgende blok was gevolgd, stond ze stil en liet zich door rechercheur Lyon inhalen. Ze wachtte tot Woofer naar haar keek, deed toen de passagiersdeur open en stapte in de auto.

De hond ging zitten en staarde hen aan.

Rechercheur Lyon liet de auto een klein stukje naar voren rijden.

De hond stak zijn ene oor wat hoger in de lucht dan het andere.

De auto reed zachtjes verder.

De hond stond op en draafde verder naar het noorden. Hij stopte, keek om, zag dat de auto hem nog steeds volgde en draafde toen verder.

'Prima hond,' zei rechercheur Gulliver.

'Een uiterst prima hond,' zei rechercheur Lyon.

Danny zei trots: 'Hij is de beste hond die er bestaat.'

'Daar ben ik het mee eens,' zei Sammy Shamroe, en wreef met één hand over het hoofd van de jongen.

Danny draaide zijn gezicht Janets kant op en zei: 'Mama, die man stinkt echt.'

'Danny!' riep Janet ontzet.

'Laat maar,' zei Sammy. Hij werd opnieuw tot een ernstige maar wijdlopige verzekering van zijn berouw geïnspireerd. 'Het is waar. Ik stink. Ik ben een smeerboel. Ben al heel lang een smeerboel, maar dat is nu voorbij. Weet je waarom ik een smeerboel was? Omdat ik dacht dat ik alles wist, dacht dat ik precies begreep waar het leven over gaat, dat het zinloos was, dat er niets geheims aan was, alleen maar biologie. Maar hierna, na vannacht, heb ik een andere kijk op de dingen. Eigenlijk weet ik toch niet alles. Dat is waar. Verdomme, ik weet geen flikker! Er is genoeg mysterie zàt in het leven, beslist veel meer dan biologie. En als er nog veel meer is, wie heeft dan nog wijn of cocaïne of wat dan ook nodig? Noppes. Niks. Geen druppel. Nada.'

Eén blok later sloeg de hond rechtsaf en liep over een steil hellende straat naar het oosten.

Rechercheur Lyon reed na Woofer de hoek om en keek op zijn horloge. 'Twee uur. De tijd gaat verdomme te snel.'

Buiten keek Woofer nog maar zelden om. Hij ging ervan uit dat ze hem volgden.

Het trottoir waar hij liep, was bezaaid met kartelige rode bloesems van de grote bomen die het hele blok omgaven. Op zijn weg naar het oosten snuffelde Woofer eraan en moest er een paar keer van niezen.

Plotseling meende Janet te weten waar de hond hen naar toe bracht. 'Het verpleeghuis van meneer Ishigura,' zei ze.

Rechercheur Gulliver draaide zich om in haar stoel en keek haar aan. 'Jij weet waar hij heengaat?'

'We zijn daar geweest om te eten. In de keuken.' Vervolgens: 'Mijn god, die arme blinde vrouw zonder ogen!'

Het Verpleeghuis Pacific View stond in het volgende blok. De hond beklom de treden en ging bij de voordeur zitten.

3

Na het bezoekuur werd de receptiebalie niet meer bemand. Harry kon door het glas boven in de deur kijken en de zwak verlichte en geheel verlaten hal overzien.

Toen hij aanbelde, antwoordde een vrouwenstem door de intercom. Hij identificeerde zich als politieman met een dringende kwestie en zij klonk meelevend en tot elke medewerking bereid.

Hij keek driemaal op zijn horloge voordat ze eindelijk in de hal verscheen. Ze deed er niet bijzonder lang over, maar hij moest gewoon aan Ricky Estefan denken en aan het meisje dat bij de house-party haar arm verloor, en met elke knippering van het verklikkerlampje op zijn horloge tikte een nieuwe seconde weg en kwam zijn eigen executie dichterbij.

De verpleegster, die zich voorstelde als de nachtzuster, was een nuchtere Filippijnse, teergebouwd maar allerminst breekbaar, en toen ze hem door het raam in de deur zag, was ze minder spontaan behulpzaam dan door de intercom. Ze wilde niet voor hem opendoen.

Op de eerste plaats geloofde ze niet dat hij van de politie was. Hij kon het haar niet kwalijk nemen dat ze wantrouwig was, want de laatste twaalf of veertien uur had hij heel wat meegemaakt en hij zag eruit alsof hij in een pakkist woonde. Of eigenlijk woonde Sammy Shamroe in een pakkist, en zó erg was Harry er nu ook weer niet aan toe, maar hij zag er beslist uit alsof hij in een verlopen pension woonde en een langdurige morele schuld bij het Leger des Heils had.

Ze wilde de deur niet verder opendoen dan de kier die de veiligheidsketting van bedrijfskwaliteit toeliet; die ketting was zó zwaar dat dit het model moest zijn waarmee in kernrakettensilo's de toegang werd bewaakt. Op haar verzoek stak hij zijn portefeuille met identiteitsbewijs van de politie door de kier. Zijn foto daarop was onflatteus genoeg om in zijn huidige gehavende en smerige staat op hem te lijken, maar overtuigde haar niet dat hij politieman was.

De nachtzuster rimpelde haar leuke neusje en vroeg: 'Wat hebt u nog meer?'

Hij kwam ernstig in de verleiding om zijn revolver te trekken en door de kier te steken, de haan te spannen en te dreigen dat hij haar tanden uit haar kop ging schieten. Maar ze was een midden-dertiger en mogelijkerwijs opgegroeid onder en gehard door het Marcos-regime voordat ze naar de Verenigde Staten was geëmigreerd, en misschien lachte ze hem dus gewoon uit, stak haar vinger in de loop en zei dat hij de pest kon krijgen.

In plaats daarvan schoof hij Connie Gulliver naar voren, die voor één keer een toonbaardere politievrouw was dan hij. Ze grijnsde door het glas in de deur naar de mini-Gestapo-verpleegster, zei allerlei aangenaams en schoof op verzoek ook haar eigen geloofsbrieven door de kier. Je zou denken dat ze toegang probeerden te krijgen tot de hoofdkluis van Fort Knox in plaats van tot een prijzig particulier verpleeghuis.

Hij keek op zijn horloge. Het was 2.03 uur.

Afgaande op hun beperkte ervaring met Tiktak vermoedde Harry dat hun psychotische Houdini tussen twee optredens minstens één maar vaker anderhalf uur nodig had om zijn bovennatuurlijke batterijen weer op te laden ongeveer even lang als een beroepsgoochelaar nodig heeft om alle zijden sjaals en duiven en konijnen weer in zijn mouw te stoppen voor de tweede voorstelling. In dat geval waren ze minstens tot halfdrie veilig, waarschijnlijk tot drie uur.

Minder dan hoogstens een uur.

Harry concentreerde zich zó intens op het knipperende rode lampje op zijn horloge, dat hij niet volgde wat Connie tegen de verpleegster zei. Ze wist die dame te betoveren of had een buitengewoon effectief dreigement bedacht, want de veiligheidsketting ging eraf, de deur ging open, ze kregen hun identiteitsbewijzen met een glimlach terug en werden welkom geheten in het Pacific View.

Toen het nachthoofd Janet en Danny zag, die lager op de trap onzichtbaar waren geweest, begon ze een beetje spijt te krijgen. Toen ze de hond zag, nog een beetje meer, ofschoon hij kwispelstaartte en grijnsde en klaarblijkelijk zijn best deed om aardig te worden gevonden. Toen ze Sammy zag en rook werd ze bijna opnieuw onhandelbaar.

Net als voor colporteurs was het voor politiemensen altijd het allermoei-

313

lijkste om ergens binnen te komen. Eenmaal binnen waren Harry en Connie net zo moeilijk weer buiten te krijgen als de gemiddelde stofzuigerverkoper die graag alle soorten vuil op je vloerkleed stort om de superieure zuigkracht van zijn produkt te bewijzen.

Toen de Filippijnse verpleegster besefte dat de patiënten in het huis minder overlast ondervonden van medewerking dan van verzet, zei ze een paar muzikale woorden in het Tagalog naar Harry aannam een vloek over zijn voorouders en nageslacht en bracht hen door het gebouw naar de kamer van de patiënt.

Het was niet zo vreemd dat er in het hele verpleeghuis maar één oogloze vrouw was bij wie de oogleden waren dichtgenaaid over lege kassen. Ze heette Jennifer Drackman.

De knappe maar 'afstandelijke' zoon van mevrouw Drackman vertelde het nachthoofd onder het lopen fluisterend betaalde drie ploegen van de beste particuliere verpleegsters om zeven dagen in de week voor zijn 'geestelijk verwarde' moeder te zorgen. Zij was de enige patiënt in het Pacific View die zoveel 'verstikkende' hulp kreeg, boven op de toch al 'extravagante' zorg die het huis in zijn minimumpakket had. Met deze en andere geladen mededelingen maakte het nachthoofd, hoe beleefd ook, duidelijk dat ze van de zoon niets moest hebben, de particuliere verpleegsters onnodig en een belediging voor het personeel achtte en de patiënt doodgriezelig vond.

De particuliere verpleegster in de nachtdienst was een exotisch mooie zwarte vrouw, die Tanya Delaney heette. Ze betwijfelde of het passend en verstandig was om haar patiënt op zo'n onchristelijk uur te storen, zelfs als sommigen van hen van de politie waren, en dreigde even een nog grotere hinderpaal voor hun overleving te worden dan het nachthoofd was geweest.

De uitgeteerde, bleke, broodmagere vrouw in het bed was een spookachtige verschijning, maar Harry kon zijn blik niet van haar afwenden. Ze hield zijn blik gevangen omdat binnen in de gruwel van haar huidige toestand de tragisch zwakke maar onmiskenbare weerschijn zichtbaar was van de schoonheid die ze ooit was geweest, een geest die in haar verwoeste gezicht en lichaam rondspookte, weigerde haar bezit helemaal op te geven en daarmee de hartverkillende vergelijking mogelijk maakte tussen wat ze in haar jeugd hoogstwaarschijnlijk was geweest en wat ze geworden was.

'Ze lag te slapen.' Tanya Delaney praatte fluisterend, zoals zij allemaal. Ze stond tussen hen en het bed en maakte duidelijk dat ze haar verpleegsterstaak ernstig opvatte. 'Ze slaapt niet vaak vredig en ik maak haar dus niet graag wakker.'

Voorbij de stapel kussens en het gezicht van de patiënt, op een nachtkastje met daarop een blad met een chromen karaf ijswater, stond een eenvoudige, zwartgelakte lijst met de foto van een knappe jongen van een jaar of twintig. Een arendsneus. Dik zwart haar. Op de zwart-witfoto waren zijn ogen grijs, en dat waren ze in het echt ongetwijfeld ook, de tint van iets mat geworden zilver, om precies te zijn. Het was de jongen in de blauwe spijkerbroek en het T-shirt van Tecate, de jongen die met een roze tong zijn lippen aflikte bij het zien van James Ordegards in bloed gedrenkte slachtoffers. Harry herinnerde zich de haatdragende blik in de ogen van de jongen, toen hij hem weer achter de afzettingstape had geduwd en hem voor de ogen van de menigte had vernederd.

'Dat is hem,' zei Harry zacht en verbaasd.

Tanya Delaney volgde zijn blik. 'Bryan. Mevrouw Drackmans zoon.'

Harry draaide zich om, keek Connie aan en zei: 'Dat is hem.'

'Lijkt niet op de ratteman,' zei Sammy. Hij had zich teruggetrokken in de kamerhoek, zo ver mogelijk bij de patiënt vandaan; misschien herinnerde hij zich dat blinden, naar men zei, het verlies van hun gezichtsvermogen compenseren door een beter gehoor en een scherpere reuk te ontwikkelen. De hond jankte even zachtjes.

Janet Marco trok haar slaperige zoontje dichter tegen zich aan en staarde bezorgd naar de foto. 'Lijkt een beetje op Vince... dat haar... die ogen. Geen wonder dat ik dacht dat Vince terugkwam.'

Harry vroeg zich af wie Vince was, besloot dat dat geen dringende kwestie was en zei tegen Connie: 'Als haar zoon werkelijk alle rekeningen betaalt...'

'O ja, dat doet haar zoon,' zei de verpleegster. 'Hij zorgt zo goed voor zijn moeder.'

'... dan moeten ze hier op kantoor een adres van hem hebben,' maakte Connie zijn zin af.

Harry schudde zijn hoofd. 'Het nachthoofd laat ons nooit in de dossiers kijken. Die bewaakt ze met haar leven tot we terugkomen met een huiszoekingsbevel.'

De verpleegster zei: 'Ik vind echt dat u weg moet gaan voordat u haar wakker maakt.'

'Ik slaap niet,' zei de witte vogelverschrikker in het bed. Haar voor eeuwig gesloten oogleden trilden niet eens en lagen slap, alsof de spieren in de loop van de jaren verschrompeld waren. 'En ik wil zijn foto hier niet. Hij dwingt me om die te houden.'

Harry zei: 'Mevrouw Drackman…'

'Geen mevrouw. Zo noemen ze me, maar ik ben niet getrouwd. Ook nooit geweest.' Haar stem was dun maar niet zwak. Broos. Koud. 'Wat wilt u van hem?'

'Wij zijn van de politie,' vervolgde Harry. 'We moeten u een paar vragen over uw zoon stellen.'

Als ze meer dan alleen Tiktaks adres konden achterhalen, moesten ze die kans volgens Harry grijpen. Misschien vertelde de moeder iets waaruit een zwakke plek in haar buitengewone kroost bleek, zelfs al had ze geen idee van zijn ware aard.

Ze zweeg even en beet op haar lip. Haar mond was dichtgeknepen, haar lippen zo bloedeloos dat ze bijna grijs waren.

Harry keek op zijn horloge.

2.08 uur.

De uitgemergelde vrouw hief haar arm en haakte haar hand, mager en fel als een klauw, rond het hek van het bed. 'Tanya, laat ons alsjeblieft alleen.'

De verpleegster begon aarzelend bezwaar te maken, maar de patiënt herhaalde haar verzoek op scherpere toon, als een bevel.

Zodra de verpleegster weg was en de deur achter zich dicht had gedaan, vroeg Jennifer Drackman: 'Met hoevelen bent u?'

'Met z'n vijven,' zei Connie, die de hond vergat te vermelden.

'Jullie zijn niet allemaal van de politie en hier niet alleen vanwege politiezaken,' zei Jennifer Drackman met een scherpzinnigheid die misschien een gave was ter compensatie voor zoveel jaar blindheid.

Iets in de klank van haar stem, een merkwaardig soort hoop, bracht Harry ertoe om naar waarheid te antwoorden. 'Nee. We zijn niet allemaal van de politie, en we zijn hier niet alleen als politieagenten.'

'Wat heeft hij u aangedaan?' vroeg de vrouw.

Hij had hun zoveel aangedaan, dat niemand een manier kon bedenken om dat beknopt te verwoorden.

De vrouw interpreteerde hun stilte feilloos en zei: 'Weten jullie wat hij is?' Dat was een heel bijzondere vraag, die duidelijk maakte dat de moeder, in ieder geval tot op zekere hoogte, het anders-zijn van haar zoon besefte.

'Ja,' zei Harry. 'Dat weten we.'

316

'Iedereen denkt dat hij zo'n aardige jongen is,' zei de moeder met trillende stem. 'Ze luisteren niet. Het zijn domme dwazen. Ze luisteren niet. Al die jaren… geloven ze me niet.'

'Wij luisteren wel,' zei Harry, 'en we geloven het al.'

Iets hoopvols flikkerde over haar geteisterde gezicht, maar hoop was voor haar zó'n ongewone gezichtsuitdrukking, dat ze die niet vol kon houden. Ze hief haar hoofd van de kussens, en die simpele daad zorgde al dat de pezen onder de slappe huid van haar hals zich spanden als snaren. 'Haten jullie hem?'

Na een ogenblik stilte zei Connie: 'Ja. Ik haat hem.'

'Ja,' zei Janet Marco.

'Ik haat hem bijna evenveel als mezelf,' zei de invalide. Haar stem klonk nu bitter als gal. Even was de geest van haar vroegere schoonheid in haar verwelkte gezicht niet langer zichtbaar. Ze was pure lelijkheid, een groteske heks. 'Gaat u hem doden?'

Harry wist niet goed wat hij moest zeggen. Bryan Drackmans moeder hoefde niet naar woorden te zoeken: 'Ik zou hem zelf doden, hem doden… maar ik ben zo zwak… zo zwak. Gaat u hem doden?'

'Ja,' zei Harry.

'Dat is niet makkelijk,' waarschuwde ze.

'Nee, dat is niet makkelijk,' zei hij instemmend. Hij keek weer op zijn horloge. 'En we hebben ook niet veel tijd meer.'

4

Bryan Drackman sliep.

Zijn slaap was diep en bevredigend. Hij deed nieuwe krachten op.

Hij droomde van macht. Hij was een bliksemafleider. Hoewel het in zijn droom dag was, was de hemel bijna donker als de nacht en kolkten de zwarte wolken van het Laatste Oordeel. Uit dat onweer, de moeder van alle onweren, stroomden grote, aanzwellende rivieren elektrische stroom in hem, en als hij dat wilde, schoten lichtlansen en -ballen uit zijn handen. Hij was bezig te Worden. Als dat proces op een dag voltooid werd, zou hij het onweer zíjn, een grote vernietiger en reiniger, die alles wegspoelde wat er geweest was en de wereld in bloed dompelde. En in de ogen van hen die hij toestond te leven, zou hij eerbied zien, aanbidding, liefde, liefde.

Door de oogloze nacht dreven blinde, tastende handen van mist. Witte dampvingers drukten onderzoekend tegen de ramen van Jennifer Drackmans kamer.

In de koude zweetdruppels op de waterkaraf glom lamplicht, dat opgloeide in het roestvrij staal.

Connie stond met Harry aan de zijkant van het bed. Janet zat op de stoel van de verpleegster en had haar slapende zoon op haar schoot; de hond lag aan haar voeten met zijn kop op zijn voorpoten. Zwijgend, plechtig en in schaduwen gehuld stond Sammy in de hoek. Misschien herkende hij een paar elementen van zijn eigen geschiedenis in het verhaal waarnaar ze luisterden.

De verwelkte vrouw leek onder het praten verder te verschrompelen, alsof ze de energie om haar duistere herinneringen te delen, alleen kon opbrengen als ze daarvoor haar eigen ik verbrandde.

Harry had het gevoel dat ze zich al die jaren alleen ter wille van dit moment aan het leven had vastgeklampt, ter wille van toehoorders die niet neerbuigend luisterden, maar haar geloofden.

Met een stem van stof en roest zei ze: 'Hij is pas twintig. Ik was tweeëntwintig toen ik zwanger van hem werd... maar ik kan beter... een paar jaar voor zijn... verwekking beginnen.'

Een eenvoudige rekensom maakte duidelijk dat ze op dit moment twee- of drieënveertig was. Harry hoorde Connie en de anderen nerveuze schrik- en friemelgeluidjes maken, toen ze geschokt beseften hoe betrekkelijk jong Jennifer was. Ze leek niet gewoon maar oud: óeroud. Geen tien of twintig, maar véértig jaar voortijdig verouderd.

Terwijl zich over de nachtelijke ramen steeds dikkere vliezen mist vormden, vertelde Tiktaks moeder hoe ze op haar zestiende van huis wegliep. De school zat haar tot híer, ze was kinderlijk gretig op zoek naar opwinding en ervaringen, lichamelijk vroegrijp sinds haar dertiende maar zoals ze later besefte emotioneel onderontwikkeld en niet half zo slim als ze dacht.

In Los Angeles en later San Francisco had een knap meisje tijdens het hoogtepunt van de vrije-liefdescultuur eind jaren zestig, begin zeventig een ruime keus aan gelijkgezinde mannen om de nacht door te brengen en een bijna oneindige verscheidenheid aan geestverruimende middelen om mee te experimenteren. Na diverse baantjes in *head shops*, waar ze psychedelische posters en lavalampen en drugbenodigdheden verkocht, probeerde ze op zeker moment haar slag te slaan door de drugs zelf te verkopen. Ze was een goede verkoopster en bovendien knap, zodat de leveranciers om haar gunsten dongen. Op die manier kreeg ze de kans om een heleboel exotische stoffen uit te proberen, die op straat nooit volop te koop waren.

'Ik was vooral met hallucinerende middelen bezig,' zei het verdwaalde meisje, dat nog steeds ergens rondzwierf in het lichaam van de oeroude vrouw op het bed. 'Gedroogde paddestoelen uit Tibetaanse grotten, lichtgevende zwammen uit afgelegen valleien in Peru, vloeistoffen gedistilleerd uit cactusbloemen en vreemde wortels, de gemalen huid van Afrikaanse hagedissen, salamanderoog en alles wat een slimme scheikundige maar in zijn laboratorium kon brouwen. Ik wilde het allemaal proberen, veel van die dingen steeds opnieuw, alles wat me naar plaatsen bracht waar ik nog nooit was geweest en dingen liet zien die misschien niemand anders ooit zien zou.'

Ondanks de diepten van wanhoop waarin haar leven haar gestort had, sprak een verkillende hunkering, een griezelig verlangen uit Jennifers stem.

Harry wist bijna zeker dat een deel van Jennifer al diezelfde keuzes opnieuw zou maken, als ze de kans kreeg om die jaren over te doen.

De kilte die tijdens de Pauze in hem was gesijpeld, was nog niet helemaal weg, en nu drong een nieuwe kou tot in het merg van zijn botten.

Hij keek op zijn horloge. 2.12 uur.

Ze vervolgde haar verhaal wat sneller, alsof ze zijn ongeduld besefte. 'In 1972 raakte ik zwanger...'

Ze wist niet zeker wie van de drie mogelijke kandidaten de vader was, maar was niettemin aanvankelijk verrukt over het vooruitzicht op een baby. Ze kon niet samenhangend uitleggen wat de onophoudelijke inname van zoveel geestveranderende middelen haar geleerd had, maar ze meende toch een schat aan wijsheid te bezitten die ze haar kind wilde schenken. Die gedachte was nog maar één onlogisch stapje verwijderd van de mening dat voortgezet en zelfs nog ruimer gebruik van hallucinerende middelen tijdens haar zwangerschap tot de geboorte van een kind met een hoger bewustzijn zou leiden. Het waren vreemde tijden. Veel mensen meenden de zin van het leven te ontdekken in peyote en met een LSD-tablet de troonzaal van de hemel te kunnen betreden om een glimp van Gods gelaat op te vangen.

De eerste twee of drie maanden van haar zwangerschap straalde Jennifer van geluk bij het vooruitzicht om een volmaakt kind groot te zullen brengen. Misschien werd hij wel een nieuwe Dylan, Lennon of Lenin, een genie en vredestichter, maar hoger ontwikkeld dan die drie, omdat zijn verlichting dank zij de moed en vooruitziende blik van zijn moeder al in de baarmoeder was begonnen.

Met één slechte trip veranderde alles. Ze kon zich niet meer alle ingrediënten herinneren van het chemische mengsel dat het eind van haar leven inluidde, maar wist dat er onder andere LSD en het gemalen rugschild van een zeldzame Aziatische kever in hadden gezeten. In wat volgens haar de hoogste staat van bewustzijn was die ze ooit had bereikt, sloeg een reeks lichtende en vervoerende hallucinaties plotseling om in iets verschrikkelijks, dat haar met een naamloze maar verlammende doodsangst vervulde.

Zelfs na het einde van de slechte trip, toen de hallucinaties over dood en genetische gruwelen voorbij waren, bleef ze doodsbang elke dag erger. Aanvankelijk begreep ze niet hoe dat kwam, maar langzamerhand concentreerde ze zich op het kind binnen in haar en begon ze te begrijpen dat haar in haar gewijzigde geestestoestand een waarschuwing was gezonden: haar baby was geen Dylan maar een monster, geen licht dat de wereld ging beschijnen maar een brenger van duisternis.

Of dat waar was of alleen drugwaanzin, of het kind in haar al een mutant was of nog steeds een volstrekt normale foetus, zou nooit duidelijk worden, want haar overweldigende angst dreef haar een weg op die ook zelf verantwoordelijk had kunnen zijn voor de uiteindelijke mutagene factor die, gestimuleerd door haar apotheek vol drugs, van Bryan had gemaakt wie hij was. Ze wilde een abortus, maar niet op de gebruikelijke manier, want ze was bang van vroedvrouwen met hun kleerhangers en van aan lager wal geraakte artsen, wier alcoholisme hen dwong om op onwettige wijze te opereren. In plaats daarvan nam ze haar toevlucht tot opmerkelijk ongebruikelijke en uiteindelijk riskantere methoden.

'Dat was in tweeënzeventig.' Ze omklemde de spijl en kronkelde onder de lakens om voor haar halfverlamde en uitgeteerde lichaam een prettiger houding te vinden. Haar grijze haar was stijf als ijzerdraad.

Het licht viel nu uit een iets andere hoek op haar gezicht, en Harry zag dat de melkwitte huid over haar lege oogkassen overdekt was met een netwerk van ragfijne, blauwe bloedvaten.

Zijn horloge. 2.16 uur.

Ze zei: 'Het Hooggerechtshof legaliseerde de abortus pas begin drieënzeventig, in de laatste maand van mijn zwangerschap, zodat ik er pas gebruik van kon maken toen het te laat was.'

Maar als de abortus wettelijk wèl toegestaan was geweest, was ze misschien evenmin naar een kliniek gegaan, want ze vreesde en wantrouwde alle artsen. Eerst probeerde ze het ongewenste kind kwijt te raken met de hulp van een mystieke Indiase homeopathische genezer, die werkte vanuit een flat in Haight-Ashbury, in die tijd het middelpunt van de tegencultuur in San Francisco. Hij gaf haar eerst een stel kruidendranken, waarvan bekend was dat ze de baarmoederwand beïnvloedden en soms tot miskramen leidden. Toen die medicijnen niet hielpen, paste hij een reeks sterke kruidendouches toe, die met steeds meer kracht werden toegediend, om het kind weg te spoelen.

Toen ook die behandeling faalde, wendde ze zich wanhopig tot een kwakzalver, die een kortstondig populaire radiumbestraling aanbood naar men zei niet radioactief genoeg om de vrouw te schaden, maar dodelijk voor de foetus. De radicalere aanpak had evenmin succes.

Het leek wel of haar ongewenste kind besefte dat ze probeerde hem kwijt te raken en zich met onmenselijke hardnekkigheid aan het leven vastklampte, een afschuwelijk ding dat nu al sterker was dan een normale ongeboren sterveling en zelfs in de baarmoeder onkwetsbaar.

2.18 uur.

Harry was ongeduldig. Ze had hun tot dusver nog niets verteld dat hen hielp in hun strijd met Tiktak. 'Waar kunnen we uw zoon vinden?'

Jennifer dacht waarschijnlijk nooit meer een gehoor als dit te krijgen en was niet van plan haar verhaal aan hun schema aan te passen, ongeacht de gevolgen. Het vertellen ervan was voor haar kennelijk een soort boetedoening.

Harry kon het geluid van haar stem nauwelijks verdragen en de aanblik van haar gezicht helemaal niet. Hij liet Connie bij het bed achter en liep naar het raam om naar buiten in de mist te staren, die er koel en schoon uitzag.

'Ergens werd het hele leven een slechte trip,' zei Jennifer.

Harry vond het verwarrend om deze gekwelde en hologige oude vrouw zulk gedateerd jargon te horen gebruiken.

Volgens haar was haar angst voor de ongeborene erger dan wat ze ooit met drugs had ervaren. De zekerheid dat ze een monster onder haar hart had, groeide dagelijks. Ze had slaap nodig maar was er bang voor, omdat haar slaap werd verstoord door dromen over schokkend geweld, een oneindige verscheidenheid aan menselijk leed en iets ongeziens maar verschrikkelijks, dat zich altijd door schaduwen bewoog.

'Op een dag vonden ze me op straat. Ik schreeuwde, graaide naar mijn maag en raasde over een beest binnen in me. Ze zetten me in een psychiatrische inrichting.'

Vandaaruit werd ze aan de zorgen van haar moeder in Orange County toevertrouwd, waar ze zes jaar eerder was weggelopen. Medisch onderzoek had een baarmoeder vol littekens, vreemde aangroeisels en poliepen en een volstrekt abnormale bloedsamenstelling aan het licht gebracht.

Ofschoon het ongeboren kind geen afwijkingen vertoonde, bleef Jennifer overtuigd dat het een monster was en werd elke dag, elk uur hysterischer. Gesprekken, al of niet met priesters, konden haar angst niet bedaren.

In het ziekenhuis voor een keizersnede, noodzakelijk geworden door alles wat ze had gedaan om het kind kwijt te raken, verergerde haar hysterie tot waanzin. Ze ervoer een terugkeer van haar drugtrips vol visioenen over organische monsterachtigheden en kwam tot de irrationele overtuiging dat ze onmiddellijk tot de hel werd veroordeeld als ze ook maar één keer naar het kind keek dat ze ter wereld bracht. Haar weeën waren ongewoon pijnlijk en langdurig en ze lag in die tijd wegens haar geestelijke toestand meestal vastgebonden. Maar nog terwijl ze haar koppige kind baarde en de banden even werden losgemaakt om het haar wat makkelijker te maken, stak ze met haar eigen duimen haar ogen uit.

Naar de gezichten starend die zich vormden en weer oplosten in de mist, huiverde Harry bij het raam.

'En hij werd geboren,' zei Jennifer Drackman. 'Hij werd geboren.'

Zelfs zonder ogen kende ze de duistere aard van het schepsel dat ze ter wereld had gebracht. Maar hij was een mooie baby, werd een schat van een jongen (vertelden ze haar) en ten slotte een knappe jongeman. De jaren gingen voorbij, maar niemand wenste het paranoïde geraaskal van een vrouw die haar eigen ogen had uitgestoken, serieus te nemen.

Harry keek op zijn horloge. 2.21 uur.

Ze waren nog hoogstens veertig minuten veilig. Misschien heel wat minder.

'Ik moest zoveel operaties ondergaan, er waren zoveel complicaties van de geboorte, mijn ogen, infecties. Mijn gezondheid ging voortdurend achteruit, ik kreeg een paar beroertes en ging nooit meer terug naar het huis van mijn moeder. En dat was goed. Want híj was daar. Heel lang woonde ik in een openbaar verpleeghuis. Ik wilde sterven, bad om te mogen sterven, maar was te zwak om mezelf te doden... in veel opzichten te zwak. Twee jaar geleden, nadat hij mijn moeder had gedood, verhuisde hij me hierheen.'

'Hoe weet u dat hij uw moeder heeft gedood?' vroeg Connie.

'Dat heeft hij me verteld. En hij vertelde me hoe. Hij beschrijft me zijn macht, hoe die groeit en groeit. Hij heeft me zelfs dingen laten zien... En ik geloof dat hij alles kan wat hij zegt. U ook?'

'Ja,' zei Connie.

'Waar woont hij?' vroeg Harry, nog steeds met zijn gezicht naar de mist.

'In het huis van mijn moeder.'

'Wat is het adres?'

'Over heel veel dingen is mijn geest onhelder... maar dit herinner ik me.'

Ze gaf hun het adres.

Harry dacht dat hij ongeveer wist waar het was. Niet ver van het Pacific View.

Hij keek opnieuw op zijn horloge. 2.23 uur.

Harry wilde dolgraag de kamer uit, en niet alleen omdat ze dringend iets tegen Bryan Drackman moesten ondernemen. 'Ga mee,' zei hij.

Sammy Shamroe stapte uit zijn in schaduwen gehulde hoek. Janet stond op van de verpleegstersstoel en droeg haar slapende kind. De hond kwam overeind.

Maar Connie had een vraag, het soort persoonlijke vraag dat Harry altijd stelde en waarbij Connie altijd fronste van ongeduld omdat ze de belangrijkste feiten al wist.

'Waarom blijft Bryan u hier opzoeken?' vroeg ze.

'Om mij op een of andere manier te martelen,' zei de vrouw.

'Dat is alles? Hij heeft toch een wereld vol mensen om te martelen?'

Jennifer Drackman liet haar hand van de spijl glijden die ze al die tijd omklemd had gehouden, en zei: 'Liefde.'

'Komt hij omdat hij van u houdt?'

'Nee, nee. Hij niet. Hij is niet tot liefde in staat, weet niet wat dat woord betekent, dènkt alleen van wel. Maar hij wil liefde van mij.' De skeletachtige gestalte op het bed uitte een droge, vreugdeloze lach. 'Kunt u zich voorstellen dat hij me dáárom opzoekt?'

Harry ontdekte verbaasd dat hij met tegenzin een zeker medelijden opbracht voor het psychotische kind, dat ongewenst door deze gestoorde vrouw ter wereld was gebracht.

De kamer was warm en behaaglijk genoeg, maar de allerlaatste plaats in het heelal om liefde te zoeken.

6

Mist stroomde van de Stille Oceaan en nam de nachtelijke kust in een dichte, diepe en koele omhelzing. Hij vloeide door de slapende stad als de geest van een oeroude oceaan met een vloedlijn die ver boven die van de moderne zee lag.

Sneller dan raadzaam leek bij dit beperkte zicht, reed Harry over de snelweg langs de kust naar het zuiden. Volgens hem was het risico om tegen iemand op te botsen minder groot dan Bryans huis te laat te bereiken en een Tiktak aan te treffen die weer op krachten was gekomen.

Zijn handpalmen lagen vochtig op het stuur, alsof de mist op zijn huid gecondenseerd was. Maar in de auto was geen mist.

2.27 uur.

Sinds Tiktak was gaan rusten, was bijna een uur verlopen. Enerzijds hadden ze in die korte tijd heel veel bereikt. Anderzijds leek de tijd niet op een stroom, zoals het liedje zei, maar op een donderende lawine van minuten.

Janet en Sammy zaten onbehaaglijk zwijgend achterin. De jongen sliep. De hond leek rusteloos.

In de passagiersstoel knipte Connie het kaartleeslampje boven haar hoofd aan. Ze trok de cilinder van haar revolver open om zeker te weten dat in elke kamer een kogel zat.

Dit was al de tweede keer dat ze dat naging.

Harry wist wat ze dacht: stel dat Tiktak wakker was, de tijd had stilgezet nadat ze haar wapen voor het laatst gecontroleerd had, alle patronen had verwijderd, en alleen maar glimlachte als zij hem neer wilde schieten en de haan op lege kamers sloeg.

Net als eerst glom in de revolver een volledige serie patroonhulzen. Alle kamers waren geladen.

Connie klikte de cilinder dicht en deed het licht uit.

Harry vond dat ze er buitengewoon moe uitzag. Ingevallen gezicht. Waterige, bloeddoorlopen ogen. Hij maakte zich zorgen. Op dit moment van

totale uitputting moesten ze de gevaarlijkste misdadiger uit hun hele carrière besluipen. Hij wist dat hijzelf allerminst in zijn gewone vorm was.
Zijn waarnemingen waren minder helder en zijn reacties traag.

'Wie gaat het huis binnen?' vroeg Sammy.

'Harry en ik,' zei Connie. 'Wij zijn beroeps. Dat is het enige verstandige.'

'En wij?' vroeg Janet.

'Wachten in de auto.'

'Ik vind dat ik moet helpen,' zei Sammy.

'Zet dat idee onmiddellijk van je af,' zei Connie scherp.

'Hoe komen jullie binnen?'

Harry zei: 'Mijn partner heeft een stel lopers.'

Connie klopte op een zak van haar jasje om zeker te weten dat het opgevouwen pakje inbreekgereedschap er nog steeds was.

'Stel dat hij niet slaapt?'

Harry controleerde onder het rijden de straatnaambordjes en zei: 'Hij
slaapt wel.'

'Maar stel van niet.'

'Hij móet slapen,' antwoordde Harry, waarmee hij zo ongeveer alles zei
wat er te zeggen viel over hoe verschrikkelijk beperkt hun mogelijkheden
waren.

2.29 uur. Verdomme. Eerst stond de tijd stil, nu liep hij te snel.

De straat heette Phaedra Way. Op de straatnaambordjes van Laguna
Beach waren de letters te klein en moeilijk te lezen. Vooral in de mist. Hij
boog zich over het stuur en kneep zijn ogen tot spleetjes.

'Hoe kunnen we hem doden?' vroeg Sammy bezorgd. 'Ik zie geen manier
om de ratteman te doden. Hèm niet.'

'Eén ding is verdomd zeker,' zei Connie. 'We mogen hem niet verwon-
den. Dat risico is te groot. Misschien kan hij zichzelf wel genezen.'

Phaedra Way. Phaedra. Schiet op, schiet op.

'Maar als hij helende krachten heeft,' zei Harry, 'dan komen die van dezelfde plaats als al zijn andere vermogens.'

'Zijn geest,' zei Janet.

Phaedra, Phaedra, Phaedra...

Harry nam snelheid terug, want hij wist zeker dat ze in de buurt van Tiktaks straat waren, en zei: 'Ja. Wilskracht. Geestkracht. Paranormale vermogens zijn vermogens van de geest, en die huist in de hersenen.'

'Schot in het hoofd,' zei Connie.

Harry was het met haar eens. 'Van dichtbij.'

Connie keek grimmig. 'Dat is de enige manier. Geen juryproces voor die klootzak. Onmiddellijke hersenschade, onmiddellijke dood; dan heeft hij geen kans om terug te slaan.'

Harry herinnerde zich hoe de golem-zwerver vuurballen door de slaapkamer van zijn flat had gesmeten. Onmiddellijk waren withete vlammen uit de dingen geschoten die hij had aangestoken. Hij zei: 'Ja. Geen twijfel mogelijk. Vóór hij de kans krijgt om terug te slaan. Hé! We zijn er. Phaedra Way.'

Het adres dat ze van Jennifer Drackman hadden gekregen, lag minder dan drie kilometer van het Verpleeghuis Pacific View. Ze vonden de straat om 2.31 uur, iets meer dan een uur nadat de Pauze begonnen en geëindigd was.

Het was eigenlijk eerder een lang pad dan een korte straat. Het gaf slechts toegang tot vijf huizen, die allemaal uitkeken op de oceaan, ofschoon die nu in mist gehuld was. Omdat het van de lente tot de herfst overal langs de kust wemelde van de toeristen die een parkeerplaats bij het strand zochten, stond er bij de ingang een bord dat streng waarschuwde: PARTICULIERE WEG OVERTREDERS WORDEN WEGGESLEEPT, maar geen veiligheidshek beperkte de toegang.

Harry reed niet de hoek om. Omdat de straat zo kort was en de bestelwagen op dat stille nachtelijke uur genoeg lawaai maakte om de slapers te wekken en de aandacht te trekken, reed hij de afslag voorbij en parkeerde hij de auto tweehonderd meter verder langs de weg.

Alles beter, allemaal samen. Ze kunnen dus misschien allemaal een gezin worden en een hond willen hebben om eten te geven en allemaal warm en droog in een mensenplaats en dan plotseling alles mis, mis.

Doodkomst. De vrouw die geen jongen heeft. De niet zo stinkende man. Ze zitten voor in de auto en overal is doodkomst om hen heen.

Hij ruikt het aan hen, en toch is het geen geur. Hij ziet het aan hen; toch zien ze er niet anders uit. Het maakt geen geluid; toch hoort hij het als hij naar hen luistert. Als hij hun handen en gezicht aflikte, zou doodkomst geen eigen smaak hebben en toch te proeven zijn. Als ze hem streelden of krabden, zou hij het aan hun handen voelen; doodkomst. Het is een van de weinige dingen die hij aanvoelt zonder echt te weten hoe hij het weet. Doodkomst.

Hij siddert. Kan er niet mee ophouden.

Doodkomst.

326

Slecht. Heel slecht. Het ergste.

Hij moet iets doen. Maar wat? Wat wat wat wat?

Hij weet niet wanneer doodkomst is of waar of hoe. Hij weet niet of doodkomst voor één van hun tweeën is of voor allebei. Misschien is het alleen
voor één van hen, maar hij voelt het aan beiden alleen omdat het gebeurt
als ze samen zijn. Hij neemt dit niet zo goed waar als de talloze geuren
van de stinkende man of de angst van allemaal, want eigenlijk is het niet
iets dat hij kan ruiken of proeven; hij kan het alleen voelen, een kou, een
duisternis, een diepte. Doodkomst.

Dus…

Doe iets.

Dus…

Doe iets.

Wat wat wat?

Toen Harry de motor afzette en de koplampen uitdeed, leek de stilte bijna
zo diep als in de Pauze.

De hond was opgewonden; hij snuffelde en jankte. Als hij begon te blaffen, dempten de wanden van de bestelwagen het geluid. Bovendien wist
Harry zeker dat ze ver genoeg van het huis waren; geen enkel geluid van
de hond kon Tiktak wekken.

Sammy vroeg: 'Hoe lang wachten we tot we ervan uit moeten gaan… je
snapt me wel… dat jullie hèm niet hebben maar hij jullie? Sorry dat ik dat
moet vragen. Wanneer moeten we vluchten?'

'Als hij ons te pakken krijgt, krijg je geen kans om te vluchten,' zei Connie.

Harry draaide zich om en keek hen aan in het beschaduwde achterstuk.
'Klopt. Hij zal zich afvragen hoe we hem in jezusnaam gevonden hebben,
en als hij ons gedood heeft, komt er direct een nieuwe Pauze, controleert
hij alles en iedereen, jullie allemaal, om daarachter te komen. Als hij ons
te pakken heeft, weet je dat meteen, want een paar seconden echte tijd later verschijnt waarschijnlijk een van zijn golems hier midden in de auto.'

Sammy knipperde uilig met zijn ogen. Hij likte zijn gekloofde lippen af.
'Zorg er dan in godsnaam voor dat jullie hem doden.'

Harry deed zijn deur zachtjes open, terwijl Connie aan haar kant zachtjes
de auto verliet. Toen hij uitstapte, glipte de hond tussen de voorste stoelen
door en volgde hem voordat hij besefte wat er gebeurde.

Hij graaide naar het beest toen hij langs zijn benen streek, maar miste.

'Woofer, nee!' fluisterde hij.

De hond negeerde hem en dribbelde naar de achterkant van de auto.

Harry liep hem achterna.

De hond begon te hollen en Harry achtervolgde hem met een paar rennen-de passen, maar de hond was sneller en verdween in de dichte mist. Hij rende noordwaarts de weg langs, ongeveer in de richting van de afslag naar het huis.

Harry vloekte zachtjes, terwijl Connie zich bij hem voegde.

'Hij kan daar niet naar toe zijn,' fluisterde ze.

'Waarom niet?'

'Jezus, als hij iets doet waardoor Tiktak gewaarschuwd wordt…'

Harry keek op zijn horloge. 2.34 uur.

Misschien hadden ze nog twintig, vijfentwintig minuten. Of misschien waren ze al te laat.

Hij stelde vast dat hij zich over de hond geen zorgen meer kon maken.

'Denk eraan,' zei hij. 'Schot in het hoofd. Snel en van dichtbij. Dat is de enige manier.'

Toen ze de hoek van Phaedra Way bereikten, keek hij even om naar de auto. Die was opgeslokt door de mist.

7

1

Hij is niet bang. Niet. Niet bang.

Hij is een hond. Scherpe tanden en klauwen, sterk en snel.

Kruipend passeert hij een dikke, hoge oleander. Daarna de mensenplaats waar hij al eerder is geweest. Hoge, witte muren. De ramen donker. Bijna bovenin één vierkant bleek licht.

De geur van het ding-dat-je-doodmaakt hangt zwaar in de mist. Maar, net als alle geuren in de mist, niet zo scherp, niet zo makkelijk te volgen.

Het ijzeren hek. Krap. Wriggelen. Erdoor.

Voorzichtig bij de hoek van de mensenplaats. De laatste keer was het slechte ding met zakken eten buiten, achter de plaats. Chocolade. Marshmallows. Chips. Hij kreeg niets, maar werd bijna gesnapt. Steek deze keer dus je neus om de hoek. Snuffel snuffel snuffel. Dan je hele kop om te kijken. Geen teken van het jongeman-slechte-ding. Eerst was hij er, nu niet. Tot zover veilig.

Achter de mensenplaats. Gras, aarde, een paar platte stenen die de mensen neerleggen. Struiken. Bloemen.

De deur. En in de deur de kleine deur voor honden.

Voorzichtig. Snuffel. De jongeman-slechte-ding geur, heel sterk. Niet bang. Niet, niet, niet, niet. Hij is een hond. Brave hond, braaf.

Voorzichtig. Kop naar binnen, de hondendeur optillen. Piept zachtjes. Mensenetensplaats. Donker. Donker.

Binnen.

In de zacht lichtgevende mist van Phaedra Way brak elke lichtstraal uit de omgeving, niet alleen van de lage, paddestoelvormige Malibu-lantaarns langs het voorpad van een van de huizen maar ook van het verlichte huisnummer op een van de andere. De nacht leek er lichter door, maar zijn langzaam kolkende, vormloze glans was bedrieglijk, onthulde niets en verborg veel.

Van de huizen waar ze langsliepen, kon Harry maar weinig zien, behalve dat ze groot waren. Het eerste was modern; op diverse plaatsen staken scherpe hoeken uit de mist. Maar de andere leken oudere huizen in mediterrane stijl uit een fase in Laguna's geschiedenis die sierlijker was dan het einde van het millennium, en gingen achter volwassen palmen en ficussen schuil.

Phaedra Way volgde de kustlijn van een kleine klip, die uitstak in de zee. Volgens de voortijdig oude vrouw in het Pacific View stond het huis van Drackman helemaal aan het einde van de kaap.

Heel veel van wat hij had doorgemaakt, leek gestoeld op de duisterder elementen van sprookjes, en Harry was allerminst verbaasd geweest als hij aan het einde van de klip een klein maar onnatuurlijk donker bos had gevonden, vol lantaarnogige uilen en heimelijk sluipende wolven, en daar middenin in de beste woontraditie van heksen, heksenmeesters, tovenaars, trollen en dergelijke het uitgesproken sombere en broedende huis van Bryan.

Hij hoopte bijna zo'n soort huis te vinden. Dat zou een geruststellend teken van orde zijn.

Maar toen hij het huis bereikte, hield alleen een griezelige mistwade de traditie hoog. Zijn ligging en zijn bouw waren minder dreigend dan het enge hutje in het bos, waarop volksverhalen en sprookjes hem zolang hadden voorbereid.

Net als bij de huizen ernaast stonden er palmen in de ondiepe voortuin. Ondanks de verhullende mist waren massa's bougainville-ranken zichtbaar, die tegen een van de witgepleisterde muren klommen en zich uitspreidden over het rode pannendak. Het pad lag bezaaid met hun heldere bloemen. Een nachtlampje naast de garagedeur verlichtte het huisnummer, en de gloed daarvan werd weerkaatst in dauwdruppeltjes op de honderden heldere bougainville-bloemen, die als juwelen glommen op het pad.

Het was te mooi. Daar was hij irrationeel kwaad over. Niets was meer zoals het hoorde en alle hoop op orde ging in rook op.

Snel controleerden ze de noord- en zuidkant van het huis op tekenen van bewoning. Twee lichten.

Een daarvan zat boven aan de zuidkant bij de achterzijde van het huis. Eén enkel raam, dat van de voorkant niet te zien was. Misschien een slaapkamer.

Als het licht aan was, moest Tiktak al uit zijn dutje zijn ontwaakt, of was hij helemaal niet gaan slapen. Tenzij... Sommige kinderen wilden niet slapen zonder licht, en Tiktak was in veel opzichten een kind. Een twintigjarig, gestoord, vals, buitengewoon gevaarlijk kind.

Het tweede licht zat aan de noordkant, op de begane grond bij de achterste, meest westelijke hoek. Ze konden dus naar binnen kijken en zagen een geheel witte keuken. Verlaten. Een van de stoelen bij het glazen tafelblad stond half gekeerd, alsof iemand daar eerder had gezeten.

2.39 uur.

Omdat beide lichten zich bij de westelijke achterkant van het huis bevonden, deden ze geen poging om aan die kant binnen te komen. Als Tiktak zich wakend of slapend in de kamer met het licht bevond, hoorde hij de geluiden die ze maakten hoe steels ook eerder als ze recht beneden hem waren.

Omdat Connie het stel lopers had, sloegen ze de ramen over en liepen ze rechtstreeks naar de voordeur: een dikke plak eikehout met opgelegde panelen en een koperen klopper.

Het slot zou een Baldwin kunnen zijn, een goed merk, maar geen Schlage. In dat duister was het merk moeilijk te zien.

Links en rechts van de deur zaten zijramen van glas-in-lood met schuine ruitjes. Harry legde zijn voorhoofd tegen één van die ramen om in de hal erachter te kijken. Dank zij het licht dat uit een halfopen deur aan het einde viel, dat moest de keuken zijn, kon Harry door de hal een overschaduwde gang inkijken.

Connie opende het pakje lopers. Voordat ze aan het werk ging, deed ze wat elke goede inbreker doet: ze probeerde eerst de deur. Hij was niet op slot en ze duwde hem een paar centimeter open.

Ze stak de lopers in haar zak, maar nam niet de moeite om het pakje dicht te vouwen. Uit de schouderholster onder haar corduroy jasje haalde ze haar revolver te voorschijn.

Ook Harry trok zijn wapen.

Toen Connie aarzelde, besefte hij dat ze de cilinder had opengeklapt. Ze voelde met haar vingers of in alle kamers nog patronen zaten. Hij hoorde een zachte *klik* toen ze het wapen weer dichtmaakte; kennelijk had ze er zich van vergewist dat Tiktak geen truc had uitgehaald.

Zij liep als eerste de drempel over, omdat zij er het dichtst bij stond. Harry liep achter haar aan.

Ze stonden twintig seconden, dertig seconden in de hal met marmeren vloer te luisteren. Met hun wapen in twee handen en het vizier vlak onder ooghoogte hield Harry de linkerkant onder schot en Connie alles wat zich rechts bevond.

Stilte.

De Zaal van de Bergkoning. Ergens lag een trol te slapen. Of niet te slapen. Misschien alleen te wachten.

De hal. Niet veel licht, ondanks de flauwe tl-gloed, die via de gang uit de keuken viel. Aan hun linkerhand spiegels met donkere beelden van henzelf; schaduwvormen. Rechts was een deur naar een kast, of een klein kamertje.

Aan de rechterkant voor hen uit zigzagde een trap naar een in schaduwen gehulde overloop en vervolgens naar een onzichtbare gang op de eerste verdieping.

Recht voor hen uit lag de gang van de begane grond. Aan beide zijden doorgangen en donkere kamers. De keukendeur aan het einde stond misschien tien of vijftien centimeter open, en daarachter was licht.

Harry had hier een gruwelijke hekel aan. Hij had het al tientallen keren eerder gedaan. Hij was geoefend en ervaren. Niettemin had hij er een gruwelijke hekel aan.

De stilte hield aan. Alleen geluiden uit hun eigen lichaam. Hij luisterde naar zijn hart. Het klopte nog niet verontrustend, snel maar regelmatig, nog geen holderdebolder, onder controle.

De teerling was geworpen. Dus deed hij de voordeur zachtjes achter zich dicht, en maakte daarbij niet meer lawaai dan het beklede deksel van een doodskist, dat tussen de fluwelen gordijnen van een rouwkamer in stilte voor het laatst wordt neergelaten.

Bryan werd wakker uit een vernietigingsfantasie en keerde terug naar een wereld die de bevrediging van echte slachtoffers, echt bloed bood.

Even lag hij naakt op de zwarte lakens naar het plafond te staren. Hij was nog steeds in de greep van zijn droom en stelde zich voor dat hij onder een sterrenloze hemel gewichtloos boven de lichtloze zee dreef.

Levitatie was geen macht die hij bezat en hij was ook niet bijzonder bedreven in telekinese. Maar zodra hij volledig Geworden was, bezat hij ongetwijfeld het vermogen om te vliegen en alle materie op elke denkbare manier te manipuleren.

Langzaam werd hij zich bewust van de gekreukte plooien zijde, die onprettig in zijn rug en billen drukten, een koele lucht, een zure smaak in zijn mond, en een honger waarvan zijn maag rammelde. De fantasie vervloog. De Stygische zee veranderde in ebbezwarte lakens, de sterrenloze hemel werd een met halfmatte verf zwart geschilderd plafond, en hij moest toegeven dat de zwaartekracht nog steeds greep op hem had.

Hij ging rechtop zitten, zwaaide zijn benen over de rand van het bed en stond op. Hij gaapte, rekte zich behaaglijk uit en bekeek zichzelf in de spiegelwand. Ooit, als hij de mensenkudde had uitgedund, zouden er kunstenaars zijn onder hen die gespaard werden, en zij zouden zich laten inspireren tot schilderijen van hem, portretten bezield van eerbied en ontzag, net als de schilderijen van bijbelfiguren die nu in de grote Europese musea hingen, apocalyptische scènes op de plafonds van kathedralen, waar hij zou worden afgebeeld als een gigant die straffen uitdeelde aan de erbarmelijke massa's die aan zijn voeten stierven.

Hij draaide zich om, weg van de spiegels en bekeek de zwart gelakte planken waarop de weckpotten stonden uitgestald. Omdat hij, toen hij sliep, één bedlampje had aangelaten, hadden de votiefogen hem tijdens zijn goddelijkheidsdromen gadegeslagen. Ze sloegen hem nog steeds aanbiddend gade.

Hij herinnerde zich het genot van de blauwe ogen, gevangen tussen zijn handpalm en zijn lichaam, en de gladde, vochtige intimiteit van hun liefdevolle rondtocht.

Zijn rode kamerjas lag aan de voet van de kast, waar hij hem had laten vallen. Hij pakte hem, liet zich erin glijden, sloeg de ceintuur om en knoopte hem dicht.

Ondertussen bekeek hij stuk voor stuk de ogen. Geen enkele minachtte of verwierp hem.

Niet voor het eerst wou Bryan, dat zijn moeders ogen deel van zijn verzameling waren. Als hij bovenal díe ogen bezat, zou hij haar eenwording toestaan met elke bolling en holte van zijn goedgevormde lichaam, zodat ze zijn schoonheid begreep, hoewel ze die nooit gezien had, en besefte dat haar angst voor een gruwelijke mutatie dwaas was geweest en het offer van haar gezichtsvermogen zinloos en dom.

Als hij die ogen nu voor zich had, zou hij er een voorzichtig in zijn mond nemen en op zijn tong laten rusten. Dan zou hij hem doorslikken, zodat ze kon zien dat zijn schoonheid niet alleen uiterlijk maar ook innerlijk was. Met dit nieuwe inzicht zou ze haar ondoordachte daad van zelfverminking in de nacht van zijn geboorte betreuren, en dan zou het net lijken of de tussenliggende jaren van vervreemding nooit hadden bestaan. De moeder van de nieuwe god zou dan gaarne en aanmoedigend aan zijn zijde komen; dan werden zijn Wording, zijn Opklimming tot de troon en het begin van de Apocalyps gemakkelijker en sneller voltooid.

Maar het ziekenhuispersoneel had haar beschadigde ogen al lang geleden weggegooid, net zoals ze alle andere dode weefsels weggooiden, van besmet bloed tot een verwijderde blindedarm.

Hij zuchtte spijtig.

Harry probeerde vanuit de hal niet naar het licht aan het einde van de gang te kijken, waar de keukendeur op een kier stond, zodat zijn ogen sneller aan het donker wenden. Het was tijd voor actie. Maar ze moesten een paar beslissingen nemen.

Als hij en Connie kamer voor kamer een huis doorzochten, deden ze dat meestal, maar niet altijd, samen. Goede partners hadden voor elke soort situatie een betrouwbare routine die ze beide begrepen, maar waren ook soepel.

Soepelheid was essentieel, omdat sommige situaties in geen enkele categorie pasten. Zoals deze.

Het was volgens hem geen goed idee om samen te blijven, want hun tegenstander had betere wapens dan geweren of machinepistolen of zelfs explosieven. Ordegard had hen bijna te pakken gekregen met een granaat, maar déze hufter kon hen te grazen nemen met een vuurbal die hij uit zijn vingertoppen schoot of met een andere toverkunst die ze nog niet gezien hadden.

Welkom in de jaren negentig.

Als ze ver uit elkaar bleven de één bijvoorbeeld de begane grond doorzocht terwijl de ander de kamers boven voor zijn rekening nam spaarden ze niet alleen tijd op een moment dat elke seconde telde, maar verdubbelden ze ook de kans dat ze de griezel verrasten.

Harry bewoog zich naar Connie, raakte haar schouder aan, bracht zijn lippen naar haar oren en fluisterde nauwelijks hoorbaar: 'Ik boven, jij beneden.'

Door de manier waarop ze verstijfde, wist hij dat ze die taakverdeling niet prettig vond, en begreep waarom. Ze hadden al door het raam van de begane grond in de verlichte keuken gekeken en wisten dat daar niemand was. Het enige andere licht in het huis brandde boven; waarschijnlijk bevond Tiktak zich dus in die andere kamer. Ze was niet bang dat Harry de boel verknoeide als hij alleen naar boven ging, maar haar haat jegens Tiktak was gewoon zó groot, dat ze evenveel kans als hij wilde hebben om de kogel in zijn hoofd te jagen.

Maar dit was noch de tijd noch de plaats voor discussie, en dat wist ze. Wat hier gebeurde, viel niet te plannen. Ze moesten de golf berijden. Toen hij de drempel van de hal naar de trap overstak, hield ze hem niet tegen.

Bryan draaide zich om van de votiefogen. Hij liep de kamer door naar de open deur. Onder het lopen ruiste zijn zijden kamerjas zachtjes.

Hij wist altijd hoe laat het was, op de seconde en de minuut en het uur nauwkeurig, en wist dus ook dat de zon pas over een paar uur opging. Hij hoefde zich dus niet te haasten om zijn belofte aan die grote held de schietsmeris te houden, maar wilde heel graag weten waar hij was en zien in welke diepe wanhoop de man was gestort na beleefd te hebben hoe de tijd werd stilgezet en de wereld werd bevroren om verstoppertje te spelen. De dwaas zou inmiddels weten dat hij tegenover een onmetelijke macht stond en dat aan ontsnapping niet te denken viel. Het zou bijzonder bevredigend zijn om een tijdje te genieten van de angst en het ontzag waarmee hij inmiddels naar zijn achtervolger opkeek.

Maar eerst moest Bryan zijn lichamelijke honger stillen. Slaap herstelde maar voor een deel zijn krachten. Hij wist dat hij tijdens zijn laatste creatieve optreden een paar pond was afgevallen. Het gebruik van zijn Grootste en Geheimste Wapen eiste altijd een tol. Hij was uitgehongerd en had behoefte aan zoetigheid en zoutjes.

Hij liep zijn slaapkamer uit, ging rechtsaf naar de achterkant van het huis en haastte zich door de gang naar de achtertrap, die rechtstreeks naar de keuken leidde.

Er stroomde genoeg licht uit zijn open slaapkamer dat hij zichzelf zowel links als rechts kon zien lopen: een schouwspel van macht en majesteit, weerspiegelingen van de jonge god in Wording, die doelbewust naar de oneindigheid schreed, wervelend in koningsrood, koningsrood, rood op rood op rood.

Connie wilde niet van Harry vandaan gaan. Ze maakte zich zorgen om hem.

In de kamer van de oude vrouw in het verpleeghuis had hij eruitgezien als een opgewarmde dode, die werd opgediend op een papieren bord. Hij was wanhopig moe, een wandelende hoop kneuzingen en schaafwonden, en had in weinig meer dan twaalf uur zijn hele wereld in duigen zien vallen.

335

Hij had niet alleen zijn bezit verloren, maar ook dierbare opvattingen en een groot deel van zijn zelfbeeld.

Afgezien van dat bezit gold hetzelfde natuurlijk voor Connie. En dat was een andere reden waarom ze niet gescheiden het huis wilde doorzoeken. Geen van beiden had zijn normale scherpte, maar gezien de aard van deze misdadiger hadden ze een grotere voorsprong dan normaal nodig en ze móesten dus opsplitsen.

Terwijl Harry naar de trap ging en naar boven begon te lopen, draaide Connie zich tegen haar zin naar de deur rechts, die uitkwam op de hal. Hij had een normale deurknop. Ze duwde hem met haar linkerhand omlaag en hield de revolver in haar rechterhand naar voren. De bijna onhoorbare klik van het slot. De deur zachtjes naar binnen en naar rechts duwen.

Er zat niets anders op dan over de drempel te stappen, zo gauw mogelijk uit de deuropening te raken, deuropeningen zijn altijd het gevaarlijkst en zodra ze binnenkwam naar links te glippen met het wapen in beide handen voor zich uit, haar armen gestrekt langs elkaar. Haar rug naar de muur houden. Ingespannen in het diepe duister turen, niet in staat het lichtknopje te vinden of te gebruiken zonder zich bloot te geven.

Een verrassende hoeveelheid ramen in de noordelijke, oostelijke en westelijke muur *buiten waren er toch niet zoveel ramen geweest?* bood in het donker weinig soelaas. Tegen de vensters drukte zich een vaag lichtgevende mist als grijs, troebel water en ze had het vreemde gevoel dat ze in een bathysfeer in de diepzee zat.

Er was iets mis met de kamer. Op een of andere manier deugde hij niet. Ze wist niet precies wat ze voelde en wat er mis was, maar het was wèl aanwezig.

Er was ook iets vreemds aan de muur achter haar, toen ze er met haar rug langsgleed. Te glad, koud.

Ze haalde haar linkerhand van het wapen en voelde achter zich. Glas. De muur was van glas, maar het was geen raam, want dit was de muur naar de hal.

Connie stond even in verwarring en dacht koortsachtig na, want in deze omstandigheden was al het onverklaarbare angstaanjagend. Toen besefte ze dat het een spiegel was. Haar vingers gleden over een verticale naad naar een andere grote glasplaat. Een spiegelwand. Van de vloer tot het plafond. Net als de zuidelijke muur van de hal.

Toen ze achter zich naar de muur keek waarlangs ze zich zo steels had voortbewogen, zag ze spiegelbeelden van de ramen in de noordelijke muur en de mist daarbuiten. Geen wonder dat er meer ramen waren dan gekund had. De raamloze muren op het zuiden en westen waren spiegelwanden, en dé helft van de ramen die ze zag, spiegelbeelden.

En ze besefte waarom ze de kamer zo vreemd had gevonden. Ofschoon ze naar links was blijven lopen en de hoek tussen haar en de ramen steeds veranderde, had ze tussen haar en de grijzige rechthoeken van glas geen silhouetten van meubels gezien. Ook was ze niet tegen meubelstukken gebotst die met hun achterkant tegen de zuidelijke muur stonden.

Met beide handen weer op haar revolver liep ze voorzichtig naar het midden van de kamer. Ze was bang tegen iets aan te botsen en daarmee de aandacht te trekken. Maar bij elke centimeter verder en elke stap die ze deed, raakte ze er vaster van overtuigd dat er niets in de weg stond.

De kamer was leeg. Vol spiegels en leeg.

Toen ze bij het midden kwam, kon ze ondanks het onverminderde duister links van haar een vaag beeld van zichzelf onderscheiden. Een spook met haar omtrekken, dat zich door het spiegelbeeld van het mistgrijze raam op het oosten bewoog.

Tiktak was hier niet.

Een chaos van Harry's bewoog zich door de gang boven, gewapende klonen in vuile, gekreukte pakken, ongeschoren gezichten die grijs van de stoppels waren, gespannen en fronsend. Het waren er honderden, duizenden, een ontelbaar leger. In één enkele, licht gebogen lijn, die zich naar links en rechts tot in het oneindige uitstrekte, gingen ze zij aan zij voorwaarts. In hun wiskundige symmetrie en volmaakte choreografie hadden ze het ideaal van orde moeten zijn. Maar ze verwarden hem, ook al zag hij ze slechts vanuit zijn ooghoeken, en hij kon niet rechtstreeks naar links of naar rechts kijken zonder duizeligheid te riskeren.

Beide wanden waren van boven tot onder met spiegels bedekt, net als alle deuren naar de kamers. Daarmee werd een illusie van oneindigheid geschapen. Zijn spiegelbeeld kaatste heen en weer en weerspiegelde beelden van beelden van beelden.

Harry wist dat hij eigenlijk kamer voor kamer moest doorzoeken en geen onverkend terrein achter zich moest laten vanwaaruit Tiktak hem in de rug kon aanvallen. Maar het enige licht op de eerste verdieping lag recht voor hem uit, viel uit de enige deur die openstond, en de kans was groot dat de hufter die Ricky Estefan gedood had, zich in die verlichte kamer bevond en nergens anders.

Hij was zó moe, dat hij zijn smerisinstinct kwijt was, en zat tegelijk zó vol adrenaline, dat hij niet op kalme en beheerste reacties durfde te rekenen. Toch besloot hij de voorgeschreven procedure te laten voor wat die was, mee te drijven met de stroom, de golf te berijden, en de kamers achter zich onverkend te laten. Hij liep rechtstreeks naar de deur rechts, waarachter licht brandde.

De spiegelwand tegenover de open deur zou hem een blik op een deel van de kamer gunnen voordat hij de deuropening in en de drempel over moest, waarna er geen weg terug was. Met zijn rug naar de spiegelwand bleef hij bij de deur staan, en keek onder een hoek naar het spiegelbeeld van de smalle reep kamer, die dwars door de gang heen, in weer een ander stuk spiegel zichtbaar was.

Hij zag slechts een verwarrende hoeveelheid zwarte vlakken en hoeken. Het lamplicht viel op allerlei zwarte materialen, zwarte vormen tegen zwarte achtergronden, allemaal kubistisch en vreemd. Geen andere kleur. Geen Tiktak.

Plotseling besefte hij dat hijzelf maar een deel van de kamer zag, maar dat iemand die in het onzichtbare deel ervan naar de deur keek, onder een zodanige hoek kon staan dat hij zíjn oneindige hoeveelheid spiegelbeelden van muur naar muur zag kaatsen.

Hij liep de deuropening in, stapte over de drempel, bewoog zich snel en gebogen voort en hield zijn revolver in beide handen voor zich uit. Het vloerkleed in de gang liep niet tot in de slaapkamer door. In plaats daarvan was de vloer bedekt met zwarte tegels, waartegen zijn schoenen een klik-schraap-klik-geluid maakten, en al na drie passen bleef hij stokstijf staan, biddend dat niemand hem gehoord had.

Nog een donkere kamer, veel groter dan de eerste. Moest een woonkamer geweest zijn, die uitkwam op de gang. Meer ramen op de parelmoeren, lichtgevende mist en meer spiegelbeelden van ramen.

Connie kende deze bijzondere afwijking nu en verspilde hier minder tijd dan in de kleine kamer naast de hal. De drie raamloze muren hingen allemaal vol spiegels en er stonden geen meubels.

In de donkere spiegeloppervlakken hielden haar veelvoudige spiegelbeelden haar volmaakt bij, als geesten, als andere Connies in andere universums, die elkaar net even overlapten, en nauwelijks zichtbaar.

Tiktak keek kennelijk graag naar zichzelf.

Ook zij wierp graag een blik op hem, maar dan in het echt.

In stilte liep ze naar de benedengang terug en ging verder.

De grote, manshoge voorraadkast buiten de keuken lag vol koekjes, zuurtjes, toffees, alle soorten chocolade, karamels, rode en zwarte drop, blikjes zoete koekjes en exotisch gebak, geïmporteerd uit alle hoeken van de wereld, zakken kaaspopcorn, karamelpopcorn, chips, tortillachips, tortillachips met kaassmaak, pretzels, blikjes cashewnoten, amandelen, pinda's, gemengde noten, en miljoenen dollars baargeld, opgestapeld in strakke bundels biljetten van twintig en honderd dollar.

Terwijl hij zijn blik over de zoetigheid en de zoutjes liet glijden en probeerde te bedenken wat hij het liefst wilde eten en het minst leek op een maaltijd die oma Drackman goedgekeurd zou hebben, pakte Bryan afwezig een pakje honderddollarbiljetten en liet zijn duim langs de knisperende randen ritselen.

Hij had dit geld sinds hij, direct na de moord op zijn grootmoeder, de wereld met zijn Grootste en Geheimste Macht had stilgezet en in alle rust naar alle plaatsen was gegaan waar, beschermd door stalen deuren en gesloten hekken en alarmsystemen en gewapende bewakers, grote hoeveelheden geld werden bewaard. Hij nam zoveel als hij wilde en had de dwazen in uniform met hun wapens en hun sombere blik, die niet wisten dat hij er was, gewoon uitgelachen.

Maar hij besefte al snel dat hij aan geld weinig behoefte had. Hij kon zijn vermogens gebruiken om àlles te stelen, niet alleen geld, en hij kon boekhoudingen en overheidsdossiers wijzigen om zijn eigendom aan alle kanten wettelijk te funderen, als hij ooit ondervraagd zou worden. Bovendien, als hij inderdaad ooit ondervraagd werd, hoefde hij alleen maar de idioten te elimineren die hem waagden te verdenken en vervolgens hùn dossiers te wijzigen, zodat geen verder onderzoek plaatsvond.

De stapel geld in zijn voorraadkast was niet gegroeid, maar hij liet het nog steeds graag onder zijn duim ritselen, hoorde het graag knisperend trillen, rook het graag en deed er soms spelletjes mee. Het was zo heerlijk om te weten dat hij ook in dit opzicht anders was dan andere mensen: hij was het geld en alle materiële zorgen ontstegen. En het was grappig om te beseffen dat hij desgewenst de rijkste mens ter wereld kon zijn, rijker dan de

Rockefellers en de Kennedy's, de ene kamer na de andere kon volstoppen met geld en smaragden, als hij smaragden wilde, diamanten en robijnen, alles, alles, net als de piraten van vroeger in hun schuilholen omringd door schatten.

Hij gooide het pakje bankbiljetten terug op de plank vanwaar hij het gepakt had. Vanuit de zijkant van de kast, waar hij zijn voedselvoorraad had, pakte hij twee dozen met kleine bakjes pindakaas en een gezinsverpakking Hawaïaanse chips, die veel meer olie bevatten dan gewone chips. Oma Drackman had een hartaanval gekregen bij de gedachte alleen al.

Harry's hart klopte zó snel, dat zijn oren overspoeld werden met een geroffel, dat twee keer zo hard was als normaal en het geluid van naderende voetstappen waarschijnlijk overstemde.

In de zwarte slaapkamer dreven tientallen ogen in een heldere vloeistof op zwarte planken. In het amberen lamplicht glansden ze zacht. Sommige waren zó vreemd, dat het diereogen moesten zijn, maar andere waren mensenogen, godallemachtig, sommige bruin en sommige zwart, blauw, groen, lichtbruin. Zonder de bescherming van oogleden of wimpers leken ze allemaal bang en eeuwig wijd open van vrees. In een opwelling van waanzin vroeg hij zich af of hij, als hij ze van heel dichtbij bekeek, in alle lenzen van die dode ogen het spiegelbeeld van Tiktak zou zien, het laatste dat elk slachtoffer in deze wereld gezien had, maar hij wist dat dat onmogelijk was en verlangde hoe dan ook niet naar een blik van zó dichtbij.

Bezig blijven. Die krankzinnige klootzak was hier. In dit huis. Ergens. Charles Manson met paranormale vermogens, godjezuschristus.

Niet in het bed met zijn verwarde en gekreukte lakens, maar ergens.

Jeffrey Dahmer gekruist met Superman, John Wayne Gayce met de spreuken en kunsten van een tovenaar.

En als hij niet in bed lag, dan was hij wakker, o Jezus, wakker en dus nog geduchter en moeilijker te benaderen.

Kast. Controleren. Alleen kleren, niet veel, vooral spijkerbroeken en rode kamerjassen. Verder, verder.

Deze kleine griezel was Ed Gein, Richard Ramirez, Randy Kraft, Richard Speck, Charles Whitman, Jack the Ripper, alle legendarische massamoordenaars in één, en bovendien begiftigd met onbegrensde paranormale talenten.

De aangrenzende badkamer. De deur door, geen licht, zoeken, alleen spiegels, nog meer spiegels op alle wanden èn het plafond.

Weer in de zwarte slaapkamer en zo stil mogelijk over de zwarte tegels op weg naar de deur, wilde Harry niet nog eens naar die drijvende ogen kijken, maar kon het niet laten. Toen hij er een nieuwe blik op wierp, besefte hij dat in een van die potten de ogen van Ricky Estefan moesten zitten, hoewel hij het paar niet kon identificeren en in de huidige omstandigheden niet eens meer wist welke kleur Ricky's ogen hadden gehad.

Hij bereikte de deur, stak de drempel over, liep de bovengang in, werd duizelig van het oneindige aantal beelden van zichzelf, en zag vanuit zijn linker ooghoek iets bewegen. Een beweging die geen andere Harry Lyon was. Het kwam recht op hem af en ook niet uit een spiegel. Laag. Hij draaide bliksemsnel naar links, bracht de revolver in de aanslag, oefende druk op de trekker uit en hield zich voor dat het een schot in het hoofd moest zijn, in het hoofd, alleen een schot in het hoofd hield die hufter tegen.

Het was de hond. Kwispelstaartend en met zijn hals gestrekt.

Hij had hem bijna voor de vijand aangezien en gedood, en Tiktak daarmee gewaarschuwd dat er iemand in huis was. Hij was nog maar een paar gram verwijderd van de druk die nodig was om een schot te lossen, toen hij de trekker losliet, en zou de fout hebben gemaakt om de hond hardop te vervloeken, als zijn stem niet had gestokt in zijn keel.

Connie bleef naar schoten op de eerste verdieping luisteren. Ze hoopte dat Harry Tiktak in zijn slaap zou verrassen en zijn hersens met een paar kogels ging klutsen. De voortdurende stilte begon haar zorgen te baren.

Ze had snel nog een ander spiegelvertrek tegenover de woonkamer doorzocht en was nu in wat, naar ze aannam, in een gewoon huis de eetkamer was geweest. Deze was makkelijker te overzien dan de andere waar ze geweest was, omdat van onder de deur naar de aangrenzende keuken een reep licht viel, waarschijnlijk van een tl-buis. Iets van het duister werd erdoor verdreven.

In de ene muur zaten ramen, de drie andere hingen vol spiegels. Geen enkel meubelstuk, absoluut niets. Ze nam aan dat hij nooit in de eetkamer at, en hij was zeker geen gezellig iemand die veel mensen ontving.

Ze begon terug te lopen naar de doorgang naar de benedengang, maar besloot toen vanuit de eetkamer rechtstreeks naar de keuken te gaan. Ze had vanaf buiten door het raam in de keuken gekeken en wist dat Tiktak daar niet was, maar voordat ze zich boven bij Harry voegde, moest ze er nog één keer haar blik op werpen, gewoon voor alle zekerheid.

Met twee dozen vol bakjes pindakaas en een zak chips bij zich liet Bryan het licht in de voorraadkast branden en liep de keuken in. Hij keek even naar de tafel, maar had geen zin om daar te eten. Een dikke mist drukte zich tegen het raam, dus als hij buiten de patio opging, had hij geen uitzicht op de brekende golven op het strand beneden, en dat was de beste reden om buiten te eten.

Hij was hoe dan ook het gelukkigst als de votiefogen hem gadesloegen; hij besloot naar boven te gaan en in de slaapkamer te eten. De glanzende, witbetegelde vloer glom genoeg om het rood van zijn kamerjas te weerspiegelen; hij leek dus door een dun, voortdurend verdampend laagje bloed te waden terwijl hij door de keuken naar de achtertrap liep.

De hond stopte even om naar Harry te kwispelstaarten en haastte zich toen langs hem heen naar het einde van de gang. Daar stond hij stil en tuurde uiterst waakzaam door het achterste trappehuis omlaag.

Als Tiktak in een van de kamers boven was geweest die Harry nog niet gecontroleerd had, had de hond beslist belang in die gesloten deur gesteld. Maar hij dribbelde ze allemaal voorbij naar het einde van de gang, en daar voegde Harry zich bij hem.

Het kleine trappehuis bevatte een wenteltrap, die als in een vuurtoren omlaag en uit het zicht spiraalde. De gebogen rechtermuur was bedekt met hoge, smalle spiegels, die de treden vlak ervoor weerspiegelden; omdat elke spiegel in een kleine hoek ten opzichte van de vorige hing, werd elke volgende ook weerspiegeld in het spiegelbeeld van de vorige. Door dit eigenaardige kermiseffect zag Harry zijn volledige spiegelbeeld in de eerste paar spiegels aan zijn rechterhand, maar dan in elke volgende spiegel steeds minder van zichzelf, tot hij in de spiegel precies aan het einde van de eerste trapspiraal helemaal niet meer zichtbaar was.

Hij wilde net de trap aflopen, toen de hond verstijfde, een stuk broekomslag in zijn bek nam en hem tegenhield. Hij kende de hond inmiddels goed genoeg om te weten wat diens poging om hem staande te houden betekende: beneden was gevaar.

Maar het gevaar was precies wat hij zocht, en hij moest het vinden voordat het hèm vond; verrassing was hun enige hoop. Hij probeerde zich geluidloos los te rukken en zonder de hond te laten blaffen, maar die hield zijn broek stevig vast.

Verdomme.

Vlak voordat Connie de keuken inliep, meende ze iets te horen. Ze bleef dus aan de eetkamerkant van de deur staan en luisterde aandachtig. Niets. Niets.

Ze kon daar niet eeuwig blijven staan. Het was een klapdeur. Voorzichtig trok ze hem naar zich toe en keek eromheen, in plaats van hem naar buiten te duwen, waar hij een deel van haar gezichtsveld zou blokkeren.

De keuken leek verlaten.

Harry trok opnieuw, maar met hetzelfde resultaat als eerst; de hond hield hem stevig vast.

Met een nieuwe nerveuze blik langs de spiegeltrap kreeg Harry het afschuwelijke gevoel dat Tiktak inderdaad daar beneden was en op het punt stond te ontsnappen, of nog waarschijnlijker: Connie tegenkwam en haar doodde, en dat allemaal omdat de hond hem niet naar beneden wilde laten sluipen om zo achter zijn doelwit terecht te komen. Hij tikte de hond dus flink op zijn kop met de loop van zijn revolver en riskeerde een jånkend protest.

De hond liet hem geschrokken los maar blafte goddank niet, en Harry liep vanuit de gang de eerste tree op. Nog terwijl hij de trap af begon te lopen, zag hij in de verste bocht van de eerste spiraal iets roods opflitsen, toen nog een rode flits, een vloedgolf rode stof.

Voordat Harry de betekenis daarvan tot zich door kon laten dringen, schoot de hond langs hem heen. Hij liep hem bijna omver en stortte zich het trappehuis in. Toen zag Harry nog meer rood, iets dat op een rok leek en een rode mouw, en een deel van een blote pols en een hand, een mannenhand die iets vasthield, iemand kwam naar boven, misschien Tiktak, en de hond raasde op hem af.

Bryan hoorde iets, keek op van de dozen zoetigheid in zijn handen en zag een troep identieke honden grauwend in zijn richting de trap afstormen. Geen troep natuurlijk, slechts één hond, almaar weerspiegeld in de gehoekte spiegels. In het echt was hij nog niet zichtbaar, maar hij wierp de spiegelbeelden van zijn aanval vooruit. Bryan had echter slechts de tijd om te hijgen, voordat het dier de bocht om schoot en recht op hem afkwam. Hij rende zó snel, dat hij zijn houvast verloor en afstuitte van de gebogen muur. Bryan liet de zoetigheid vallen en de hond herwon genoeg evenwicht op de trap om de aanval in te zetten. Hij stortte zich grauwend en happend op Bryans gezicht en borst en allebei vielen ze hals over kop achterover naar beneden.

Op het gegrauw, de geschrokken kreet en het bonkende geraas van vallende lichamen draaide Connie zich bliksemsnel om van de open voorraadkast, waar planken volgestapeld waren met geld, en keek naar de doorgang waarachter de wenteltrap uit het zicht spiraalde.

De hond en Tiktak vielen op de keukenvloer, Tiktak plat op zijn rug en de hond boven op hem, en even leek het of de hond de hals van de jongen wegscheurde. Toen piepte de hond en werd hij weggeslingerd, niet door handen gegooid of door een voet weggetrapt, maar weggezònden met een bleke flits telekinetische energie en door de ruimte gesmeten.

Heilige Moeder Gods, hij ging voor haar ogen tegen de grond, maar helemaal op de verkeerde manier. Ze was niet dicht genoeg bij hem om de loop van haar revolver tegen zijn schedel te rammen en de trekker over te halen; ze stond ongeveer tweeëneenhalve meter bij hem vandaan, maar schoot desondanks: één keer toen de hond nog door de lucht vloog en nog eens toen hij tegen de deur van de koelkast knalde. Ze raakte hem beide malen, omdat hij niet eens besefte dat ze in de keuken was tot de eerste kogel insloeg, misschien in zijn borstkas, de tweede in zijn been, en hij rolde van zijn rug op zijn buik. Ze schoot opnieuw, de kogel *pèngde* van de tegelvloer en joeg een sproeiregen keramische scherfjes op, en vanuit zijn vooroverliggende houding strekte Tiktak één uitgespreide hand naar haar uit, weer die vreemde flits, net als bij de hond, en toen voelde ze zichzelf de lucht ingaan en hard genoeg tegen de keukendeur slaan om al het glas erin te versplinteren en schokgolven pijn langs haar ruggegraat te jagen. Het wapen schoot uit haar hand en haar corduroy jasje stond plotseling in brand.

Zodra de hond Harry voorbijstoof en krabbelend, stuiterend en springend rond de eerste bocht van de smalle wenteltrap uit het zicht verdween, ging Harry hem met twee treden tegelijk achterna. Hij viel voordat hij de bocht bereikte en klapte met zijn hoofd tegen een van de spiegels, maar tuimelde niet helemaal naar beneden. Met één been onder zich raakte hij midden op de trap bekneld.

Verdoofd en koortsachtig keek hij rond naar zijn wapen, en ontdekte dat hij het nog steeds omklemd hield. Hij klauterde duizelig overeind en liep, met zijn ene hand tegen de spiegels om zijn evenwicht te bewaren, verder naar beneden.

De hond piepte, er klonken schoten. Harry spiraalde naar beneden, de laatste bocht in, en was op tijd onder aan de trap om te zien hoe Connie achterwaarts en brandend tegen de deur werd gesmeten. Tiktak lag recht voor de trap, met zijn gezicht naar de keuken op zijn buik. Harry sprong de laatste tree af en kwam hard boven op de rode zijde terecht die de rug van de jongen strak omspande, ramde de loop hard tegen de onderkant van diens schedel, zag het metaal van zijn revolver plotseling groen opgloeien, voelde het begin van wat een snelle en verschrikkelijke hitte in zijn hand zou kunnen zijn, en haalde de trekker over. De knal klonk gedempt alsof hij in een kussen vuurde, de groene gloed verdween op het moment dat hij was opgekomen, en opnieuw haalde hij de trekker over. Twee kogels in het trollehoofd. Dat was beslist genoeg, móest genoeg zijn, maar met toverij en in deze horlepiep van het einde van het millennium, deze wilde jaren negentig, wist je het maar nooit. Hij vuurde dus nogmaals. De schedel barstte in stukken open als de schil van een pompoen die met een hamer wordt bewerkt, maar toch schoot Harry nog een keer, zelfs voor de vijfde maal, tot zich een afzichtelijke smeerboel over de grond had verspreid en er geen kogels meer in de revolver zaten. De haan sloeg met een droog *klik, klik, klik, klik, klik* tegen de verbruikte hulzen.

2

Connie had zich van haar brandende jasje ontdaan en had het vuur uitgetrapt tegen de tijd dat Harry besefte dat zijn wapen leeg was, van de dode trol stapte en haar wist te bereiken. Verbazingwekkend genoeg was ze razend snel in actie gekomen en had ze kunnen verhinderen dat ze brandde als een fakkél, want haar jasje uittrekken werd bemoeilijkt door het feit dat haar linkerpols gebroken was. Op haar linkerarm had ze ook een kleine brandwond, maar die was niet ernstig.

'Hij is dood,' zei Harry, alsof dat nog gezegd moest worden, en toen legde hij zijn armen om haar heen en hield hij haar zo stevig vast als mogelijk was zonder haar wonden te raken.

Ze beantwoordde zijn omhelzing onstuimig met één arm, en zo bleven ze even staan, niet in staat iets te zeggen, tot de hond kwam rondsnuffelen. Hij liep mank en hield zijn rechter achterpoot boven de grond, maar leek voor de rest niets te mankeren.

Harry besefte dat Woofer uiteindelijk tòch niet de oorzaak van een ramp was geworden. Als die zich niet de trap af had gestort, zodat Tiktak hals over kop omlaag viel en het verrassingselement van Connies en Harry's aanwezigheid in het huis nog een paar doorslaggevende seconden bewaard was gebleven, lagen zij nu dood op de grond, terwijl de grijnzende golem-meester nog leefde.

Harry voelde een huivering van bijgelovige vrees door zich heen gaan. Hij moest Connie loslaten, teruggaan naar het lijk, en er nog eens naar kijken, gewoon om zeker te weten dat Tiktak dood was.

3

In de jaren veertig bouwden ze betere huizen, goed geïsoleerd en met dikke muren, en misschien was het daarom dat geen van de buren op de schoten reageerde en geen aanstormende sirenes door de dikke, nachtelijke mist jankten.

Maar Connie vroeg zich plotseling af, of Tiktak niet in het laatste moment van zijn leven de hele wereld, op dit huis na, in een nieuwe Pauze had gegooid, met het plan hen in het nadeel te brengen en dan op zijn gemak te doden. En als hij was gestorven toen de wereld stilstond, zou de tijd dan ooit weer op gang komen? Of zouden zij en Harry en de hond daar alleen doorheen moeten zwerven tussen miljoenen ooit levende paspoppen?

Ze rende naar de keukendeur en naar buiten, de nacht in. Ze voelde een koele bries op haar gezicht, die haar haar opwoei. De mist kolkte en hing niet onbeweeglijk als een wolk glitter in een presse-papier van kunststof. De donderende golven op het strand beneden. Heerlijke, heerlijke geluiden van een levende wereld.

4

Ze waren politiemensen met plichts- en rechtsgevoel, maar niet dwaas genoeg om na afloop van dit geval de voorgeschreven procedures te volgen. Nooit konden ze de plaatselijke autoriteiten erbij halen en de ware omstandigheden uitleggen. De dode Bryan Drackman was gewoon een twintigjarige man, en met niets kon bewezen worden dat hij verbazingwekkende vermogens had bezeten. De waarheid vertellen betekende een enkele reis naar een gekkenhuis.

De potten met ogen echter, die nietsziend op de planken in Tiktaks slaapkamer dreven, en de vreemde hoeveelheid spiegels in dit huis waren bewijs genoeg dat ze het pad van een psychopathische moordenaar hadden gekruist, zelfs als niemand ooit de lijken vond waaruit hij de ogen verwijderd had. Hoe dan ook konden ze één lijk bewijzen en daarmee een aanklacht tot brute moord onderbouwen: Ricky Estefan, die oogloos in Dana Point lag, omringd door slangen en tarantula's.

'Op een of andere manier,' zei Connie, terwijl ze in de voorraadkast naar het geld stonden te staren, 'moeten we een verhaal verzinnen dat alles dekt, alle gaten en onverklaarbaarheden, en waarom we in dit geval niet de procedures hebben gevolgd. We kunnen niet gewoon de deur dichtdoen en weglopen, want te veel mensen in het Pacific View weten dat we daar vannacht geweest zijn om met zijn moeder te praten en zijn adres te achterhalen.'

'Verhaal?' vroeg hij uitgeput. 'Lieve God in de hemel, wat voor verhaal?'

'Dat weet ik niet,' zei ze krimpend van de pijn in haar pols. 'Dat is jouw afdeling.'

'De mijne? Waarom de mijne?'

'Jij hebt altijd van sprookjes gehouden. Verzin er maar een. Het moet het afbranden van het huis, Ricky Estefan en dit geval hier omvatten. In ieder geval die drie.' Hij stond haar nog steeds aan te gapen, toen zij naar alle stapels geld wees. 'Dit maakt het verhaal alleen maar ingewikkelder. Laten we de dingen wat simpeler maken door het hier weg te halen.'

'Ik wil zijn geld niet,' zei Harry.

'Ik ook niet. Geen dollar. Maar we zullen nooit achterhalen van wie het gestolen is, en het gaat dus gewoon naar de regering, dezelfde regering die ons de horlepiep van het nieuwe millennium heeft bezorgd, en ik kan de gedachte niet verdragen dat ze nòg meer geld krijgen om te verspillen. Bovendien kennen we allebei een paar mensen die het goed gebruiken kunnen, hè?'

'God, ze zitten nog steeds in de auto te wachten,' zei hij.

'Laten we het geld in een zak stoppen en naar hen toe brengen. Dan kan Janet ze met de hond wegbrengen in de bestelwagen, zodat ze hier niet bij betrokken raken. Intussen zet jij een verhaal in elkaar, en tegen de tijd dat ze weg zijn, zijn wij klaar om de boel te melden.'

'Connie, ik kan toch niet...'

'Begin maar vast met nadenken,' zei ze. Ze trok een plastic vuilniszak uit een doos op een van de planken.

'Maar dit is waanzinniger dan...'

'We hebben niet veel tijd,' zei ze waarschuwend, en hield met haar ene goede hand de zak open.

'Oké, oké,' zei hij geprikkeld.

'Ik sta te trappelen om het verhaal te horen,' zei ze, terwijl zij stapels bankbiljetten in de eerste open zak schepte en hij een tweede openmaakte. 'Want het wordt heel leuk.'

5

Dit is een goede dag, goede dag, goed. De zon schijnt, een windje blaast door zijn vacht, interessante beestjes hebben het druk in het gras, interessante geuren van verre, interessante plaatsen op mensenschoenen, en geen katten.

Iedereen hier, allemaal samen. Al sinds vanmorgen vroeg doet Janet heerlijk ruikende dingen in de etenskamer van de mensenplaats, van de mensen- en hòndenplaats, van hun plaats. Sammy in de tuin snijdt tomaten van planten en trekt wortelen uit de grond interessant; moet ze daar begraven hebben als botten en brengt ze dan naar de voedselkamer, waar Janet er heerlijke dingen mee doet. Dan wast Sammy de stenen, die mensen op een deel van het gras achter hun plaats leggen. Wast de stenen met de slang, ja ja ja ja ja, de slang, het water spat, koel en lekker, iedereen lacht, hij duikt, ja ja ja ja. En daar helpt Danny de doek op de tafel leggen die op de stenen staat, en zet de stoelen, borden en dingen goed. Janet, Danny, Sammy. Hij weet nu hoe ze heten. Daarvoor zijn ze al lang genoeg samen. Janet en

Danny en Sammy, allemaal samen in de Janet-en-Danny-en-Sammy-en-Wooferplaats.

Hij weet nog een beetje dat hij Prins was, en Max vanwege de kat die in zijn waterbak piste, en weet nog dat iedereen hem heel lang Knul noemde, maar nu luistert hij alleen naar Woofer.

De anderen komen ook aanrijden met hun auto, en hij weet bijna even goed hoe zíj heten, want ze zijn hier zo vaak, komen zo vaak op bezoek. Harry, Connie en Ellie. Ellie is zo groot als Danny. Allemaal komen ze op bezoek van de Harry-en-Connie-en-Ellie-en-Totoplaats.

Toto. Brave hond, brave hond, braaf. Vriend.

Hij neemt Toto meteen mee naar de tuin, waar ze niet mogen graven stoute honden als ze graven, stoute honden, stout om hem te laten zien waar de wortelen begraven waren als botten. Snuffel snuffel snuffel snuffel. Er zijn er nog meer begraven. Interessant. Maar niet opgraven.

Spelen met Toto en Danny en Ellie, rennen en jagen en springen en in het gras rollen en rollen.

Een goede dag. De beste. De beste.

Dan eten. Eten! Ze brengen het uit de mensenetenskamer en stapelen het op de tafel, die op de stenen in de schaduw van de bomen staat. Snuffel snuffel snuffel snuffel, ham, kip, aardappelsalade, mosterd, kaas, kaas is lekker, plakt aan je tanden maar is lekker, en nog veel, veel meer eten daar boven op die tafel.

Niet opspringen. Braaf zijn. Een brave hond zijn. Brave honden krijgen meer restjes, meestal niet alleen restjes maar hele stukken van dingen, ja ja ja ja ja.

Een sprinkhaan springt. Sprinkhaan! Jaag, jaag, pak hem, pak hem, pak hem, moet hem pakken, Toto ook, spring, spring nòg eens, die kant, deze kant, sprinkhaan…

O, wacht, ja, het eten. Weer naar de tafel. Zit. Borst naar voren. Kop omhoog. Kwispelstaart. Daar zijn ze dol op. Lik je ribben, misschien snappen ze wat je bedoelt.

Daar komt het. Wat wat wat wat? Ham. Een stuk ham om mee te beginnen. Goed goed goed, op. Een heerlijk begin, een verrukkelijk begin.

Zo'n goede dag. Hij wist altijd dat zo'n dag zou komen, een heleboel goede dagen achter elkaar, en nu al heel lang, want het is gebeurd, het is echt gebeurd, hij is die ene laatste hoek omgegaan, heeft in die ene vreemde nieuwe plaats gekeken, en heeft het prachtige ding gevonden, het prachtige ding waarvan hij altijd heeft geweten dat het op hem lag te wachten.

Het prachtige ding, het prachtige ding, dat is deze plaats en dit moment en deze mensen. En hier is een stuk kip, dik en sappig!